André Vianco

Saga O Vampiro-Rei | Livro 1

BENTO

Copyright © 2003 André Vianco

Saga O Vampiro-Rei | Livro 1

BENTO

1ª edição: Agosto 2021

Direitos reservados desta edição: CDG Edições e Publicações

O conteúdo desta obra é de total responsabilidade do autor
e não reflete necessariamente a opinião da editora.

Autor:
André Vianco

Revisão:
Gabriela Castro e Lays Sabrina

Projeto gráfico:
Jéssica Wendy

Ilustração de capa:
Fabiano Neves

DADOS INTERNACIONAIS DE CATALOGAÇÃO NA PUBLICAÇÃO (CIP)

Vianco, André
    Bento / André Vianco. – São Paulo : Citadel, 2021.
    480 p.

ISBN: 978-65-5047-107-1

1. Ficção brasileira I. Título

21-2464   CDD B869.3

Angélica Ilacqua - Bibliotecária - CRB-8/7057

Produção editorial e distribuição:

contato@citadel.com.br
www.citadel.com.br

André Vianco

Saga O Vampiro-Rei | Livro 1
BENTO

2021

Olhando de perto,
nossa vida é bem feia.

Aos meus tios Negão (Zélio) e Del (Vandélio)

Agradecimentos

À amiga Martha Argel, pelas dicas de impacto ambiental. Grande garota!

Aos leitores que entraram em contato comigo, me cobrando um novo livro. Aqui está, gente!

Aos que vêm lendo e comentando sobre os livros deste escritor com os amigos, parentes, professores e com todo ser que anda e lê sobre a Terra.

Beijão e abraços a todos.

CAPÍTULO 1

Ao abrir os olhos, só sabia de uma coisa: que estava em um lugar escuro. Flexionou os dedos para senti-los e ouviu estalos. Os braços estavam estendidos rentes ao corpo, e a garganta parecia muito seca, incomodando para engolir. O estômago ardia e sentia as costas doloridas, como se tivesse dormido mais que de costume. Precisava levantar-se e tomar água, e quis erguer-se, mas estava fraco.

Dor... Confusão mental... Onde estava?

Percebeu que aquela não era sua casa. Uma sensação estranha se apoderou dele, como aquelas que acontecem na infância, quando vamos dormir em um lugar bem diferente, na casa de outra pessoa, e acordamos assustados de manhã, olhando para o teto, encontrando um cenário muito diverso do nosso habitual. Nessas horas, a gente leva um instante para se lembrar...

Lembranças... Sentiu medo!

Tentou levantar-se novamente, mas a falta de forças o impediu. Sentiu espasmos musculares nas pernas e braços, cãibras doloridas, e soltou um gemido entredentes ao tentar pedir ajuda, mas a voz mesmo não saiu. Percebeu alguma coisa espetada no braço... Uma agulha! Não conseguia ver, mas sabia que estava enfiada na sua carne. Sentiu mais medo, seus olhos arregalaram-se e os globos oculares dançaram nervosamente.

Respirou fundo repetidas vezes, com o peito subindo e descendo, e parou de se retorcer de dor e desespero por um momento. Tentou lembrar-se, mas não conseguiu. Como eram mesmo os móveis em seu quarto? Não foi possível se recordar de sua casa, mas sabia que estava longe de lá. E em casa, claro, não estaria com uma agulha no braço! A mente clamou por calma e ele tentou recuperar o controle da respiração. O coração batia disparado, e pensou que talvez estivesse amarrado, por isso não podia se mexer. Viu então que estava mesmo preso ao leito e respirou profundamente.

Deus do céu! O que tinha acontecido com sua casa? O que tinha acontecido com ele? Sequestro? Doença? Onde estava a luz? Desespero...

Os olhos começaram a lacrimejar intensamente, a ponto de as lágrimas escorrerem em direção aos ouvidos. Não conseguia fazer nada além de articular os dedos doloridos das mãos. Os artelhos estalaram e também doeram na primeira flexão. Fechou os olhos, mas abertos ou cerrados era indiferente, e nada havia além da escuridão absoluta e do desprazer da consciência. Uma única coisa diferia com os olhos fechados: uma ponta de segurança. O medo diminuía e era como mergulhar em um canto seguro e imaginar proteção, voltando a um lugar conhecido, dentro de sua cabeça.

Tentou lembrar-se da noite anterior. O que tinha feito antes de dormir? O que tinha comido? Pizza da Tomanik? Um Tchê Filet? O medo voltava a crescer e sentiu desespero, pois não conseguia rememorar...

Adormeceu e despertou de repente. Havia tido um pesadelo horrível e tentou levar a mão à testa, mas a realidade era terrível. As mãos continuavam atadas à cama e havia aquela dor aguda no braço! Algo na *vena*... vena? Não.. A palavra certa não era *vena*, era veia... Confusão. Dor de cabeça. Tosse. Garganta seca e dolorida. Fome. Uma fome do cão! Uma fome dos infernos! Sede também, precisava de água. Puta merda!

Queria ficar em pé e chacoalhou-se na cama. Ouviu um barulho... Eram passos. Viu um facho de luz. Fez esforço para emitir um ruído, mas só um som gutural escapou da sua boca... o que deveria ser um pedido de socorro soou como um resmungo. Precisava de ajuda. Calou-se. Conteve a saliva na garganta, evitou engolir, e pensou: *E se aqueles passos não vierem de um amigo?* Poderia ter sido sequestrado e aqueles poderiam ser os pés do inimigo, do responsável por ele estar preso e com uma coisa espetada no braço. Os músculos doíam muito e não devia ter se chacoalhado, pois agora tudo doía mais. Virou a cabeça, apurou os ouvidos e ouviu mais passos e vozes. Eram dois ao menos. Fechou os olhos e fingiu dormir, pois talvez passassem por ele sem incomodá-lo, mas precisava descobrir onde estava e o que havia feito na noite anterior, relembrar os últimos acontecimentos. Mas aí o medo voltava, o pavor. Onde morava mesmo? O que fazia? Deus! Amnésia... só podia ser isso. Recordava a droga do termo médico, mas não lembrava do nome do modelo de seu carro. Carro... Podia ter sofrido um acidente de carro! Viu que as pessoas fuxicavam e aquietou-se. Falavam baixo para que ele nada ouvisse, mas quem seriam? Aproximaram-se e ele fechou os olhos. Sabia que estavam parados ao seu lado, mas fingiu-se de morto. Mas e se fossem a salvação, a resposta para suas perguntas? Sentiu dedos forçando suas pálpebras e abrindo os olhos contra sua vontade. Um facho de luz cegante invadiu sua visão e ele explodiu num grito.

— Falei que este aqui também tava...!

A mão forçou o olho mais uma vez e a luz encheu e queimou sua retina, vindo um gemido de protesto seguido de um pigarro seco. Abriu os olhos e viu dois homens com aventais brancos. O mais baixo anotava em uma prancheta e o mais alto, de bigode, ajustava um estetoscópio na orelha e colocava o espelho frio em seu peito, enquanto na outra mão trazia uma lanterna.

— Me ajudem... — gemeu.

Os homens pareciam ignorá-lo. Nenhuma palavra de amparo.

— O que você acha que ele é?

— Como vou saber? Ele acabou de acordar. Demora uns dias...

— Ah... — exclamou o outro, como se fosse novo na função.

O de bigode estalou os dedos junto ao tímpano do examinado. O homem assustou-se e virou os olhos para ele rapidamente.

— Reflexos bons. Está ouvindo, pelo menos. Tem cada um... — disse, enfadonho. — Anota aí.

O mais baixo obedeceu. O de bigodes olhou para o examinado fitando-o por uns segundos.

— Sabe seu nome? Lembra-se de alguma coisa?

O paciente meneou a cabeça negativamente. Engoliu em seco, semicerrando os olhos, atordoado pela luz. Não lembrava de seu próprio nome.

— Anota aí.

— Me ajuda — clamou o recém-desperto. — Onde estou?

— Eles vêm buscar você em algumas horas. Você e o outro. Vão explicar tudo pra você. Tenta relaxar. Boa sorte.

Quis reclamar, mas a voz não saiu. Os homens deixaram o lugar conversando e, antes de o facho de luz desaparecer, escutou o mais baixo falando:

— Quando trouxeram todos para cá, mano, deve ter sido foda demais.

— Olha a boca.

Ouvia os passos dos homens se afastando, a luz minguando, e queria pedir ajuda para sair dali, não queria ficar preso naquela cama, mas sim saber mais do que sabia. A voz do de bigode veio de longe, reverberando na distância.

— Mas foi difícil, sim. Ninguém sabia o que isso aqui ia virar e nem que iam juntar tanta gente neste lugar.

— O nome dele era Cássio, né?

— É, Cássio.

— Foda, muito foda.

Escutou uma bronca do de bigode mais uma vez, e então veio a escuridão.

"Eles vêm buscar você em algumas horas."

Bento

Fechou os olhos e respirou profundamente, deixando o peito magro encher-se completamente e depois esvaziar-se até o último fôlego. O que estava acontecendo? Sua transpiração, no meio daquela aflição, tinha se transformado em uma membrana fina, arrepiando sua pele. Sufocou-se com um engasgo involuntário e lágrimas desceram pelo rosto.

Droga! Não lembrava nem do próprio nome.

CAPÍTULO 2

Acordou com barulho novamente e ouviu passos aproximarem-se. Fachos de luz dançaram em seu campo de visão, com iluminação de lanterna. *Fatores de risco*, pensava. Tentou manter os olhos abertos. Teria sido alcoolismo? Ninguém era trouxa de preencher aquele campo com um *sim*. Ano da habilitação? Família? Apertou os olhos. As luzes estavam próximas, e ele moveu a cabeça, estirando-a completamente para trás. A pele do pescoço estava tesa e o gogó, saliente. O cabelo crispava-se contra o leito enquanto tentava ver quem vinha, e pareciam dois homens. Podia ver, de ponta-cabeça, a luz batendo nas paredes, que pareciam recobertas por azulejos brancos do chão ao teto. Era um hospital? Só podia ser, mas não ouvia vozes dessa vez, pois eles vinham em silêncio. Seriam os mesmos homens de antes? Possivelmente. Lembrou-se de que o modelo era importante, o ano, às vezes, o modelo diferia do ano, e isso alterava o valor. Apertou os olhos. Por que pensava nisso agora? Modelo? Ano? Tinha que se concentrar nos homens chegando, quando duas lanternas se dirigiram para seu rosto e ele não conseguiu manter os olhos abertos, pois a claridade incomodava absurdamente. Não eram os mesmos homens, apesar de usarem os mesmos aventais, mas com certeza não eram os de antes, pois pareciam mais altos e mais fortes, e usavam óculos grossos, de segurança, feitos inteiramente em acrílico, além de terem máscaras para respirar. Se estavam tão protegidos e tomavam tantos cuidados... logo, ele só podia estar doente, devia ser isso. Esses homens tinham os olhos diferentes, verdes.

Sentiu a cama ser deslocada. Era, portanto, uma maca com rodas, que passou a deslizar pela sala. Podia ver outras macas e sentiu um arrepio percorrer sua espinha. Apesar da penumbra e da pouca luz que vazava do foco das lanternas, conseguia ver outros corpos! Mais gente que parecia... morta. Quantas camas existiriam? Passou por dezenas, mas a luz das lanternas era tão fraca que não conseguia ver muito nem ter certeza de muita coisa. Os olhos voltaram-se para o teto e não viu nenhuma lâmpada. As luminárias não estavam apagadas, estavam vazias! Era como uma caverna escura. Sentiu um frio na barriga. Os outros... Um deles era especial, ele sabia... Queria falar e pedir que esperassem, estava faltando um, mas estava escuro demais para enxergar direito, e a luz nunca chegaria ali só com as lanternas daqueles homens estranhos. E para onde estava sendo levado? Precisa se levantar, colocar os pés no chão e impedir que fossem separados, mas não conseguia se mexer. Pigarreou e arriscou a fala:

— Onde estou?

Os homens olharam ligeiramente para o recém-desperto e voltaram a prestar atenção ao caminho.

— Pelo amor de Deus, não me ignorem — reclamou o homem, pigarreando novamente. — Onde estou? O que aconteceu comigo?

— Não podemos falar. Ainda não é hora.

— Só queria saber onde eu estou... por que não podem me dizer?

— Você não está preparado.

Calou-se e continuou sendo conduzido por um extenso corredor, igualmente recoberto por azulejos brancos. Ao sentir uma luz forte, fechou os olhos, mas dali em diante havia luminosidade. Surgiram intercaladas uma luminária acesa e duas sem lâmpadas. Quando passava pela iluminação mais abundante, era obrigado a espremer as pálpebras, pois seus olhos arredios rejeitavam a iluminação, tinha dor de cabeça e sentia o corpo fraco, além de muita sede. Pôde ver sua pele pela primeira vez e impressionou-se com a magreza dos braços e a brancura da derme. Estava doente, visivelmente doente. Podia até ver seus ossos!

— O que eu tenho? Estou doente?

— Fica quieto que é melhor. Depois a gente fala.

— Eu vou morrer?

Os dois riram, sem parar de conduzir a maca. Não falaram mais com o desperto, não responderam às suas perguntas. Apertaram um botão e viram o paciente girar os globos oculares em todas as direções. Por que tinham parado? O que era aquele botão luminoso? Barulho escapava por detrás de uma porta. Sede e dor. O estômago queimava.

— Preciso de água. Pelo amor de Deus! Só um gole.

Os homens ignoraram. O barulho aumentou atrás da porta, que se dividiu, abrindo passagem. Um cômodo apertado esperava do outro lado. Entraram com a maca. Girou os olhos e viu um painel com oito círculos numerados. O mascarado escolheu um deles. O cômodo balançou. Percebeu uma sensação estranha na barriga. Sabia o nome daquilo. Elevação... elevativo... não... Elevador! Os homens tiraram as máscaras. Ele estranhou. Se estava doente, se precisavam de máscaras lá embaixo... por que estavam tirando-as agora?

As portas do elevador abriram-se novamente. Mais uma vez, a maca trafegou por um corredor. Pararam. Outra porta foi aberta e havia luz no novo novo ambiente. A maca foi conduzida até o centro, e um dos condutores, sem aviso ou preparo, puxou a extensa agulha do braço do desperto. Um pouco de sangue vazou na dobra interna do braço esquerdo. O homem acordado soltou um gemido breve. Estava agitado, com a cabeça girando para lá e para cá, com os olhos apertados por causa da claridade, mas tentando ver tudo. O outro libertou seus braços e pernas das cintas de couro que o mantinham imobilizado. Respirou fundo.

O quarto de azulejos brancos de cima a baixo era amplo, com paredes de mais ou menos cinco metros de altura, e vigorosamente iluminado. Uma das paredes comportava um vidro grosso, formando uma espécie de janela larga e simples. Que raio de hospital era aquele? Que doença ele tinha? Por que não se lembrava direito das coisas? Os homens de avental e máscaras cirúrgicas penduradas no queixo saíram, deixando o recém-desperto sozinho. Agora era com ele.

Tentou levantar-se. A cabeça parecia que ia explodir. Estava indignado com o tratamento. Por que não lhe explicavam as coisas? Piscou. Os olhos acostumavam-se paulatinamente com a luz. Por causa da fraqueza, foi se apoiando aos poucos nos cotovelos, deixando o tronco elevado. Sentiu muita tontura. Veio o enjoo. Teria sido envenenado? Como podia ter ficado tão mal de um dia para o outro? Como podia ter passado uma noite tão maldormida? Não fazia sentido. Exceto se... sentiu um calafrio ao imaginar uma terrível possibilidade.

Talvez não estivesse naquele hospital por um dia apenas. Podia estar ali havia uma semana. Ou um mês! Teria acontecido algo com sua cabeça? Acidente? Talvez. Acidente vascular cerebral? Talvez. Mas não lembrava nem do próprio nome... Inspirou fundo. Tinha se lembrado de amnésia, de AVC, mas não se lembrava da porra do seu nome. Sorriu nervosamente. De palavrão lembrava, mas do nome não.

Olhou para a grande janela. Forçou a cabeça para a frente, sentando-se no fino colchonete da maca hospitalar. As costas doeram. Estendeu as mãos diante dos olhos. Mal-estar. A pele empalidecida. As unhas pareciam grossas e estavam mais compridas do que costumava deixar. A mão era pele e ossos. Horrível. Alterou o ritmo da respiração. As unhas dos pés também estavam compridas e arroxeadas. Fazia tempo que não as cortava. Estava nu e não tinha percebido por causa da claridade, mas o lençol que cobria a parte baixa de seu corpo tinha sido levado com os carregadores de maca. Os pelos negros sobre o peito pálido destacaram-se, e a barriga afundava, juntando-se à pélvis, onde mais pelos negros brigavam com a alvura cutânea. Sentiu tontura, via bolinhas flutuando diante dos olhos, talvez

Bento

por alguma reação do corpo por colocar-se subitamente em pé. Tocou o chão com a planta dos pés, e um frio intenso subiu pelas pernas, sentindo até mesmo o saco escrotal retrair-se abruptamente. Percebeu choques nos membros, cambaleou e não se conteve, caindo no piso branco de lajotas azulejadas. O corpo todo gelou e ele engatinhou até a parede. Achou que ia vomitar, estava zonzo e sua vista turvou. Sentiu que os lábios tinham rachado com o esforço, não em um ponto apenas, mas pelo menos três cortes ele tinha em cada lábio.

Viu adiante um catre acolchoado preso por correntes finas à parede e apoiou--se nele, sentando-se na beirada. Não conteve o suco gástrico e o verteu ralo, o que azedou-lhe o paladar e deixando a boca ácida, mas pelo menos mais umedecida.

Deitou-se um instante na cama, esperando que o quarto parasse de girar e que os espasmos estomacais abandonassem seu corpo. Não queria vomitar mais, porém não estava bem. Queria entender o que se passava, que doença havia lhe acometido, onde estava e, principalmente, quem era. Lágrimas molharam a face do homem.

Não lembrar da própria identidade o desesperava.

CAPÍTULO 3

Adriano apanhou o capacete de cima da poltrona e passou a mão pelo curto cavanhaque. Olhou-se no espelho e benzeu-se. Deus! Sabia que a próxima missão não seria fácil. Já tinha feito muitas cruzadas, muitas empreitadas como aquela, mas sempre tinha medo, muito medo.

Faltavam poucos minutos para o nascer do sol. Teriam todo o dia para cruzar a estrada até a próxima cidade, no próximo forte, e levar informações novas sobre o plano. Estavam chegando perto de criar uma nova arma para combater o mal noturno. Com a alvorada, deixaria os portões de Nova Luz para trás. As coisas tinham que seguir em frente, independentemente de seus temores – e temia porque sabia o que aconteceria caso as coisas saíssem errado na estrada.

O mundo era outro desde a Noite Maldita, como ficou conhecido aquele funesto evento. Trinta anos passaram-se desde então. Adriano era um moleque na ocasião, um menino que só queria aprender a andar de skate como o irmão mais velho. Mas o irmão havia se tornado um daqueles malditos e nunca mais foi visto. O pai caiu em um sono profundo e a mãe tornou-se uma espécie de louca. Ele cresceu como muitos da sua idade, aprendendo a se virar com os sobreviventes, arrastando a mãe para as fortificações e fugindo dos malditos durante a noite. Cresceu como um bravo soldado. Agora era peça importante na luta contra os noturnos. Era um dos escolhidos, um dos poucos soldados a conhecer o plano, a saída alternativa para derrubar os malditos da noite.

Pegou a mochila que estava em cima da cama. Carina, a esposa, ainda dormia. A vantagem de ser um soldado importante era ter a casa constantemente vigiada e, com esse luxo, poder dormir a noite toda em paz. Mesmo assim, não dispensava o armamento pesado, que deixava ao lado do leito – outro luxo: armas de fogo carregadas. Não eram todos que as tinham. Munição era um artigo valioso.

Adriano vestiu uma jaqueta jeans. Apesar do ar morno àquela hora da madrugada, o trajeto até São Vítor seria feito em motos, e uma jaqueta sempre era uma proteção a mais. Beijou a mulher que estava em sono profundo e deixou a casa. O céu já não estava mais tão escuro, e ganhava uma coloração roxo-alaranja-da, com fraca claridade. Nuvens cruzavam baixas e velozes.

O mundo estava tão diferente que, às vezes, era difícil de acreditar que se vi-via no mesmo planeta. Vida mesmo só experimentavam ao longo do dia, durante as horas de sol. À noite, fechavam-se e protegiam-se como podiam, defendendo--se dos malditos noturnos. Isolavam-se em comunidades como aquela, cercada por muros altos e torres de vigias ocupadas por soldados atentos do poente ao nascente. Os olhos ficavam sempre abertos e só relaxavam quando o sol raiava. Sabiam que a luz era a única defesa inabalável. A escuridão era a chave que liber-tava o mal sobre a Terra. Durante as horas noturnas, eles corriam pelas florestas, pelas matas que tomavam as cidades antigas. Os grandes centros não existiam mais, ao menos para a humanidade. Lá, os noturnos tinham se instalado, for-mando gigantescos e perigosos covis. Durante as noites, eles destruíam estradas, acabavam com hidrelétricas, minando as forças dos sobreviventes. Vinham para as comunidades e invadiam os recantos, atravessando os muros fortificados, bus-cando os vivos para deles tomarem a vida ou criarem novos escravos. Caçavam e buscavam os adormecidos. Tramavam porque queriam os adormecidos. A for-ça das criaturas noturnas crescia. Selvagens, comiam a tecnologia conquistada e impediam que os sobreviventes se unissem, dificultando estratégias conjuntas e ampliando a separação.

Não havia mais telefonia fixa ou móvel, rede de computadores ou eletrici-dade. Raros eram os lugares seguros. Atacavam em bandos e tomavam sangue e vidas. A chegada da noite era o terror dos sobreviventes. Chamavam-se assim – sobreviventes –, pois era o que eram. Sabiam que dali para o fim dos dias seria assim que se sentiriam: meros sobreviventes, gente que escapou do grande mal que dizimou o mundo conhecido. Eram agora como ratos acuados com medo de gatos gigantes, insanos, que tinham presas compridas e sede de sangue.

A cada alvorecer, oravam agradecidos ao céu por estarem ainda vivos e sãos. A cada anoitecer, muitos sucumbiam à loucura, e choravam desesperados, com medo das criaturas noturnas ou de que caíssem no sono e não mais despertassem. E se essa noite se repetisse, tinham medo de acordar feito malditos, loucos pela escuridão e com medo do sol. Era difícil acreditar naquele mundo... uma fantasia tirada de livros antigos, de filmes perversos.

Adriano adentrou o pátio. O chão de terra batida exalava um cheiro agradá-vel produzido pelo evaporar do orvalho. Oito motos estavam em pé, lado a lado, esperando por seus cavaleiros. Adriano olhou para seu time: eram bons homens. Apenas um era novato, um soldado em formação. Não importava quão estúpido parecesse o iniciado, era sempre recebido como um irmão. Poucos tinham coragem de se unir à missão dos cavaleiros para ligar as cidades e continuar a comunicação. Era uma tarefa perigosa mesmo. Para ser cavaleiro, era preciso ter coragem, e eram muito poucos os que se dispunham a cruzar as estradas. Por essa razão, aceitavam o alistamento tanto de homens quanto de mulheres.

Adriano fez um sinal ao homem que estava em cima do muro. Rodeou os companheiros e olhou para Paraná, sobre a moto, do lado esquerdo, enquanto prendia o capacete. O soldado de Nova Luz trazia um saco de lona, que continha mensagens e alguns presentes de pessoas da fortificação para o velho Bispo, o místico de São Vítor. Ia também com ele a lista de nomes de parentes e conhecidos adormecidos nos porões do Hospital Geral de São Vítor (HGSV). Adriano olhou para a moto à direita. Gaspar estava de cabeça baixa, olhos fechados, com os dedos pressionando as pálpebras, concentrado e movendo os lábios. Estava rezando. O asfalto esperava.

A rodovia começava imediatamente após o portão. Menos nuvens cobriam o céu, e as estrelas já perdiam o brilho com a chegada da manhã. Adriano inspirou profundamente. Apertou a presilha da mochila que tinha às costas e checou a bainha do facão preso à cintura. Guardou o rifle no coldre especialmente preso à moto esportiva, de mil e duzentas cilindradas. A vermelhidão persistia no horizonte com a luz do sol. Olhou para os sete acompanhantes. Sorriu para eles. Montou na moto e deu a partida. Os soldados também ligaram os motores de seus veículos, todos potentes. Adriano colocou o capacete e repetiu o aceno ao guarda postado em cima do muro da fortificação.

O portão começou a deslizar, dando aos homens a visão tão costumeira que tinham do terreno imediato à cidade. Após a famigerada faixa de areia, Nova Luz era cercada por Mata Atlântica, tão cerrada e repleta de altas árvores que a luz tardava a penetrar e chegar ao asfalto negro. Os oito cavaleiros aceleravam de maneira agressiva. Mantinham a embreagem puxada para que as motos não saíssem antes de o motor esquentar por um segundo. Adriano era o "puxador", e somente depois que ele cruzasse o portão, os outros iriam atrás. Adriano olhava fixamente para o soldado do muro. Lá do alto, o colega observava a mata adiante com um binóculo. Checou o posto de vigia, trezentos metros à frente. O vigia, no meio do areião, acenou, indicando que a estrada estava livre. Do alto do muro, o soldado fez um sinal positivo para o motoqueiro líder. Adriano soltou a embreagem e disparou pelo asfalto umedecido pelo orvalho. Os motores roncaram e, um a um, formando uma fila, todos correram atrás do puxador. O tempo, em movimento eterno, era tudo, e por isso as paradas seriam escassas. Tinham que comer chão e chegar à cidade destino antes do anoitecer. Suas orações, antes de dormir, só pediam uma coisa: estrada segura. Ao menos durante as horas de sol não precisavam se preocupar com os malditos noturnos, mas necessitavam de caminho livre para cruzar os oitocentos e noventa quilômetros e chegar a São Vítor, já que não existia outra fortificação naquela rota. Saindo da estrada e cruzando a floresta, poderiam chegar a outros abrigos... mas motos não cruzavam florestas. Diacho de posto isolado que foram escolher para morar! Não poderiam parar, pois só assim conseguiriam cobrir todo o trajeto sem cair no risco de ficarem na estrada durante as horas de escuridão. Adriano era um soldado resoluto, de poucos temores, mas o tique-taque da alvorada, o som do vento rasgando contra sua viseira, os pneus moendo o asfalto abaixo dos seus pés... a sorte lançada. Tinham que chegar ao outro lado, na próxima fortaleza antes do anoitecer, e isso dava medo. Imaginar a escuridão mais uma vez, e deparar-se com os olhos vermelhos mais uma vez, isso dava medo. Torceu mais a manopla, a moto rugiu e ganhou distância do grupo, e os cavaleiros responderam, acelerando também.

Com o sol recém-desperto, o ar ainda estava fresco e agradável. A estrada estendia-se sob as sombras das árvores abundantes. Folhas secas valsavam conforme a passagem feroz das máquinas velozes. Pelo retrovisor, Adriano contou ao menos mais quatro de seus acompanhantes. Os demais vinham logo atrás, escondidos pela curva. Os faróis das máquinas ainda eram mantidos acesos. O coração do puxador estava acelerado, e a adrenalina sempre ia às alturas quando deixava Nova Luz para uma missão. O medo o colocava em alerta, mas sempre vinha aquela energia que o fazia sorrir, uma satisfação quase masoquista de colocar-se em perigo, de fazer o sangue ser bombeado mais rápido nas veias, uma sensação de gratidão que vinha expressa pelos hormônios quando colocava o corpo e a vida em risco. Era um viciado em estradas e em aventuras. Sabia que contra isso nada podia fazer. Era um soldado, um cavaleiro.

CAPÍTULO 4

Acordou e viu que a sala de azulejos brancos continuava a fazer parte de sua realidade e que o homem que anotava ainda estava lá, atrás da grande janela. Olhou com atenção e viu que era outro. Estavam se revezando para vigiá-lo, anotando coisas em papéis, e sentiu-se um experimento.

Sentou-se no catre e teve frio. Quando lhe dariam algo para vestir? Mais que cobertura, queria água. Mal havia acordado e a sede o transtornava. Esfregou os músculos doloridos das coxas e dos braços e sentiu fisgadas nas costas enquanto olhava para o maldito colchão fino, culpado de tanto desconforto. Já a palidez mórbida não o assustava, pois estava se acostumando com a pele branca, não se enojando tanto com a própria aparência. Havia algo de reconhecível naquele reflexo, algo apaziguador naquela maré de aflições. Há quantas horas estaria sendo vigiado ali? Mais de um dia? O estômago queimava, a boca estava seca e ainda recendia ao gosto azedo do vômito. Sentia-se engaiolado como um rato de laboratório, mas, pela primeira vez, um sorriso brotou na face. Encarou o homem que olhava por trás do vidro, enquanto uma ardência chata lembrava que tinha estourado os lábios ressecados. O homem pareceu anotar mais alguma coisa. O engaiolado sorria porque se lembrava da expressão "rato de laboratório", mas não conseguia se lembrar do primeiro nome.

Agora, mais lúcido, analisava melhor o ambiente. Além da ampla janela de vidro, existiam três portas, uma ao lado do catre e outra na parede oposta, de frente para a primeira. A última ficava de frente para a janela de vidro, centralizada na parede. Achava que tinha entrado por ali. Então, passando aquela porta, chegaria ao corredor por onde viera. Parou de divagar e voltou a examinar as portas. Eram todas brancas, como os azulejos, mimetizando as paredes. A luz forte vinda do teto parecia refletir em todo o ambiente. Esperava ir embora logo. Parecia uma jaula de hospício. Se ficasse ali mais um dia, se ainda não estivesse, acabaria louco.

Reparou em outra coisa: o chão, onde tinha vomitado, estava limpo. A maca, que fora deixada no meio do cômodo, tinha desaparecido. Respirou fundo e procurou se acalmar. Pensava, tentando lembrar, e recordou-se da sala de sua casa.

Bento

Uma televisão de 21 polegadas, um tapete azul, mas não se lembrava de muitas coisas. O endereço... morava em São Paulo, mas não se lembrava do nome da rua. Lembrava de árvores em frente ao prédio, dos postes, mas não se lembrava do nome da bendita rua. Lembrou-se de um comercial da Casa do Pão de Queijo... depois de uma revista... *Veja*. Colocou a mão na boca e um carro cinza veio-lhe à mente. Qual era o nome daquele modelo? Esforçava-se... ai, os nomes... parecia que o problema era esse. Lembrava-se de algumas coisas, mas não se lembrava dos nomes de todas as coisas. Flutuava nas frações de lembranças quando notou batidas na porta. Não na porta de frente para a janela, mas na porta de frente ao catre.

Primeiro, ouviu três batidas curtas e levantou-se. Ainda nu, cruzou o quarto. Novas batidas soaram. Voltou ao catre e sentou-se, cobrindo o sexo com as mãos, e pigarreando, pediu que a pessoa entrasse. Silêncio. Ninguém entrou. Novas batidas. Ele olhou para o homem do outro lado do vidro, que o observava, silencioso... Quase pôde perceber certa curiosidade no olhar do espectador. Levantou-se mais uma vez, foi até a porta e ouviu novas batidas, agora em ritmo. Respondeu batendo com o punho contra a porta, que era feita de metal e parecia oca. Bateu mais algumas vezes, respondendo ao ritmo do outro lado. Por que não abriam aquela porta? Olhou para o observador e viu que o homem anotava.

Foi até o grande vidro e encostou o rosto na peça transparente, tentando ver mais à direita. Procurava por outro homem observador, o que significaria que a pessoa que batia ao lado também era analisada, um vizinho, um irmão na condição. Sorriu e viu outro homem de avental branco do outro lado, e isso significava que sua suposição parecia certa, então. De repente, viu seu rosto refletido no vidro. A janela tinha se transformado, gradativamente, em um espelho. Afastou-se do vidro. Voltou para sua cama. Quando acabou de se deitar, ouviu um chiado agudo vindo do teto, desses que escapam de alto-falantes, como microfonia. Uma voz metálica ecoou.

— Levante-se.

Ele obedeceu. Olhava curioso para o teto. A luz fluorescente incomodava, fazendo-o apertar as pálpebras. De onde vinha a voz? Seria o observador?

— Encoste-se na parede, entre a cama e a porta branca.

Ele sorriu. Havia alguma porta de outra cor? Falador idiota. Só havia portas brancas naquela droga de gaiola de merda, em um hospital onde ele nunca tinha entrado com os próprios pés. Ainda não sabia como tinha ido parar ali nem o porquê, mas obedeceu, encostando-se à parede. Um barulho surgiu atrás da sua cabeça e uma garra metálica enrodilhou seu pescoço. Assustou-se. O que era aquilo? Mais barulho e dois grilhões envolveram seus punhos automaticamente. Estava preso. A garra apertou e puxou seu pescoço, deixando suas costas nuas coladas ao azulejo frio. Se não ficasse imóvel e encostado à parede, sufocaria.

Depois de minutos intermináveis, a porta de frente ao espelho abriu-se. Uma mulher de bata branca entrou. Ele a viu com o canto dos olhos e, ainda assim, sentiu um frio na barriga. Ela trazia uma bandeja metálica. Seria uma médica?

— Bom dia. Sou a doutora Ana — disse a mulher, ficando de frente para o homem. Ele viu que a médica usava óculos de proteção, iguais aos dos homens que o trouxeram daquele lugar escuro. Aquele plástico... tinha um nome... um material plástico... no entanto, não se lembrava do nome daquele produto... tinha lembrado quando viu aquilo pela primeira vez, mas agora... — Vim colher sangue para alguns exames. Você já se lembrou do seu nome? — O homem olhou nos olhos da doutora. A boca da mulher... achou-a bonita. Ela tinha um rosto atraente, uma expressão amistosa por baixo daquela proteção.

— A gente já se viu antes? — ele perguntou.

A mulher chegou mais perto, e ele sentiu que ela exalava um perfume suave. Ela o encarou por um instante, como se avaliasse mesmo a pergunta feita. Ele continuava fascinado com a presença de Ana a poucos centímetros, observando que ela tinha os lábios arqueados, os olhos cinzas e parecia alguém que ele conhecia, com quem já tinha convivido, feito diversos passeios, lado a lado, de mãos dadas, cruzando estradas e conhecendo lugares novos, como uma parceira de viagens, uma amiga de descobertas, alguém com quem compartilhar um mundo novo. Fechou os olhos por um instante, como se fizesse um esforço, pois estava nu e não poderia ficar excitado. Que vergonha...

— Lembrou o seu nome? — repetiu a doutora.

— Não. Não lembro dos nomes... nem do meu, nem de nada. Lembro o nome de algumas coisas..., mas de quase nada. Lembrei o meu carro, mas não lembro o nome do modelo. Lembrei o nome do que são feitos os óculos que vocês usam, mas agora já esqueci.

A doutora sorriu enquanto amarrava uma tripa de borracha no braço do paciente.

— É assim mesmo.

— O que eu tenho, doutora?

— Vamos descobrir já, já.

— Que hospital é este?

— Hospital Geral de São Vítor.

— São Vítor? Não me lembro deste hospital... — balbuciou. — Esta cidade... — Ele sentiu uma fisgada no braço. Seu sangue encheu um tubo de ensaio.

Bento

Uma etiqueta numerada envolvia o tubo. Sobre a cama, com o canto dos olhos, viu outro tubo, já cheio de sangue e também etiquetado. Aquilo confirmava suas suspeitas. Realmente tinha um vizinho.

— Pronto. Já tenho o suficiente. Doeu? — perguntou com um sorriso doce.

— Não, senhora. Com esse sangue dá pra dizer quem eu sou?

A médica retirou a agulha. Manipulou o tubo, colocando-o junto com o outro na bandeja.

— Abra a boca.

Ana examinou os dentes do paciente e a garganta, jogando luz pela cavidade bucal. Depois, os olhos. Virou a cabeça do rapaz, segurando-o pelo queixo com a mão enluvada, e examinou também os canais auriculares.

— Você teve enjoos?

O homem limitou-se a confirmar com a cabeça. A doutora colocou um estetoscópio em seu peito.

— Por que estou tão pálido, doutora?

— Falta de sol faz essas coisas.

O homem ficou quieto por um instante, ruminando hipóteses, e então tornou:

— Quanto tempo estou internado aqui?

Ana olhou-o demoradamente nos olhos. Ele identificou alguma coisa naquele olhar, e um calafrio percorreu seu corpo. Parecia que aquela mulher estava com pena dele.

— Ainda não é hora de falar disso, Lucas. Vamos ver esses exames primeiro. Você tem que ficar neste quarto por mais alguns dias até poder sair e saber de toda a história. Tem muito fogo e fumaça pela frente.

O homem ficou estranhamente quieto, olhando-a. Ana notou quando os olhos dele encheram-se de lágrimas. Sentiu um impulso de ampará-lo e lembrou-se da pergunta dele, sobre já terem se visto. Quem era ele? Às vezes, acontecia de pessoas que já tinham sido famosas, vultos em outro dia, agora acordarem assim, perdidas e deslocadas.

Ana resistiu à vontade de tocá-lo, acalentá-lo, e deu um passo para trás.

— Bem, eu vou indo. Volto amanhã para ver você.

— Você me chamou de Lucas...

Ana ficou sem graça. Não era hora de ter-lhe dito seu nome. Ela olhou sem graça para o grande espelho. Tinha cometido um engano. Não dos graves, do tipo que a faria ser chamada à sala do diretor, mas tinha sido uma gafe. Era melhor que eles se lembrassem sozinhos das coisas mais básicas. O empurrãozinho viria depois. Ana não gostava daquela fase, da triagem. Eram pessoas, pelo amor de Deus! Queria cuidar de todos e dar ao menos um conforto mínimo.

— É esse o meu nome...

Aquilo não soou como uma interrogação, tampouco como uma afirmação. As palavras saíram incertas, como se estivesse buscando no interior de sua mente alguma intimidade com o nome revelado ou alguma simpatia pela palavra. Uma confirmação... luz para um homem que não se lembrava do próprio nome.

— Foi um acidente que me deixou assim?

Ana já estava na porta de frente ao vidro. Bateu duas vezes. Olhou de volta para o paciente preso.

— Não, Lucas. Não foi um acidente.

A porta abriu-se.

— Posso perguntar uma última coisa, Ana?

A mulher sorriu. Diferente dos outros, aquele homem a tratava pelo nome, com intimidade, como se fossem amigos de longa data. Estava quase certa de que não era um deles. Mais que isso, já estava torcendo para que Lucas não fosse um deles.

— Se eu puder responder...

O homem, com lágrimas descendo pelo rosto, ainda emocionado pela revelação do seu nome, olhou profundamente para a mulher e ficou em silêncio. Depois de alguns segundos, com a porta aberta, Ana retornou:

— Pergunte, mas desembuche logo. Não posso ficar aqui o dia todo.

O homem prendeu os lábios e passou a língua na pele fina, como querendo umedecê-los.

— Por que vocês têm medo de mim, Ana?

A médica ficou quieta por um breve momento. Seus olhos dançavam nas órbitas, enquanto ela procurava palavras.

— Não é medo, Lucas, é prevenção. Você vai acabar entendendo. Eu só quero cuidar bem de vocês. De todos vocês.

A médica saiu com a bandeja, e a porta fechou-se automaticamente às suas costas. No mesmo instante, os grilhões libertaram Lucas, que cambaleou para a frente. Olhou para o espelho, sabendo que o observador estava lá.

— Estou com sede! — gritou.

Silêncio nos alto-falantes.

— Estou com sede, porra — falou mais baixo. — Se tem alguém no controle, digam que o Lucas aqui, ó, quer tomar água, quer tomar banho!

Bento

Lucas foi até o catre e deitou-se no colchão fino. Os olhos varreram o teto branco. Repetia infinitamente o próprio nome, ainda perseguindo a intimidade com a palavra. Quem era Lucas? Apertou os olhos, tentando afundar nas lembranças. Ouvia agora o nome na boca de vários rostos. Gente apertando sua mão e dizendo "Lucas". Mulheres falando "Oi, Lucas". O nome repetido e repetido. Suspirou. Sua própria voz soava no arquivo de lembranças: "Prazer, Lucas". "Qual é sua graça?" Tinha que se acostumar. Tinha que aceitar. Finalmente, voltou a ser dono de um nome, de uma identidade para se apegar, na beira daquele precipício que o conduziria à loucura.

Lucas.

CAPÍTULO 5

Adriano enxugou o suor da testa. Já tinham ultrapassado a metade do caminho. As motos estavam estacionadas no acostamento, onde havia grama rasteira que, gradativamente, avançava sobre a pista. A floresta sempre estava ali, retomando seu espaço e apagando os traços do que os humanos tinham erguido. Ela não gritava, não esperneava, mas também não parava. A floresta era ela, viva, desdobrando-se broto a broto, ramo a ramo.

Sinatra, sentado em uma rocha lisa, começava a desfiar seu repertório exclusivo de flashbacks para os parceiros de estrada. Todos gostavam da voz do cantor do grupo, que embalava muitos acampamentos nas rodovias e distraía um pouco o medo. Enquanto ouviam *Sonífera ilha*, do Titãs, os soldados tomavam água de uma bica natural que transbordava à beira do asfalto. A bica formava um tanque cristalino, com uma circunferência de quatro metros aproximadamente. Apesar de pequeno, o lago era lindo. As pedras ao fundo podiam ser vistas, mas não chamavam tanta atenção quanto a Mata Atlântica ao redor. Não raro viam-se animais silvestres pulando entre as árvores, caçando frutas que eram encontradas com fartura naquela época do ano.

A voz de Sinatra era acompanhada pelo guincho dos macacos e o piar de vários tipos de aves. O planeta todo havia sofrido gigantesca alteração nas últimas décadas. Sem a raça humana destruidora no comando, a Terra respirava aliviada e retomava sua exuberância. As matas e florestas voltavam com força, exceto aquelas que serviam de cenário para caça com fins de alimentação. Os animais cresciam e se espalhavam naturalmente, lutando apenas contra seus predadores silvestres. As aves voltavam a reinar no céu. Nem os homens, nem os malditos noturnos interessavam-se pelas criaturas das florestas. Alguém que tivesse vivido há trinta anos estranharia imensamente aquelas novas paisagens. Eram lindas demais, magnéticas e avassaladoras... em mais de um sentido. Era aquela imponência dos vales e das montanhas, repovoadas de vida selvagem, que calavam a voz de todos os cavaleiros, deixando só o canto solto de Sinatra varar a estrada. Os demais sentiam-se pequenos diante da vida.

Bento

Adriano também tomou água gelada da fonte natural e abasteceu seu cantil. Ainda tinham muito asfalto para percorrer até São Vítor. Restavam cerca de trezentos quilômetros, o que consumiria quatro horas em virtude das condições da estrada. Até ali já haviam se deparado com cinco árvores na pista. As novas e de tronco fino eram ceifadas e davam passagem para as motocicletas, mas três delas eram obstáculos imensos, o que consumiu mais tempo para transpô-las. Todas pareciam ter ido ao chão em razão de tempestades com ventos avassaladores. Nenhuma parecia ter sido derrubada pelos noturnos, mas eles bem que seriam capazes de plantar aqueles percalços no trajeto. Eram criaturas astutas, perversas, caçadores vorazes, capazes de truques como aqueles ou piores para prender na estrada os que se aventuravam de uma fortificação a outra. Queriam que os incautos viajantes ficassem desprotegidos na noite, que fossem presas fáceis longe dos conglomerados cercados por muros altos e vigiados por soldados acostumados às suas artimanhas. Queriam os inexperientes como quitutes para jogos noturnos. Afinal de contas, um grupo de oito soldados não servia para o caçador ganhar prestígio no covil, mas sim como exercício. Adriano quebrou o clima de sossego dando brados:

— Descanso rápido, cambada. O sol tá alto, mas não tá parado. Sem vacilo na estrada.

Os soldados sabiam que os noturnos curtiam sangue dos acordados, que tinham mais sabor, mais buquê, mas que não eram fáceis de agarrar. Só que lutar, atirar, tornava o sangue mais apetitoso. Que graça tinha em beber dos adormecidos? Por outro lado, os adormecidos eram o alvo principal dos noturnos, pois os caçadores da escuridão buscavam os rios de sangue de que precisavam principalmente em lugares abandonados, onde ainda existiam adormecidos aos montes, ou fortificações que serviam de postos de armazenamento e monitoração dessa gente inanimada.

Adriano olhou para o novato. O rapaz lavava as mãos na água fria e parecia calmo.

Talvez fosse bom na luta e viesse a ser um bom soldado. Os demais eram velhacos da estrada, duros na queda. Apesar de velhos cavaleiros, só mais um sabia a razão da viagem, pois conhecia o plano: Gaspar. Conhecia os papéis que Adriano carregava junto ao peito, que continham instruções para o chamado "Grande Plano B". Uma "inteligência" formara-se na última década, sorrateiramente tentando crescer sem o conhecimento nem dos noturnos nem dos sobreviventes, para criar uma estratégia que eliminasse as criaturas em seus ninhos. O "Grande Plano B" não era debatido. Muitos achavam que os noturnos eram tão vítimas quanto as pessoas presas atrás dos muros.

A Noite Maldita tinha chegado sem manual de instruções. Os panfletos lançados dos céus pelos aviões Hércules eram guardados como relíquia por alguns e foi por meio deles que cunharam o termo "agressivos", que precedeu "noturnos". Também foi por meio dos panfletos que veio o aviso: *Não saiam de casa após o anoitecer.* Um "salve geral", o Estado batendo em retirada e dando um bilhete para os filhotes, mas não era um manual de instruções. Ninguém tinha explicado como lidar com a mãe que havia perdido a razão vendo o filho mais velho se tornar um agressivo e o pai simplesmente deslizar para uma inconsciência sem fim. Isso machucava um moleque e o fazia crescer doido para trombar com um "Grande Plano B" da vida, ficar na miúda e não contar para os outros que um time trabalhava em busca de uma solução definitiva, uma arma letal, caso as predições do velho Bispo um dia falhassem.

O novato chamava-se Marcel. Seu rosto de feições juvenis e cheias de vida fazia com que aparentasse ter por volta de vinte anos. Adormecera na Noite Maldita, quando tinha dez anos de idade, e despertara dez anos atrás, encontrando o mundo de pernas para o ar. Adriano pouco sabia dele, apenas que havia crescido na Nova São Paulo e que há três anos tinha se mudado para Nova Luz, buscando um lugar menor. Apesar de não saber nada a seu respeito, sentia que era boa gente. Além do mais, pouco perguntava quando encontrava alguém disposto a alistar-se e a colocar o pescoço em perigo em prol do grupo. Procurava conhecer o sujeito durante as missões e viagens, já que dali para diante ficariam muitas horas grudados, um contando com o outro para manter o pescoço no lugar. Haveria tempo mais que suficiente para entender se o novato dava ou não para o serviço de soldado.

Além de Gaspar e Marcel, vinham mais cinco soldados, compondo o time básico de saída, com oito integrantes. Raul era um deles, muito amigo de Adriano e também extremamente experiente. Adriano aproximou-se dele, enquanto um vento constante murmurava entre os galhos das árvores, salpicando a rodovia deserta com folhas que se desprendiam das copas.

— Já estou na reserva. Vou colocar meu galão sobressalente, mas não podemos deixar de parar no posto quatro.

— Temos que ir ligeiro, mano. Já vai dar uma hora. Estamos com o horário justo. Aquelas árvores no caminho tomaram muito tempo — disse Raul, dando uma cuspida na grama e secando a boca nos pelos do braço.

— Vamos sair agora e rezar para que não haja mais merdas pela frente. Mais demora e corremos o risco de ficar do lado de fora essa noite.

— Valha-me Deus! — retrucou o amigo, benzendo-se.

Adriano assobiou, chamando a atenção do resto do grupo.

— Vamos correr. Temos que parar no posto quatro. Vocês também devem estar ficando sem combustível.

— O meu tá no fim — juntou Paraná. — Se não pararmos, não chego.

— Vamos parar, não tem jeito — disse Adriano.

Os homens montaram nas motos e deram a partida, quebrando o mágico silêncio da mata. Uma revoada de araras-azuis decolou do arvoredo próximo à piscina de água natural. Adriano tomou a liderança. Tinham muito chão pela frente e muita reza para entoar. Precisavam estar em São Vítor antes do sol baixar. O puxador enrolou o cabo na manopla até o limite, fazendo a moto disparar na reta. Se Deus quisesse, em duas horas estariam reabastecendo as motocicletas e seus reservatórios sobressalentes.

Depois era só chegar à fortificação, entregar os papéis e esperar a alvorada para começar tudo de novo.

* * *

Adriano freou bruscamente, assustando o grupo, e percebeu a armadilha no último instante. Logo depois de uma curva, havia um galho estendido no meio da pista, e, se estivesse distraído, iria se chocar contra os ramos. O acidente teria sido fatal. Não podia dar-se ao luxo de morrer antes de entregar os papéis e assegurar que mais um passo havia sido dado para acabar com aquelas criaturas que cultuavam a escuridão. Desejava do fundo do seu ser exterminar aqueles demônios sanguinários. Por isso, benzeu-se e agradeceu a Deus por ter lhe dado olhos e faro de guerreiro e por ter soprado em seu ouvido que precisava frear. Tinha que ter fé, acreditar que alguém olhava por seu grupo lá de cima.

O galho vinha de uma árvore de caule não muito espesso, mas demasiadamente frondosa. Adriano apeou da moto irritado, retirando nervosamente o capacete. Enquanto os outros estacionavam, ele já circulava o obstáculo procurando uma passagem. Não podiam perder tempo. Cada entrave daqueles colocava cada vez mais a travessia em risco. O sol ainda estava longe do horizonte, mas, como soldado experiente e vivido, sabia que era necessário chegar com folga de luz à fortificação. Queria ter tempo de sobra, não sentir a urgência queimando sua cabeça. Odiava aqueles noturnos dos infernos! Eram traiçoeiros, seus dentes rasgavam a carne da gente como se fosse feita de manteiga. Já tinha escutado muitos gritos na sua vida, de gente se debatendo, agarradas pelos vermes sanguessugas.

A árvore tinha galhos espalhando-se por toda a pista e acostamento. Não dava para arrastá-la para dentro da mata, era pesada, tinham que cortar os troncos e rápido. Adriano já tinha retirado seu facão da guarnição quando Marcel, o novato, o chamou. Dizia que podiam passar as motocicletas por cima do caule, onde ficava mais baixo em determinado ponto. Acabaram todos concordando, mas, mesmo assim, a tarefa requeria tempo e esforço do grupo. As máquinas eram potentes, portanto mais pesadas do que a média, e por isso tinham que fazer o serviço com cuidado para não danificá-las e prosseguir viagem sem mais nenhum percalço. Os homens juntaram-se para erguer os veículos e atravessá-los por cima dos galhos. Os equipamentos extremamente quentes dificultavam bastante o manuseio, mas estava fora de cogitação aguardar que os motores resfriassem para fazer a operação. Tinham que se virar, evitar queimaduras, mas trabalhar sem perder as preciosas horas de luz. Primeiro passaram a moto do novato. Depois, veio a moto de Gaspar. Como eram pesadas aquelas coisas! Todo cuidado era pouco. Escapamento pelando de quente e motor irradiando calor. Sorte que todos usavam luvas de couro.

Marcel, já do outro lado da estrada, viu que muita gente lidava com uma moto por vez e percebeu que mais atrapalhava que ajudava. Então, afastou sua moto para o meio do asfalto e, curioso com a paisagem, resolveu caminhar.

O sol atravessava a folhagem das copas e chegava em graciosos fachos ao chão negro, montando uma imagem calma e preguiçosa. Era uma pena que tinham que correr o trajeto todo, sem poder desfrutar das agradáveis paisagens e locais de imensurável beleza e encantamento. O esplendor com que a Mata Atlântica se desenvolvia chegava a invadi-lo com o louco desejo de deixar a fortificação e fazer morada em uma daquelas magníficas clareiras. Mas Marcel sabia que isso seria impossível. Continuou a caminhar. Estava no meio da pista, na curva em que haviam entrado, mas a floresta tapava completamente o restante do cenário. Percebeu que os homens perderiam ao menos mais quinze minutos até atravessarem os outros veículos. Caso alguém questionasse, diria que estava fazendo reconhecimento de área. Trazia na cintura uma pistola com balas banhadas em prata. Sabia que aquilo era veneno contra os funestos caçadores noturnos, pois cresceu fugindo daquela raça sanguinária. Decidiu alistar-se voluntariamente para ajudar o time que um dia daria um basta naquela situação. Perdeu mãe e duas irmãs, além de incontáveis amigos em ataques sofridos pelos miseráveis sanguessugas da escuridão. O que restou de sua família viveu fugindo, buscando fortificações onde o trabalho fosse útil. Conseguir vaga em uma fortificação nem sempre era fácil, comida e água não abundavam e, principalmente, faltava espaço, mas alguém disposto a montar guarda nos postos externos — diga-se, algum maluco disposto a entrar na boca do leão — era sempre bem-vindo e acolhido.

Marcel terminou a curva. Sua bota estalava contra os pedriscos da estrada. A reta pela frente era longa. A paisagem, como sempre, era de tirar o fôlego. Chegavam a uma região elevada do planalto, onde passariam a ver a imensidão do mar verde estendendo-se até o horizonte. Ele divisou o que seria o começo de uma ponte, mas era pena estar tão distante, pois não teria tempo de chegar até ela e debruçar-se para observar o rio lá de cima. Certamente, por causa das árvores no caminho, os homens passariam por ela a todo vapor, ávidos por alcançar o posto quatro e zarpar sem paradas para São Vítor.

Mas, olhando bem, Marcel sentiu o sangue gelar nas veias. O que era aquilo no meio da ponte? Seus olhos estariam lhe pregando uma peça? Só podia ser! Correu em direção à plataforma. Deus! Adriano precisava ver aquilo. Um bolo formou-se no estômago. Nunca chegariam a São Vítor antes do anoitecer.

* * *

Passavam a última motocicleta pelo tronco da árvore quando ouviram o som das botas de Marcel vindo pela estrada. O homem estava escondido pelas árvores que se erguiam na beira do asfalto, eclipsado pela curva que se estendia por mais de cinquenta metros. O silêncio da mata permitia escutar longe. Assim que conseguiram pôr a motocicleta no chão, colocaram-se de frente para a curva e sacaram suas armas, pressentindo problemas. Viram o novato surgir na estrada, pálido como um maldito noturno. Novatos assustavam-se facilmente, mas a cara de Marcel preocupava, parecendo tratar-se de coisa séria. Talvez alguma fera selvagem em seu encalço ou a população de onças que tinha explodido sem a intervenção humana. Até mesmo gorilas eram encontrados nas matas brasileiras, oriundos de zoológicos abandonados após a Noite Maldita. Mas, se fosse o caso, Marcel estaria com a pistola pronta para atirar...

Os homens mantiveram as armas nas mãos até o rapaz aproximar-se.

— O que foi, Marcel? Se acalma!

— A ponte, Adriano... A ponte não está lá.

Os homens trocaram olhares de apreensão. Raul montou em sua máquina e disparou pelo asfalto negro, levantando poeira. Marcel falava com dificuldade, arfando, em virtude da corrida.

— Foram eles, Adriano. Os malditos noturnos. Eles destruíram a ponte! Não vamos chegar a tempo em São Vítor.

Adriano sabia exatamente do que Marcel falava. A ponte antes do posto quatro. Os noturnos tinham acertado na mosca: se estivessem a cavalo poderiam conseguir, mas com os cavalos de metal, sem chance.

— Eles vão vir à noite, eles vão pegar a gente!

— Calma, Marcel. Deixa eu pensar, deixa eu pensar.

— O que vamos fazer, Adriano? É meu primeiro trabalho. Não quero morrer na floresta, no escuro!

— Calma, moleque! Vamos ver a coisa de perto. Pode não estar tão ruim como você pensa.

Marcel ficou parado. Os homens partiram, deixando-o sozinho na estrada. O rapaz passou a mão pelo cabelo encaracolado. Sua pele negra ainda estava arrepiada por causa do susto. Entendia que Adriano só estava falando daquele jeito para acalmá-lo, pois conhecia a estrada de cor e salteado, sabendo que a ponte logo à frente passava por cima de um rio volumoso. Sem a ponte, atravessá-lo com as motos seria impossível.

* * *

Adriano estacionou na entrada da ponte. Seu rosto refletia todo o desânimo que era possível demonstrar. Deixou o capacete cair de sua mão, escutando-o rolar no chão.

— Puta que pariu! Cambada de filhos de uma puta! — gritou Paraná.

Os soldados entendiam a gravidade da situação. Raul estava parado no meio da ponte, na borda da seção destruída. Seu rosto personificava a apreensão em pessoa.

— Que horas são? — perguntou Joel, outro dos soldados.

Joel, como Marcel, era um homem negro e forte, excelente guerreiro nas horas de aperto. A diferença residia na idade, sendo o primeiro mais velho, com cerca de 35 anos. Adriano também estimava muito esse soldado, pois era o que ficava mais calmo nas horas de maior pressão.

— Cinco para uma — respondeu Gaspar.

A moto de Marcel chegou enchendo o ar com o característico ronco surdo. Adriano ainda estava agitado. Ficar com os papéis na floresta durante a noite não ia ser nada bom. Além disso, era responsável pela vida de mais sete homens. Debruçou-se sobre o parapeito da ponte. A descida era bem íngreme, mas, pelo menos, para facilitar um pouco, não havia árvores nas ribanceiras. Eram feitas de barro vermelho e moitas de mato.

— Cinco para uma, Gaspar. Não vamos chegar em São Vítor nem a pau — retrucou Raul.

— Vamos voltar para Nova Luz, então.

— Não dá tempo, Gaspar. Já estamos pra lá da metade do caminho. Tem também aquelas árvores na estrada. Não chegaremos em casa antes do pôr do sol. Temos que dar outro jeito. Temos que atravessar o rio — explicou Adriano.

— Como vamos fazer isso? Como vamos descer? — perguntou Marcel, preocupado, também se debruçando sobre a ponte e vendo a escarpa.

Raul voltou à seção quebrada.

— E se colocarmos uns galhos aqui? As motos passam por cima... quantos metros são?

Adriano, acompanhado da turma, foi até a beira da parte destruída. Um vento morno subia de baixo da ponte e corria para cima, acertando seu rosto. Dava mais de trinta metros.

— Não dá tempo de remendar essa ponte, Raul. E a queda é bem grande para arriscar — disse, olhando para o rio, vinte metros abaixo. — Qualquer deslize, já era.

— Mas e se a gente ficar aqui à noite, na mata, já era do mesmo jeito. Eles virão nos pegar. Isto aqui é uma armadilha, Adriano!

Ouvindo as palavras de Raul, Marcel arregalou os olhos. Havia anos não dormia fora de uma fortificação e nem se deparava com um faminto noturno. Só de aventar aquela hipótese, a pele negra voltava a se arrepiar. Era melhor que enfiassem uma bala na cabeça do que ficar à mercê daquelas criaturas.

— Esperem aqui. Joel e Raul, desçam comigo. Gaspar, cuide dos outros. Esta é uma ponte estratégica. Os malditos são espertos, mas nosso grupo também é. Vamos ver o que encontramos lá embaixo. Ninguém vai dormir no meio do mato. — comandou Adriano, começando a descida pela beira do rio.

CAPÍTULO 6

Lucas sentiu uma leve tontura, talvez porque tivesse comido rápido demais. Comido? Bem, tinha se servido daquela sopa rala e insípida, mas até que seu estômago parecia bem cheio. Tinha bebido um copo inteiro de água também. Agora parecia sofrer os efeitos do desjejum. Além da refeição, continuava a saborear seu nome. Buscava insistentemente a familiaridade que haveria naquelas cinco letras. Absorto nesses pensamentos, foi pego de surpresa quando a porta de frente para a sua cama se abriu. Lembrou-se imediatamente das batidas naquela porta de metal. Tinha alguém na sala vizinha. Pôde ver pela abertura um catre igual ao seu.

Assustou-se quando viu surgir um homem de cabelos longos e grisalhos pela passagem.

Lucas sentou-se e cobriu o pênis nu.

O visitante vestia uma calça azul-claro e uma camisa da mesma cor com as iniciais HGSV impressas em letras grossas num tom de azul-marinho.

— Tem uma pra você. Aí debaixo da cama — disse o homem.

Lucas, ressabiado, demorou a desviar o olhar e abaixar a cabeça para conferir embaixo de seu catre. Sobre o chão branco encontrou duas peças de roupa iguais às que o vizinho envergava. Vestiu a calça enquanto o homem de cabelos brancos e ondulados desviava o olhar, na tentativa de diminuir o desconforto da situação.

Lucas não tinha se sentido tão nu quando Ana fizera-lhe a visita. Talvez pelo fato de a mulher representar o ofício de médica, o que fazia a nudez soar mais natural. Quem sabe também fosse um protesto mudo expor o corpo nu para os que o mantinham cativo naquela cela de hospital.

— Qual é seu nome? — quis saber o vizinho.

— Lucas.

O cabeludo meneou a cabeça, agora olhando-o diretamente.

— Você comeu tudo?

— Comi.

O homem aquiesceu novamente. Andou até o espelho e mexeu no cabelo despenteando, tentando colocá-lo no lugar, assentando os fios com as mãos.

— Você ainda está com fome?

O cabeludo voltou a olhá-lo.

— Estou morrendo de fome. Fome e sede. Parece que está faltando alguma coisa aqui dentro — disse, apontando para o estômago.

Lucas notou que o homem também estava excessivamente pálido, e as unhas tinham as mesmas cores horrorosas que as suas. Estava esquelético, exibindo as costelas. Era bem mais velho, talvez tivesse uns 50 anos. Deduziu que o homem sofria do mesmo mal que o afligia e deveria estar no hospital nas mesmas condições.

— E o seu nome?

— Gabriel.

— Você se lembrou do seu nome?

O homem balançou a cabeça afirmativamente. Parecia calmo, apesar da situação estranha em que estava envolvido. Lucas também se calou por um instante, olhando para o espelho. O que estariam anotando agora aqueles observadores? Por que tinham juntado os dois?

— Você também está doente?

— Doente? Não sei se estou doente. Estou preso, isso sim.

— Sabe como veio parar aqui?

— Não me lembro de nada que fiz ontem, nem anteontem. Acho que, como você, simplesmente acordei aqui... seja esse "aqui" onde for.

— Você não acha isso estranho?

Gabriel não respondeu. Ergueu os ombros. Lucas começou com a voz baixa, olhando para o espelho, vendo o reflexo deles dois, mas mirando lá do outro lado:

— A gente dormiu em casa e acordou aqui, preso numa maca, com os braços e pés amarrados, sendo tratados feito ratos de laboratório.

Gabriel sentou-se no chão de frente para Lucas, ouvindo-o.

— Sem contar essa falta de memória. Não consigo lembrar de nada. Quando a gente dorme, a gente não esquece quem a gente é.

— Eu me lembrei do meu nome, mas não consigo me lembrar do nome da minha esposa — lamentou o cabeludo, fazendo uma pausa e encarando mais uma vez o interlocutor. — Eles devem ligar para casa... ela virá me buscar — respirou fundo e meneou a cabeça negativamente. — Você era casado?

Lucas ficou quieto, pensando e sentiu um calafrio. Não sabia se era casado. Uma mulher... Havia uma mulher em sua lembrança. Sentiu medo, e um rosto surgiu em sua mente, de uma mulher bonita, morena jambo. Depois, viu-se entrando em casa e abraçando a mulher. Surgiram mais rostos, outras pessoas. O rosto da médica. Doutora Ana voltou a sua cabeça, e sentia-se próximo a ela, mas isso era fácil de explicar — bem fácil, na verdade. Desde que tinha despertado naquele hospital, ela fora a primeira pessoa que tinha conversado com ele de verdade, que tinha olhado para ele de verdade. Só que havia o cheiro dela, um cheiro familiar, um perfume pessoal, como uma marca, como se tivesse convivido com ela no passado. Estavam escondendo coisas deles ali, e ele queria saber onde se encaixava naquele cenário bizarro.

— Não sei. Acho que não era casado... mas eu tinha alguém que cuidava de mim... — balbuciou, com os olhos cerrados, como se estivesse forçando a cabeça para lembrar. Pinçou o lábio inferior com os dedos, esticando-o e puxando-o para a frente repetidas vezes.

— A médica veio tirar seu sangue?

— Veio — Lucas estendeu o braço, mostrando o esparadrapo prendendo um pedaço de algodão. — Estava pensando nela agora. Parece que eu já conhecia essa médica.

— Eu não estou doente... acho que estou maluco ou tendo o sonho mais estranho da minha vida. Um pesadelo. Desculpa te colocar nele, Lucas.

O jovem sorriu para o velho cabeludo. Um pesadelo. Lucas suspirou e olhou para o espelho mais uma vez. Eles, sim, sabiam quem eram e o que estavam fazendo com eles. Eles, sim, sabiam quem ele e Gabriel eram. A doutora tinha deixado escapar o seu nome.

— Ana me disse que estamos no Hospital Geral de São Vítor — disse Lucas, puxando o beiço novamente. — Eu nunca ouvi falar nessa cidade... São Vítor.

Gabriel ficou silencioso, digerindo a última revelação. Ficaram quietos por mais de dois minutos, tempo que pareceu interminável numa situação como aquela. Depois de algum tempo, Gabriel acabou levantando-se, reclamando de dormência na perna e dizendo que estava louco para voltar para casa e rever sua família. Deu uma volta pela cela de Lucas, que também se levantou, sem colocar sua camisa azul, e foi até o vidro espelhado.

— Não sei por quê, mas eles têm medo da gente. Muito medo.

— Medo?

— Quando a médica veio, eles me prenderam antes de ela entrar — queixou-se Lucas, passando a mão no pescoço, vendo no espelho que existia ali um fino hematoma. — Apertaram minha garganta, meus braços. Me prenderam mesmo. Eu pareço um bicho? Pareço perigoso?

Gabriel balançou a cabeça em sinal negativo.

Bento

— Não. Com esses ossinhos de galinha aparecendo nas costelas e nos ombros, você não parece nada perigoso.

Os dois riram um segundo, e Gabriel retomou:

— Me prenderam também, mas eu não tinha pensado nisso. — Gabriel coçou o queixo. — Por que amarram os animais? Amarram quando têm medo. Ou têm medo dos loucos. Será que a gente está maluco?

Lucas sorriu para o vizinho e ergueu os ombros.

— Pode ser. Para eu não me lembrar dos meus últimos dias fora daqui... A gente está há muito tempo aqui, sabia?

Gabriel meneou a cabeça negativamente.

— É, olha a cor da nossa pele. Estamos brancos, não tomamos sol há muito tempo. Olha para suas unhas, estão amarelas e compridas. Quanto tempo leva para ficarem desse tamanho? Meses.

Gabriel olhava para as unhas dos pés.

— Estou ficando com medo, cara. Acho que estamos aqui há mais tempo do que imaginamos.

— Mas se fosse assim, tanto tempo... por que não estamos barbudos?

Lucas encolheu os ombros. Não sabia responder. Era uma boa observação.

— Tem outra. Nossos músculos... a gente não conseguiria andar sem fisioterapia, se estivéssemos há meses numa cama. Uma vez um cunhado meu teve um derrame, ficou quatro meses em coma. Quando ele acordou, precisou de fisioterapia, porque os músculos estavam atrofiados. Os nossos estariam também. Acho que no máximo estamos aqui há alguns dias. Estamos magros e fracos, os músculos estão menores, mas funcionam... acho que é alguma doença mesmo.

— E as unhas?

— Remédios as deixam dessa cor e podem fazer crescer mais rápido.

Lucas calou-se e olhou para o vizinho, impressionado. Ele tinha derramado um monte de palavras, lembranças. Ficou com inveja dele, que se lembrava de muita coisa da vida dele. Não lembrava do nome da esposa, mas sabia que tinha uma, lembrava de um cunhado, de um AVC, fisioterapia e atrofia. Lucas não lembrava dos nomes, das palavras, das sequências. Precisava se reorganizar. Depois a admiração por Gabriel dissipou-se e Lucas começou a analisá-lo. O homem estava com a cabeça abaixada e os cabelos caindo por cima do rosto. Parecia um bicho. Sentiu um calafrio. Que homem estranho! Tinha um cheiro emanando dele. Não era suor. Parecia adocicado no começo, mas começava a enjoar. Não tinha nada a ver com o cheiro da médica. A doutora Ana tinha um aroma, coisa boa. Gabriel fedia.

As horas avançaram e eles preencheram o tempo com conversas que traziam lembranças à tona. Depois, cada um se deitou em sua cela. O sono veio, e nenhuma pessoa apareceu. A ansiedade aumentava em cada um deles. O desejo de sair daquela sala branca crescia, acentuado, talvez, pelas conversas que faziam lembrar o mundo lá fora. Lucas não se recordava de ter uma família para rever, mas tinha amigos, tinha seu apartamento, queria ver suas coisas, lembrar sua vida, seu emprego. Lembrou que trabalhava de terno e gravata, papéis, propostas. Procurava uma pessoa na praia, uma pessoa que amava, gente ao redor de um banana-boat. Uma pessoa desaparecida. Ele de novo no escritório. Precisava cuidar das fichas, análises, não lembrava exatamente o que fazia ou qual cargo ocupava, mas ganhava bem. Lembrava-se do carro, um carro bonito, importado. Gostava de cinema, queria ir ao shopping ver o que estava passando. De comer cocada. Do sol no rosto quando estava na praia. De uma mulher ruiva que colocou a mão no seu ombro. De sanduíches da rede Tchê's, seus prediletos... nada de fast-food. O slogan da nova campanha da rede era: "Slow food and relax, de norte a sul do Brasil". As lembranças só aumentavam a ansiedade... e aquele ambiente branco, sem respostas, fazia perder a noção do tempo. Sabia que muito tempo tinha se passado desde a última refeição, pois voltava a sentir fome e sede e a se lembrar de lanchonetes. Levantou-se do catre e caminhou até a porta da cela do vizinho. Gabriel cochilava na cama, com o rosto encoberto pelos cabelos. Não sabia por que, mas uma crescente antipatia por aquele sujeito ia enraizando-se em seu coração. Lucas enfiou as unhas no vão do batente da parede. Talvez conseguisse puxar a porta de volta para o seu lugar e aquele cheiro horrível que o homem exalava ficasse segregado ao nicho dele. Fez força e resmungou quando não deu certo. Sentiu uma vertigem, apertou os olhos e viu uma imagem com fogo e fumaça. Abriu os olhos e afastou-se dois passos. Gabriel era repulsivo. Não lhe tinha feito nada, mas esse era o fato: antipatia gratuita. Rezava para que a doutora Ana aparecesse, pois ele precisava de respostas e também dar o fora dali antes de terminar louco, como aquele vizinho fedorento e cabeludo.

CAPÍTULO 7

Adriano chegou primeiro à base da ponte. Ouvia o barulho produzido por Joel e Raul descendo o barranco, estalando os galhos das poucas árvores que se erguiam ao pé do morro. O rio descia tão vagaroso que suas águas pardacentas quase não faziam barulho. Era largo, um rio soberbo, uma travessia de quarenta metros. Mesmo com a correnteza suave, seria tarefa de risco levar as máquinas.

— Raul, veja a profundidade do rio na área. Veja se há alguma chance de passarmos as bichonas por aqui.

Adriano caminhou até o barranco. Revirou o mato em busca de alguma pista. Como os soldados sabiam que os noturnos costumavam atacar certos pontos estratégicos das estradas, destruindo pontes e produzindo crateras no asfalto, deixavam material para o contra-ataque em alguns trechos. Adriano procurava uma embarcação, talvez uma balsa. Assim, com algum esforço, conseguiriam atravessar as motocicletas a tempo de chegarem em São Vítor com luz do dia. Não queria nem pensar na possibilidade de ficar na mata durante a noite. A região era rica em cavernas, o que aumentava as chances de um encontro com os noturnos. Ainda estavam longe demais de algum posto de observação, onde, mesmo em menor proporção que uma fortificação, teriam ao menos um pouco mais de estrutura para um combate.

Com a ajuda de Joel, vasculhou todo o mato na base da ponte e na margem do rio. Não encontrou nada. Procurou Raul com os olhos e viu-o cerca de duzentos metros rio acima. O soldado continuava buscando uma passagem possível para as motos, e vez ou outra podia ouvir as vozes dos homens lá em cima. Apesar do problema que encaravam, a região exalava uma serenidade envolvente. A natureza tinha um poder impressionante.

— Vamos atravessar o rio.

— Vai você, Adriano. Eu não sei nadar.

Adriano examinou a margem. Apesar da água barrenta e de não poder ver o fundo, arriscou:

— Acho que não é fundo.

André Vianco

Tirou as botas, a calça e a jaqueta jeans. Saltou de camiseta dentro da água. Afundou até a cintura, soltando um gemido em protesto contra a água fria.

— Acho que perdi minhas bolas! Que gelo!

Joel riu. Raul voltou, pois o barulho de alguém caindo na água tinha chamado sua atenção.

— Não é fundo pra gente, mas é fundo demais para as motos. E com o peso, elas afundariam no leito... é muito lamacento aqui embaixo — explicou, sentindo certo asco por causa da sensação que o fundo barrento e viscoso do rio lhe causava.

Adriano levou quatro minutos para atravessar. Apenas em um trecho de dez metros, a profundidade não dava pé. Joel teria de superar seu medo, pois tinham que atravessar. Quando chegou à outra margem, ouviu braçadas e olhou para trás. Raul vinha para ajudá-lo.

O vento que desceu pelo cânion esculpido pelo rio bateu em seu corpo. A água gelada quase o petrificou, obrigando-o a passar as mãos nos braços, procurando manter-se aquecido. Tirou a camiseta e a torceu, retirando dela parte da água fria. Passou a revirar o terreno do lado oposto da ponte, onde havia mais grama e pedras no chão, algumas pontiagudas, o que o forçava a caminhar com mais cuidado. Não podia se ferir, ainda mais com a terrível possibilidade de ter de organizar o pernoite na mata, longe de uma fortificação. Estar ferido, sangrando e no escuro contra os noturnos era um quadro sombrio, com chances reduzidas de assistir à próxima alvorada. O cheiro do sangue atraía aquelas criaturas a quilômetros de distância, era como se esconder, sangrando, de leoas famintas na savana.

Adriano vasculhou uma touceira, e um sorriso acendeu sua face.

— Você achou? — perguntou Raul, aproximando-se, arfante.

— Achei.

Com a ajuda do amigo, Adriano conseguiu remover uma rede coberta por mato e galhos que servia para esconder um amontoado de tábuas.

— É uma jangada! Vamos conseguir atravessar! — vibrou Raul.

Adriano voltou a ficar sério. Já estava examinando com os olhos o achado, mas as cordas pareciam velhas...

— Vamos tirá-la daqui e colocá-la no sol. Preciso ver se aguenta.

Raul fez força de um lado e Adriano tentou mover o outro. Arquejantes, conseguiram erguer um lado da embarcação, que era grande e pesada, obrigando os bíceps dos homens a intumescerem.

— Não vai dar para arrastar! É muito pesada! — reclamou Raul. — Precisa de mais gente.

Bento

Soltaram ao mesmo tempo. Com o peso da queda, as vigas, que estavam na lateral da balsa, soltaram-se e as ripas transversais desarranjaram-se.

— Merda! — protestou Adriano.

— As cordas estão podres.

— Puta merda.

Adriano debruçou-se sobre a parte danificada da balsa. Uma das cordas tinha se rompido. Olhou para cima e viu que um facho de luz escorria pela seção destruída da ponte, vindo colorir o rio logo abaixo.

— Estamos fodidos, Raul. Não vai dar tempo de substituir essa corda e chegar a tempo em São Vítor. Vamos dormir pra fora.

— Dá tempo de chegar ao posto, pelo menos?

Adriano balançou a cabeça.

— Não sei. Quanta munição você trouxe?

— O de sempre. Três caixas para a doze, três caixas para a pistola, mais dois municiadores de dezoito tiros.

— Prata?

— Só a munição da pistola.

Ouvindo a resposta, Adriano girou em torno de si mesmo, passando a mão na testa.

— Deus do céu! A gente na mata... tem o novato. Ele vai pirar... Vai dar trabalho.

— Não pode pirar, cara. Ele sabia onde estava se metendo. Tem que ser corajoso, porra! Tem que encarar!

— Vamos chamar os outros pra ajudar. Vamos arrumar essa jangada... ainda é mais rápido que providenciar a ponte que você falou.

Raul concordou com o líder, e os dois voltaram para o rio. A água parecia ainda mais fria. Fizeram a travessia em silêncio, cada qual remoendo seus temores. Por mais experientes que fossem nas coisas da estrada, ficar desprotegido durante a noite nunca era tarefa fácil. Até os mais valentes calavam-se e oravam fervorosamente. Caso fossem farejados pelos noturnos, nunca mais veriam o sol nascer.

Joel ajudou os companheiros a saírem da água. Pela cara de Adriano, sabia que a situação não era das melhores. Quando o líder ficava calado, era sinal de problemas muito sérios pela frente.

Levaram mais de cinco minutos para subir. Apesar de a escalada não ser tão íngreme, o terreno era instável, e os pés escorregavam ou a terra cedia. Sem contar que a distância até o topo era longa e o esforço, tremendo. Sinatra, o soldado cantor, foi quem percebeu Adriano se aproximando. Chamou a atenção dos demais que conversavam animadamente. Fizeram uma roda em torno do líder.

— Vou precisar de todo mundo lá embaixo. Depois a gente desce as motocicletas.

— Vamos prosseguir então? — perguntou Gaspar.

— Primeiro temos que consertar uma balsa que encontrei. As cordas parecem estragadas. Tragam suas mochilas. Quem trouxe corda pode pegar, vamos precisar.

— A gente pode cortar cipós também, dá para quebrar um galho — acrescentou Sinatra. Os homens apanharam as coisas e começaram a descida.

Marcel olhou para os amigos que já avançavam morro abaixo. Sabia que as coisas não estavam indo bem, que já tinham perdido tempo demais com árvores caídas no caminho. E agora aquela enrascada. Torcia para que Adriano surgisse com uma solução. Seria muito azar passar a primeira noite em missão fora de uma fortificação.

* * *

Juntos, com cuidado, tinham conseguido colocar a balsa na água. Mas Joel, por causa do medo de água, era o único seco. Com a balsa do outro lado do rio, começaram a trabalhar nos reparos. Caso colocassem uma motocicleta em cima das ripas soltas, corriam o risco de ficar sem o veículo. O cuidado com as amarras já tinha comido quase duas horas de sol, e com isso chegavam perto das 3 horas da tarde. Os braços trabalhavam rápido, executando coordenadamente as instruções de Adriano. Estavam todos calados, só trabalhando. Tiveram de substituir as cordas dos dois bordos da jangada improvisada. Rezavam para que aquelas velhas madeiras suportassem as motocicletas de mil e duzentas cilindradas.

Apesar das péssimas condições das amarras, as madeiras ao menos pareciam secas, firmes e longe da podridão. Alguma sorte tinham no final das contas. Olhavam-se e, em todos os olhos, encontravam a mesma coisa: medo, pressa. Todos sabiam que o sol trasladava inexorável, alheio às súplicas e à necessidade de mais tempo por parte daqueles bravos guerreiros. O salvador tornava-se carrasco e ia permitir a escuridão, libertar os noturnos, as criaturas donas da noite, caçadoras de sangue. Os assassinos cruéis.

O sol não se abalava por nada e não sabia ser o regente da hora da vida e da morte na face da Terra. Ia embora em sua marcha contínua e inabalável, implacável, pregando aflição àqueles homens que lidavam com as cordas em uma frágil balsa na superfície iluminada do planeta. Ele ia embora sem sequer notar a existência de oito soldados na margem do rio, homens ignorados que sabiam que, por mais que orassem, continuaria a se mover. Sabiam que as mãos deviam superar o desespero e fixar as madeiras umas nas outras, que teriam de correr na estrada e providenciar abrigo. E continuar rezando para escapar do olfato apurado das criaturas noturnas.

Depois que terminaram as amarras, Adriano comandou o teste. Pediu que erguessem a balsa. Mesmo com sete homens ajudando, era dificultoso o transporte, mas parecia firme o suficiente. Devolveram o amontoado de madeiras ao rio e uma corda prendeu o barco.

— Vamos trazer as motos agora.

O destacamento de Nova Luz voltou a subir o morro. Quanto tempo mais perderiam para descer as motos e atravessá-las uma a uma, pois a balsa e o bom senso não permitiam mais que isso?

Enquanto subiam, apesar da tensão geral, Sinatra fez valer seu apelido e começou uma canção, um clássico da "pré-Noite Maldita". Talvez se o velho mundo ainda existisse, Sinatra conseguisse um bom contrato com uma daquelas imponentes gravadoras ou seria figurinha fácil naqueles programas de calouros da TV aberta.

Joel sorriu quando a música lhe chegou aos ouvidos. Sinatra cantava Infinita Highway, dos Engenheiros do Havaí. Era fã daquela banda que havia feito muito sucesso no Brasil e em outros lugares, antes do evento. Minutos depois, quando atingiram o topo, com o suor escorrendo em bicas e sem tempo para descansar, começaram a estudar a melhor forma de descer os monstros metálicos.

Pensaram que em três seria possível começar a descida. Apesar de a maior parte do terreno não ser tão íngreme, ele era escorregadio, e as motocicletas, consideravelmente pesadas. Depois de analisar com cuidado, perceberam que em três não seria possível, precisariam de cinco homens para descer cada moto com segurança. Dois de cada lado e mais um atrás, fazendo força para manter a moto equilibrada sobre as rodas, o que facilitaria enormemente a descida. Um deles iria controlando o freio dianteiro para que não fosse perdido o controle da operação. Apesar de ser possível descerem com segurança, a apreensão só fazia aumentar aquela empreitada de oito motos, oito viagens, e depois a travessia no rio, subindo e descendo aquele morro desafiador mais sete vezes. Isso iria consumir muitíssimo tempo, e era uma informação que estava na cabeça de todos. Tinham que achar um jeito de fazer aquilo mais rápido.

— E se fizéssemos uma rampa antes do buraco na ponte? Essas motos são esportivas, a gente podia saltar para o outro lado — sugeriu Marcel.

Gaspar, olhando para os amigos que desciam vagarosamente metros abaixo, passava a mão no queixo. Caminhou até a pista e olhou para a ponte. Era uma ideia, mas será que as motos continuariam inteiras quando batessem do outro lado? E se alguém falhasse? O rio não era fundo o suficiente para se salvar e, daquela altura, a água lá embaixo não seria exatamente um colchão macio. Quando o corpo batesse na água, no primeiro instante seria como cair numa tábua, mas depois a profundidade não seria suficiente para absorver todo o impacto. Poderiam perder uma moto... ou um amigo, mas era uma hora de desespero. Tudo tinha que ser considerado, até mesmo uma maluquice sugerida por um novato.

Gaspar caminhou pela ponte chegando à beira do abismo produzido pelos inimigos. Vendo o hiato de perto, a coragem diminuía. Tinha cerca de quarenta metros. De quanto seria o recorde mundial de salto com motos? Quarenta metros era muita coisa. Não era um salto, era um voo, uma loucura, mas talvez o recordista mundial não tivesse tido a mesma motivação que eles tinham com o sol descendo: manter a garganta longe de noturnos sedentos por sangue e salvar a própria vida. Sabia que eles viriam, que aquilo era uma arapuca. Os malditos sairiam de seus covis assim que o sol se deitasse e viriam atrás deles. Gaspar meneou a cabeça.

— Impossível, Marcel. Você é um cabra muito macho se tentar, mas nem tenta para economizar tempo e vida. Se quiser arriscar, me deixa as suas coisas, sua munição, suas armas. Vou fazer bom proveito delas quando os desgraçados chegarem.

— Você acha que eles vão encontrar a gente escondido?

— Você acha que não?

— Vai ser uma noite só, Gaspar. Seria muito azar.

— Azar e sorte se aplicam à gente, filho. Você é novo no negócio. Se ficarmos na rua, tem oitenta por cento de chance de sermos encontrados antes de o sol raiar. Eles sentem nosso cheiro de longe. Ainda bem que não veio nenhuma mulher.

— Por quê?

— Porque ela poderia estar "naqueles dias". Quando tem sangue na parada, então, é cem por cento de chance de eles nos acharem. Teríamos que nos esconder uns dez quilômetros longe da mulher "de chico" e deixá-la sozinha. Se ela conseguisse, sorte dela.

— Sério?

Bento

— Já tive que enfiar bala na cabeça de mulher chorando, filho. Foi de partir o coração, mas era ela ou a gente.

Marcel calou-se. Tinha assumido uma responsabilidade quando se alistara e ficado verdadeiramente feliz em poder ajudar o restante da Inteligência montada para combater os noturnos. Estava lutando por uma causa, pela salvação dos sobreviventes, mas agora sentia medo. Trilhava a estrada com homens capazes de tudo para se manterem vivos e longe dos noturnos.

— Não é medo de morrer, Marcel. Morrer, todo mundo morre um dia, filho, mas eu não preciso dizer como esses bichos são. Você os conhece tão bem quanto eu. O cagaço é de morrer nas garras desses animais, filho. Já ouvi cada coisa...

Marcel continuou calado. Gaspar voltara para o acostamento, de onde podia acompanhar o progresso da descida da primeira motocicleta, e sentiu um calafrio quando viu os homens descendo com dificuldade, ainda na metade do caminho. E era a primeira moto ainda! Deus! A noite chegaria e ainda estariam no pé da ponte. Coçou o rosto com a barba por fazer. Estava apreensivo. Cultivava alguma esperança de encontrar um posto de observação, um esconderijo seguro. No fundo do peito, achava que conseguiriam chegar em São Vítor, mas como?

Já eram três da tarde. Havia quase trezentos quilômetros pela frente. Mesmo com estrada boa, acabariam chegando depois do pôr do sol. Veio a inquietação. Tinha descido e subido aquele morro, e só os primeiros dez metros eram escarpados, difíceis, mas, em compensação, era o terreno mais firme. Depois, a descida melhorava. Deus! O suor escorria pela testa. Andou do acostamento para a pista e retornou uma dezena de vezes. Escutava o som dos pedriscos prensados pela bota. Impaciência. Olhou para o extremo oposto da ponte. Aflição. Outro calafrio. Os noturnos encontrariam todos aqueles rastros, as pegadas, o cheiro do medo de todos ali. Gaspar gostava dos muros. Quando chegavam com as motos com os pneus pelando, os portões eram abertos e o povo da vila vinha correndo para ver se tinham cartas de outra fortaleza, de outro núcleo de gente sobrevivendo. Era assim que amigos e parentes continuavam juntos. E os malditos noturnos tentavam sabotar essa aliança, esse fio de esperança, essa união.

Gaspar gostava da estrada. Quando amanhecesse, queria estar em outra rodovia, em outro asfalto, com o motor roncando para outro lugar, não queria terminar ali, na margem daquele rio que corria para o mar. O tempo escorria como uma ampulheta em contagem regressiva. Depois de todo aquele trabalho para descer aquelas motos, teriam que as subir do outro lado. Iria demorar. Fechou os olhos. O salto com a rampa era loucura, mas, talvez, se conseguisse realizar o que pensava... ganhariam muito tempo. Julgava-se um bom motoqueiro, era bom de equilíbrio, talvez fosse o melhor do bando. Tinha que arriscar. A chave da moto estava sobre o peito, presa a uma corrente prateada. A água já tinha secado completamente. Gaspar, só de cuecas, montou no couro quente de sua motocicleta.

Os cavaleiros desciam em marcha lenta, cuidadosos. Tinham que chegar com a máquina inteira. Faltava metade da descida. Estavam compenetrados quando ouviram o ronco do motor poderoso. Alguém lá em cima estava impaciente. O ronco crescia e diminuía repetidas vezes conforme a manopla era impulsionada. Depois ouviram um ronco contínuo e crescente. Estacaram. Uma moto em disparada. O que pretendia o cavaleiro? Boquiabertos, viram uma moto cruzar a borda do abismo, atirando-se no ar e vindo bater no barranco. Montado na máquina, descia Gaspar, com as pernas estendidas, dominando a moto reluzente, lutando por equilíbrio, como um vaqueiro no couro de um cavalo xucro. Aquilo era loucura. Gaspar venceu os primeiros dez metros, o trecho mais inclinado. Ouviam o motor acelerando, buscando equilíbrio depois de uma inclinação. Gaspar desviou das pedras, freou, dominou a motocicleta. Avançava, descia rápido, corajoso, bravo.

Estava cometendo um ato extremado em nome do grupo. Ganharia tempo precioso. Dava esperança. Enfrentou obstáculos, mais pedras. Era uma esportiva, não uma *offroad*. Os pés descalços buscavam o chão. Mas perdeu o equilíbrio. Ouviram o motor gritar quando a roda traseira girou em falso no ar. O pneu dianteiro travado por uma rocha e Gaspar foi arremessado sobre o guidão. A moto desceu rolando, atropelando o condutor. Gaspar gritou e desceu o resto do barranco rolando. A moto arrastou-se sobre o barro, levantando uma nuvem de poeira vermelha.

Adriano largou a moto que carregava e desceu aos saltos para socorrer o parceiro. Raul também soltou a traseira, em um ato impensado, obrigando os três restantes a agarrarem a máquina com maior firmeza, arfantes. Gaspar abriu os olhos. O mundo estava de ponta cabeça e poeira chovia do céu. Seus olhos ardiam. Puta que pariu! Que merda! Quase tinha conseguido. Doía quando respirava. A nuvem de poeira foi descendo e ele ouvia Adriano gritando, sempre correndo para ajudar algum dos soldados. Não era à toa que o amigo era o líder do grupo. Gaspar bufou, e suas costas arderam de dor quando ele se mexeu. Tinha quebrado alguma coisa, não estava bem. Tomara que não estivesse sangrando, tudo menos isso. Ouviu cascalhos deslizando quando o amigo eclipsou o sol e parou sobre ele.

— Você está legal?

— Quebrei alguma coisa... tenho certeza...

A poeira assentou. Adriano crispou os lábios indicando problemas.

Bento

— Puta merda, Gaspar! Você nunca sossega esse facho?

— Estou sangrando?

— Você é esperto, velho, o mais esperto! Só tem esse diacho de defeito.

— Tá! Tá! Para de choramingar e fala logo! Estou sangrando?

Adriano deixou os olhos pairarem sobre os dois gravetos espetados na barriga do amigo. A hemorragia era vermelha viva. Sangue arterial.

— Dois buracos...

Gaspar soergueu a cabeça. Respirava com dificuldade. Os olhos viram os gravetos enfiados na barriga. Começou a bufar de dor e ansiedade.

— Merda, cara. Merda. Estou fodido!

— Fica deitado. Recupera o fôlego. Vou ver o que a gente faz, vai ter um jeito. O Raul manja dessas coisas, só espera eu...

Gaspar soltou um grito longo quando puxou os gravetos interligados e depois colocou a mão suja de barro sobre as feridas.

— Porra, Gaspar!

— Desculpa, irmão. Jurava que conseguia... foi azar... aquela pedra, aquele inferno de pedra. Ia ganhar tempo pra gente...

— Fica quieto um pouco, porra! Descansa. Vamos ver se quebrou alguma coisa. Você está todo fodido, cara! Segura esses buracos aí.

Adriano afastou-se, chutando os pedriscos no chão. Queria esganar o amigo, justo o companheiro que compartilhava o segredo do plano, o mais velho do grupo. Sabia que o desespero e a ansiedade motivaram aquela ação e não podia culpá-lo de todo. Ninguém era culpado por tentar salvar-se dos noturnos, mas ele sabia que Gaspar tinha terminado de foder com tudo! Não tinha expressão polida para extravasar. Puto duma figa! Não encontrava jeito melhor para definir a circunstância. Gaspar tinha ferrado tudo. Adriano respirou fundo e olhou para os homens. A cabeça do líder estava a mil. Marcel chegava ao pé do morro naquele instante. Apesar da pele negra, o novato tinha empalidecido.

— Eu não pude fazer nada. O cara é louco!

Adriano aquiesceu. O que o novato faria para deter Gaspar? Teria tomado um murro no meio da boca se tivesse tentado. Olhou para o morro e viu os três agarrados à motocicleta descendo metro a metro, passo a passo. Raul voltava para ajudá-los. Eram três e meia da tarde. Não iriam escapar daquele buraco com a luz do dia na cabeça nem a pau. Estavam condenados.

CAPÍTULO 8

Lucas mordeu o meio pão que lhe foi servido. A refeição resumia-se a um pedaço daquela espécie de broa, mais um prato da mesma sopa rala de antes e um copo de água, mas tinha chegado em boa hora. Estava faminto e sedento. A sede era o que mais o incomodava. Olhando através da porta aberta, viu que Gabriel continuava dormindo, sem dar trela ao prato de comida. Estranhou, já que o homem tinha comentado que estava com sede e fome também. Talvez devesse acordá-lo. Porém, antes de levantar-se, desistiu. Para que se importar com aquele desconhecido? Nem sabia quem era o vizinho de cela. Foda-se. Talvez fosse um ex-presidiário ou um maluco qualquer. Só não entendia por quê, sendo ali um hospital, eram tratados daquela forma, feito bichos, e ainda mais ter que compartilhar o tempo com aquele cabeludo estranho e catinguento. O cheiro ruim só aumentava.

Lucas meneou a cabeça e esfriou o fluxo de pensamentos. Recapitulou suas últimas concatenações, toda aquela maçaroca de maus pensamentos, e por um segundo não se reconheceu. Por que a antipatia crescia tanto contra o vizinho? Não conseguia entender. Só de olhar para aquele amontoado de cabelos crescia uma irritação desconcertante, mas ele não tinha lhe feito nada. Porém, alguma coisa havia. Por que tanta repulsa? O cheiro era a falta de banho, e ele mesmo deveria estar fedendo igual. Meteu as narinas nas axilas e apertou os olhos enquanto inalava. Era cheiro de suor, odor normal. Escutou um barulho do outro lado do espelho e correu até e vidro, mas não conseguiu ver nada além de si mesmo, aquele rosto magro, cabelos encaracolados, olhos fundos. Estava enlouquecendo, precisava sair dali e livrar-se daquele cheiro ruim.

— Fechem essa porta! — gritou.

Era inútil. Do outro lado, sabia que tinha alguém, porque tinha escutado um barulho, uma caneca caindo, alguma coisa derrubada enquanto ele cheirava seu próprio sovaco. Talvez eles tivessem rindo dele. Por que ririam? Era um palhaço por acaso? O que pensavam? Lucas encarou o reflexo novamente, levantou a mão que segurava um naco de pão e lentamente aproximou-se do espelho até tocar o vidro. Queria ir além, tocar seu próprio rosto, encontrá-lo mais uma vez. Estavam separados por aquele vidro, e ele estava enlouquecendo, querendo confortar a si mesmo enquanto o cheiro ruim que vinha de Gabriel entrava pelos seus orifícios nasais e subiam até seu cérebro, fazendo com que o detestasse. Como um cheiro podia fazer isso?

Lembrou-se de uma sala de aula, um rosto, e teve a mesma impressão: antipatia imediata por um ex-colega de escola. Às vezes, somos acometidos dessas coisas, como se tivéssemos vivido vidas passadas ao lado daqueles supostos estranhos. Talvez fossem mesmo desentendimentos além-vida.

Lucas riu de seus pensamentos, afastando-se do espelho até se sentar de novo no catre. Fechou os olhos, engolindo mais um pedaço de pão. Era religioso? Não se lembrava. Tentava ver uma igreja, lembrar-se da Bíblia... Devia seguir alguma religião. Por que ainda não se lembrava das coisas? Sabia que tinha fé e esperança, que acendia uma vela pedindo para encontrar uma resposta. A gente nunca desiste de quem a gente ama. A gente sempre persiste, continua, e uma hora a graça é alcançada. Só que quando vasculhava seu cérebro nebuloso, procurando sua fé e sua religião, não encontrava nada, só aquele vazio. Estava sozinho. Tinha que falar de novo com a doutora Ana, estava cheio de dúvidas, e, principalmente, com vontade de sumir daquele quarto de loucos. Aquele cabeludo só podia ser um maluco e, se chegasse muito perto, tomaria um safanão. Seu vizinho podia ser um daqueles psicopatas que ficam quietos na cama, como o amontoado de cabelos estava agora, mas, de repente, levantam-se como loucos e saem estrangulando meio mundo.

Terminou a sopa e olhou para a colher de metal. Se aquele doente mental viesse para sua cela, veria o que era bom para tosse. O cheiro estava piorando, e Lucas olhou para a colher. Talvez conseguisse retorcer o metal e torná-la pontiaguda. Gabriel não perdia por esperar. Percebeu fogo e fumaça, ouviu um barulho, talvez fossem explosões, algo como rojões, daqueles de seis tiros de canhão, tipo Caramuru. Caramuru? O que significaria isso? Os rojões... tinha ouvido mesmo ou o disparo havia sido em sua cabeça?

Lucas fechou os olhos e inspirou barulhenta e longamente. Teve vontade de ver uma janela. Onde estaria? Onde ficaria o Hospital Geral de São Vítor? Em São Paulo? Em qual bairro? E o que mais o atormentava era não descobrir quanto tempo estava ali. Precisava saber. Queria ver o mundo, ver onde estava. No Ibirapuera? Em Moema? No Piqueri? Queria voltar para casa, ligar para aquela mulher que apareceu em sua cabeça. Quem seria ela? Se fosse para casa, se visse suas coisas, seus móveis, suas fotografias, com certeza se lembraria de mais coisas... e dela. Seria sua irmã? Ou sua namorada? Casado não era. Olhou para o dedo anular esquerdo com frio na espinha. Não tinha anel nenhum, nem mesmo a marca natural que se desenvolve com o uso da aliança. Ficou segurando a mão esquerda, passando o dedo sobre a falange do anular. Definitivamente não era casado. Sentado na cama, fechou os olhos mais uma vez e encostou a testa no joelho. Ela podia ser sua irmã ou uma amiga. Pensou em matar o desgraçado. Passou a mão na cabeça, levantou-se irritado e foi para perto do vidro espelhado. Teria alguém do outro lado?

— Quero uma janela! — gritou, batendo no vidro.

Deu uma volta pelo quarto. Gabriel não acordou com o grito. O desgraçado dormia despreocupadamente, como se merecesse estar ali. Homem idiota. Devia estar em pé para poderem unir forças para escapar. Lucas voltou ao vidro.

— Quero ir embora! Vocês estão me deixando louco!

Apanhou o prato metálico e arremessou contra o vidro espelhado. Tremia e estava agitado, mas Gabriel continuava dormindo. Como ele conseguia dormir tanto e feder tanto? Lucas deixou um olhar insano abater-se sobre o vizinho. Algo em suas entranhas dizia que aquele homem, que fingia estar adormecido, simulando passividade, era um monstro, era um perigo. Lucas não entedia como aquela vontade tinha ganhado morada em sua mente, mas sabia que precisava dar um jeito em Gabriel. Primeiro, tinha que acordá-lo.

Os malditos homens atrás do vidro pareciam ler seus pensamentos, pois quando decidiu ir até o catre de Gabriel, a porta que unia as celas foi fechada rapidamente. Lucas bateu contra a folha metálica, fazendo um estardalhaço. Estava fora de controle. Queria acordar Gabriel, espancar o vizinho. Caiu no chão com as costas nuas tocando a parede e começou a chorar. Por que queria matar Gabriel? Era isso, ele queria matar o vizinho! Estava louco! Aquilo não era um hospital comum, era um hospício, um manicômio para desequilibrados. Merecia estar trancafiado, estava doente da mente. Era isso. Um doido varrido. Por isso não se lembrava de nada e não sabia mais quem ele era. Estava ali havia muito tempo, afastado da sociedade, devia ser isso, devia estar vivendo à base de remédios, como um alienado, sendo apagado, desligado todas as noites. Agora estava tendo um surto de lucidez... relembrando coisas, parecendo normal, com uma colher e uma faca na mão. Os remédios fazem isso, queimam nossas lembranças. Assustou-se quando uma voz metálica invadiu a sala.

— Fique em pé.

Lucas resistiu.

— Por favor, senhor. Fique em pé e encoste-se na parede, entre a cama e a porta branca.

Bento

— Onde eu estou? Quem é você?

— Fique em pé, senhor. Encoste-se na parede, entre a cama e a porta branca.

— Me diga onde eu estou! Quem é que vivia comigo na minha casa?

A voz ignorou suas súplicas.

— Quero sair daqui! Quero olhar por uma janela, ver lá fora... — murmurou.

Como o silêncio persistiu, Lucas enfraqueceu-se e obedeceu. Levantou-se olhando para o quarto todo.

— Aqui só tem porta branca, seu escroto redundante, filho da puta!

— Encoste-se na parede, senhor. Vamos ajudá-lo.

Lucas, como um zumbi, obedeceu e encostou-se nos azulejos brancos. Como da primeira vez, um barulho surgiu atrás de sua cabeça. Uma garra fechou-se no pescoço. Lucas sentiu medo, iriam matá-lo! Como fora tolo de encostar-se na parede! Tinha lágrimas descendo pelo rosto e grilhões prendendo os punhos. Era um escravo da instituição. A porta principal foi aberta e ele viu a doutora Ana surgir. Reparou nos olhos da médica e viu que eram cinzas. Sempre gostara daquele tom de olhos, eram especiais. Ela tinha os cabelos em tom de areia... quase loiros. Era linda. O cheiro dela encobriu a fedentina que vinha do quarto ao lado. Lucas arfava, estugado pelo medo e pelo desconhecido. A médica aproximou-se com a bandeja metálica cheia de seringas.

— Não me mate, doutora, eu não sou um lunático! Eu não queria matar o Gabriel! Não me mate!

A médica parou na frente do paciente. Seus olhos pareciam ausentes, como os de uma máquina, cumprindo mecanicamente seu trabalho.

— O que estão fazendo comigo, doutora? Só quero saber por que eu estou aqui!

Ana pareceu compadecer-se. Seus olhos e gestos perderam o ar mecânico com o qual entrou na sala. Sua mão em luvas brancas de borracha vacilou sobre a bandeja e ela soltou a seringa que tinha apanhado.

— Já está terminando, Lucas. Tudo vai ser explicado.

— Tudo o quê, doutora? O que está terminando?

— O processo, Lucas. Tenha calma. Vocês dois precisam passar por isso.

— Ele fede! Ele fede muito, doutora! Eu quero acabar com ele, quero arrancar a cabeça dele! — Lucas arfava e salivava, enlouquecido.

Ana olhou para o vidro e andou até o espelho. Fez um sinal, seus olhos espremidos, irritada com quem estava lá do outro lado.

— Você quer ouvir mais o quê? — a médica gritou. — Eu já sei! Eu posso acabar com isso agora!

Havia silêncio do lado de lá e grunhidos de Lucas às suas costas. Ana virou-se para o homem preso pela garganta e pelos punhos e aproximou-se dele mais uma vez. Passou um algodão embebido em álcool no braço direito de Lucas e depois amarrou uma fita de borracha pouco abaixo da axila, prendendo a circulação.

— Feche a mão, por favor.

Assim que o paciente obedeceu, viu uma veia intumescer.

— Eu quero olhar por uma janela, quero saber onde estou. Por que fiquei louco?

— Você não está louco, Lucas, está passando por uma fase, encare dessa forma. É uma fase que está acabando.

— Que fase, doutora? O que é que eu tenho?

— Nada, Lucas. Não tem nada.

A médica ficou muda por um instante, enquanto a agulha despejava a medicação dentro do corpo do paciente. Lucas inspirava fundo e apertava os olhos. Sua mandíbula estava tesa, e ele balançava a cabeça.

— Acalme-se. Durma um pouco, Lucas. Você precisa descansar. Só o tempo vai lhe dar respostas. A gente vai contar para você um monte de coisas, mas essa fase precisa passar.

Lucas abriu os olhos injetados de raiva e encarou a médica.

— Me diz alguma coisa, me dá uma informação. Que dia é hoje? Que horas são? É dia, é noite? Não gosto dessa sensação de estar perdido...

— É dia, quatro da tarde. Por isso que seu quarto está tão quente e você está tão agitado. Já servimos água e sopa, e daqui a pouco anoitecerá. Você não vai comer mais nada, só vai beber mais um copo de água. Precisa passar essa fase primeiro.

— Quatro da tarde? Por que o Gabriel está dormindo? Como ele consegue? Está um calor...

— Ele está cansado. Cada um reage de um jeito a essa fase.

"Doutora, deixe o quarto, por favor", ordenou a voz metálica.

— Quem são eles, doutora? Por que têm medo de mim?

— Tenha calma.

"Doutora. Deixe a sala imediatamente. Não diga mais nada."

Lucas tentava olhar para o espelho, mas sua visão começava a nublar enquanto sua raiva intempestiva cedia. A garra apertada sobre o pomo-de-adão o sufocava, fazendo-o engasgar, e ele precisou inspirar fundo. Ana afastou-se do paciente com um olhar triste.

— Você vai ter as respostas em breve, Lucas. Durma um pouco.

Bento

Lucas aquiesceu. A droga que circulava em suas veias era poderosa e o deixou zonzo. Quando os grilhões foram soltos, não conseguiu manter-se em pé e não teve tempo de alcançar a cama. Apagou no chão frio, vestido com a calça azul e sem camisa.

CAPÍTULO 9

Adriano deu um pedaço de madeira a Gaspar. Os homens ficaram em volta, todos silenciosos. O único barulho existente era o som da água descendo e dos gemidos intermitentes do velho soldado ferido. Gaspar colocou o pedaço de madeira entre os dentes, mordendo-o firmemente. Sabia que ia doer. Raul tinha pedido para olhar a ferida, mas não tinha anestésicos. Adriano segurava Gaspar pelos ombros agora enquanto o amigo inspirava fundo.

— Vai logo, Raul. Só faz logo o que tem que fazer — ordenou o ferido.

Raul, com as mãos lavadas com cachaça, enfiou o dedo na primeira ferida e depois derramou mais aguardente na segunda, limpando o ferimento enquanto inspecionava com o dedo. Fechou os olhos apurando o tato. A cada respiração de Gaspar, uma golfada pulsava pelas bordas das lacerações. Ele soltou um gemido comprido e sufocado pela mordida no graveto e empurrou as costas para trás, escorando no barranco, enquanto restava a Adriano apenas amparar os ombros do amigo.

Raul olhou para Adriano e nada disse, pois conhecia aquela cara. Gaspar tinha se lascado feio. Raul pegou a agulha e fez a sutura o mais rápido que pôde. Gaspar gemeu e protestou, esmagando o máximo que podia a madeira entre os dentes. Mais sangue escorreu pela barriga. A cueca, antes azul clara, agora estava roxa. Raul despejou mais aguardente sobre os pontos e dobrou um pano que cobriu as feridas. Passou uma gaze na cintura de Gaspar e levantou-se, deixando o homem respirar e recuperar-se da dor. Todos os cavaleiros estavam ao redor do ferido que, depois de cuspir o pedaço de madeira, apanhou a garrafa e tomou uns bons goles da pinga, relaxando os músculos e afundando as costas no barranco, com a testa e o peito lavados de suor.

Os parceiros começaram a fazer piadas e a rir para descontrair enquanto Adriano e Raul olhavam apreensivos para o curativo que não estava mais imaculado. Uma mancha rubra ia se esparramando lentamente. Trocaram um novo olhar e Raul deu as costas ao ferido, andando até a beira do rio e olhando para as aves que voavam rentes a água. Àquela hora do dia, os bandos de diversas raças de voadores tomavam o rumo da invernada, se preparando para o poente que se aproximava.

Adriano também foi chamado para a vida com o grasnar das garças em um voo harmonioso e coreografado. O tempo corria, e tinha que arrumar um jeito de construir um abrigo para a noite, precisando organizar uma solução naquele momento. Pesava em seus pensamentos, em seus cálculos e nas possibilidades não só o buraco na ponte, as motos agora dispersas, mas, sobretudo, um homem ferido, com uma hemorragia no abdômen. O sangue seria farejado a quilômetros, e Gaspar já sabia como o jogo era jogado. A única coisa que restava era rezar para que parasse de sangrar e Gaspar não morresse até o nascer do sol.

O soldado ferido levantou-se, segurando a garrafa ainda e gemendo de dor, e logo foi amparado por Sinatra e Marcel. Adriano notou que seu ombro direito estava bastante inchado e que filetes de sangue também corriam pelas costas esfoladas. O sangue parecia marrom, pois o corpo de Gaspar estava coberto por bastante poeira.

— Vamos levá-lo ao rio, tirar essa sujeira toda. Deixem ele tentar andar sozinho.

Aos poucos, soltaram Gaspar.

— Eu consigo, pode deixar. Só estou um pouco tonto. Dói para caralho.

Gaspar curvou-se e, mancando, tentou aproximar-se do rio. Que besteira tinha feito! Teria conseguido se não fosse a droga de pedra, mas agora estava com aqueles buracos na barriga. Olhou para trás e viu que Adriano o acompanhava. Os outros começavam a subir o morro para trazer mais uma das motocicletas. Gaspar, com dificuldade, deixou o corpo escorregar pela beira do barranco, caindo na parte mais rasa do rio, mas não chegando a molhar as bandagens.

— Não molhe o curativo — advertiu Adriano. — Lave os braços e vá se deitar ao sol. Procure descansar um pouco e ver como reage. Temos que ver se esse sangue para de vazar, senão não sei como vai ser à noite. Você não pode ficar sangrando, cara.

— Eu sei, porra! Sei até no que você está pensando, Adriano. Caguei feio hoje.

— Calma, meu velho. Já rodamos quantos quilômetros juntos? Ainda temos muita estrada pra cruzar.

O líder estendeu a mão para trazer o soldado para fora d'água. Era melhor poupá-lo de esforços. Apoiou-o pelo braço para conduzi-lo até um gramado banhado pelo sol. Estavam no meio do caminho, entre gemidos e arrastamento de perna, quando Adriano assustou-se mais uma vez ao olhar para o soldado. Gaspar tinha a perna, da altura do joelho para baixo, lavada de sangue.

— Seu joelho...

Gaspar parou para olhar.

— Merda! Puta merda! Por isso estava doendo demais!

Chegaram ao gramado e Adriano deitou o amigo. Chamou Raul mais uma vez, que trouxe o kit de primeiros socorros. Raul olhou para a ferida que tinha passado despercebida por conta do barro aderido à pele de Gaspar e por conta da concentração na barriga do parceiro.

— Mano, bebe mais. Vou ter que costurar isso aqui também.

— Mais agulha? Porra, Raul, não tem um esparadrapo aí, não?

Raul coçou a cabeça, não sabia se ria ou se dava uma paulada nas costas do teimoso.

Adriano pegou a madeira mais uma vez e limpou assoprando.

— Morde de novo, soldado.

— Porra, já está doendo para caralho! Eu não aguento mais!

— Só mais essa. É melhor do que ficar sangrando e virar isca de noturnos.

Gaspar fechou os olhos e respirou fundo.

— Vou ter que tomar outro trago, cara. A seco não vai dar. Olha o tamanho desta merda — reclamou, apontando para o corte aberto no joelho.

Adriano e Raul olharam para a ferida.

— O que é esse treco branco?

— Acho que é seu osso, cara.

— Não vou conseguir, velho. Toca o barco com os caras, me larga aqui. Só me descola mais uma garrafa dessa aí. Eu viro tudo e apago.

— A gente não trouxe mais cachaça, Gaspar. Não dava, tinha que trazer gasolina, não pinga. Quando chegarmos em São Vítor...

— Quem você está querendo enganar? — resmungou o ferido, colocando a madeira na boca. — Mmm... que não emmm...

Raul limpou a ferida com uma gaze e começou a costurar, com o joelho semiflexionado e tendo de forçar para a pele se juntar. Gaspar gemia, mas evitava mexer no ferimento, aguentando firme. Adriano já tinha na sua lista um novo pedido de analgésicos injetáveis para a doutora Ana no Hospital Geral de São Vítor. Depois de dar os pontos, Raul cortou a linha do carretel e enrolou faixas na altura do joelho.

Gaspar parecia estar mais calmo ou ter desmaiado, já que estava extremamente quieto e de olhos fechados. Como o homem respirava, Adriano não o fez acordar e deixou Gaspar para trás. Não podia parar também. Um homem a menos já era muita coisa, o que dizer dois...

Colocou-se morro acima, onde os homens desciam com mais uma motocicleta. Só vinte minutos mais tarde, com seis homens descendo o veículo, é que parou para examinar a moto de Gaspar. Ela estava com os retrovisores quebrados, a carenagem danificada e mais uns tantos arranhões. Colocou-a em pé e deu a partida, e a moto pegou na primeira. Ao menos parecia boa para rodar. Baixou o apoio e deixou-a em pé junto às outras duas. Faltavam cinco. Olhou para o céu e viu o sol descendo, já próximo das árvores. Olhou ao redor e sentiu o vento frio se intensificando. A noite não tardaria a chegar.

A voz de Sinatra puxando mais um hit do passado chegou aos ouvidos, e era impressionante como aquele cara conseguia manter a calma nas horas mais complicadas. Por que Gaspar não estava ajudando a descer a primeira moto em vez de Sinatra? Sinatra teria pulado como um louco lá de cima? Não teria. Teria cantando mais um sucesso das bandas desaparecidas após a catástrofe, uma da banda Plantação. Não teria descido aquele morro e acabado todo estropiado feito o Gaspar. Enxugou o suor da testa com os pelos do braço.

— Não subam ainda. Vamos encontrar um lugar para passar a noite.

Os homens o encararam silenciosos, como que recebendo a confirmação dura do que não queriam ouvir. Passariam a noite na estrada, expostos aos malditos noturnos.

— Vocês três, procurem deste lado do rio — disse Adriano, referindo-se a Joel, Raul e Paraná. — Vou com o novato e os outros procurar do outro lado. Estejam aqui, impreterivelmente, em quarenta minutos.

Sinatra, Marcel e Zacarias atravessaram o largo rio em braçadas rápidas. O líder Adriano era o que demorava mais, pois levava o facão amarrado na cintura e também tomava cuidado com duas armas de fogo. Aquelas expedições inesperadas invariavelmente eram entremeadas por surpresas, quase sempre desagradáveis. Os últimos anos tinham dado vigor à mata e não era difícil deparar-se com onças ou matilhas de cães famintos e raivosos, oriundos dos grandes centros urbanos abandonados. Perigo era o que não faltava.

Até mesmo o novato sabia o que estavam procurando. Um abrigo... isso significava que tinham pouco mais de vinte minutos para localizar uma pequena gruta ou algo que os mantivesse protegidos e cercados, para tentar sobreviver àquela noite. Uma manilha larga, um cômodo escavado nos morros por sobreviventes do passado, qualquer coisa. Em geral, esses cômodos perdidos nas florestas tinham uma única entrada, um único caminho, para que inimigos fossem atacados e eles pudessem defender-se durante a noite. Caso um noturno encontrasse o abrigo, dificilmente escaparia vivo. Por isso, convinha que uma sentinela passasse a noite toda acordada, mas, se estivesse ao relento sozinho, nem podia pensar em cochilar. Os vampiros eram ardilosos, chegavam sem fazer barulho, eram caçadores eficientes e assassinos rápidos. Vinham do céu, pelas árvores, como macacos do inferno. Pisavam nas folhas secas sem que elas estralassem, e muita gente morria sem se dar conta de que caía nas garras das criaturas. Zás...! E uma garganta era cortada para os bichos da noite alimentarem-se daquilo que jorrava das artérias. Sangue vivo, sangue humano.

Diziam que podiam até subsistir com sangue de outras espécies, mas que não era a mesma coisa para eles. O sangue humano era mais saboroso, mais poderoso, farejado no ar a centenas de metros de distância. Um sangramento durante a noite e pronto! Estavam ferrados. Eles viriam, algo tão certo quanto o pio da coruja. Diziam também que os vampiros caçadores, os que saíam para as florestas durante a noite em busca de sangue fresco, eram os piores. Os caçadores eram mais fortes, mais violentos, enquanto os noturnos eram os mais preparados, pois conheciam as matas e os esconderijos, e derrubavam as árvores na estrada, colocando explosivos e armadilhas perfurantes nos caminhos, que faziam a vítima sangrar e deixar um rastro. Se o azarado tivesse que dormir na estrada, estava acabado. Diziam que os vampiros mais fracos ficavam nas tocas, nas cavernas, nos túneis gigantescos que abrigavam uma população inteira daquelas criaturas. Os noturnos tomavam as velhas cidades desabitadas. Contavam que a extinta cidade de São Paulo abrigava um sem-número de tocas e tribos, pois os noturnos dividiam-se em grupos e ocupavam prédios inteiros, selando as janelas para impedir a entrada do sol. Escravizavam seres humanos para fazer deles sentinelas diurnas, e estes tornavam-se humanos traidores, que abriam fogo contra as tropas que buscavam desinfectar a Terra daquela raça inimiga, surgida do dia para noite, sem mais nem menos. Eram criaturas que apareceram depois da Noite Maldita.

Zacarias, o soldado mais baixo e mais gordo do grupo, foi quem lembrou:

— Depois dessa ponte não tem aquela lanchonete abandonada?

Adriano refletiu um instante.

— É... tem.

— Por que a gente não procura abrigo por lá? A gente fortifica uma sala e fica todo mundo junto. Se aparecer alguém durante a noite, a gente manda bala.

— Na mata é mais seguro — replicou o líder.

Bento

— Claro que é mais seguro, mas se a gente não achar nada em meia hora, é melhor não perder mais tempo e começar a preparar nosso acampamento lá na lanchonete. Como é mesmo o nome daquele lugar? Rei da Pamonha?

— Rancho da Pamonha — consertou Sinatra. — Rancho.

Zacarias sorriu porque aquela era uma imagem de infância. O pai sempre parava na estrada para eles fazerem um lanche no Rancho da Pamonha. Tinha um playground imenso, era muito divertido. O sorriso sumiu quando outra imagem surgiu: a casa invadida por vampiros, o pai atirando contra as criaturas, a mãe escapando com ele pelas escadas, a gritaria enquanto invadiam o prédio todo. Zacarias apertou os olhos. Adriano, que ia à frente atento ao caminho, divisou uma picada em meio ao mato alto e chamou a atenção dos companheiros. Podia ser uma isca, uma armadilha, pois os noturnos eram foda. O facão ampliava a abertura e talvez terminasse em um cômodo de concreto, criado pelos soldados em passagens anteriores. Aquela luta era antiga, uma guerra sem trégua. Sinatra começou a cantar o maior sucesso de Armstrong, e *What a Wonderful World* encheu a mata. Adriano arrependeu-se de não ter trazido seu par de botas. Entrar na floresta descalço era coisa de amador. Aquela região era lotada de serpentes.

Marcel era o que tinha a expressão mais tensa, pois era a primeira vez que se preparava para passar a noite na floresta. Desde que ele, ainda criança recém-desperta, e a mãe foram aceitos na fortificação de Nova São Paulo, nunca precisou passar um dia fora dos muros. Já tinha entrado em confronto dezenas de vezes contra os noturnos, mas dentro dos muros de Nova Luz a coisa era diferente. Apesar de cercado por mais sete amigos, ali fora sentia-se sozinho, desprotegido. Tinha ouvido muitas histórias sobre Adriano e seu grupo e sabia que o líder era um guerreiro experiente, mas isso não estava fazendo diferença naquele exato minuto. Com o coração acelerado, rezava por um milagre. Torcia para acordar sobressaltado e descobrir-se na cama, respirando aliviado por despertar de um pesadelo ultra-assustador.

Adriano chegou ao final da trilha, que acabava numa rocha. Praguejou, picou mais um pouco para a direita, depois para a esquerda, balançou a cabeça e viu que o expedicionário que estivera ali antes dele tinha desistido quando chegou naquela rocha. A picada não levava a lugar algum, em nenhuma gruta ou cômodo preparado com uma passagem estreita. Nada.

— Vamos voltar. Estamos perdendo tempo aqui.

— Vamos tentar o Rancho?

Adriano só resmungou, o que bastava para os veteranos saberem que a resposta era positiva. Em cinco minutos, chegaram à beira do rio mais uma vez.

Subiram em direção à ponte, e devia ser quase quatro horas da tarde. O sol, insistente, dava um aspecto rajado à folhagem atlântica, intercalando o verde com luz e sombra.

Chegando à ponte, Adriano foi informado de que faltavam cinco minutos para completar os quarenta. Tinham descido bastante e talvez fosse precipitado decidir pelo Rancho da Pamonha, pois nem tinha vasculhado rio acima. Mas a incerteza de encontrar abrigo na mata ditava a alternativa. Não podiam arriscar perder mais tempo. Se fizessem isso, quando se dessem conta de que não tinham um canto mais seguro para pernoitar, já estariam perto das cinco da tarde, e não tardaria a iniciar o coaxar dos sapos e a imersão na sombra. Teriam que se esconder na mata, tendo como proteção as árvores e a fé em Deus. Por outro lado, talvez a outra equipe tivesse tido mais sorte e viesse com a boa nova de um abrigo perfeito, impossível de ser penetrado por um noturno. Partilhou os pensamentos com os acompanhantes, que deixaram as armas de fogo e o facão na margem do rio e voltaram nadando para a outra margem.

Enquanto os homens aqueciam-se com os braços, Adriano foi até o gramado onde Gaspar permanecia adormecido. Secou a mão nas próprias pernas e, depois, tocou a testa do amigo. Estava fria. Olhou para as ataduras vermelhas na barriga. Gaspar era seu segundo homem e não queria deixá-lo para trás. Era, além de um bom soldado, um amigo e, além disso, o segundo no grupo que conhecia a missão e os planos da Inteligência do grupo superior que lutava para construir a estratégia definitiva contra os noturnos. Gaspar era valioso demais. O filho da mãe não devia ter dado uma de super-herói àquela hora. Tudo tinha ficado mais difícil, e ele havia colocado todo o grupo em risco. Adriano mordiscou o lábio inferior e olhou para os homens do outro lado. Seu irmão tinha se tornado uma daquelas coisas que vinham atrás de sangue. Seu irmão era tudo que tinha no passado, um cara que ele queria imitar quando crescesse. Gaspar tinha ocupado por um tempo o lugar do irmão em seu coração, em sua organização interna... e tinha ferrado com tudo. Aquela noite seria muito, muito longa.

Depois de dez minutos, avistaram o grupo de Raul descendo o rio. Vinham em silêncio, cabisbaixos, parecendo ter tido a mesma sorte. Nenhum abrigo inexpugnável, nenhum combustível para a esperança que minguava à medida que o sol descia.

— Encontramos uma gruta escavada em pedra... — começou Raul. Marcel deu um tapa ligeiro no braço de Sinatra. Havia esperança. — ...mas é muito pequena, suficiente para um homem só, dois, se apertar... Não vai dar para todo mundo.

O sorriso que enfeitava o rosto negro do novato desapareceu.

— Zacarias lembrou que depois da ponte tem aquele Rancho da Pamonha. Acho que podemos adaptar uma sala para passar a noite.

— Dá uns seis quilômetros até lá, uns três minutos de estrada — emendou Joel.

— Se não tiver nenhuma árvore no caminho... — resmungou Marcel.

— Mas estou com Adriano e não abro. Se ficarmos aqui discutindo, vai anoitecer. Vamos mexer o esqueleto e correr para o Rancho da Pamonha.

— Temos que atravessar mais duas motos, temos três aqui embaixo. Vamos esconder as outras no mato. Vampiro fareja sangue, não óleo. A gente dorme no Rancho e amanhã volta para buscar o resto. Vamos subir logo essas máquinas e arrumar um canto para dormir — organizou o líder.

Todos se colocaram em movimento imediato. Adriano puxou Raul até a margem do rio e perguntou em voz baixa:

— Onde, exatamente, fica essa gruta, Raul?

Raul jogou uma pedra na água e olhou para Gaspar, bêbado, deitado no gramado segurando a garrafa de pinga.

— Vai ter que ser assim?

Adriano balançou a cabeça em sinal positivo.

— Vai.

* * *

Uma hora e vinte minutos depois, estavam em cima do morro, do outro lado da ponte, com duas motocicletas de motores ligados. Marcel olhou para o barranco vermelho que terminava em árvores novas e touceiras altas. Tinham demorado para subir com as motocicletas, que eram pesadas demais e difíceis de levantar. Podia ver do outro lado do rio um corpo estirado numa parte gramada da depressão. Gaspar, anestesiado pelo álcool e imobilizado, ficaria para trás. Tinha uma espingarda ao seu lado, que causava um reflexo de luz no metal por causa da incidência do sol.

Estavam em sete homens no topo do morro. O asfalto negro guardava o destino do pelotão. Raul e Joel tomaram o guidão das motos.

— Zacarias e Marcel, vocês vão primeiro e dão uma olhada no lugar. Verifiquem se temos como montar um quarto para o pernoite. Estando tudo ok, voltem para pegar a gente.

Acomodaram o máximo de bagagens com o primeiro quarteto. Se a estrada estivesse limpa, chegariam em poucos minutos (três ou quatro no máximo) ao velho e abandonado Rancho da Pamonha.

Ficaram na beira do morro o líder Adriano, o cantor Sinatra e Paraná, que, com seus cinquenta anos, era o homem mais velho do grupo. Mas, mesmo já sendo um senhor, sua compleição era invejável. Tinha o cabelo cortado à máquina e olhos vivos. Apesar da idade, era soldado havia apenas quatro anos e estava no grupo de Adriano fazia menos de dois. Tinha servido em outro pelotão, que fora exterminado pelos noturnos em uma batalha no front. Diziam que Paraná se alistara depois de ter visto a família dizimada em uma invasão dos noturnos a uma fortificação. As sentinelas não tiveram tempo de dar aviso com rojões. Foi um massacre.

Adriano cofiava o cavanhaque, olhando para o corpo estirado de Gaspar. Os motoqueiros não poderiam demorar, pois o líder planejava ir até a lanchonete abandonada para inspecioná-la com os próprios olhos e depois retornar para levar Gaspar até a gruta encontrada pelo grupo de Raul. Tinha decidido: Gaspar não ia colocar a vida de todos em risco. Sinatra cantarolava qualquer coisa, enquanto Paraná estava debruçado na murada da ponte, olhando a paisagem rio abaixo. O sol continuava sua marcha cadente, trazendo o inferno.

Depois que Sinatra calou-se, um silêncio avassalador abateu-se sobre o trio, cada um capturado por seus pensamentos. Minutos escorreram para o passado quando foram despertos pelo som grandioso de uma revoada de araras-azuis e tucanos que cruzaram a ponte, descendo o rio. Quando o som dos pássaros se afastou, o som dos motores chegou, e meio minuto depois avistaram as motos na rodovia. Marcel e Joel traziam as motocicletas, e seus capacetes reluzentes rebatiam o pouco do sol que chegava ao asfalto. O astro rei tocava a copa das árvores, e o tom azul do céu começava a transformar-se. Quando os homens chegaram e retiraram os capacetes, puderam ver os sorrisos.

— O Raul achou o lugar perfeito! Disse que vamos sobreviver a esta noite! — explodiu o jovem Marcel.

Adriano resmungou, montando na garupa e pedindo a Marcel que ficasse o mais para a frente possível para que Sinatra pudesse subir. A moto deles iria levar três passageiros. Joel e o corpulento Paraná dividiram o segundo veículo com o resto das mochilas. Dispararam no asfalto, e, quatro minutos depois, as máquinas reduziram a velocidade. Adriano ergueu os olhos e viu que o grande complexo da lanchonete estava coberto por um tipo de trepadeira, feito um cobertor herbal. Gastou um momento olhando para o lugar, que jamais sonharia em considerar como um abrigo, mas a ocasião não lhe permitia muito critério. Entrou no Rancho da Pamonha e viu caixas registradoras, balcões, displays com o logotipo da empresa espalhados pelo amplo salão, igualmente recoberto por aquela hera. Era ali que montariam sua resistência provisória e sobreviveriam. Não iam morrer aquela noite. Não naquele lugar.

Ouvia as vozes de Raul e Zacarias vindas do fundo do salão. Estavam rindo, e aos poucos a tensão do grupo parecia dissolver-se. Confiantes, venceriam aquela noite. Adriano percorreu o salão e lembranças furtaram-lhe a atenção. Viu seu pai retirando um litro de suco de milho de uma das geladeiras, sua mãe pedindo o costumeiro curau, que ele detestava, e o irmão mais velho... pedindo sorvete de milho ou gritando por moedas em frente às vending-machines. Voltou à realidade com Paraná pedindo que fosse até a porta de onde Raul surgira.

— Venha ver, Adriano. Acho que vamos nos virar bem por aqui. Dá até para morar.

Adriano seguiu o amigo, passando por uma cozinha industrial, um labirinto de corredores e velhas salas frigoríficas. Chegaram a um corredor bem estreito, perfeito, por onde só passava um homem por vez. Depois, havia uma sala com espaço suficiente para usarem à noite, de uns quinze metros quadrados. Não era nenhuma suíte, mas servia. Raul mostrou-lhe a grande vantagem: a sala era selada por uma espessa porta metálica muito resistente, que corria sobre trilhos, sem mais nenhum acesso.

— Para uma noite, basta — disse Raul.

Adriano meneou a cabeça positivamente.

— Já são mais de cinco da tarde, logo vai escurecer, e não temos mais escolha. Vamos orar, seja o que Deus quiser! Eu vou cuidar do Gaspar.

Os homens olharam para o líder que abria sua mochila sobre um velho balcão coberto por trepadeiras. Ele tirou as armas e as caixas de munição e começou a contar quantos projéteis tinham. Ao terminar, suspirou e estendeu um revólver para Paraná, enquanto colocava uma pistola em sua cintura.

— E o Gaspar? — perguntou Joel.

— Vou levar ele para a gruta que vocês encontraram. Ele está com a 12 para ajudar. Não vou largar ele naquele gramado. Também preciso que dois de vocês vão até lá para esconder as motocicletas. — Marcel e Raul ofereceram-se. — Vocês, depois de limpar este canto, vasculhem o lugar de cabo a rabo, vão aos fundos, procurem indícios. Não quero dormir na boca do leão. Se isto for um ninho de noturnos, não vamos durar dois minutos depois de o sol cair. Acendam lampiões, mas só aqui dentro. Não preciso rezar o terço para vocês.

André Vianco

* * *

Joel tinha explicado bem para Adriano como chegar até a diminuta gruta. O líder respirava com dificuldade, trazendo, apoiado em seu ombro, o soldado ferido. Gaspar estava lúcido, mas gemia a cada passo avançado. Tinha piorado e talvez estivesse com algum osso quebrado ou uma hemorragia interna. Adriano trazia ainda nas costas a espingarda do soldado e sua mochila. Os voluntários encarregavam-se de esconder as motocicletas e tinham ordens expressas de não esperá-lo. Adriano dissera que poderia até mesmo passar a noite junto de Gaspar, para não deixá-lo completamente desamparado, sozinho na mata. Gaspar representava um perigo potencial ao grupo, e sabiam que era medida básica de sobrevivência separar do grupo os feridos nas horas escuras. Os noturnos viriam em busca do sangue. Alguém sangrando era isca para leões.

Adriano rangeu os dentes, içando o corpo de Gaspar para o topo de uma rocha. Um tronco de árvore ajudava na subida. Segundo Joel, logo depois daquele ponto, na continuação da rocha, escondido pelo mato alto, encontraria um buraco escavado no duro mineral. Era um abrigo improvisado e realmente mal dava para duas pessoas. Tinha que se esgueirar até o fundo e torcer para que os vampiros não encontrassem aquele buraco. Sem sangue até que seria possível. Estava no meio da mata, seria muito azar ser encontrado.

Adriano empurrou Gaspar pela abertura. Já estava escuro no fundo da gruta. O céu também perdia rapidamente a claridade e mosquitos notívagos começavam a dar o ar da graça. Adriano estava preocupado. Será que os outros dois já tinham escondido as motos? Tomara que sim, e que já tivessem zarpado rumo à lanchonete-abrigo. Olhou para Gaspar e viu que as faixas enroladas no abdômen e no joelho não bastavam mais para o sangue. Do joelho, escorria um fino filete escarlate, descendo até a bota. Ele seria achado e pego pelos malditos noturnos. Adriano recuou um passo, apanhou a espingarda calibre 12 e colocou-a no chão, fora da gruta. Gaspar não ia precisar daquilo, seria pego pelos vampiros. Na melhor das hipóteses, seria morto ou, em um contexto mais sombrio, poderia ser feito escravo, torturado e obrigado a dizer tudo o que sabia sobre o Plano B, sobre a trama para o extermínio dos noturnos e para o remédio. Adriano abaixou-se, abriu a mochila de Gaspar, retirou documentos do homem e enfiou nos bolsos de sua jaqueta. Pegou as balas banhadas em prata, que era a coisa mais eficiente na luta contra os vampiros depois dos bentos. Quando atingiam a cabeça do inimigo, colocavam-no fora de combate, mas, se fosse um inimigo fraco, podiam até matá-lo definitivamente. Havia bastante munição, que seria mais útil no Rancho da Pamonha do que ali, naquele buraco escavado na pedra, mas Adriano tirou sua pistola da cintura. Transpirava na testa, seu coração batia rápido, os olhos ardiam. Mas era um líder, e como tal tinha que tomar decisões difíceis, como aquela.

Tinha que matar Gaspar, seu melhor soldado, seu amigo. Gaspar sangrava muito e jamais passaria incólume por aquela noite. Se tivesse tempo e certeza de que alcançaria São Vítor no dia seguinte, enterraria o amigo, e não o largaria ali, naquele buraco de pedra, mas o sol já descia no horizonte e a luz começava a faltar. Logo aqueles malditos estariam soltos na Terra mais uma vez. Adriano ergueu o braço. Gaspar respirava com dificuldade e, apesar do silêncio e da embriaguez, estava acordado. Ele cerrou os lábios, pois sabia o que Adriano queria e por que fazia aquilo. Não adiantava protestar, era a lei. Teria de fazer o mesmo se estivesse do outro lado da pistola. Mas não queria morrer, não naquele dia, daquele jeito, por causa de uma decisão precipitada, um erro idiota. Tinha sobrevivido a tantas batalhas... Então sorriu, lembrando quando tinha enfiado uma escopeta carregada de prata no rabo de um vampiro. Tinha feito o desgraçado cagar prata! Havia dado cabo de muitos deles, não era justo. Ele e Adriano eram unidos, não era justo! Não queria morrer! Tinha acordado aquele dia sem suspeitar que seria o último dia de sua vida, sem receber aviso. Era um dia comum, ordinário, mas um azar na estrada, a cabeça cansada, o medo da noite e dos noturnos precipitara tudo aquilo. Ainda assim, sabia que o amigo não podia arriscar, e um homem ferido poderia ser pego e obrigado a abrir o bico. Era melhor que fosse desse jeito, para ter certeza de estar calado quando os sanguessugas chegassem e que o segredo não seria proferido ao inimigo.

Deus! Mesmo sabendo de tudo isso, não era fácil despedir-se da vida. Gostava de pilotar rápido. A vida era mais divertida perfurando as estradas com as mil e duzentas. Era hora de voar, de torcer o cabo até o fim e mergulhar naquele caminho que todos faziam um dia. Faltou ar no peito. Ergueu a mão, como se pedisse um momento, talvez tivesse como contornar aquilo. Que mundo maldito! Mundo das trevas! Por que Deus tinha deixado aquilo acontecer e os demônios escaparem pela porta do inferno, tomando conta do planeta?! Não era fácil morrer, droga! Lágrimas desciam-lhe pelo rosto. Encostou-se o mais ao fundo que pôde, arrastando-se, fodidamente machucado. Gostava de pilotar, sempre a milhão. Queria estar a milhão, vento no peito, na cara, nos ouvidos, com o som da vida passando. A porra do joelho doía, sangrando muito e o condenando. Maldito sangue! Gaspar respirou fundo e via os olhos do amigo também cheios de água.

— Dá minha parceira para um cavaleiro mais paciente. — disse Gaspar, com a voz embargada. — Acelera, parceiro! Eu não gosto de ficar parado, não.

Adriano passou rapidamente as costas da mão que segurava a pistola sobre os olhos. Não podia fraquejar agora. Santo Deus! Como era difícil fazer aquilo com um amigo, com um parceiro. Merda de inferno!

— Atira logo, porra! Torce o cabo, filho da puta!

Adriano voltou a fazer pontaria. Coração ou cabeça? Porra...

— Eu não quero morrer... Não tô pronto! Não me deixa aqui no escuro, cara. Me leva... — choramingou o soldado.

Gaspar prendeu a respiração e sentiu a explosão. Soltou o ar com o peito pesado. O céu foi ficando mais escuro. Adriano, seu amigo... puxou mais uma vez o gatilho. Dor de cabeça. Silêncio. O ar não entrava mais. A garganta ardia. Frio, dor e solidão. Tristeza... muita tristeza tomando o coração. Lágrimas descendo pelo rosto. Não podia se mexer. Não conseguia falar. Agulhas. Sentia milhares de agulhas perfurando o peito. Um barulho desconexo escapou pela boca. Queria não ter implorado pela vida. Havia sido tão bravo em tantas lutas... agora morreria como um rato... tinha implorado pela vida. Tentou, mas o ar não veio. Seus pés raspavam na estrada, acelerando para um mar escuro, e uma grande onda negra o envolveu enquanto sentia-se cada vez mais livre... e, no escuro, tudo acabou.

Adriano desceu correndo, rente ao rio. Enxugou pela terceira vez as lágrimas do rosto. Pensava no sol sumindo, danando sua vida, e corria mais. O peso da munição de Gaspar batendo no peito, o coaxar dos sapos chegando em seu ouvido, anunciando o anoitecer, a luz difusa, perdida no meio das árvores, no céu vermelho, o tempo acabando...

Chegou na altura da ponte e viu que a balsa estava do outro lado. Tirou apenas a jaqueta, pois sua camiseta ainda estava úmida. Arrancou as botas e as meias, pois tinha que ir rápido. Os noturnos deveriam estar abrindo os olhos em suas tocas fedorentas naquele exato momento. Entrou no rio, procurando os pontos mais rasos, mas estava difícil manter as armas e as roupas secas. A pressa atrapalhava tudo, mas ao menos a munição tinha que passar incólume.

Deixou o rio com a calça ensopada, vestiu a jaqueta às pressas e as balas caíram. Sem tempo de parar para juntá-las, enfiou a pistola na cintura, segurou a espingarda com a outra mão e subiu o mais rápido que pôde o morro rente ao pé da ponte. Parou no meio do caminho, ofegante. Sentia muito frio. O sol escondia-se pelas montanhas, tudo era lusco-fusco e urgência. Terminou a escalada com o pulmão parecendo querer sair pela garganta. Gaspar falando em sua cabeça. *Acelera, parceiro! Eu não gosto de ficar parado, não.* Pensou em largar a arma mais pesada... mas resistiu. A pior parte já tinha passado. O cricrilar dos insetos vinham da mata, e o escuro ganhava força. A moto estava parada na beira da estrada. Correu mais um pouco e montou-a. Ligou o motor, que falhou. A luz da reserva acendeu. Deus! Essa não! A gasolina não podia ter acabado! Eram seis quilômetros até a lanchonete. Quanto tempo levaria a pé? Andando rápido, um homem caminha cerca de cinco quilômetros por hora. Os minutos estavam contados. Não queria morrer. Não queria ficar no breu de novo, desprotegido. O céu estaria totalmente escuro quando chegasse... se chegasse! Apertou o botão de *start* mais uma vez e o motor funcionou. Deus! Que a gasolina não acabasse até estar lá! Acelerou e torceu o cabo, acendeu os faróis. E o medo o invadiu. Puta que pariu! Era crepúsculo. Por que os noturnos faziam isso com os homens? Esse medo infernal, primitivo, que causava taquicardia. Não queria estar do lado de fora. Nunca!

Bastava escurecer para que todos se tornassem arremedos de sobreviventes, marionetes aparvalhadas, criancinhas com medo do bicho-papão. Os mais bravos, os mais destemidos, como os soldados que rodavam de cidade em cidade, levando e trazendo as boas e más notícias, também se rendiam à falta de sol. Mesmo os mais bravos fechavam os olhos e oravam, do fundo do coração, para que a luz do astro incandescente voltasse e tornasse a Terra imune novamente àquela praga mortal.

Adriano gritou emocionado quando divisou os contornos do Rancho da Pamonha. A perna estava gelada, com o frio catalisado pelo jeans molhado, exposto ao vento trazido pela velocidade da máquina. A espingarda vinha na coronha ajustada à carenagem. Era uma descida longa, de uns trezentos metros, e a escuridão ia avançando. O sol já tinha desaparecido atrás da serra e o roxo sucumbira à noite. Estrelas infinitas tomavam conta do firmamento e uma lua minguante clamava sua parte no céu. A noite havia chegado e se instalado, trazendo pela mão um filhote, feito uma aberração, que tinha uma palavra grafada a ferro quente em seu couro descarnado. Quando aquele bicho passava, todos liam: danação.

* * *

Os homens tinham ajeitado o cômodo escolhido. Tiraram o amontoado de bagunças empoeiradas abandonadas naquela sala e providenciaram escoras para a porta corrediça. Caso fossem encontrados, teriam que dificultar a passagem de qualquer invasor.

Paraná tirou de sua bolsa de lona três garrafas de água benta e depositou-as no canto que reservara para cochilar. Ficaram preocupados vendo o sol descer no horizonte e o líder não ainda não ter retornado. Talvez ele tivesse decidido mesmo ficar junto de Gaspar e encarar a escuridão.

Reuniram-se no salão principal da velha lanchonete. Estavam famintos e com medo. Não poderiam acender fogo para fazer carne e teriam que se virar com os enlatados, com um jantar frio. Fumaça chamaria a atenção dos noturnos. O último rastro de sol que enfeitava o salão esmaeceu lentamente até desaparecer por completo. Marcel benzeu-se. Raul repetiu o gesto, logo todos estavam fazendo o sinal da cruz.

— Canta alguma coisa, Sinatra, para espantar o medo — pediu Joel.

Sinatra pigarreou. O salão estava em silêncio. De repente, Marcel ouviu o som do motor. Todos viraram-se para o imenso vidro da frente e, apesar da sujeira grossa que resistira à tentativa de limpeza, viram o farol surgir na estrada. Olhavam para Adriano aproximando-se quando a voz do amigo cantor encheu o salão com uma canção antiga:

— *When the night has come, and the land is dark, and the moon is the only light we see... No, I won't be afraid. No, I won't be afraid... Just as long as you stand. Stand by me... And darling, darling, stand by me, oh, now, now, stand by me. Stand, stand by me, stand by me...*

CAPÍTULO 10

Lucas acordou no piso frio. Teve a impressão de ouvir um sinal sonoro, e a imagem da doutora Ana veio à sua cabeça. Estava no chão por causa de uma injeção, de um ataque. A porta que separava o quarto vizinho continuava aberta, e piscando os olhos para clarear a vista, conseguiu enxergar a cama de Gabriel, que não estava mais lá, pelo menos não em seu campo visual.

Lucas engatinhou até seu catre, deitou-se no colchão e sentiu o pescoço dolorido. Onde estaria Gabriel? Já teria sido libertado daquela gaiola de loucos? Provavelmente. Ficou deitado por um tempo, esperando a tontura passar. O cheiro ruim persistia no cômodo, como se houvesse algum animal morto escondido em algum canto, um rato... Não sabia se era dia ou noite. Sentia muito sono, o que devia ser efeito da medicação. Estava perdido sensorialmente. Notou que a calça azul estava empapada de suor, sem saber bem o que causara isso, talvez outro efeito da droga. Apanhou a camisa hospitalar debaixo da cama e passou sobre o peito todo molhado. Ouviu um ranger e ergueu a cabeça, mas não viu nada. O ruído continuou, como um dispositivo mecânico acionado. Sentou-se e olhou para o grande vidro. Viria de trás daquele espelho? Não. Vinha da parede, ao lado do catre, onde costumava se recostar para ser preso pela garganta e braços. Havia surgido ali um braço mecânico, uma garra que sustentava uma espada curta. Arregalou os olhos, infestados pela surpresa. Que porra era aquela agora? Uma espada?! Para quê? O mecanismo parou de ranger, mantendo a espada em pé, presa em um encaixe de borracha. Lucas olhava compenetrado para aquele novo personagem em sua louca aventura na cela de hospício. Um sinal sonoro soou contínuo, como os alarmes emitidos nos corredores das escolas na troca de aulas. Tomou tamanho susto que quase caiu da cama. O suor escorria em bicas. Ele estava sentado com as espáduas retas e tesas. Sentiu um engulho, e seu estômago revirou com aquele odor terrível. Ouviu uma risada macabra vinda do quarto ao lado, como que assombrada, que fez seus pelos se arrepiarem da cabeça aos pés. Olhou para a espada presa na garra e para o vidro espelhado. O que estava acontecendo? A voz de Gabriel chegou ao seu ouvido.

— Eles deram uma para você também? Há! Há! Há! Eles estão deixando a gente louco, sabia? Seu maluco! — gritava o vizinho.

Lucas apertou os olhos. A voz, a imagem de Gabriel vindo na sua cabeça, o vizinho estúpido... O ódio ao irmão naquele desassossego voltou de imediato. Cara idiota. Lucas levantou-se, e Gabriel surgiu na porta trazendo nas mãos uma espada curta.

— Não pegue essa faca — advertiu o vizinho.

Lucas parou. O cabelo desgrenhado do vizinho parecia formar uma auréola no topo da cabeça, como um santo. São Gabriel. Lucas rilhou os dentes.

— Não pegue essa faca, senão eu furo você com a minha.

Com a ameaça, Lucas continuou imóvel. O suor descia pelo seu rosto. O cheiro pestilento o comprimindo, como se fosse algo físico.

— Cadê a doutora Ana? Esse homem precisa de remédio. Ele está louco! — gritou para o espelho.

Nenhuma resposta. Gabriel avançava em direção à espada da cela de Lucas com sua lâmina em riste, pronta para atacá-lo. Lucas sabia que não podia arriscar-se, mas seus músculos queriam avançar. Sua coluna se encolheu, mas não de medo: era como se ele não estivesse mais no controle de seu corpo, que parecia responder a uma programação. Sua coluna só estava organizando seus músculos, como molas, para um ataque! Um sorriso sarcástico tomou seus lábios finos. Quem era louco? Ele próprio? Gabriel? Ou os homens atrás do espelho? Aquilo era um reality show? Big Crazy Brother?

O ódio de Lucas triplicou. Odiava Gabriel e aquele maldito quarto branco. Agora aquele maluco estava lhe apontando uma espada e aproximando-se de outra, que deveria ser a sua espada, para ele se defender e cortar a garganta daquele lunático, para arrancar as tripas daquele cabeludo irritante, seu adversário. Lucas apertou mais uma vez a mandíbula, e seu maxilar parecia que ia estourar, fazendo os dentes voarem da boca, tamanha a tensão que se apoderara de seu corpo. Um Lucas menor ainda lutava para manter a sanidade do ser, mas o Lucas maior e louco era mais forte. O menor ficava questionando-se, consumindo um resquício de lógica. Por que tinha tanto ódio daquele homem que nem conhecia? Um Lucas tentando encontrar a razão. O Lucas maior pouco se importava, pois queria agarrar aquele homem pela garganta, com espada ou sem espada, e arrancar sangue da sua pele e fazer o vizinho cair morto. Ou melhor... torturá-lo. Tomar a espada e cortá-lo, deixá-lo debater-se em uma hemorragia letal, vendo o sangue sumir do corpo. Quem sabe assim aquele cheiro horrível desaparecesse de uma vez por todas?

Lucas sorriu... quase rindo. Estava doido. Era isso. O Lucas menor dizia isso, que estava doido. Por que matar um desconhecido? E talvez o desconhecido passasse pela mesma experiência e estivesse com medo dele. Será que as pessoas conseguem ver a loucura em nossa cara? Lucas escondeu o sorriso. E se ele percebesse que estava louco? Não queria que os outros soubessem... porque o Lucas menor não tinha certeza de estar louco. Só o Lucas prevalecente era que queria matar o vizinho. O menor, o verdadeiro, tentava manter o controle, buscava imagens no passado, entre panfletos e areia da praia e a gravata que escolhia para ir trabalhar, para tentar ser racional, entender os cadastros e dar valor a cada risco, que era controlado. O pequeno Lucas achava que se saísse daquele doentio quarto branco, poderia tornar-se soberano e voltar a ser o Lucas maior e acabar com aquele Lucas demente.

O sorriso doente voltou sem avisar, e Lucas piscou. O suor descia por seu rosto. As drogas estavam fazendo aquilo, criando aquela dicotomia interna, só podia ser. As drogas colocavam os Lucas para brigar. Ele não se lembrava de sua vida antes daquele hospital, mas sabia que não era um louco. Não era!

Dodecaedro. Lucas sorriu. Que merda era aquela agora? Dodecaedro? O que aquilo significava? Um desenho geométrico formava-se em sua mente. Fechou os olhos. Estava louco. Abriu os olhos. Gabriel estava pegando a segunda espada. Gabriel, o velho cabeludo, tinha duas espadas. Lucas, sem espada alguma, recuou até encostar-se na parede oposta ao espelho. Esse Lucas, com os músculos segurando energia como molas, também só avaliava, só queria a hora exata e precisa para se arremessar contra Gabriel, passar entre os fios das espadas e agarrar o pescoço dele. Então apertaria tão forte que a traqueia daquele infeliz, fétido e imbecil seria triturada e ar algum chegaria os seus pulmões, e ele seria morto por suas mãos. Não precisava de espada alguma para fazer aquilo e queria fazer agora. Será que tinha alguém atrás do vidro? Talvez fosse domingo, estivessem de folga e agora estavam sozinhos. Gabriel achava que iria matá-lo naquele instante. Lucas cerrou os dentes e manteve os olhos abertos e atentos. A cabeça esvaziou a loucura que o atordoava e só via Gabriel e as espadas, uma em cada mão, dançando na frente do peito do oponente. Gabriel gingava, brincando, seguro de si, seguro demais. Gabriel, praticamente encostado na parede com o vidro, arfava cada vez mais rápido. Ia atacar.

Lucas sentiu algo mudando dentro de si. Não estava com medo de Gabriel, nem das lâminas. Não se lembrava de vez alguma ter atacado uma pessoa, mas agora estava ansioso para começar, para ter um bom motivo para tomar aquelas espadas do oponente e arrancar-lhe a cabeça. Se fizesse aquilo depois de um ataque, não seria culpado. Ninguém o acusaria. Estava se defendendo.

Gabriel grunhiu, ergueu as espadas e abriu a boca, soltando um rugido.

Lucas manteve-se em posição de defesa, pronto para o combate. O homem a sua frente tinha rugido. Estava louco ou via dentes pontiagudos escapando pelos lábios dele? Gabriel escancarou a boca mais ainda e seus olhos negros brilharam, tornando-se vermelhos e cintilantes.

Lucas teve certeza de estar diante de um monstro. Seu coração pareceu pegar fogo e não havia mais dicotomia. Era um só. A vontade de agarrar o oponente pelo couro e arrancar-lhe a carne, virando-o do avesso com as unhas, vibrava em pulsos nervosos, que latejavam em toda sua pele. Não conseguia mais controlar o impulso, a vontade de pintar aquelas paredes de vermelho sangue. Aquilo na sua frente não era Gabriel, mas um monstro que queria atacá-lo e precisava ser eliminado a qualquer custo. Era um bicho que soltava um cheiro doce e irresistível. Um cheiro de fera solta na selva, implacável, mas que chamava para ser abatida por outro tipo de monstro.

Lucas não podia resistir. Algo mudava em sua natureza. As narinas eram aprisionadas por aquela essência, e sua mente entrava a dois mil por hora em um terreno novo. Tinha que agarrar aquele bicho e estrangulá-lo, apertá-lo contra as unhas, feito pulga. O Lucas menor tinha ido embora e só havia o Lucas louco, que também abriu a boca ameaçadoramente em um rugido e, antes que Gabriel esboçasse reação, correu em sua direção. Gabriel até tentou atingir o vizinho com uma das lâminas, mas foi impossível. Lucas passou pela guarda de Gabriel e agarrou sua garganta, jogando a cabeça da criatura contra o vidro da parede. O impacto fez com que Gabriel soltasse as espadas e que o espelho ficasse trincado. Lucas chutou cada uma das lâminas em direção a um canto do quarto.

— Vamos brincar sem essas faquinhas, vizinho.

Gabriel rugiu mais uma vez parecendo um bicho. Os olhos brilharam de novo e os caninos pareceram alongar-se ainda mais. Foi sua vez de atacar. Fechou as mãos sobre as orelhas de Lucas que, surpreso, soltou-o. Preocupado em recuperar as espadas, atirou-se mais uma vez contra o vizinho.

Lucas foi ao chão com o peso do corpo de Gabriel e bateu a cabeça no piso, em um acidente de percurso. Procurou o adversário, que se debruçava sobre uma das espadas. Levantou-se com agilidade e partiu com gana ao encontro do oponente. Gabriel, de costas e debruçado para apanhar o objeto do chão, não viu Lucas chegando e foi empurrado pela camisa e pelas ancas até bater com o topo da cabeça na parede.

Lucas ouviu um "crac" depois de jogar o adversário contra o obstáculo. Viu um azulejo rachado. Gabriel parecia atordoado, e Lucas aproveitou para cair com os joelhos em torno do pescoço do oponente para imobilizá-lo. Começou uma série de socos certeiros contra o rosto da criatura. O ódio consumia seus pensamentos e queria acabar com ele, matá-lo. Aquilo não era humano, não merecia viver. Era uma peste, um bicho, uma ameaça. Precisava acabar com ele. Socou até não aguentar mais erguer o braço. Transpirava muito e saiu de cima do corpo com o rosto deformado. Estranhamente, não tinha sangue escorrendo dos cortes. Ele era um monstro esquisito. Foi até o catre e apanhou sua camisa azul. Passou o tecido grosso na testa e no peito, mas o suor ainda escorria. Retomou o controle da respiração, foi até o canto oposto e pegou sua espada. Olhou para Gabriel e algo dizia que devia fazer aquilo, continuar. Caminhou até o corpo inerte, respirou fundo e, mesmo nunca tendo feito aquilo, mirou o peito para enterrá-la no coração da criatura. Só então Gabriel grunhiu e um fio de sangue quase negro escapou da camisa do hospital.

— Morra, bicho dos infernos!

Lucas deu as costas para Gabriel e foi até a cama. Agora que tinha acabado com o adversário, sua calma parecia voltar ao corpo e à mente. Lucas queria sair dali. O que estavam fazendo em São Vítor? Criando assassinos? Levantou-se e foi ao encontro do vidro espelhado.

— O que vocês querem de mim?! Deixem-me sair daqui, filhos da puta!

Lucas calou-se e tocou o vidro trincado com a testa. Respirou fundo e afastou a cabeça uns dez centímetros, abrindo os olhos. Viu vários vultos iguais nas frações do espelho e virou-se imediatamente. Por mero reflexo, desferiu um chute potente contra a barriga de Gabriel e, ao mesmo tempo, agarrou o cabo da espada para retirá-la do coração da criatura, que ainda resistia a uma espada no peito!

Lucas gritou e não deu tempo para o monstro de dentes longos refazer-se. O golpe no coração não o tinha matado, mas debilitou-o enormemente, pois Gabriel já não exibia vigor nos músculos e mal se mantinha em pé. Lucas deixou para entender mais tarde. Avançou com a lâmina pronta para o golpe e desenhou um arco no ar que foi seguido por um barulho grave. Deu um passo para trás a tempo de desviar-se da cabeça de Gabriel, que se descolava do pescoço e ia ao chão. O corpo decapitado cambaleou e tombou para trás feito um tronco de árvore decepado, caindo de uma vez só. Lucas olhou para aquele corpo bizarro, vendo que um pouco de sangue escapava pelo pescoço aberto. Achava que um ferimento daquele faria uma cascata escarlate banhar o chão, mas havia algo de errado com o corpo de Gabriel. Parecia que tinha matado uma coisa, não uma pessoa, o que servia para acalmá-lo um pouco. Abaixou-se e repetiu uma série de golpes. Sua pele sujou-se daquele sangue escuro que acabou se espalhando pelas paredes. Quando se levantou, o corpo não tinha mais braços ou pernas presas ao tronco. Havia sido retalhado de forma selvagem, e o fedor, ao contrário de se esparramar, parecia ter diminuído.

Mais uma vez, Lucas foi até o catre e usou a camisa azul para sua higiene. Limpou também a espada curta, deixando-a originalmente reluzente. Procurou a segunda espada e juntou-as. Deitou-se, colocando-as ao seu lado. Eram suas. Nenhum bicho daqueles poria as mãos nele novamente. Fechou os olhos e a calma começou a voltar à medida que o cheiro daquele bicho desaparecia. Queria descansar um pouco, mas não tinha entendido nada. Não sabia se aquilo havia sido um pesadelo ou uma alucinação causada pela droga administrada pela doutora Ana. Só tinha entendido uma coisa: que tinha que descansar, pois se voltasse a sentir aquele cheiro, iria perder o controle de novo e acabar com a raça daquele bicho dos infernos.

CAPÍTULO 11

O misterioso giro do globo terrestre não tinha mudado desde aquela noite que havia separado os que viviam na luz dos que viviam nas trevas. Aquela porção do mundo tinha sido lançada ao umbral mais uma vez, e o manto do céu, que tinha coberto tanto os homens que desenharam nas cavernas quanto os que pisaram na lua e que era igual tanto para os que aravam a terra quanto para os que governavam o destino de muitos, estava novamente escuro e mágico, assustador para uns e acolhedor para outros. O manto das sombras dizia a todos que era noite e chamava ao baile todos os convidados, dando passagem para os pares que viveriam aquela dança.

A criatura pálida abriu os olhos, despertando do transe no fundo de sua toca. Milhões delas estavam fazendo o mesmo naquele instante para sair e caçar na mata, nas velhas cidades abandonadas, onde quer que houvesse um coração pulsante de onde drenar a vida e buscar alimento para a sociedade e para todo o organismo.

Diferentemente dos outros, ele queria mais. Seus movimentos eram ágeis e elegantes, diferentes dos outros que agiam como matilha, com automatismo. Ele era um dos poucos que estava fora do espectro de colmeia que tinha se instalado na mente e no proceder de quase a totalidade dos noturnos. Precisava ser assim. Precisavam ser um organismo para prevalecer. Mas ele ainda guardava a propriedade de pensar, de abstrair, e sabia que podia usar a força daquela imensa massa de caçadores noturnos para dominar as vilas e destruir as fortalezas.

Por isso, Cantarzo queria mais.

A toca era uma confusa sucessão de corredores e galerias escavados na rocha. Cantarzo conhecia cada palmo daquele labirinto, pois a tumba fétida era sua casa. Incrustados nas paredes, muitos dos seus ainda mantinham os corpos imóveis, chegando à consciência, ao baile de mais uma noite, ainda tomados pelo transe que os libertava, aos poucos, do torpor. Caminhou por mais três corredores íngremes, dirigindo-se à superfície, e aproximou-se da saída, grunhindo irritado. Ergueu a narina e inspirou demoradamente. Alguém que passasse distraído por ali iria se assustar com o brilho vermelho e amedrontador emitido pelos olhos da criatura.

O som da noite... o vampiro adorava aquilo, era seu ambiente. Conhecia os cheiros, os animais. Saiu sozinho, preferia assim. Apesar de sua consciência e de sua certeza de que era maior que os que o cercavam, cumpria também um papel para escalar a confiança dos antigos. Cantarzo procurava por rios de sangue no interior das florestas e seu trabalho era perseguir velhos centros rurais que podiam conter adormecidos. No momento, os adormecidos ainda eram a fonte de sangue mais cobiçada pelos covis de vampiros. Depois da Noite Maldita, quando a humanidade se afundou no desespero, tentando entender o que acontecia, muitos sãos começaram a juntar os adormecidos e empilharam milhares de corpos em prédios abandonados e salões de igreja. Tentavam descobrir o que acontecia com aquelas pessoas, qual a doença devastava a população, tirando-lhe o ânimo e a consciência. Os adormecidos não estavam mortos e não estavam vivos. Tinham sido colocados em modo de espera. Hibernavam, como ursos no inverno. Alguns humanos sobreviventes chamavam os adormecidos de "os sortudos", pois os acordados tinha que lutar por eles e combater os noturnos, malditos bebedores de sangue.

Cantarzo sorriu e correu, tomando velocidade. A Noite Maldita tinha apartado famílias, desfeito casais, desmantelado a sociedade. Ninguém sabia como o jogo do destino tinha feito a separação, não havia uma trilha certa para perseguir e entender por que uma mãe tinha ganhado presas e sede de sangue enquanto os filhos se escondiam ao anoitecer. Os perigosos noturnos foram perseguidos e banidos. Cantarzo não se lembrava de como tinha se tornado um dos malditos, mas adorava ter aberto os olhos como um filho da noite e amava ainda mais seus poderes sobrenaturais. Sortudos eram eles, os noturnos, pois eram eternos, sem envelhecer um único dia, tinham força sobre-humana e graça, viviam do sangue dos humanos, eram temidos como pragas, como o demônio, e estavam posicionados no topo da cadeia alimentar.

Cantarzo saltou, parecendo voar, agarrou-se ao tronco de uma frondosa árvore, esgueirou-se para cima até alcançar um galho e saltou para a árvore seguinte. O par de brasas vermelhas percorreu a mata, voando em meio à folhagem. Parava eventualmente, farejava o ar e buscava o cheiro de sangue ou uma pista. A toca tinha plantado armadilhas nos últimos dias. Vinha o cheiro do sangue de animais silvestres, mas faltava o aroma favorito, o sangue humano, e o ópio dos vampiros, o cheiro do medo. Subiu mais alguns metros e os galhos finos começavam a ficar suscetíveis ao seu peso. Não se demorava, saltando antes que o galho arrebentasse. Parecia planar, como um bicho sem massa, um predador perigoso. Iria até a estrada sem tocar o solo, atravessando pelas copas das árvores, imperceptível para os que caminhavam lá embaixo.

Dias antes, havia explodido a ponte. Sabia que, cedo ou tarde, os soldados teriam de passar por ali, pois sempre iam ou vinham do centro que chamavam de São Vítor. Com alguma sorte, teriam se acidentado ou sofrido com as árvores tombadas, perdendo tempo e ganhando burrice à medida que o desespero consumia sua sanidade. Um pelo menos teria despencado da ponte, arrebentando-se contra o rio. Alguém poderia ter se cortado atravessando os morros. Por isso, visitar a estrada e a ponte era obrigação de toda noite.

Cantarzo saltou para um imponente jequitibá. Trinta anos sem interferência humana tinham restaurado o vigor da floresta. O vampiro escalou a árvore gigantesca, que se erguia acima da linha das árvores, com o céu estrelado sobre sua cabeça e o vento da noite o cercando e empurrando seus cabelos entrelaçados em tiras de couro para trás. Sua roupa, esvoaçando, tremulava com a passagem do vento. Farejou e grunhiu, agarrando-se mais firmemente ao tronco da árvore e colocando-se em pé sobre o galho forte. Passou a língua pelos caninos afiados.

Cerca de quatrocentos metros à frente, viu as brasas ardendo de um grupo de caçadores saídos de uma toca vizinha. Era o bando de Raquel, uma das melhores caçadoras da região, guerreira, forte e poderosa, que adorava cercar-se de bajuladores. Cantarzo achava que o bom caçador deveria sair sozinho para não cair no jogo de disputar a liderança. Odiava cortejar vampiros antigos, era um caçador solitário, e chamava o grupo de noturnos somente na hora necessária, quando encontrava um Rio de Sangue ou muita gente viva escondida, que estava se arriscando a cruzar o interior durante a noite e apostando que a mãe sorte faria com que olhos experientes do caçador ficassem cegos. Gente que se enganava, que esperneava quando as mãos de unhas pontiagudas e afiadas fechavam-se sobre suas gargantas, interrompendo a vida, e que chorava e clamava por perdão por desafiar os noturnos. E que, antes de morrer, oferecia-se para tornar-se um mulo, um escravo de vampiro, jurando lealdade.

Cantarzo saltou do galho, descendo vinte metros em queda livre. Pousou no galho áspero de uma mangueira. O grupo de Raquel avançava rápido em direção ao rio. Cantarzo grunhiu e acelerou a marcha, alternando entre as árvores e o chão, veloz, tornando-se um vulto tão ágil que dificilmente seria percebido por um humano. Na verdade, era uma criatura tão sutil e perigosa que nem mesmo seus semelhantes notaram sua aproximação. Rumou para galhos mais altos, não permitindo que a folhagem fizesse barulho, esgueirando-se como uma lontra na água. Os olhos do bicho brilharam em um vermelho mais intenso. Olhou para baixo e viu que o grupo de Raquel também tinha parado, pois também haviam sentido o cheiro que vinha de longe, trazido pelo vento, mas e que mesmo assim dificilmente perderiam a pista. Quantos quilômetros? Difícil precisar. O vampiro continuou contra o vento. A direção sugerida pelo odor dizia que, finalmente, a armadilha da ponte surtira efeito.

Cantarzo deixou o grupo de Raquel passar, pois queria observar. Era hora da recreação. A lendária Raquel trazia alguns novatos: dois mulos convertidos e uma vampira desperta no fundo do covil. Além desses três, vinham dois vampiros originais, surgidos na Noite Maldita, pessoas que, de uma hora para outra, tinham adoecido, adquirindo uma aversão terrível ao sol, agressividade e uma melancolia devastadora. Disseram que esses originais, como Raquel, tinham morrido para a vida humana em poucos dias, abrindo os olhos tristes e enfeitiçados depois da morte. Gente que vagava pelos cemitérios tentando entender o que acontecia e por que não podiam mais ficar ao sol ou por que não tinham direito à tumba. Que vomitava tudo quando, enganados pela sensação de sede, tentavam alimentar o estômago morto com pão e carne. Andarilhos da noite, para quem a vida e a morte eram proibidas, que achavam consolo no sangue pulsante das veias humanas. Droga. Força. Alegria. Assassinos. Logo, uma legião desses monstros começou a organizar-se e a entender que, para sobreviver, tinham que caçar durante a noite e esconder-se nas horas de luz, pois eram bichos das trevas. No começo, havia muito choro, o trânsito de uma família para a outra poucas vezes era sereno. Gente que se escondia à noite e combatia os vampiros, e vampiros que fugiam na hora do sol e que combatiam as pessoas "comuns". Uma confusão danada e uma série de suicídios. Ninguém entendia o que tinha acontecido e, até hoje, perguntas para as razões da Noite Maldita continuavam sem resposta. Entregavam ao divino a realização de algo tão poderoso e inexplicável.

Cantarzo sabia que era um original. Tinha fechado os olhos enquanto fugia e quando os reabriu já se sentia uma divindade, uma criatura além das outras. Ninguém o encontraria dentro daquela casca, daquela figura que agora assombrava os seres de sangue quente. Antes da partilha, ele tinha tido uma família, tinha sido menor, filho e irmão, marido e pai, mas só ele tinha ido para a escuridão. Ajudou a mulher e filhos, dando cobertura à graciosa criatura e às três crianças até uma primeira fortificação. O irmão fora extraído de casa, dissolvido nos eventos que chamaram de "As crônicas do fim do mundo", e, apesar da busca louca nos primeiros meses, jamais o viu novamente. Depois, ficou impossível ter encontros com os "vivos" amados. Vampiros não podiam transpor os muros das fortificações, nem humanos arriscavam-se nas trevas. As feras eram numerosas, e a loucura, tremenda. Um vampiro, por mais sentimental que fosse, jamais conseguiria manter vivo os laços humanos fora das fortificações, e sempre prevalecia a atitude de colmeia. Caçavam por muitos. Eram outra coisa depois da transição.

Os humanos, por vezes, teimavam em buscar seus parentes vampiros, queriam retorná-los ao seio familiar, atribuindo aquela loucura pelo sangue a uma doença passageira. Mas a doença não passava, e os vampiros, depois de um tempo, nunca buscavam a família, pois aprendiam a não confiar em si mesmos. Quando a sede invadia a lucidez... pronto! O sangue tornava-se tudo e o passado esfarelava-se, virando um nada. Quando a sede se instaurava no vampiro, era como se a criatura entrasse em sintonia com o lado perverso de sua comunidade, atendendo aos da sua espécie. Tornava-se um ser bizarro, uma formiga gigante dotada de caninos pontiagudos, que procurava levar o maior número de humanos para os covis e tocas e guardá-los feito rebanho.

Os adormecidos eram disputados, com seu sangue eterno, ao menos enquanto durasse aquele sono mágico. Durante os primeiros meses pós-Noite Maldita, Cantarzo viu histórias maravilhosas desenrolarem-se, dramas heroicos e apaixonantes, verdadeiros romances do sublime. Era gente que não queria deixar seus parentes e amigos vampiros para trás e vampiros que tentavam permanecer junto dos seus ao redor das fortificações. Nunca terminavam bem esses casos. Com a ruiva Raquel tinha sido assim. Falavam muito dela porque foi ela a primeira a derrubar uma fortaleza. Ela tinha ido atrás de seus filhos, mas descobriu que a sede falava mais alto que a maternidade... e nunca tinha se curado dessa dor.

Os vampiros, suscetíveis à loucura do sangue, perdiam a razão, e quando queriam sangue, aquela gente era outra. Precisavam dele para continuar a viver. Era repugnante para os humanos, e perigoso. Quantos pais haviam matado os filhos? Quantos filhos tinham afugentado os pais? Cantarzo perdeu a conta. Quando os filhos estavam enrolados em seus braços, quentes e cheios de sangue nas veias, muitos perdiam a cabeça. O estômago queimava, os olhos ardiam feito brasas e os dentes surgiam. O filho deixava de ser filho e passava a ser comida. Desgraça. Desespero. Desesperado... talvez o adjetivo explicasse também sua busca pelo irmão desaparecido. Sabia que o irmão não tinha se tornado um noturno. Teria encontrado, caso assim fosse, mas o irmão estava perdido. Talvez fosse mais um daqueles que dormiam sem nunca saber o que acontecia, assim como a mulher e as crianças que havia ajudado, e tinham partido para sempre. Era melhor assim. Vampiros para cá, humanos para lá, era mais seguro.

O grupo de Raquel andava devagar mesmo àquela distância, apesar de o cheiro trazido pelo vento ser tão forte Raquel deveria estar explicando coisas aos novatos, provavelmente. Cantarzo teria percorrido aquela distância em meia hora, mas o grupo numeroso da vampira levou duas. Só poderia estar ensinando as trilhas e os segredos aos novatos, contando casos e gabando-se, dizendo que muita coisa mudava depois que os olhos se transformavam e blá-blá-blá.

Os novatos eram um pé no saco, mas Raquel gostava deles. A ruiva dizia que os que despertavam para a noite tinham a ficha limpa e eram ok para ela. E começava a doutrinação. A noite não era mais a mesma. Era estranho adaptar-se ao mundo da noite sem escuridão. Os olhos de vampiro viam as coisas com mais clareza, as sutilezas escondidas na matéria. Alguns, poucos na verdade, podiam ver até os espíritos da floresta ou escutar o que costumavam chamar de Alcoviteiras. Realmente, os novatos tinham muito o que aprender.

Cantarzo ergueu o nariz, pois era difícil resistir. Pelo cheiro, sabia que a caça já estava morta, mas o sangue ainda estava fresco. Seria uma refeição ligeira, mas não era o lanche que interessava. Talvez houvesse outros com ele, amigos tentando guardar o cadáver para os rituais fúnebres. Eles ainda tinham essa mania. Os grupos de soldados costumavam sair em oito. Então, decerto, encontraria ao menos mais sete homens próximos ao corpo, no mínimo. Gente desperta, atenta, pronta para tentar brigar. Cantarzo sorriu. Não durariam cinco minutos depois que fossem encontrados. Não queria se gabar nem nada, mas o que eram sete soldados frente a um deus vampiro? Cantarzo cruzou o ar em direção à outra árvore e subiu ao máximo. Novamente, o vento lambeu seus cabelos longos. Avistou o reflexo pálido da lua minguante batendo nas águas do rio. O cheiro ficava mais forte à medida que se aproximava da ponte. Apressou seus saltos aéreos, com sua roupa negra e longa esvoaçando. Pousou em um galho firme, ao lado de uma coruja que demorou a notar sua presença, e desceu. Estava em uma área rochosa e mesmo assim as árvores eram abundantes. O cadáver, frio e vazio, estava logo abaixo, em uma gruta escavada na pedra. O cheiro era forte. Desceu até a abertura e viu um homem apenas. Era um cavaleiro. Cheiro de gasolina, fumaça e cachaça. O cadáver vestia uma jaqueta e botas, mas sem calça. Talvez por causa daquele inchaço em seu joelho sangrento que fora congelado no momento em que sua alma partiu do corpo. Ergueu as narinas e farejou, mas só havia aquele sangue, mais nada. Olhou a trilha aberta pelos soldados e poucos metros à frente avistou algo de suma importância: uma caixa de munição caída no chão. Apanhou a caixa, retirou uma bala de prata e devolveu a caixa ao seu lugar na trilha.

Cantarzo virou-se repentinamente ao ouvir um barulho. Eram apenas animais da noite. Voltou até a boca da gruta artificial para apreciar o morto mais uma vez. Não tomaria nada dele. O rosto do homem estava rúbeo por culpa de seus olhos acesos se aproximando. O vampiro viu as bandagens na barriga, molhadas pelo sangue morto. Não era aquilo que o tinha matado. O defunto trazia um buraco no peito e outro na cabeça. Cantarzo passou direto pelo cadáver e subiu pelas pedras da parede da grutinha. Aninhou-se no topo da rocha, escondido na folhagem e deixou os olhos em brasa abrandarem até desaparecer o brilho vermelho completamente. A noite tornou-se escura para a criatura. Raquel aproximava-se com seu grupo excursionista, enquanto ele esperaria incógnito, pois gostava de observar a vampira, seus métodos canhestros e suas peculiaridades. A bela Raquel era uma criatura interessante, um ser que criava situações, semeava discórdia, não se unia a ninguém. Um tipo decididamente perigoso e, exatamente por isso, gostava de mantê-la em seu radar, para o bem ou para o mal.

* * *

Os vampiros aproximaram-se em silêncio, sem delação, fazendo bem a lição de casa. O cheiro do sangue era forte. Raquel tinha explicado que aquele odor diferente vinha do sangue de um morto, já que sangue vivo era mais envolvente e irresistível. Os novatos estavam silenciosos, limitando-se a acompanhar a veterana. Tinham medo quando ela demorava o sinistro olho vermelho em cima de um deles. Ela parecia pronta a pular na garganta de um e acabar com sua existência. Até os dois veteranos que escoltavam o grupo de novatos tratavam-na com deferência. Raquel tinha uma aparência intimidante. Um tapa-olho de couro prendia-se ao seu crânio, com a tira superior passando por cima da orelha esquerda e a inferior abaixo da direita. Longos cabelos ruivos e cheios cobriam-lhe os ombros e parte das costas, revoando com seus movimentos ágeis. Era uma mulher de quase um metro e oitenta, com corpo sedutor, curvilíneo, sublimada naquela forma eterna quando gozava de boa forma, com pernas grossas e seios deliciosamente delicados. Talvez o medo começasse quando observassem bem as unhas da caçadora. A vampira tinha unhas longas, negras e pontiagudas, como de feras rapineiras. Olhando de perto notariam que eram estranhamente grossas, muito mais grossas que unhas comuns, parecendo as de animal, afiadas, cortantes e fatais. Mas a atração física dos mais tolos acabaria quando encarassem o rosto de Raquel de perto: tinha a pele excessivamente branca, como a de qualquer vampiro veterano, e traços delicados e femininos que lutavam contra veias escuras, capilares e repugnantes. Detendo-se perigosamente mais perto de seu rosto, um mortal notaria um corte costurado com linha preta brotando e escondendo-se logo abaixo do tapa-olho. Um ferimento no passado, resultado de uma contenda raivosa, obrigava que usasse aquele tampão sobre o olho direito, emprestando-lhe seu conhecido ar de pirata psicopata e morta-viva. Quando sorria, calafrios percorriam os novatos, pois os lábios espichavam-se e deixavam escapar os caninos pontudos. E Raquel era muito rápida. Sumia das vistas em um piscar de olhos. Quando percebiam, estava no topo de uma árvore e no instante seguinte já tinha voltado ao chão forrado de folhas úmidas. Demorariam a se acostumar. A vampira tinha os braços fortes, e já a haviam visto esmigalhar a cabeça de um fugitivo em um golpe só, empurrando o crânio do humano contra a rocha da caverna. Ainda que selvagem, tinha sido rápida, indiferente e prática. A coleção de adjetivos para cercá-la, invariavelmente, seguiria esses moldes.

Gerson e Anaquias, os vampiros originais, sempre escoltavam Raquel nas saídas. Gerson, aproximou-se do rio primeiro. Ergueu as narinas a muitos cheiros estranhos, mas o do sangue do morto sobrepunha-se a tudo naquele instante. Franziu o cenho e expôs os caninos. Os olhos vermelhos intensificaram o brilho, e o vampiro pôde ver com maior clareza. Enxergou um rastro de sangue no chão. Aquilo não seria preciso para determinar a posição do cadáver, bastaria aquele cheiro para que até mesmo os novatos o encontrassem. Gerson abaixou-se, tocando o solo com um joelho. Raspou o dedo em uma porção do sangue estagnado e levou até a boca. Estalou a língua e olhou para as árvores. Gesticulou para Raquel, que se aproximou. Subiram a trilha e entraram em uma picada, por um caminho curto. Raquel saltou uma rocha e alcançou o topo sem esforço. Percebeu a presença de Cantarzo, mas nada disse aos outros. Se aquele abelhudo arrogante estava ali para arranjar confusão, seria servido um copo cheio sem problema algum.

Raquel aproximou-se da gruta observou o corpo despojado de vida do soldado, como uma casca vazia. Viu as bandagens molhadas de sangue estagnado e a pele cinza do homem. Havia um buraco na testa e outro no peito. Aqueles motoqueiros eram um bando unido até chegar a hora do sangue. Tinha sido liquidado por um "parceiro". A vampira de cabelos vermelhos e tapa-olho virou-se e gesticulou para o grupo, dando passagem a Anaquias. Os vampiros novatos acotovelaram-se para poder enxergar através da boca daquela diminuta gruta. Muitos inspiravam rapidamente e de maneira afetada. Novatos eram assim, cheios de medos e agonias.

— Era um soldado importante, por isso foi morto e abandonado pelos colegas — disse a vampira, encarando o grupo.

A única pessoa que fez cara de incompreensão foi Tatiana, a vampira recém-desperta. Os dois mulos sabiam o que aquilo queria dizer. Tempos atrás, eram sobreviventes refugiados em algum centro fortificado e, somente agora, depois de tantos anos como escravos, eram feitos vampiros. Sabiam que aquele soldado era um dos que conheciam o plano. Caso fosse um qualquer, talvez ainda estivesse vivo naquele buraco. Os companheiros permitiriam que ele tentasse a sorte, arriscasse a pele sangrenta, cruzando a noite e rezando para que o sol viesse.

— É isso o que os covardes fazem. Nós, vampiros, não agimos assim — disse a líder ruiva.

Aquele cara, na gruta, sabia demais para que corressem o risco de ser pego vivo pelos vampiros. Tinha que ser calado. Talvez o comandante do grupo tivesse dado cabo da vida dele ou aquele ali no buraco fosse o próprio líder do grupo e tivesse pedido para ser abatido e largado para trás.

— Vai, Tatiana. Entre no buraco e tome um pouco do sangue — ordenou Raquel.

A vampira novata deixou os olhos chamejarem e grunhiu levemente. Os mulos recém-convertidos agitaram-se e também guincharam, dando um passo em direção à gruta, porém, antes de darem outro, a vampira encarou-os, drenando sua coragem. Tatiana aproximou-se do corpo frio, passou a mão pelo rosto cinza de Gaspar e subiu levemente os dedos até a ferida na cabeça, trazendo a mão suja de sangue até a boca. Era a primeira vez que tomava sangue de um defunto. O sangue morto não era tão saboroso quanto o dos corpos vivos, nem tão cheiroso, mas servia para a alimentação. Rasgou as ataduras abdominais e aproximou os lábios dos ferimentos. Precisou sugar com vontade para fazer o sangue coagulado verter para sua boca. O ardor estomacal arrefeceu.

— Saia!

Tatiana ouviu a voz da vampira vindo pela boca da gruta, mas o desejo de sugar até a última gota era poderoso, não poderia atendê-la. Raquel meneou a cabeça para Gerson. O vampiro aproximou-se do buraco e estendeu o braço para agarrar o calcanhar da novata. Arrastou-a para fora, ouvindo grunhidos de protesto. Tatiana avançou as unhas pontudas para a mão do vampiro, mas Gerson puxou com mais força e suspendeu a garota, deixando-a de ponta-cabeça. Gerson era alto e forte, enquanto Tatiana era pequena e de aparência frágil. Contudo, debatia-se ferozmente, ora tentando libertar o pé, ora tentando alcançar o agressor para feri-lo. Gerson cansou da brincadeira e, em um movimento rápido, ergue-a acima da cabeça, agarrando-a também na altura do peito e arremessando-a brutalmente contra a rocha.

A vampira caiu sobre os braços. Sua cabeça doía, e os olhos apagaram-se. O cheiro do sangue diminuía em suas narinas. Ajoelhou-se, respirando rapidamente... não que lhe faltasse ar, mas estava agitada. Olhou para Gerson e mostrou-lhe os caninos. Gerson riu, desviando o olhar para encarar os dois mulos. Fez um sinal para que entrassem. A passagem era estreita, mas os dois espremeram-se enlouquecidos. Queriam logo pousar a boca no sangue do maldito cadáver e fazer aquele ardor no estômago abandonar o corpo. Arranhavam-se e empurravam-se, procurando uma posição melhor para tomar o sangue do cadáver, soltando grunhidos feito cães raivosos.

Tatiana limpou os lábios sujos com as costas das mãos. Estava mais calma, mas sempre que percebia Gerson olhando para outro lugar, media o soldado grandalhão. Ficava imaginando um jeito de ir à forra. Como faria para aquele vampiro dobrar os joelhos e beijar o chão? Iria descobrir, cedo ou tarde.

Raquel fez outro sinal e seu soldado agarrou os pés dos vampiros novatos, colocando-os para fora abruptamente. Ambos protestaram, rugindo ameaçadoramente, mas não tentaram voltar para a gruta, nem mesmo atracar-se contra o vampiro poderoso. Diferentemente de Tatiana, conheciam a fama de Gerson. Logo, os olhos apagaram-se e os caninos foram recolhidos.

Raquel tinha se posicionado em um ponto mais alto que os demais, em cima de uma pedra, ao lado da entrada da gruta. Olhou para o grupo. Também tinha fome, mas sabia que depois de três novatos terem visitado aquele corpo não existiria sangue o bastante para ela. Farejou profundamente. Um vento que entrava pela gruta, agora leve, batia em seu rosto, e ela não sentia cheiro de mais sangue. A mata estava limpa por quilômetros. Poderiam voltar para a toca e abastecerem-se com sangue dos adormecidos, mas não era a mesma coisa. O sangue caçado, de gente escondida, era mais saboroso. Talvez porque o medo da morte iminente injetava adrenalina na corrente sanguínea, o que temperava a "comida", ou talvez porque a caça permitia que exercitassem seus poderes vampirescos. O fato é que sangue de gente viva, escondida e amedrontada era melhor que o dos mortos e adormecidos. Aquela caçada tinha um gosto especial para Raquel. A vampira adorava derrubar os covardes, aqueles que metiam bala na cabeça de um amigo, aqueles que se escondiam atrás de muralhas durante a noite, mas que, naquela noite em particular, tinha ficado expostos.

— Vamos andar! Este cara não estava sozinho — disse a líder, saltando para a trilha. — Talvez estejam por...

— Talvez?

Os vampiros assustaram-se, virando-se repentinamente para a boca da caverna. Os novatos viam um homem parado em frente da gruta. Raquel grunhiu nervosamente e balbuciou.

— Cantarzo, não se meta...

— Já que incumbiram você de ensinar os novatos, não pode deixá-los sair daqui com um "talvez", Raquel.

— Não se intrometa, Cantarzo — grunhiu a mulher.

Cantarzo saltou para a trilha também, ficando próximo de Raquel e Anaquias, tendo o cadáver seminu às costas. Viu Gerson atrás dos novatos e sorriu rapidamente para o grandalhão, voltando a encarar os dois na sua frente. O olho bom da vampira parecia querer queimá-lo como um raio de sol vermelho. O vampiro abriu caminho empurrando os dois pelo peito. Estava seguro, sabia que na frente dos novatos seria mais difícil Raquel querer esquartejá-lo, demonstrar alguma emoção. A vampira era vaidosa demais para perder a pose. Só os mais velhos conheciam a ferocidade escondida por trás das garras da vampira ruiva. O vampiro impertinente passou pelos novatos e por Gerson, parecendo que abandonaria o grupo sem mais explicações ou interrupções.

— Ensine-os a observar melhor — disse subitamente, abaixando-se para colher algo no chão.

Cantarzo exibiu uma caixa e jogou-a para um dos mulos. O rapaz agarrou a pequena caixa que produzia um som metálico em resposta a movimentos bruscos. Levando em consideração as dimensões, o objeto era bem pesado. Raquel identificou imediatamente o objeto e o tilintar característico: munição.

— O que há com você, Cantarzo? Só porque a toca não quer você com novatos resolveu desmoralizar os que estão aqui para ensinar?

Cantarzo sorriu.

— Ensine direito, então.

Gerson ergueu os ombros olhando para Raquel. Queria permissão para atacar o intruso. Raquel negou com um rápido meneio, pois, apesar de odiar Cantarzo, o vampiro era importante para o covil... Tinha que aguardar um momento melhor. Não poderia atacá-lo na frente dos novatos. Gerson abriu a boca exibindo os dentes pontiagudos e voltou a olhar para Cantarzo... e espantou-se. O vampiro não estava mais lá. Anaquias tomou a munição da mão do mulo. Era uma caixa com balas de prata.

— Os soldados estão por perto. Se fosse vocês, botava esses narizes para fungar. Eles não estão longe daqui — tornou a voz de Cantarzo, vinda do alto das árvores.

Os novatos procuravam-no com os olhos sem encontrar.

— Como sabe? — perguntou Gerson.

— A munição, brutamontes idiota.

Por causa do insulto, Gerson olhou de volta para a vampira, querendo autorização. Bramiu nervoso quando Raquel negou mais uma vez. Raquel sorriu, pois sabia que estava ganhando mais um aliado para ajudá-la a acabar com a raça de Cantarzo. Apesar do jeito falastrão e esquivo, sabiam que Cantarzo era páreo duro na hora da contenda. Era ágil e fazia uso letal de seus atributos vampirescos.

— A munição é do morto! — gritou a líder.

— Vocês são cegos? O soldado foi assassinado. O assassino deixou o local depois da execução. Não existem armas com o defunto... Por que deixaria munição para trás?

— Estava com pressa... Não tinha tempo para voltar e apanhá-la... — murmurou Tatiana.

— Olha só! — berrou o caçador, com a voz forte vindo de outra direção. — Tem alguém raciocinando agora que estou aqui.

Raquel fulminou a vampira com o olho bom. Aproximou-se e murmurou:

— Se der mais um pio, arranco seus braços!

Tatiana estremeceu da cabeça aos pés. Sabia que Raquel não estava brincando.

— Ei, Raquel! Deixe a novata assumir a liderança. Ela pensa mais rápido que vocês três juntos! — gritou o intruso, explodindo em uma gargalhada provocativa.

Raquel via o vampiro no topo de uma árvore. Era um bravateiro, gritava insultos a uma distância segura. Sabia que ele era rápido e competente. Se tentasse alcançá-lo, ele desapareceria em segundos. Conhecia como ninguém aquelas matas. Ela e Gerson teriam sua vingança contra aquele insulto, mas não agora. Seria do jeito dela, na hora certa. Inspirou fundo e manteve o controle na frente de seus aprendizes.

— Por que em vez de ficar gritando asneiras, você não nos diz onde os soldados estão, caçador?

— Porque é preciso encontrá-los, Raquel. E garanto que estão por perto. Balas de prata são preciosas demais para estarem soltas no barro. Prata é o único material que nos cria feridas permanentes. Explique isso aos novatos, Raquel... mostre seu machucadinho para eles.

Raquel grunhiu baixinho. Cantarzo estava se esgueirando para um terreno perigoso. Para tudo existe um limite. Olhou para Gerson, que salivava aguardando um sim. Raquel concentrou-se, não escorregaria para o buraco que Cantarzo cavava. Era ele quem ia cair na própria armadilha.

Bento

— Vamos fazer um joguinho! Uma brincadeira fora da toca... — continuou Cantarzo. — Vamos procurar os soldados. Quem achar primeiro toma mais sangue e ganha o coração dos novatos. No bom sentido, é claro.

Os novatos entreolharam-se. Ele estava falando sério?! Os veteranos também trocaram um ligeiro olhar. Raquel aquiesceu.

— Ótimo! — gritou de volta o vampiro de cima das árvores.

Antes que dissessem outra coisa, os veteranos puderam ver Cantarzo evadindo o local e começando sua caçada. Já os novatos, lentos demais, não conseguiam ver o vampiro.

— Anaquias, você vai com os novatos. Vou com Gerson na frente para ganhar tempo.

— Vamos realmente fazer esse jogo? — perguntou Anaquias surpreso, erguendo as mãos.

— Você conhece esse pavão! Vamos, Anaquias. Vamos jogar com Cantarzo. Vá.

Anaquias curvou-se, reverenciando a líder, e saiu com os aprendizes de vampiro. Raquel olhou para Gerson e, no instante seguinte, saltou para o tronco de uma árvore. Cravou suas unhas afiadas no tronco, soltando lascas quando saltou mais para cima. Em um segundo, saltou para outra árvore. Com dois movimentos ligeiros estava no topo de um eucalipto com cerca de vinte metros de altura. A ponta balançava suavemente, movida pelo vento. Nem um segundo se passou para que Gerson estivesse ao seu lado.

— Deixe Anaquias brincar com os novatos, Gerson. Nós vamos atrás de Cantarzo. Assim que ele encontrar o esconderijo dos soldados, acabamos com sua raça. Esse maldito vai pagar pela falta de respeito.

Enquanto isso, logo abaixo, Anaquias continuava caminhando pela trilha.

— Onde vamos começar a procurar, Anaquias? — perguntou Natan, um dos mulos.

Depois de alguns passos em silêncio, Anaquias respondeu:

— Vamos terminar essa trilha. Acho que dá naquela ponte — apontou para a construção que cruzava bem acima do leito do rio. — Depois, vamos para a estrada.

— Estrada?

— É, para a estrada.

— Por quê?

— Porque aquele soldado estava com roupa, jaqueta e botas de motoqueiro. Esses aí só andam nas estradas e não conhecem a mata. Quando se escondem, é perto da estrada. Morrem de medo da floresta durante a noite. Vamos para o asfalto.

CAPÍTULO 12

Uma luz forte nos olhos de Lucas o fez levantar-se agitado, tão repentinamente que a doutora se assustou, dando passos desequilibrados para trás. Lucas, já em pé, passou a encará-la com os olhos arregalados. Sua respiração era rápida, ofegante. Aproximou-se repentinamente da médica, segurou-a firme entre os braços, cheirou os cabelos e a pele de Ana e viu que não havia nela aquele odor. Seus olhos agitados vagaram pelo cômodo branco. Tudo estava limpo, não havia nenhum corpo ou sangue no chão. Teria sofrido uma alucinação?

— Cadê o Gabriel?

A doutora Ana abaixou as mãos, recuperando-se do susto pelo ataque repentino mas inócuo do paciente.

— Você... eles já o tiraram daqui!

— Morto?

Ana aquiesceu. Lucas passou a mão no cabelo ondulado.

— Pensei que aquilo tivesse sido só um pesadelo...

— Não foi. Você já teve alta. Só estava fazendo uns exames...

— Alta?

Ana não respondeu, aproximando-se e voltando a examinar os olhos do paciente.

— Eu mato um cara e tenho alta? Por que não me disseram antes? — perguntou, assombrado, procurando alguma lógica naquilo enquanto a médica jogava luz para dentro de seus olhos mais uma vez.

— Está tudo certo.

— O que você está procurando nos meus olhos? O que eu fiz? Eu não sou assim, doutora Ana.

— Vista as roupas limpas que estão debaixo da cama. Eles virão buscar você para falar com o doutor. Ele vai te explicar muuuitas coisas agora.

— Doutora...

Ana olhou nos olhos de Lucas.

— Eu quero uma janela.

Ana sorriu.

— Você vai sair daqui, Lucas, hoje ainda. Prometo — respondeu, indo em direção à porta.

— Doutora!

A médica reteve-se já no corredor, voltando-se para olhar o paciente.

— Diga.

Lucas manteve-se em silêncio por um instante. Parecia relutar para falar. Ana sorriu para o rapaz, encorajando-o.

— Quando vou ver você de novo? — ele perguntou.

Ana expandiu ainda mais o sorriso. Abriu mais os olhos, parecendo deixá-los verde-acinzentados. Por fim, soergueu os ombros.

— Não sei, Lucas... Aqui ninguém fica doente.

A porta deslizou, separando médica e paciente. Ana mordiscou o lábio enquanto caminhava pelo corredor. O paciente tinha uma aparência horrível, com sangue cobrindo sua calça e tórax. Estava magro em consequência da inanição, com cabelos maltratados, unhas horrorosas, mas havia um brilho nos olhos, um furor. Balançou a cabeça negando aquele frio na barriga. Não era à toa que Lucas era o que era. Talvez só estivesse impressionada. Heróis sempre impressionam.

Assim que a médica saiu da cela branca, Lucas a obedeceu e trocou a roupa suja pela limpa. Os olhos procuraram nos azulejos indícios do combate com aquele bicho, mas não encontraram nem sangue, nem sinal de espadas. Terminando de se vestir, Lucas sentou-se na cama, abraçando os joelhos. Sorriu ao lembrar que tinha deixado a médica sem graça.

Meia hora mais tarde, dois homens de aventais brancos entraram no quarto. Um deles tinha uma cicatriz que subia do pescoço e ia para trás da orelha, enquanto o outro, mais baixo e corpulento, tinha uma lista de nomes próprios tatuados no braço em letras cursivas, mas com os braços cruzados na sua frente, Lucas não conseguiu ler todos. O primeiro deles era Victória.

Lucas colocou-se em pé e, instintivamente, aproximou-se e farejou o ar ao redor deles. Os dois trocaram um olhar curioso, mas Lucas afastou-se, esperando que se pronunciassem.

— Vamos ver o doutor, senhor Lucas. O senhor teve alta.

Lucas ficou olhando para a porta à sua frente, hesitante.

— Vocês não são enfermeiros de verdade, não é? Isso aqui é um hospital mesmo?

Os homens se olharam mais uma vez. Lucas olhou para o braço tatuado. Depois de Victoria leu Vó Nena e, embaixo, Humberto.

— Eu também perdi alguém, mas eu não consigo lembrar o nome — lamentou Lucas diante dos homens silenciosos.

— Vamos, senhor Lucas. O doutor está esperando. Ele vai conversar com você.

Conduziram Lucas para o corredor. O chão estava frio para os pés descalços do paciente. Passaram em frente a incontáveis portas, que Lucas presumiu serem celas habitadas como a que estivera há pouco. Subiram e desceram escadas, passando por um labirinto de azulejos brancos. De repente, ele sentiu o coração acelerar ao ver, no corredor logo à frente, uma faixa de luz solar cobrindo parcialmente o chão. Aquilo só podia significar... uma janela! Adiantou-se até a luminosidade, recebendo o sol na pele. Um formigamento delicioso cobriu seu braço à medida que era aquecido pela luz do astro-rei, ao mesmo tempo que seus olhos foram ofuscados por um breve momento. Aos poucos, a escuridão foi se dissolvendo e sua visão foi se adaptando à claridade novamente. Só então pôde contemplar a paisagem. Um sorriso largo se formou em seus lábios. Que lugar lindo! Estava em uma cidade, mas era diferente de todas as que já tinha visto! Nunca tinha olhado para um horizonte tão verde e exuberante. Mas alguma coisa era estranhamente muito diferente, fazendo seu sorriso desfazer-se ao buscar analisar a situação e tentar estabelecer uma lógica nos pequenos fragmentos de informação que recebia. Havia tantas árvores naquele lugar realmente impressionante, com inúmeros passáros revoando em bandos, um céu lindamente limpo e de um tom de azul tão magnífico como nunca tinha visto que até assustava. Notou que os enfermeiros se aproximavam pacificamente, sem interromper sua contemplação. Lucas continuou observando, sentindo algo estranho vindo de fora, da cena bucólica, das ruas observáveis daquela janela. Estaria no interior do estado? Devia estar bem longe de São Paulo, capital, onde o céu era cinza e marrom e não existiam árvores tão belas nem no Jardim Botânico. Percebeu que se encontrava em uma espécie de passarela, uma conexão entre dois grandes prédios de um hospital imenso. Como nunca ouvira falar de São Vítor? Uma cidade com um complexo de saúde daquele tamanho deveria ser bastante avançada, conhecida, um hospital de referência. No entanto, os olhos teimavam em dizer que estava em um lugar distante do centro, da poluição sonora e visual. Olhando para o asfalto, percebia que faltava algo. Onde estavam os carros e a ferocidade da vida? Poucas pessoas andando pelas ruas. Não via crianças. Signos desconexos de sua vida cotidiana. Onde ele estava? Continuaria minutos a fio contemplando e arregimentando perguntas, mas os homens fizeram um sinal para prosseguirem.

Bento

Ao final do corredor havia uma porta de ferro. Bateram e uma escotilha foi aberta para que alguém do outro lado pudesse observar. A porta foi destrancada e se abriu, correndo lateralmente sobre rodízios enquanto fazia bastante barulho. Os enfermeiros ficaram para trás, na área de azulejos brancos, e, quando a porta foi fechada, Lucas viu-se na companhia de homens que, deduziu, eram soldados, pois portavam rifles e vestiam uniforme escuro. Ali parecia não haver mais a ditadura do branco e do asséptico, já que o chão tinha um carpete fino e marrom e as paredes eram marrom-claro. Ficou quieto, observando. Seria um ambiente totalmente monocromático se não fossem as bromélias que brotavam em xaxins alojados em quatro grandes vasos. Estava em uma sala ampla que dava acesso a três corredores, um logo à frente, como se fosse continuação daquele pelo qual viera, outro à esquerda e o último à direita.

— O doutor o espera no final do corredor. Bata na porta — disse o soldado da direita apontando o respectivo corredor. — Estamos contentes por você ter despertado, bento.

Lucas olhou-os por um instante e inalou fortemente, constatando que eles não tinham cheiro. Estavam limpos. Afastou-se, tentando entender o contentamento do soldado. O que ele tinha a ver com aquelas armas? E por que o sorridente homem das armas tinha trocado seu nome?

Bateu na porta de madeira ao final do corredor e escutou uma voz rouca ordenando que entrasse. Abriu vagarosamente a folha de madeira maciça e pesada e observou que o carpete marrom continuava sala adentro. Havia quadros nas paredes, persianas fechadas e penumbra. Parecia mais um escritório que um consultório.

— Venha, rapaz. Sente-se — convidou a voz rouca.

Viu diplomas fixados nas paredes que demonstravam que era um médico experiente. Fotografias de pessoas que Lucas nunca tinha visto antes. No meio de todas as fotos com gente abraçada e sorridente, se destacava a de uma garota muito bonita, com laço no cabelo, de uns quatorze anos. A mesa de madeira clara estava limpa. Lucas tentou lembrar-se do nome daquele tipo de madeira, mas a informação não se consolidava em sua mente. Sobre o tampo havia um bloco de notas, uma caneta, uma garrafa ornamentada e atraente com um líquido âmbar envasado, três copos vazios. Atrás de tudo isso, estava um senhor que aparentava ter mais de oitenta anos, papada imensa e uma respeitável coleção de rugas, segurando um copo até a metade com a bebida.

— Seja bem-vindo a São Vítor. Imagino que ainda esteja um pouco atordoado com toda essa confusão.

Lucas arregalou os olhos como uma caricatura e estalou os lábios. Sentou-se numa poltrona confortabilíssima. Daria para passar uma vida inteira com a bunda naquele lugar. O médico tirou algo da gaveta e acendeu um isqueiro, e a chama incendiou a ponta de um charuto. De outra gaveta, tirou uma garrafa oval e dois copos e colocou diante deles. Lucas notou rugas também na mão do interlocutor.

— Se quiser um trago, é só se servir. Você terá tudo o que quiser — ofereceu o médico, derramando um pouco do líquido em um copo.

— Doutor... o que aconteceu comigo? Que doença eu tenho?

— Tinha, filho. Tinha... — ruminou o médico, dando uma longa baforada e enchendo o ambiente ao redor de fumaça. O médico fez uma pausa e, ao perceber que Lucas inquietava-se na poltrona, fez um sinal para que esperasse enquanto puxava mais fumaça para a boca. — Aposto que você está totalmente confuso — disse, fazendo dois pilares de fumaça escaparem das narinas ao final da frase. — Não conhece este lugar, estas pessoas, e tenho certeza de que não conhecia nem mesmo este hospital. Nem faz ideia de quanto tempo passou aqui, certo?

— Não, estou perdido — Lucas respondeu, balançando a cabeça negativamente.

— Vamos por partes. O mundo mudou muito desde que você adoeceu, filho. Mudou muito.

— Mas o que eu tinha?

— Você sofreu do mal da Noite Maldita, quando tudo começou a mudar.

— Tudo o quê?

— Olha, como já deve ter dado para perceber, respostas simples não cabem nesta sala. Cada par de olhos que confronto aqui está na mesma situação.

— Mas o que aconteceu, doutor? O que mudou? — insistiu Lucas.

— Tudo, filho. A vida. A Terra. Quando você olhou por aquela janela... tenho certeza de que parou lá por uns instantes, não parou? Não percebeu nada de estranho?

— Sim, o céu... estava tão bonito!

— Só isso?

— As ruas também... limpas, desertas...

— Sem carros. Você viu algum carro, filho?

Lucas meneou negativamente a cabeça.

— Você tem ideia de quanto tempo está aqui? Você se lembra do seu último dia acordado, antes de abrir os olhos neste hospital?

Lucas repetiu o gesto negativo.

— Lucas, você deveria trabalhar em um escritório comum como milhões de pessoas faziam. Teve uma jornada cansativa naquele fatídico dia. Ao final do trabalho, ou pegou o metrô lotado para casa, espremido como sardinha, ou ficou mofando no banco do carro, preso em um congestionamento recorde e ouvindo o tamborilar da chuva no capô, provavelmente sintonizado na Jovem Pan, rezando para que o trânsito andasse e que chegasse em casa antes da Voz do Brasil. Lembra, Heitor Villa-Lobos? — o médico fez uma pausa para uma nova tragada e baforada. — E quando chegou ao seu apartamento? O que você fez, irmão Lucas? Ligou o computador, verificou os emails. Livrou-se daquele terno barato que usava todo dia. Tomou um banho quente. Ficou encurvando o pescoço para aliviar a tensão do dia, tentando relaxar, colocou um congelado no micro-ondas aguardando pelo jantar instantâneo...

Enquanto o médico falava, Lucas via-se nas circunstâncias descritas, como se o outro pudesse ler sua mente ou tivesse assistido ao seu passado, suas últimas horas de lucidez, antes de acordar naquele hospital.

— ... com o prato feito, foi para a frente da TV de 29 polegadas, ligou com o controle remoto, amarrou um pano de prato no pescoço para que o molho não sujasse a camisa. O que estava passando? O que passava na sua época?

Lucas, mudo, arrepiou-se. O que ele queria dizer com "na sua época"?

— Naquela época, vocês costumavam assistir a quê? Àqueles programas de auditório de domingo, novelas... — arriscou, erguendo os ombros. — Todo mundo gostava dessas coisas. Perdiam horas na frente da TV. Se fosse uma quarta-feira, talvez vocês estivessem vendo um dos jogos do torneio Rio-São Paulo. Para que time você torcia? — perguntou o médico, em um tom retórico, olhando para a parede ao lado, sem olhar nos olhos de Lucas, divagando entre as fotografias e dando continuidade às descrições. — Aí veio o sono depois do dia cansativo. Colocou o prato na pia, tomou água, escovou os dentes, foi para a cama e dormiu, como nunca havia dormido antes. Mas veio a Noite Maldita e o apanhou no meio do sono. O evento! A noite em que o mundo mudou. Muita gente desapareceu, famílias se desfizeram, e vocês, os adormecidos sortudos, foram poupados. Não viram o desespero quando, depois da Noite Maldita, Deus deixou nossa Terra e libertou as feras da noite, os malditos, os noturnos. Todos sofremos, mas, inexplicavelmente, vocês foram poupados. Dormiam enquanto nós reconstruíamos o mundo...

— Por quanto tempo?

— Eu estava aqui no primeiro dia. Eu não acreditava no cavaleiro. Não. Tenho que admitir, filho, esse velho aqui era um grande babaca.

— Doutor... quanto tempo?

O médico puxou fumaça para a boca e soltou uma nuvem condensada, que escondeu seu rosto por um instante.

— Você dormiu por trinta anos. — Lucas sentiu a pele arrepiar. Não dava para acreditar. — Foram trinta anos sem ver o que acontecia ao seu redor, trinta anos em suspensão, sem envelhecer como envelhecemos, sem enlouquecer como enlouquecemos, protegido contra os vampiros dentro dos muros de São Vítor. Vocês, os adormecidos, são parte do fenômeno da Noite Maldita, como batizamos aquele dia.

O doutor fez uma pausa grave, deixando Lucas digerir as últimas palavras. Ele ficou calado por um bom tempo também, procurando entender. Trinta anos era muito tempo! Ele deveria estar com quase sessenta anos agora, mas havia passado boa parte dos últimos tempos de frente para um grande espelho e, tirando a palidez e as unhas, diria que estava com o mesmo rosto de quando adormeceu. Juntou as costas das mãos, olhando-as demoradamente, procurando rugas ou algum sinal que desse sentido ao que tinha acabado de ouvir, mas não encontrou. Estava, dentro do possível, "normal". O médico, vendo o autoexame do rapaz, prosseguiu:

— Vocês não envelheceram. É como um milagre, um oásis no meio de tanta tragédia. Suas unhas crescem lentamente e, em alguns, os cabelos crescem bastante também. Mas seus músculos não atrofiam, seu sistema nervoso entra em pausa e os tecidos... tudo parece em um estado de suspensão. Quando acordam, conseguem até caminhar. E como isso acontece? Não sei, filho. Nem este pobre médico sabe, nem ninguém. Eu tentei explicar, lutei contra a doença dos noturnos. Eu não queria perder mais ninguém, Lucas, mas todas nossas esperanças racionais foram vencidas. Uma pessoa comum que acorda depois de um coma de trinta anos precisaria de muita fisioterapia para voltar a andar normalmente, se é que conseguiria um dia. Mas é como um milagre, que não para por aí, filho. — Lucas ergueu os olhos, acompanhando a voz rouca do médico. — Naquela noite, como você, bilhões entraram nesse sono misterioso. Bilhões! E, durante a noite, muitos, sem saber, se tornaram algo pior: monstros.

— Como Gabriel...

— Sim. Ele também era um deles, e logo chegaremos lá, mas quero que tenha uma ideia do mundo que vai encontrar fora deste hospital. O motivo de você estar na minha sala agora é porque é uma peça importante para a nossa salvação.

— Salvação?! — o espanto não abandonava Lucas.

Bento

O doutor levantou-se e andou pela sala. Uma luz intermitente entrava pelas frestas das persianas e emprestava um ar sombrio àquele escritório de tons marrons. Voltou até a mesa e tomou mais uma dose de sua bebida.

— Nossa salvação, Lucas. Você é a nossa salvação, nosso libertador. Naquela noite, e pode apostar que eu me lembro muito bem de como foram aquelas horas de terror, minha esposa e filha já estavam dormindo. Eu estava navegando na extinta internet, buscando complementação para um trabalho literário. Quando dei por mim, a manhã já vinha chegando, e ouvi gritos no apartamento do vizinho. Depois, batidas na minha porta, de uma mulher que estava desesperada, de camisola, despenteada, gritando e dizendo que sua família estava morta, me chamando porque sou médico. Atendi a velha amiga, entrando em sua casa e indo para o quarto de seus filhos, que dormiam. O despertador tocava estridente, com aquele *béééé-béééé* repetido. Os garotos tinham cerca de dezoito anos, a mãe tentava acordá-los para ir à faculdade, já tinha gritado, chacoalhado, batido, e nada. O marido estava na mesma condição. Veio o desespero e a certeza de que estavam mortos. Apesar de não ter sentido cheiro de nada diferente no ar, eu corri até a cozinha para ver o gás, mas estava desligado. Perguntei o que tinham jantado, e foi só frango e batatas. Ninguém tomava narcóticos. Acalmei a mulher quando constatei que os três estavam com a pressão regular, tinham batimentos cardíacos... abaixo da média, mas o coração funcionava. Disse que teria de levar todos para o hospital, para internação e exames clínicos. Nenhum celular funcionava. Ligamos do telefone fixo para o 190, para chamar uma ambulância. Estava ocupado. Tentei o telefone do hospital, também ocupado. Deus, que noite!

O doutor abaixou a cabeça e pôs o dedão na testa, parecendo sofrer ao reviver a situação.

— Isso tudo é inacreditável, doutor — Lucas falou, incrédulo.

— Sim, mas tem mais. Decidi levá-los pessoalmente ao hospital, pedi um minuto e voltei ao meu apartamento. Chamei minha esposa para avisá-la do ocorrido, para que não se assustasse, mas ela não respondeu. Balancei-a e me lembro até hoje do arrepio percorrendo meu corpo, eriçando os cabelos que eu ainda tinha. Ela nunca mais falou comigo, Lucas! Ela também estava tomada pelo sono — o médico chupou o charuto mais uma vez, sem tragar a fumaça. — Fui até o quarto de minha filha adolescente. Júlia estava dormindo profundamente. Chacoalhei-a pelos ombros e ela despertou assustada. Senti um alívio momentâneo enquanto a abraçava. Depois, veio a lembrança de minha esposa, dos meus vizinhos e de todos tomados por aquele mal. Com a ajuda da vizinha e de minha filha, fomos descendo os adormecidos até o subsolo e os coloquei no meu carro, uma Grand Silverado.

— E o que aconteceu? — Lucas já parecia impaciente para entender toda a situação.

— Fomos para o hospital, as ruas estavam caóticas, o trânsito estava um inferno, havia fogo em alguns prédios, bombeiros, ambulâncias, uma perturbação profunda. Não desconfiávamos do quadro geral ainda e não vimos relação entre essas coisas até chegarmos ao hospital. Havia um alvoroço na entrada, confusão, não havia vagas, era gente jogada pelo corredor, por todo lado. Os colegas me diziam que um tipo de epidemia tinha tomado conta da cidade durante a madrugada. Falavam em armas químicas, mas não tinha sentido! Como uma arma química ia escolher alguns e não outros, mesmo umas pessoas sendo mais suscetíveis? O que imperava mesmo naquele momento era o pânico, Lucas. Quem teria atacado o Brasil com armas químicas?

O médico parou para outro trago e mais uma baforada.

— Eu posso imaginar...

— O mundo parecia ter acabado, Lucas. E acabou mesmo, naquela maldita noite. Com a chegada do amanhecer, as coisas só pioravam. Eu não queria ouvir, eu não queria saber, mas as surpresas não acabariam naquele fenômeno. Os adormecidos estavam por todos os lugares. Não tinha sido um efeito regional. Os casos, aos poucos, foram sendo contados em todo o mundo. Sem celular ou TV, a gente se voltou para o rádio, mas tudo tinha parado, os aparelhos só captavam aquela estática apavorante. Sabíamos que a doença estava se espalhando para todos os lados porque quem chegava de carro, vindo do interior em busca de socorro no HC, contava a mesma história. Era gente vindo de todos os lados e não podíamos mais receber ninguém. Com a chegada da noite de novo, ninguém queria dormir. Todos queriam drogas que bloqueavam o sono, estavam com medo, é natural. Ninguém queria se tornar mais um adormecido, e realmente isso veio a acontecer com uns poucos. Quando dormiam, nunca mais abriam os olhos.

— Meu Deus! — Lucas tinha a impressão de que estava ouvindo um filme ser contado, não a vida real. O doutor continuou:

— Na manhã seguinte, Júlia começou a apresentar uma estranha sensibilidade ao sol. A pele queimava, os olhos ardiam, e ela ficava descontrolada quando exposta à luz, irritada como milhares que chegaram ao hospital. À noite, minha filha pareceu morrer. Tantos e tantos foram levados para o mundo da escuridão, Lucas, sem perguntas, sem esperança de retorno... De repente, Júlia abriu os olhos, mas não era mais a mesma. Para meu assombro, o coração dela não pulsava. Era um bicho, uma aberração. Em nosso apartamento, junto à vizinha que se uniu a nós, cuidávamos de nossos adormecidos, enquanto eu tentava cuidar também de Júlia e entender que mal se abatera sobre minha menina. Os olhos dela se tornaram vermelhos, e ela não parava de chorar. Me senti impotente, perdido, vendo minha filha tremendamente doente e minha medicina não valendo de nada. Ao mesmo tempo, vândalos começaram a destruir a cidade, estavam todos loucos, e as ruas ficaram perigosas. As noites passaram a ser horas terríveis. O Hospital das Clínicas só sobreviveu graças ao sargento Porto. Foi ele quem abriu nossos olhos. Eu não queria ver nem ouvir, não queria abandonar tudo o que eu tinha. Vi minha filha ser tomada por uma espécie de demência e demorou algumas semanas até entendermos o que estava acontecendo com nossos filhos, por que eles pareciam ser consumidos por um tipo de loucura. Eu tentei protegê-la como pude, mas foram dias difíceis e precisamos deixar tudo para trás. Júlia, apesar do meu carinho, tentava me atacar com objetos cortantes ou com dentes pontiagudos e afiados. Tornou-se tão perigosa que foi impossível mantê-la comigo. Acho que essa foi a hora mais triste, quando tivemos que nos separar...

O médico fez uma nova pausa enquanto era visitado pelo passado. Sorveu mais um gole da bebida enquanto tinha os olhos baços e fixo na fotografia da garota, no centro de tantas outras. Lucas, tenso com o desenrolar da narrativa, segurava firme nos braços da confortável poltrona. O que o doutor lhe dizia era algo inacreditável. Não podia estar vivendo aquilo de verdade.

— Essa doença, essa loucura que acometeu metade da população livre do sono bizarro... eu tentei medir, mas nunca foi possível quantificar com precisão quantos adoeceram, pois não tivemos tempo de saber nem quantos sobreviveram ao sono... as pessoas infectadas passaram a nos caçar e viraram nosso maior tormento. O que evitou nossa completa extinção foi o horror que esses seres têm do sol.

— Vampiros...!

— Isso mesmo, Lucas, vampiros.

Lucas, boquiaberto, arqueou as sobrancelhas tentando encontrar as palavras para refutar o que o doutor revelava. Empurrava sua mente para o passado, vasculhando por lembranças. Ele não queria acreditar, mas horas antes tinha se atirado contra um estranho que empunhava duas espadas e aberto sua boca exibindo dentes ferinos. Ele tinha matado uma pessoa, com suas próprias mãos, tirado a vida daquele homem e gostado de fazer aquilo. Lucas sentiu suas lágrimas descendo pelo rosto. Quem era ele naquela história e o que estava fazendo ali, sentado naquele sofá, diante de um velho que dizia não existir mais mundo, não existir mais

São Paulo, não existir mais a sua vida e suas referências? Ele tinha hibernado pela porra de trinta anos!

— Gabriel era um vampiro! E se ele era um vampiro... eu o matei...

— Sim, Lucas, ele era. E esses vampiros nos caçam durante a noite, tomam nosso sangue com seus dentes malditos, mas morrem ao sol, nosso salvador. Quando a noite chega, ninguém ousa ficar nas ruas, fora da fortificação. Tudo o que fazemos é orar antes de fechar os olhos e esperar pelo nascer do sol. Essas bestas que caminham no escuro tentam, noite após noite, liquidar com nossa existência, acabar com nossas vidas. Caçam nos hospitais, tentam tomar os adormecidos e os confinam em suas tocas, para ter sangue garantido por muito tempo. Durante o dia, é o nosso turno de jogo, caçamos nas velhas cidades por depósitos de gente que ainda existe por aí. Quanto menos sangue deixarmos para trás, mais enfraqueceremos o inimigo. Durante a noite é novamente a vez deles, que tentam vencer nossas cidades, acabar com o que resta de nossa organização. Querem nos ver loucos e acabaram com praticamente tudo o que nossa ciência ergueu... Você vê algum telefone em minha mesa, nesta sala, neste prédio, Lucas?

Lucas balançou a cabeça em negativa.

— Não viu e nem verá telefone, porque aquela Noite Maldita levou tudo de nós. Desfez nossos laços e nos dividiu em lados opostos. Vivemos durante o dia e oramos durante a noite, Lucas. E os noturnos entraram logo nesse jogo, destroem nossas estradas, bloqueiam os caminhos e evitam que nos reagrupemos, atacam nossos muros, noite após noite. São Vítor, um dos maiores centros brasileiros da atualidade, é um dos alvos preferidos dos exércitos mais organizados desses malditos. Mas eles têm medo de nossa união e sabem que essa será a chave para nossa liberdade. Não querem que juntemos vocês, os abençoados. Atacam nossas muralhas, noite após noite, porque conhecem a profecia. Eles têm medo, mas mesmo assim somos nós que tememos mais, porque não podemos andar livres durante a noite. Eles estão por todos os cantos, em todas as florestas, essas criaturas das trevas.

A história incrível que o médico lhe contava convergia para um ponto escuro e parava de fazer sentido... o que ele pessoalmente tinha a ver com toda aquela calamidade que tomara o planeta? Por que doutor falava tudo isso a ele?

— Profecia? E o senhor disse "vocês"? O que eu tenho a ver com isso?

— Você tem tudo a ver, Lucas, porque você é um homem especial. O mais aguardado dos libertadores. Você é um salvador, um messias.

— Eu?!

— Sim. Você é um dos bentos.

— Bentos?!

— É, um homem bento, abençoado, um libertador. Eu conheci o primeiro da sua raça. Comunguei de suas agonias e aflições, Lucas. — O rapaz balançou a cabeça, sem compreender, mas o médico continuou — Você, Lucas, é um enviado, como o primeiro foi. Um escolhido, como será chamado por muitos, e será muito bem-vindo. E é o trigésimo, aquele que, segundo a profecia, é o mais especial deles, que completa o pelotão dos bentos que nos livrará do medo da escuridão. Levará os números, trará o dedo de Deus para a Terra e varrerá os noturnos do planeta. Será celebrado vila após vila, vitória após vitória, em sua marcha de salvação. Tudo isso já era esperado... eu só não pensava que viveria o suficiente para vê-lo acordar!

— Não pode ser, eu não entendo... eu sou comum...

— Você dormiu como um vendedor de seguros, Lucas, e acordou como um messias! Nem eu acreditaria, mas é isso o que você é.

— Um vendedor de seguros?!

O médico da voz rouca sorriu.

— Não, filho. Um messias.

O homem completou o copo com a bebida de cor escura e encheu um segundo, arrastando-o na direção do rapaz.

— É melhor você tomar um gole.

CAPÍTULO 13

Zacarias foi quem ouviu primeiro e olhou para Raul, que estava de sentinela. A porra do vigia estava cochilando!

— Raul! — sussurrou com urgência na voz.

Raul abriu os olhos assustado e ergueu os ombros como uma interrogação. Zacarias levou o dedo erguido para a frente do nariz, tocando os lábios e pedindo silêncio. Balançou a cabeça duas vezes no sentido da porta e apontou para o ouvido. Raul anuiu. Ficou calado, com a respiração pesada, assustado, de olhos bem abertos e ouvidos atentos. Porra! Tinha cochilado!

Zacarias olhou para o resto do cômodo. Todos dormiam. Sinatra roncava, embalado em sono pesado. Com o pé, sem sair de seu canto, cutucou o ombro de Adriano. Antes que pudesse acordar o líder, estacou, o sangue gelado nas veias. Passos no corredor. Santo Deus! Tinha escutado passos no corredor! Que não fossem os vampiros! Ficou quieto, olhando Raul nos olhos. Raul acabava de engolir um bocado de saliva. Segurou com firmeza o rifle nas mãos. Levou a mão até a trava da arma. O barulho indesejado repetiu-se. Alguém andava do lado de fora. Ficaram mudos. Sinatra parou de roncar, virando-se de lado, mas continuou dormindo. Adriano abriu os olhos. Zacarias repetiu o gesto com o dedo no nariz pedindo silêncio. Adriano sentou-se, também ouvindo o barulho. A porta estremeceu. Zacarias continuou nervosamente pedindo silêncio para Raul. Talvez o intruso fosse embora. Insistiu na porta. Ela tremeu. Estava bem presa por uma porção de caibros firmemente encaixados que impediria que deslizasse com facilidade. Só passariam se destruíssem aquela porta.

Um golpe mais forte contra o metal fez os outros colocarem-se em pé, sobressaltados. Os três acordados anteriormente gesticulavam pedindo calma e silêncio. Talvez a coisa fosse embora. Ninguém ali dentro estava sangrando. Não havia cheiro. Talvez tivessem encontrado as motocicletas escondidas pelo mato e desconfiassem que estivessem escondidos ali. Os homens prepararam as armas. Antes de dormir já tinham substituído a munição comum por balas de prata.

Bento

Adriano empunhou seu facão prateado e manteve os olhos na porta metálica. Sabia que, independente de quantos fossem do outro lado, somente um vampiro investia contra a porta. O esconderijo era bom, e antes daquela porta havia um corredor por demais estreito, só dava para um maldito por vez. Seriam picados um a um. O líder dos soldados sentiu o coração bombeando freneticamente. A pressão arterial deveria ter subido ao ser invadida por uma dose generosa de adrenalina. Adorava o combate, mas o medo era impossível de controlar. Alguém mais fraco poderia borrar as calças em uma situação como aquela. Gostava de decepar os malditos, mas temia, cedo ou tarde, cair nas garras daqueles monstros e servir de comida para os dentes afiados. Por que não tinham um bento no grupo? Tinham a água nas mochilas, poderiam produzir um falso. Bastava pegar as garrafas de água benta e encharcar a roupa. Se entrassem em combate e se atracassem com um vampiro, facilitaria as coisas. Bastava abraçar o monstro e vê-lo se debater em contato com a água venenosa.

Os golpes aumentaram de intensidade. A porta de ferro resistia corajosamente. A cada pancada contra o obstáculo, uma nuvem de poeira despencava do teto, deixando as cabeças dos soldados cobertas por um pó esbranquiçado. Adriano passou os olhos sobre os homens. Estavam tensos. Olhos arregalados. Marcel tinha lágrimas descendo pelo rosto, mas não ousava soltar um pio.

Depois de três minutos de golpes ininterruptos, os soldados engoliram em seco ao perceber o ferro envergando e a parede começando a rachar, com pedaços de cimento despregando do contorno do batente. A preocupação cresceu e os olhares convergiram para Adriano. Queriam saber o que fazer. Paraná sacou o crucifixo de sob a camisa e beijou a peça com ternura. Deixou-a para fora, sobre o peito. Os homens benzeram-se e em seguida destravaram as armas. Mais poeira descia do teto a cada batida, tornando o ar espesso e difícil de respirar.

* * *

Cantarzo tinha encontrado mais uma caixa de munição na outra margem do rio, próxima ao pé da ponte, há alguns minutos. Aquilo só tinha confirmado que a caça estava nas cercanias. Os soldados buscariam esconderijos perto da estrada. Não conheciam a mata e teriam medo de se arriscar. Tinham fugido próximo ao pôr do sol, senão não teriam deixado tantas balas de prata para trás. Foi Cantarzo que, após vasculhar as pequenas grutas conhecidas na região, lembrou-se da velha lanchonete. Grunhiu baixinho escalando árvores e cruzando o ar de galho em galho, ora parecendo um macaco ágil, ora parecendo uma ave de rapina. A boca salivava. Sabia que chegaria ao local antes de Raquel e seu bando. Parou no topo de uma árvore e farejou. Nada. Nem sangue, nem nada. Nenhum deles estava sangrando... ou talvez o vento noturno não estivesse ajudando, carregando para longe o cheiro da caça. Soldados eram especiais. Além de serem cheios de sangue como qualquer ser humano vivo, eram os inimigos mais perigosos nesse jogo de gato e rato. Faziam parte do time de poucos que ousavam resistir. Talvez, por isso, tornavam-se mais saborosos e valiosos. Valiosos porque era sempre bem-visto pelo ninho a captura de soldados. Algumas vezes, quando os encontravam em bando, após liquidar a maioria, guardavam um ou dois vivos para tortura. Isso, às vezes, valia alguma revelação interessante. Podiam descobrir os passos dos humanos em busca de uma solução final para a ameaça vampírica. Tentavam sempre capturar o líder, quem sabia mais segredos. Era torturado, levado ao extremo do sofrimento. Depois, era degolado e servido aos mais antigos do ninho. Foi após sucessivas sessões de torturas, muitos anos atrás, que perceberam ser necessário destruir todas as ligações entre as vilas. Destruir estradas, derrubar linhas elétricas, acabar com os cabos telefônicos restantes, antenas, tudo que pudesse permitir a união de informações, a comunicação rápida. Se os deixassem tramar e conspirar livremente, sabiam que os humanos logo conseguiriam construir alguma estratégia para combater mais habilmente os vampiros. Por isso, caçadores como Cantarzo eram treinados para procurar Rios de Sangue e manter o ninho abastecido de sangue fresco, além de vigiar as florestas e estradas em busca de soldados impetuosos que pudessem carregar mensagens de uma fortificação a outra. Qualquer soldado fora dos muros deveria ser encontrado e atacado, torturado e morto.

Levou algum tempo até se aproximar da lanchonete abandonada. Apesar de ainda não conseguir sentir o cheiro, mesmo do topo daquela árvore conseguiu ver algumas trilhas de motocicleta saindo do acostamento em direção a um local recoberto de plantas. Os olhos da criatura cintilaram. Os soldados estavam ali.

Cantarzo desceu ao solo. Grunhiu demoradamente enquanto caminhou até o asfalto, vasculhando o ambiente com os olhos. Não conseguia ver as motos utilizadas pelos humanos. Nem sinal de fumaça ou fogo. Mas estavam escondidos ali dentro, isso era certo. Atravessou a rodovia, as botas estalando nos pedriscos do acostamento. Poderia regular a pressão do corpo, para que não fizesse barulho algum, mas estava concentrado em olhar tudo, não se preocupando de imediato com o ruído. Só depois de perceber não haver nenhum indício externo dos soldados e decidir entrar no salão da lanchonete é que se concentrou em tornar-se uma criatura silenciosa. Olhou para trás, para as árvores. Sabia que Raquel e Gerson estavam próximos, mas não pôde ver dali os olhos vermelhos dos concorrentes.

Subiu o primeiro degrau e já pôde vislumbrar parte do salão do que fora o Rancho da Pamonha. Quantos seriam? Talvez estivessem acordados, vigiando, esperando o primeiro vampiro surgir na porta. Olhou de novo para a estrada e depois para a mata. Nem sinal dos vampiros. Cantarzo era valente, mas ainda mais prudente. Talvez fosse melhor aguardar os outros. Estava desarmado, como gostava. Achava que as mãos nuas causavam ainda mais medo à caça. Sabia que poderia lançar mão de sua velocidade e das garras afiadas para fazer sangrar as vítimas, mas poderia aproveitar a oportunidade e esperar os outros. Raquel, Anaquias e Gerson, além de trazerem armas de fogo no grupo, tinham experiência na caçada de motoqueiros, compondo um excelente reforço. Poderiam capturar um número maior de soldados vivos e levá-los ao ninho para a obtenção de segredos. Por outro lado, Cantarzo pensava em tirar partido de seu poder pessoal, de sua capacidade superior de assimilar o sangue ingerido. Se houvesse ali um líder, um motoqueiro veterano, poderia tomar seu sangue e absorver dele as habilidades. Envolto nessas ponderações, rodou sobre os próprios pés voltando ao chão arenoso do lado de fora. Desceu de cabeça baixa, analisando as pegadas de botas deixadas no chão e indo até a escadaria frontal. Quando ergueu os olhos, pôde ver dois vampiros parados no acostamento.

— Ora! Não é que o bom Cantarzo venceu a aposta? — murmurou Gerson.

Raquel deu um passo em direção ao vampiro de cabelos longos e presos por aquelas ridículas tiras de couro. Guinchou nervosa e mostrou-lhe os dentes.

— Gosto quando faço isso com você... — balbuciou Cantarzo.

Raquel voou em direção ao vampiro. Cantarzo desviou e desferiu uma cotovelada na nuca da vampira, fazendo-a ir de rosto ao chão. Gerson investiu. Cantarzo abaixou-se e agarrou o oponente pelas costas, arremessando-o contra os degraus da lanchonete. Recolocou-se em guarda e procurava Raquel com os olhos quando sentiu o braço da vampira agarrá-lo pelas costas, imobilizando-o pelo pescoço. Ela foi hábil ao tirar-lhe o centro de equilíbrio, diminuindo assim sua força e capacidade de reação.

— Se eu fosse você, pararia enquanto ainda tem um olho bom.

Raquel rosnou no ouvido do adversário, mais uma vez irritada com a provocação. Gerson, refeito, aproximou-se dos vampiros. Estava furioso, os olhos pareciam duas brasas prontas para incendiar o inimigo.

— Você chega e me humilha na frente dos novatos... estou farta de seu jeito desrespeitoso comigo, Cantarzo. Acha que é o queridinho do ninho? Acha que já capturou soldados o suficiente para agradar aos velhos vampiros? Você sabe que o respeito é tudo que nos resta nesta vida maldita — sussurrou a vampira no ouvido do inimigo.

Cantarzo tinha parado de se debater. Guardava energia para uma oportunidade concreta de livrar-se do braço forte de Raquel e ter tempo ainda de atingir Gerson, antes de ser novamente agarrado. O grandalhão era forte, mas não era tão rápido quanto ele. Precisava ganhar tempo.

— Este lugar está cheio de soldados. Por que você não engole esse orgulho besta e me ajuda a levar um bom número deles vivos para o ninho? Se conseguirmos arrancar bons segredos, quem sabe eles não perdoem você, Raquel?

— Não preciso de seus conselhos para recuperar minha reputação, Cantarzo. Tenho meus próprios trunfos.

Apesar do tom ríspido da frase, o vampiro, preso pelo pescoço, sentiu a oponente vacilar.

— São, pelo menos, sete soldados. Balas de prata, espadas, água benta. Sabe que o seu amigão aí é forte, mas não é tão rápido quanto nós. Será que ele vai garantir que você saia com o pescoço inteiro lá de dentro?

Sentiu o braço afrouxar mais um pouco. Ela estava ponderando. Se o outro chegasse um pouco mais perto... Gerson grunhiu e olhou para a vampira. Queria desfiar Cantarzo com as unhas. Fechou a boca numa expressão amarga, quando Raquel não autorizou o ataque. A maldita estava dando ouvidos à ladainha daquele vampiro imbecil. Raquel afastou-se de Cantarzo e usou sua velocidade vampírica. Cantarzo virou-se rapidamente. Antes que pudesse localizar a vampira, desprevenido, tomou um golpe poderoso no tórax e foi arremessando contra o peito largo de Gerson, que o agarrou pelos ombros. Cantarzo grunhiu de dor. As unhas de Gerson pareciam atravessar o couro de seu sobretudo negro e a pressão parecia a ponto de esmigalhar seus ossos. Raquel surgiu na sua frente e apontou-lhe ameaçadoramente o dedo indicador, tocando em seu nariz.

— Vamos entrar e acabar com a raça deles... mas eu juro que esta foi sua última chance, vampiro. Não quero ser sua amiga nem busco sua consideração, não quero falar com você nem cruzar com seus olhos, mas exijo respeito e edificação diante de meus pupilos. Você é uma lenda entre nossa raça, um exemplo. Falo muito bem de você aos iniciantes, quero ser tratada da mesma forma. Se fizer gracinhas na frente de meus soldados, não vou cair mais na sua conversinha de vampiro agonizante. Cerco você, Cantarzo... com um, com dez vampiros... você não é indestrutível e tem que se lembrar disso — Raquel disse com a voz rouca e sensual, afastando o dedo do nariz do oponente e dirigindo a unha afiada ao rosto do vampiro, abrindo-lhe um rasgo no lado esquerdo da face.

Cantarzo ficou livre das mãos de Gerson. Calado, levou a mão ao ferimento. Precisaria tomar mais cuidado com aqueles dois dessa noite em diante. Sabia que ambos estavam com o orgulho ferido e só o tinham libertado para ter um par de garras a mais dentro daquela lanchonete. Em um ambiente fechado como aquele, sem terem tido a oportunidade de observar o grupo antes de abordá-lo, sabiam que podiam esperar de tudo dos soldados, menos deixá-los seguir impunes pela estrada. Os humanos eram cheios de artimanhas e armas carregadas com a maldita prata. Um vacilo e pronto! Você estaria liquidado. Era disso que Cantarzo mais gostava. Do perigo.

Raquel fez outro sinal para Gerson, e o vampiro foi na frente. Ela queria dizer suas reais intenções para o parceiro, mas, daquela distância, certamente Cantarzo ouviria. Raquel o deixaria ajudar, mas assim que tivessem dominado alguns dos soldados, acabaria com a raça do vampiro. Ela não era mulher de deixar serviços para trás, e Cantarzo já tinha ultrapassado todos os seus limites. Aquele pavão não sairia inteiro da caçada, nem retornaria à caverna para colher os louros pela captura dos soldados.

Gerson vasculhou com os olhos o primeiro salão. Caixas registradoras, *displays* de salgadinhos, velhos expositores refrigerados, o chão e o teto cobertos por um tipo de trepadeira de caule grosso. Chamou com a mão os outros dois e passou para a segunda parte do salão. Os amplos vidros que davam para a estrada estavam cobertos de poeira. Apenas dois deles pareciam ter sido limpos muito recentemente. Naquela parte havia uma grande área do chão sem vegetação. Pegadas no piso empoeirado. Botas. Nenhum cheiro de sangue. Se alguém estivesse olhando o salão naquele instante teria a impressão de ver cinco brasas vermelhas flutuando fantasmagoricamente. Os vampiros vasculhavam o lugar procurando por indícios dos soldados.

Gerson chegou a um corredor estreito depois de atravessar a cozinha. As pegadas deixadas ali eram muitas e indicavam trânsito recente. Continuou em frente. Apurou os ouvidos, dotados de capacidade auditiva muito superior à dos humanos. Nada ouviu. Talvez fosse uma pista falsa, talvez o presunçoso Cantarzo estivesse errado. Os soldados poderiam até ter passado por ali, mas agora estariam a quilômetros de distância. Cantarzo presumia que os soldados estavam por perto por culpa de uma caixa de balas de prata. Talvez o homem tivesse sido descuidado, só isso. Humanos eram patéticos e cometiam burrices como aquela. Contava os dias para ser chamado para o ataque a São Vítor. O exército de vampiros não lograra êxito nas tentativas de invasão anteriores, mas Gerson tinha certeza de que faria a diferença.

São Vítor era um centro estratégico. Por meio dos humanos capturados e torturados, sabiam que lá ficava o maior Rio de Sangue atualmente. Para lá destinavam a maioria dos adormecidos. Não, não encontrariam Rios de Sangue dentro daquela fortaleza, mas um verdadeiro Mar de Sangue. Adormecidos em número suficiente para nunca mais precisarem lutar por alimento. Daí para frente seria apenas questão de tempo até a extinção dos humanos rebeldes. Dali para frente lutaria pelo sangue do prazer. O prazer dos gritos de horror. O prazer da matança. Os escravos seriam marcados feito gado. Uma encenação gigante de João e Maria, em que seriam presos em jaulas e alimentados para um estoque de volume nunca antes visto de sangue pulsante.

Gerson chegou ao final do corredor. Terminava em uma porta metálica de cor bege. Olhou para o teto, onde as trepadeiras acabavam. Rente à porta, o caule grosso havia sido decepado. Inspirou profundamente, sentindo o cheiro de seiva fresca. Recuou, e as botas estalaram contra pedriscos. Os olhos vermelhos intensificaram o brilho, chamando silenciosamente os outros dois. Raquel e Cantarzo surgiram na cozinha. Gerson gesticulou, revelando a desconfiança. Raquel aproximou-se, passando por seu parceiro com certa dificuldade. Diacho de corredor estreito! Abaixou-se rente à porta. Empurrou-a cuidadosamente da primeira vez, mas não se moveu. Empregou mais força na segunda tentativa. Era uma porta de deslizar. Estava emperrada ou... bloqueada. Afastou-se. O corredor era apertado e não dava para dois vampiros tentarem juntos vencer o obstáculo. Deu lugar a Gerson, que era o mais forte. O vampiro golpeou o metal. Os ouvidos do trio ouviram nitidamente o engatilhar de várias armas. Uma confirmação, afinal! Os vampiros grunhiram. Gerson aumentou a investida, golpeando incessantemente a porta. Derrubaria se fosse preciso, mas colocaria as mãos naqueles malditos soldados.

Cantarzo acalmou-se. O corredor era estreito e nada poderia fazer até aquela porta ir abaixo. Quantos soldados seriam? Se o morto fosse membro dessa expedição, estariam em sete no mínimo. Um número irrisório para três vampiros experientes. Cantarzo recolheu as presas. Sabia que, depois do confronto e de acabarem com os soldados, capturando alguns para levar ao covil, talvez fosse alvo da fúria da dupla Raquel e Gerson. Tocou novamente a ferida. Eles estavam excitados. Raquel salivava e não via hora de atravessar aquela porta. Estavam doentes de sede. Cantarzo sorriu, aproximando-se de Raquel.

— Vou procurar alguma coisa para arrombar essa porcaria.

Raquel mal deu atenção ao vampiro. Olhava fixamente para a porta que era esmurrada e empurrada pelo enlouquecido Gerson, como um aríete de carne e ossos. Cantarzo atravessou novamente a cozinha e, depois de algumas portas, estava mais uma vez no salão principal. Parou na entrada da casa. O alpendre do estabelecimento era decorado de modo rústico, com muita madeira e enfeites de milho, de modo a combinar com o nome da marca. Cantarzo foi até o acostamento da estrada. Olhou para o céu, onde as nuvens bailavam ligeiras ao sabor do vento. A lua já havia descido e, em um par de horas, o sol despontaria no horizonte. Raquel e Gerson estavam muito ocupados para se lembrarem disso. Para lembrarem que estavam longe do covil, de um abrigo seguro. Estavam enfeitiçados pelo cheiro do medo e pelo sangue do outro lado da porta. Cantarzo sorriu mais uma vez. Não seria ele quem daria o alerta. Que fizessem bom proveito da investida. Quando se preparava para disparar com velocidade vampírica para dentro da mata do outro lado da estrada, Anaquias e seu grupo de novatos apareceram. Perguntou o que Cantarzo fazia ali.

— Encontramos os soldados.

— Encontramos? — estranhou o parceiro de Raquel.

— Sim. Raquel e Gerson estão tentando arrombar uma porta fortificada. Vim procurar um outro acesso... ou algo para arrombar aquela passagem, uma janela talvez. Janelas são sempre atraentes.

— Você tem granadas. Por que não usa?

— Queremos pegá-los vivos. Vá lá para dentro e mostre aos novatos uma manobra de invasão. Apesar de serem humanos, com cavaleiros motociclistas, todo cuidado é pouco.

— Se que assim...

Anaquias não perdeu mais tempo com o vampiro, conduzindo para dentro os seguidores. Sem sombra de dúvidas, era uma ótima oportunidade para aprender algo de útil. Assim que os viu desaparecer no salão, Cantarzo disparou para o outro lado da rua e saltou para cima de um eucalipto. Em segundos estava a mais de vinte metros de altura, viajando como o vento, buscando o covil, correndo contra o tempo. Mesmo com sua habilidade sobrenatural, na melhor das hipóteses, levaria, ao menos, uma hora e meia para chegar à boca da caverna. Raquel, cercada de novatos e dois capangas bobocas, só perceberia o erro tarde demais. Com alguma sorte morreria tostada pelos primeiros raios de sol. Cantarzo sabia que isso seria sorte demais, pois Raquel encontraria algum canto escuro para salvar seu rabo... mas entenderia o recado. Entenderia que jamais deveria ter rasgado sua face, que Cantarzo era um vampiro dos melhores, cheio das virtudes e dos defeitos reservados às criaturas da noite... defeitos como aquele: deslealdade suficiente para abandonar os semelhantes à própria sorte sem peso algum na consciência.

André Vianco

* * *

Gerson golpeava a porta há mais de dez minutos. Raquel percebeu a aproximação de Anaquias e pedira silêncio. O corredor estava tomado por uma nuvem de poeira que descia do teto. A vampira notou que a parede trincava ao redor do batente. Mesmo assim, a tarefa levaria tempo e o barulho havia terminado com qualquer chance de surpresas. A prontidão dos soldados seria um problema, mas criassem as artimanhas que fossem, jamais escapariam daquele beco vivos. Os vampiros estavam em franca superioridade agora, pois contavam com três novatos, que, por mais inexperientes que pudessem ser, ainda eram vampiros. Na retaguarda, existiam os veteranos. Raquel olhou para Anaquias e procurou Cantarzo com o olho bom. O vampiro não estava mais lá. Urrou nervosa. Tirou Tatiana de seu caminho com um empurrão enraivecido. A novata esparramou-se no chão da cozinha com as presas expostas. Raquel alcançou o salão, seguida por Anaquias.

— Onde está Cantarzo? — vociferou a vampira.

— Ele saiu para procurar outra entrada para encurralar os soldados...

— Não há outra entrada, Anaquias! Você conhece este lugar melhor que eu!

Raquel agarrou-se às trepadeiras que subiam pela fachada da casa comercial. Correu pelo telhado até alcançar o ponto mais alto e farejou nervosamente. Saltou do telhado, pousando nos pedriscos de frente do alpendre sem fazer barulho algum, como se não tivesse peso. Urrou mais uma vez com a boca voltada para o céu.

— Ele fugiu, Anaquias! Cantarzo nos largou aqui!

— Mas...

Raquel agarrou Anaquias pelo pescoço e suspendeu-o no ar.

— Não tem "mas", Anaquias! Ele nos deixou aqui para morrer!

Os mulos convertidos em vampiros surgiram no alpendre, deixando o salão principal.

Raquel soltou Anaquias no chão de terra.

— Chame Gerson. Temos que voltar para o covil agora.

— E os soldados?

— Vão viver. Graças a Cantarzo, vão viver.

— Podemos destruir aquela porta, Raquel. Usaremos o esconderijo deles durante as horas de sol.

— Podemos até conseguir derrubar a porta que aqueles homens bloquearam, mas isso vai levar tempo. Tempo que não temos — Raquel olhou para a mata na tentativa vã de encontrar rastros de Cantarzo ou até mesmo seus olhos vermelhos.

— Cantarzo evadiu-se porque sabia que depois dos soldados seria sua vez. Quero mais aquele vampiro do que esse bando de humanos.

— Podemos vencer aquela porta — insistiu Anaquias, ainda sentado no chão de terra, olhando para cima para encarar a líder.

— Vai levar tempo, vampiro. Já falei. Gerson esmurrou aquilo... e se ele não a levou abaixo, teremos que nos esforçar mais. Tempo. Se ficarmos, perco Cantarzo... e talvez não tenhamos tempo de voltar ao covil.

— Se não tivermos tempo, teremos ao menos tomado o sangue desses andarilhos, Raquel. Poderemos fazer deste o nosso abrigo para as horas de sol.

— Você está com algum problema, Anaquias? — perguntou a mulher, estendendo a mão para tirá-lo do chão, daquela posição humilhante diante dos novatos. — Você é um dos mais espertos do covil. Como sugere tamanha asneira? Este lugar é rota de soldados. Se eles eram esperados com data marcada na próxima cidade, provavelmente teremos uma patrulha buscando esses infelizes amanhã... se chegarem aqui nas horas de sol, acabam com nossa raça em dois tempos.

Raquel andou pelo pátio, fazendo seu traje negro esvoaçar. Estava arisca, cega pela raiva. Cantarzo havia gorado seu plano. Queria que o vampiro os ajudasse a capturar os soldados com vida. Sem essa possibilidade não lhe interessava aqueles desgraçados. Se saíssem agora, talvez, ainda tivesse chance de deitar os braços no vampiro. Seria difícil, ainda mais servindo de ama-seca para aqueles novatos. Grunhiu irritada.

Cantarzo pagaria caro por aquela humilhação.

Anaquias obedeceu a líder e foi buscar Gerson. Em instantes, o bando de Raquel estava embrenhado na mata e os novatos aprendiam com urgência uma importante lição. Brigar contra o poderoso deus Cronos. Saltar com velocidade e força vampírica, agarrando-se no galho mais alto e voando para o seguinte, metros adiante, com graça e agilidade. O prêmio? Encontrar o covil, esconder-se do sol e, assim, zelar pelo dom dos malditos noturnos... o dom da vida eterna.

* * *

Os homens viram-se obrigados a controlar as emoções. O coração, parecendo que ia explodir, atrapalhava a audição. A poeira não caía mais do teto. O som das pancadas tinha cessado. Minutos intermináveis se arrastaram. O único som no momento era o choro descontrolado de Marcel. O novato estava sentado no canto da sala e tinha abandonado a arma aos pés de Paraná. O lenço que trazia amarrado na cabeça estava agora na boca, entre os dentes, tentando aplacar o pranto. Zacarias voltou a estender o dedo indicador diante do nariz, clamando por silêncio. Os homens entreolhavam-se nervosamente. Adriano fez um sinal para Paraná, que se voltou para o novato descontrolado e curvou-se para pedir silêncio duas vezes. Como o rapaz não conseguia conter as lágrimas nem o soluço, Paraná acabou esbofeteando-o até fazê-lo calar-se. Ninguém pensou em conter a selvageria do parceiro, nem mesmo fazer graça com o desespero do outro. A maioria estava a um triz de cair no mesmo descontrole. Sabiam o que os aguardava do outro lado daquela porta. Conheciam a maldade encerrada nos corpos gelados dos malditos noturnos, como rasgavam a carne humana com facilidade, simplesmente passando-lhes as unhas. Os soldados não chorava, mas a maioria das armas era sustentada por mãos trêmulas que mantinham os dedos instáveis longe dos sensíveis gatilhos. Estavam com medo. Todos eles. Estavam apavorados.

CAPÍTULO 14

As investidas contra a porta de ferro tinham cessado há algumas horas. Os soldados, em um esforço hercúleo de relaxar, no máximo haviam se sentado. Marcel, o novato, era o mais calado. Com certeza estava muito envergonhado por seu descontrole no primeiro encontro com os vampiros. Temia que fosse largado em São Vítor e destituído do posto que tanto almejara. O que faria então? Voltaria a ser horteiro, os homens incumbidos das plantações para o abastecimento do povoado? A função não era ruim, nem depreciativa, de modo algum, mas ele queria ser soldado.

Adriano olhou para o relógio. Dez para as sete da manhã. Fez um sinal para o seu amigo com traços de índio. Raul soltou a arma e foi até a porta. A folha metálica estava completamente distorcida por causa das pancadas recebidas. O soldado foi retirando os caibros colocados antes do anoitecer. Precisou de um bastão para servir de alavanca e conseguir tirar os mais resistentes. Graças àqueles caibros, a porta não tinha corrido pelo trilho e dado passagem aos assassinos noturnos. Após retirar o último, precisou da ajuda do grandalhão Paraná para fazer a porta deslizar. Sua estrutura havia sido completamente comprometida. Dificilmente o Rancho da Pamonha serviria como esconderijo de pernoite no futuro.

Raul ajeitou seu cabelo liso, que lhe cobria a visão. Passou pelo corredor estreito com os olhos arregalados. Podia ver a claridade batendo fracamente no salão, mas ali na cozinha existia escuridão suficiente para manter um vampiro vivo. A arma pronta para o disparo acompanhava seus olhos. Um passo de cada vez. O resto do pessoal continuou no cômodo apertado, tomando coragem para sair. Raul atravessou o cômodo sem problemas. Com um movimento rápido da mão, disse que o caminho estava livre. A luz do sol entrava timidamente pelo salão principal. Não haveria ali nenhum vampiro. Tinham conseguido. Tinham sobrevivido a um ataque. Não sabia por que os monstros tinham ido embora antes de derrubar aquela bendita porta, mas graças a Deus tomaram aquela decisão.

Zacarias, o mais baixo e gordo do grupo (só não era o mais velho por causa do Paraná), surgiu atrás de Raul. Também empunhava uma espingarda calibre 12, com balas de prata. Até que seria bom encontrar os bastardos malditos que fizeram a visita da madrugada. Agora, com o sol forte brilhando lá fora, eram eles, os soldados, que mandavam. Atravessou o salão principal. Nem sinal dos noturnos. Saiu para o alpendre e desceu os degraus. O sol banhava o asfalto e o dia começava a esquentar.

— Manda todo mundo sair, Raul. A barra está mais que limpa. Vamos pôr o comboio na estrada, não quero ficar mais uma noite borrando as calças.

Zacarias foi até o esconderijo das motocicletas. Deu graças por encontrá-las intactas. Alguma coisa tinha perturbado os visitantes noturnos, do contrário encontrariam os veículos inutilizados... noturnos não costumavam dar esse boi. Com a ajuda de Marcel, que trouxe as chaves, levou as motocicletas para a frente do rancho. Trouxeram uma mangueira para passar um pouco de gasolina para o tanque quase vazio da moto de Adriano. Suspirou. Tinham ali outro problema. Falta de combustível.

Sinatra resolveu colaborar para a elevação dos ânimos e a descontração entoando a versão brasileira de Patches, de Clarence Carter, na voz dos imbatíveis Titãs. Logo a apropriada voz de barítono de Joel uniu-se à do cantor e, em instantes, pelo menos quatro dos soldados enchiam a mata com o refrão: "Marvin, agora é pra valer, eu fiz o meu melhor e o seu destino eu sei de cor".

Quando Raul sugeriu que acendessem o fogo para prepararem um café da manhã, pois estava faminto, foi Paraná quem elevou a voz, pedindo para que se apressassem nos preparativos para voltar à margem do rio.

— Além das motos, temos que ver como vai nosso parceiro. Gaspar foi deixado naquele buraco e deve estar com fome como todos nós. Acho melhor prepararmos o café da manhã lá no rio — sugeriu o grandalhão, olhando para Adriano, que se aproximava do grupo do lado de fora pela primeira vez.

Os demais olharam para o líder que, de forma incomum, estava deixando as decisões nas mãos dos soldados, calado e sem demonstrar o entusiasmo costumeiro quando obtinham sucesso mesmo nas menores vitórias. Sobreviver ao ataque de um bando de vampiros era uma vitória e tanto, contudo assistiam a um guia atípico, com um ar desmotivado e olhos entristecidos.

— Não precisam se apressar por causa de Gaspar. Se quiserem acender o fogo agora, fiquem à vontade. Se preferirem fazer a refeição na beira do rio será mais vantajoso, porque o novato prepara o rango e a gente desce as motos que estão faltando. Vocês decidem. Só me avisem o que decidirem, porque quero ir na primeira moto... mas não precisam se apressar por causa do Gaspar, ele não vai tomar café da manhã com a gente... — Adriano passou a mão no cavanhaque louro e deu as costas ao grupo, voltando ao Rancho da Pamonha. Fez uma pausa nas palavras com notória emoção. — ... Puseram a mesa do velho Gaspar em outro lugar essa manhã.

* * *

Tinha conseguido arame suficiente. A cruz, mesmo que mal alambreada, serviria para o cumprimento dos ritos. Tinha lido em algum lugar na infância que o ser humano era o único animal no planeta que sepultava o semelhante. Secou o suor da testa, o sol do meio-dia castigava o couro cabeludo. Tinha carregado bastantes pedras. O estômago queimava de fome, quase 24 horas sem alimento, mas decidira não comer nada, comungar com o irmão que não tinha tido direito a uma última refeição. Estava valendo a pena toda essa abnegação? Poderia estar em Nova Luz neste exato momento, ao lado da mulher que amava, ocupando-se de algo diferente do que cruzar as estradas e tentar manter os centros unidos, as notícias indo e vindo e, principalmente, fazendo parte do grupo que tentava pôr o plano de libertação em andamento. Não poderiam esperar eternamente pela vinda de mais um bento. O despertar de um bento demorava meses sem fim, e sempre quando se aproximavam da concretização da profecia, um ataque avassalador dos malditos noturnos acabava por azedar o andamento da carruagem, levando a vida de um bento ou dois. Os bentos eram duros na queda, selvagens e destemidos. Davam cabo de mais vampiros em uma única batalha do que um simples soldado daria em toda sua carreira.

Tanto sacrifício para isso: acabar dando um tiro no peito de um amigo em nome de um segredo, de um plano suicida. Decididamente, não poderiam esperar pela concretização da profecia, mas valeria a pena? E se jogasse tudo para o alto e aceitasse as palavras do Bispo? O velho dizia que o que havia acontecido ao mundo era uma benção, não um mal. Adriano levantou-se e ficou calado olhando para a cova. O som do rio descendo moroso e o sol batendo no gramado seriam a companhia do parceiro de agora para todo o sempre. Chamou os soldados. Os sete homens cercaram a cova uma última vez e puxaram um pai-nosso e uma ave-maria. Despediram-se de Gaspar e desceram a margem do rio até onde aguardava a balsa. Chegando à outra margem, repetiram o que tinham feito os últimos soldados que estiveram ali: retiraram a jangada da água e a esconderam ao pé da ponte. A motocicleta de Gaspar também foi escondida, encoberta por mata e galhos frondosos. A gasolina havia sido retirada e repartida entre as máquinas restantes.

Adriano, no topo do morro, olhou para baixo, fixando na cruz de madeira que demarcava o sepulcro. Baixou a cabeça. Para que o sacrifício do amigo não fosse em vão, sabia exatamente o que teria de fazer. Para fazer valer a pena, teria que deixar toda a tristeza e incerteza para trás, na beira daquele rio. Apesar de abalado, não colocaria em xeque sua certeza na luta contra as feras noturnas. Teria de unir-se para reforçar o time de libertação. Acenou um "adeus" para o amigo e montou em sua moto. Deu partida e assumiu a ponta. Nos primeiros trinta segundos, seguiu em baixa velocidade, depois soltou um grito e reassumiu sua função de "puxador", enrolando o cabo do acelerador e rasgando o asfalto em alta velocidade. Faltavam quatro horas de estrada até São Vítor, seria mais um dia de horário apertado.

CAPÍTULO 15

Lucas tinha sido conduzido até um dormitório que, diferente da cela branca azulejada, lhe parecia um tanto mais aconchegante. A cabeça girava com as informações recentemente adquiridas. Parecia dentro de um sonho ruim, de um roteiro de filme de ficção. Mesmo assim não pôde deixar de sentir aconchego naquele quarto médio. A luz do sol entrando pela janela e desenhando um trapézio no chão de madeira enchia o ambiente abstrato com uma sensação de realidade. Sol, chão, móveis. Finalmente o barulho de crianças brincando. Lucas ficou em pé e olhou a cama com o lençol desarrumado onde estivera repousando o traseiro. Não sabia exatamente o que fazer. O doutor dissera apenas que teria de esperar o alfaiate. Coçou a cabeça. Dariam-lhe um terno? O doutor dissera que ele seria preparado para conhecer alguém. Usara uma palavra que não se lembrava agora... torcia para não ser outro médico, afinal de contas, depois de desperto, só havia conhecido médicos. A doutora Ana e o "doutor". Tinha lido o nome dele em um dos diplomas. Parecia um daqueles sobrenomes eslavos, que não se lembrava agora. Sua cabeça estava uma merda, não conseguia se lembrar de muita coisa. O passado, principalmente, estava submerso em uma névoa tênue, mas suficiente para bloquear os detalhes cruciais para uma lembrança clara da vida. O doutor comentara que ele fora corretor de seguros de automóveis, mas nada lhe vinha à mente, nenhum número, nenhum papel, nenhum nome.

Lucas aproximou-se da janela. Viu duas crianças brincando em um pátio. O dormitório ficava no último piso de um pequeno prédio de três andares. Podia ver muitos pássaros, muito mais do que o habitual. Um estacionamento grande, desprovido de veículos. Depois, canteiros e gente andando entre pequenas plantações. O peito apertou-se. Tristeza. Nostalgia. O que seria habitual agora? Seria comum encontrar uma onça-pintada no meio da rua? E aquela história de vampiros? Mais uma vez passou a mão pela cabeça. Ah! Como queria acordar daquele sonho ruim! A cabeça doía toda vez que a voz do doutor repetia a história em seu cérebro, mas não tinha como negar aquela realidade, não podia duvidar sobre os vampiros. Seu ex-companheiro de cela tinha saltado para cima dele com dentes compridos e rugidos monstruosos. Gabriel tinha se transformado em um bicho... em um vampiro. Não tinha como duvidar. Mas e todo o resto? Seria também verdade? Encostou a testa no vidro da janela. As duas crianças tinham sumido do seu campo de visão. O céu estava limpo e vestido em um azul nunca visto. Lindo. Sorriu.

Ouviu passos no corredor. Tentou enxergar quem vinha pelo vidro. Sem conseguir, foi até a porta e saiu. A luz do sol chegava ao chão vermelho e cobria sua pele, causando um repentino formigamento. Ouviu vozes. Quem vinha não estava sozinho. Os olhos teimavam em procurar gente, mas a luz quase cegava. Lucas apoiou-se no balaústre. Apesar de três andares, o complexo de dormitórios era baixo. Deixando-se guiar pelo barulho dos passos, pôde divisar algumas cabeças subindo a escada. Instintivamente, Lucas ergueu as narinas e começou a inspirar rapidamente. Alguma coisa por dentro lhe dizia que não precisava se preocupar com aqueles que chegavam... eles não tinham "o cheiro". Os visitantes atingiram seu andar e logo estavam vindo em sua direção. Notou que eram seis homens e que se ajudavam carregando alguns baús de madeira que pareciam pesados, talvez por isso não o tivessem notado parado ali, no piso vermelho encerado do corredor. Quando um deles viu Lucas, estacou. A parada brusca fez com que um dos baús fosse ao chão. Os homens olharam para o rapaz, depois em direção ao quarto. O mais alto e forte, que parecia ser o líder, aproximou-se primeiro.

— Você é o bento?

Lucas franziu a testa. Não estava acostumado com a alcunha.

— Você é o recém-desperto, não é? Lucas? — insistiu o homem.

— Sim, sou eu.

Os homens benzeram-se, e o líder, com passos estudados, aproximou-se ainda mais de Lucas. Chegou bem perto e colocou-se de joelhos. Fez uma reverência com a cabeça.

— Eu sou o alfaiate, senhor. Os que me seguem são meus auxiliares. Viemos prepará-lo para o encontro com o Bispo.

— Não precisa se ajoelhar para falar comigo.

O homem, visivelmente emocionado, levantou a cabeça para Lucas.

— Desculpe, senhor, mas se o senhor é quem dizem ser, isso é o mínimo que posso fazer para agradecer sua vinda.

— Dizem que sou quem?

Um dos auxiliares aproximou-se, ajoelhando enquanto falava:

— Você é o salvador, senhor. Você veio para unir os bentos para a libertação dos humanos.

O alfaiate virou-se e deu uma vigorosa bofetada no rosto do auxiliar.

— Não diga nada, imbecil! Quer assustar o salvador?! Ele será preparado pelo Bispo!

— Levantem-se! Não fiquem conversando comigo de joelhos!

Os homens puseram-se em pé. Nesse instante, Lucas pôde ter uma impressão melhor do tamanho do líder. O alfaiate era realmente forte, mais alto que ele... seria mais natural vê-lo como um soldado do que como um costureiro, lidando com dedais, agulhas e linhas.

Lucas encarou os olhares assombrados dos homens, sem saber exatamente o que dizer. Ainda estava encalacrado dentro de si, tentando se conectar com sua personalidade e entender quem ele tinha sido. Nunca tinha se imaginado um salvador de ninguém.

— Vamos para dentro, senhor. Não temos tempo a perder. O Bispo o espera e seu aparato é um tanto demorado de ajustar.

Dentro do quarto, um dos auxiliares pediu que Lucas sentasse em uma cadeira dobrável, trazida no baú. Não entendeu por que o homem não usou a que estava em seu quarto. Assim que se acomodou, um outro auxiliar cobriu seu peito nu com um avental branco, como aqueles usados em salões de cabeleireiros.

— Depois que um adormecido acorda, senhor, as coisas vão voltando a funcionar. O cabelo volta a crescer e a barba também — explicou o assistente que prendia o avental no pescoço de Lucas. — Por isso vou fazer sua barba. Não queremos que o Bispo tenha má impressão... sabe como é, a primeira impressão ainda é a que fica.

Lucas passou a mão pelo rosto. Realmente podia sentir a pele áspera por causa da barba começando a despontar. O alfaiate olhou com reprovação para o auxiliar.

— Onde já se viu dizer uma coisa dessas? Como o Bispo poderia ter má impressão do nosso salvador? Vamos ajudá-lo a se arrumar porque essa é nossa função. Parem de falar asneira! "A primeira impressão ainda é a que fica", bah! Essa é boa!

— Onde vocês me acharam? — perguntou Lucas.

Os homens pararam um instante e olharam para ele, depois voltaram ao automatismo quando o alfaiate parou de frente para Lucas.

— A gente tem um centro que guarda as fichas. A sua deve estar lá. No começo, bem no começo, a gente pegava o que podia quando achava vocês, os adormecidos. Endereço, fotos... documentos.

— Eu tento lembrar...

— Você vai lembrar de muita coisa, sim. Só precisa de uns dias.

Lucas sentiu um lampejo na cabeça. Uma lembrança. Uma mulher ajustando sua gravata e passando a mão carinhosamente sobre a lapela de seu terno. Ela dizia o mesmo ditado: "A primeira impressão é a que fica". O tempo poderia ter passado, mas os velhos ditados continuavam lá, cada vez mais velhos.

— Cada macaco no seu galho! — berrou Lucas, com um sorriso nos lábios.

Os homens entreolharam-se. Depois de uns segundos, responderam ao sorriso do bento e voltaram aos afazeres, mesmo sem entender o que o desperto queria dizer. Lucas viu o alfaiate abrir alguns dos baús e pegar peças reluzentes de metal e de couro. Que diacho estavam preparando? Em poucos minutos Lucas viu-se de barba feita e cabelos castanhos ondulados aparados. Tudo realizado com muita habilidade e cuidado. Agora alguém cuidava das unhas de seus pés. Estava até que gostando daquele cuidado todo. Tinha dormido como um zé-ninguém e acordado como um rei. Não sabia se isso era bom, mas até agora estava adorando.

Depois de ter as unhas dos pés aparadas, Lucas estendeu as mãos para o auxiliar. As unhas compridas como as de uma mulher e amareladas como se estivesse doente lhe causavam asco. Contudo, o auxiliar fez um leve meneio, negando-se a cortá-las.

— Não convém apará-las, senhor — disse o auxiliar.

Foi colocado em pé, e, sem ser advertido, um dos auxiliares baixou suas calças, deixando-o completamente nu.

— O que é isso? Vão me dar banho também, vão? — perguntou, constrangido, tentando desembaraçar a situação.

O alfaiate olhou-o da cabeça aos pés. Estendeu a mão direita para um auxiliar.

— Tudo de volume dois. Depressa!

O auxiliar abriu um baú que estava no chão e estendeu-lhe uma peça branca. O alfaiate, por sua vez, passou a peça para Lucas.

Lucas desdobrou o pedaço de pano. Era uma cueca de algodão. Detestava cuecas brancas, mas parecia que não estava ali para escolher e sim para ser vestido. Pôs o primeiro item e logo recebeu uma nova peça. Uma camiseta branca de mangas longas que também parecia ser de algodão. O cheiro era bom. Cheiro de roupa nova. Do terceiro baú, o auxiliar tirou uma peça escura. Quando recebeu em suas mãos, demorou a examiná-la. Parecia uma daquelas meias-calças de mulher, mas era de tecido bem grosso, quente. Vestiu. A peça terminava em alças, que iam presas aos calcanhares. Um segundo ajudante abaixou-se e colocou-as no lugar. O próximo item era um colete de couro cru e grosso, recoberto por pelos curtos, pardacentos, e cheio de ilhoses nas costas. Pelos orifícios passavam tiras resistentes feitas do mesmo material que foram puxadas e ajustadas pelos assistentes assim que ele o vestiu. Lucas soltou o ar dos pulmões com o aperto e sentiu o tórax enrijecer. O colete tinha uma gola alta que foi abotoada na frente. Ela não apertava, mas causava certo desconforto ao roçar seu queixo. Colocaram-lhe meias grossas e calçaram seus pés com um par de coturnos negros. Veio então um saiote escuro que lhe pareceu de cor preta na primeira olhadela, mas depois notou ter a tintura puxada para o verde-escuro. Era largo e parecia com aquelas peças que via nos filmes épicos de soldados romanos ou como nos santinhos de Santo Expedito. Lucas lamentou não ter um espelho para se olhar. Certamente aquela fantasia estava impagável, primeiro lugar em qualquer baile de Carnaval. Até onde aqueles malucos iriam? Estavam aprontando-o para um baile a fantasia? Seria aquele Bispo interno de algum manicômio?

Um barulho como o de correntes sendo levantadas rapidamente tirou o sorriso de seus lábios. O alfaiate deu passagem a dois assistentes que lhe traziam uma cota prateada. O alfaiate observou-a sem tocá-la, logo aquiescendo. Um terceiro auxiliar fez com que Lucas se curvasse para receber a nova parte da vestimenta. Diferente do colete, essa peça era bastante pesada, provida de mangas longas e uma espécie de touca feita do mesmo metal. Lucas sorriu. A blusa de metal acabava em seus punhos e, após um dos assistentes cobrir-lhe a cabeça, sentiu o metal frio em sua testa.

— O que é isso?

— Acho que é uma das peças mais importantes de sua veste, senhor. É uma cota de prata. Vai proteger seu pescoço, seus braços e seu coração — respondeu o alfaiate.

— Mas o que é tudo isso? Para quê? — repetiu o recém-desperto, inquieto, abandonando os braços e enchendo o quarto de barulho ao mover-se com a roupa de metal.

— É para não ser ferido em combate pelos vampiros, senhor. — interveio o assistente que tentava alcançar seu braço para adicionar mais alguma coisa ao traje.

Lucas ficou quieto, olhando para o alfaiate, que por sua vez fulminava com os olhos o assistente linguarudo.

— O Bispo falará sobre os vampiros, senhor... e sobre a benção da prata em seu uniforme de batalha.

A essa altura os braços de Lucas tinham sido capturados por dois assistentes, que enrolavam tiras de couro em seus punhos. Quando terminaram a tarefa, Lucas percebeu que as tiras reduziam bastante o incômodo barulho que era produzido pela cota de prata ao mexer os braços. Agora era um "barulhinho", perto do que fazia instantes atrás. Notou que a cota descia até sua virilha e agora um terceiro assistente passava uma nova tira de couro em alguns elos maiores presos ao extremo da peça. Funcionaria como um cinto aparentemente também para conter o barulho.

— Vocês mataram quantas vacas para colocar tanto couro em mim?

Alguns dos assistentes riram. O alfaiate estalou os dedos.

— Tragam o peito.

Os homens afastaram-se do bento e abriram o baú maior. Puseram em pé uma armadura prateada. Era impressionante o polimento do artefato, que reluzia vigorosamente ao mais tímido contato com a luz solar. Pelo formato, Lucas entendeu que a peça se destinava a cobrir exclusivamente o tórax, uma espécie de colete rígido. Ficou em silêncio, admirando a cruz dourada fixada em relevo no centro da peça enquanto os auxiliares exibiam a peça ao alfaiate. Notou também que nos cantos superiores, onde seriam os ombros, havia dois enfeites dourados, parecendo duas cabeças de animal. Depois de o líder aprovar, dirigiram-se ao homem e, dividindo a peça em uma parte posterior e outra anterior, encerraram o tórax do guerreiro dentro da proteção. A armadura torácica era unida com facilidade, presa por seis travas de pressão. Lucas teve a impressão de que conseguiria tirar e recolocar a peça sem precisar da ajuda de terceiros. Ao contrário de quando foi apertado o colete de couro, não houve desconforto algum. A peça parecia ter sido forjada sob encomenda para seu corpo magricelo, em consequência da atrofia originada pelo sono prolongado. O alfaiate rodeou Lucas, olhando a indumentária de cima a baixo. Nas costas do guerreiro, agarrou a armadura pelas aberturas axilares e chacoalhou a prata. Estava justa e firme.

— Perfeito! Parece que foi feita para você!

Os assistentes fechavam os baús. Restava apenas um lacrado, o mais comprido e estreito de todos. O alfaiate parou de frente para Lucas, olhando-o nos olhos.

— Fiz o meu melhor, senhor. Vendo o senhor nas vestes de um bento, estou certo de que as profecias são de fé. O senhor transpira paz e tranquilidade. É certo que será um bom guerreiro, nosso salvador — o homem tinha agora os olhos marejados.

Lucas precisava erguer um pouco o rosto para encarar o alfaiate. Estava quieto e tenso. Não era possível que todos fossem malucos. Estavam falando a verdade! O mundo todo tinha mudado e agora buscavam um jeito de vencer a guerra contra os vampiros. Aqueles vampiros que estava acostumado a ver na televisão, no cinema. Aqueles chupadores de sangue que moravam na Transilvânia. Deus do céu! E ele era um dos guerreiros! Nunca tinha servido nas Forças Armadas, nem dado um tiro em alguém. Sentiu o estômago embrulhar. O único homem que tinha matado até hoje fora aquele Gabriel... um ato de loucura, uma lembrança que ocupava um canto escuro de seu cérebro. Um ato que mais parecia lembrança de um pesadelo do que lembrança de um fato. Estava encarcerado em uma cela branca de hospital. Estava desesperado... e Gabriel é quem tinha lhe atacado em primeiro lugar. Defendera-se instintivamente. Não era um guerreiro...

— Qual é seu nome, alfaiate?

— Meu nome é Paulo, senhor.

Lucas pousou a mão no ombro do forte Paulo.

— Olhe para mim, Paulo. Eu... eu sou só um homem que esteve doente... não sei o que andaram dizendo por aí... mas eu nunca lutei... estou sendo honesto com vocês, porque vejo que depositam uma confiança exagerada em mim. Eu nunca disparei com uma arma de fogo... não sei como vou salvar vocês dessa enrascada... eu... eu...

Paulo olhou para a mão de Lucas em seu ombro.

— Desculpe, senhor. Como pudemos esquecer? — bateu palmas fazendo com que seus auxiliares se aprumassem. — Tragam-me as luvas do senhor Lucas.

Um dos assistentes já tinha o par de luvas nas mãos. Estendeu ao alfaiate. Paulo apressou-se em ajudar Lucas a calçá-las. Rapidamente, para que ninguém percebesse, enxugou uma lágrima que descia.

— Não se preocupe, senhor. O senhor vai ficar pronto para a batalha. Sei que está confuso. Todos os que eu vesti estavam confusos antes de falarem com o Bispo. É assim mesmo, senhor Lucas. Mas depois de falar com o Homem Santo, o senhor vai entender e a confiança irá voltar. Eu... eu sei que é difícil... acordar e encontrar o mundo assim. Eu também fui adormecido, sabia? Quando a gente acorda, tem um choque... mas o senhor é um bento. Vai entender o que estou dizendo.

Lucas murmurou algo, mas não teve tempo de responder.

— Eu acordei faz doze anos. Nossa, que horror! Eu não queria aceitar. Imagine o senhor que quis até fugir da fortificação! Que tolice a minha. Quase fui comido pelos malditos noturnos. Mas graças ao bento Francis, fui salvo. O senhor conhecerá o bento Francis, senhor — o alfaiate deu um tapa nos ombros de Lucas ao terminar de ajustar as luvas. — Não precisa se preocupar. Sua vocação irá se revelar, e a profecia irá se cumprir. Seremos salvos, senhor.

Lucas abria e fechava as mãos ajustando as luvas. Paulo fez um sinal para o assistente que guardava o último baú. O rapaz o abriu e tirou um cinto de couro negro. Passou-o ao alfaiate que, por sua vez, atou-o na cintura de Lucas, que permanecia calado. Em seguida, Paulo foi até o baú e retirou um bastão envolto em tecido vermelho.

— O senhor não precisa se preocupar com armas de fogo, senhor. O senhor não vai atirar em ninguém. O senhor vai usar isto.

Lucas, curioso, viu o alfaiate desenrolar um tecido que acabou por revelar uma espada reluzente. Era linda! Não era muito comprida, como imaginava as espadas de cavaleiros medievais. A lâmina teria, no máximo, sessenta centímetros. Era grossa e dotada de uma ponta aguda. A empunhadura era revestida de couro e, antes de começar a lâmina, havia uma guarda de ferro negro cruzando a espada, com uns dez centímetros para cada lado, e suavemente inclinada para cima em direção aos gumes afiados, fazendo a espada formar uma espécie de letra "T".

O alfaiate ofereceu-a ao guerreiro, estendendo-a em sua palma para que Lucas a apanhasse pelo cabo.

O bento ergueu-a e mirou seu reflexo na lâmina. Podia ver-se quase com perfeição. E não era tão pesada quanto supusera. Ergueu-a e baixou-a seguidas vezes, descrevendo golpes e defesas imaginárias. Os assistentes em volta sorriram para o alfaiate. Todos os bentos faziam aquilo quando deitavam a mão em sua espada pela primeira vez. Era incrível!

Assim que Lucas encarou o alfaiate novamente, este lhe indicou a bainha presa ao cinto recém-adicionado à cintura. Lucas admirou não ter percebido esse item quando o cinto foi atado. A espada deslizou suavemente pela abertura e repousou na proteção. O alfaiate aproximou-se de Lucas mais uma vez. Retirou uma corrente do próprio pescoço e passou-a pela cabeça do guerreiro.

— Para que o senhor não tema o bom combate. Leve contigo a imagem do bento dos bentos.

Lucas aparou a medalhinha na palma da mão enluvada. Não fora um católico fervoroso, mas reconheceu prontamente na figura do cavaleiro subjugando o dragão a imagem de São Jorge.

— Obrigado, Paulo. Agradeço de coração — disse, soltando a imagem e deixando-a guarnecer seu peito.

— Agora, o toque final.

O alfaiate tomou da mão do assistente o pesado manto vermelho onde a espada viera enrolada. Com a ajuda de mais dois, prendeu a capa vermelha sobre as costas do cavaleiro e as pontas do tecido foram engolidas pelos dois dragonetes que enfeitavam a armadura, um em cada ombro. Dessa forma, a capa foi presa à vestimenta. Paulo ajeitou o tecido, espalhando-o uniformemente e encobrindo

Bento

parte da frente da figura do guerreiro. Estalou os dedos mais uma vez e um dos baús foi reaberto, de onde os auxiliares tiraram três pedaços vítreos que, juntos, compunham um espelho quase de igual altura ao recém-desperto.

Lucas fitou demoradamente o homem desconhecido que aparecia no reflexo de sua imagem. Aquele não era ele. Ele era um vendedor de seguros de carro, não um guerreiro bento. Passou até a respirar de modo diferente, com certa dificuldade. A cabeça estava encoberta pela touca de prata que emoldurava seu rosto e descia pelo pescoço, desaparecendo dentro da couraça prateada. No queixo via uma ponta do colete de couro. No meio do peito, destacava-se a cruz dourada em relevo e a pequena medalha de São Jorge. Os braços estavam igualmente protegidos pela cota de metal, terminando nas luvas de couro. Apesar do sol que brilhava do lado de fora, não sentia calor ou desconforto dentro do inusitado uniforme. O saiote verde-escuro, quase negro, confundia-se com a grossa malha escura que protegia suas pernas. A capa vermelha cobria todo o seu corpo, chegando a arrastar no chão. Na extremidade inferior, o tecido grosso e pesado era revestido por uma faixa marrom.

— Vamos, senhor?

Lucas assentiu.

O espelho foi desmontado e recolhido, e os baús, empilhados no dormitório.

CAPÍTULO 16

Lucas desceu os três andares acompanhado pelo alfaiate e por seus assistentes. Ao chegarem ao pátio recoberto por granito, os homens trataram de cercar o guerreiro. Paulo vinha à sua esquerda e indicava o caminho. Teriam que caminhar um bocado até chegar à residência do Bispo.

O bento acostumava-se ao aspecto imposto pelo traje. O colete de couro dificultava que as costas fossem arqueadas, obrigando-o a assumir uma postura ereta, altiva. Sem perceber, a mão direita foi ao cabo da espada, fazendo com que a bainha não chacoalhasse tanto. A capa vermelha ocultava ambos os braços. Lucas estava impressionado com a pureza do ar: nada de fumaça, nenhum traço do céu marrom-acinzentado de São Paulo. Observou que caminhavam por uma alameda larga com prédios de poucos andares, medianos, que ocupavam a paisagem espaçadamente, sem aqueles edifícios empilhados e colados uns aos outros, como no centro urbano. Ao redor dos prédios havia bastante gramado, e poucas pessoas cruzavam os caminhos cimentados. Ao que parecia, todo o conceito arquitetônico conhecido tinha sido abolido depois do traumático evento que o doutor lhe descrevera. Com o colapso da sociedade, a superpopulação global havia desaparecido e agora espaço não parecia ser grande problema. Como os sobreviventes tinham se virado até então? Queria ter a sorte de encontrar algum conhecido e sentar em um bar para tomar um chope durante a madrugada inteira, para perguntar e ouvir tudo da boca de um amigo, que o conhecia também e sabia quem ele realmente era. Queria saber do ponto de vista de alguém em quem pudesse acreditar tudo o que havia se passado enquanto dormia. Seria uma história fabulosa, certamente. Lucas percebeu que a alameda se estendia por centenas de metros e, na distância até onde seus olhos começavam a falhar, podia ver um borrão escuro subindo ao céu. O que seria aquele prédio maior que os outros?

— Isso aqui era o campus de uma universidade federal de medicina, décadas atrás — comentou o alfaiate, como se estivesse lendo o pensamento do guerreiro. — A maioria dos grandes centros foram abandonados. Você era de São Paulo, não era?

— Aham.

Os passos dos homens ecoaram no silêncio.

— As principais metrópoles foram abandonadas. São Paulo, Florianópolis, Rio de Janeiro viraram redutos de malucos e de vampiros. Praticamente não dá para passar uma noite com vida nesses lugares. Sorocaba, Presidente Prudente, Salvador, Aracajú, Ribeirão Preto, Belo Horizonte, Campinas, Niterói, Campo Grande... todos esses lugares e tantos outros nomes quantos você possa lembrar... já eram. Viraram cidades-fantasma.

— E o que é aquele prédio no final da rua?

Os homens olharam adiante. Paulo respondeu:

— Não é um prédio, senhor. Aquilo é um muro. Se olhar ao redor do complexo, verá que ele é completamente cercado, murado. Para sobreviver agora é assim, porque os vampiros acabaram com tudo. Os sobreviventes foram empurrados para pequenos povoados, fortalezas. Os primeiros meses foram difíceis para se acostumar, senhor, e tem gente traumatizada até hoje. Nós nos juntávamos em lugares menores que as grandes cidades, como este, e erguíamos muros. Tivemos que aprender a combatê-los.

— Por que não ficaram nas cidades mesmo? Por que não...

— Como iríamos passar um muro em volta de Sorocaba inteira, senhor?

— Não é isso... eu quis dizer: por que não fortificaram hospitais e escolas por lá mesmo?

— Aqueles dias eram pesadelos vivos, bento Lucas... vocês ainda não estavam lá, e essa luta é eterna. Quando apareceram os primeiros de vocês, ninguém entendia o que eram e qual era o papel de cada um.

Paulo parou a caminhada e apontou para a proteção no fim da alameda.

— Olhe só, o muro está tão afastado que até podemos esquecer dele um pouco. — Paulo colocou a mão em concha na altura da sobrancelha, calou-se por um segundo e umedeceu os lábios com a língua. — Mas basta passar das três da tarde para essa fantasia de liberdade ir por água abaixo... Graças a Deus o senhor veio, e há de se cumprir o que foi profetizado.

— O que foi exatamente profetizado?

— Isso é o Bispo que dirá ao senhor — rebateu o alfaiate, pondo a mão no ombro do guerreiro e fazendo-o voltar a andar. — Ele sempre conhece quem para na frente dele.

Depois de cinco minutos de caminhada, tomaram uma rua à direita. Lucas pôde ver o que parecia ser uma grande praça com chão e bancos de concreto queimado. Tinha se habituado ao caminho quase deserto, estranhando o volume de gente passando por ali. Todos pareciam ocupados, carregando carrinhos de mão, coisas no colo. Não demorou um minuto até que uma senhora parasse no meio da praça e, mesmo atrapalhada por um grupo de rapazes que empurrava um carroção repleto de hortaliças, apontasse em sua direção. Pôde ouvir a voz aguda da mulher crescer em euforia, fazendo com que dezenas dos passantes parassem para olhar. A mulher soltou as duas sacolas pesadas de nylon colorido que carregava e correu em sua direção. Lucas olhou para Paulo, querendo entender. Antes que o alfaiate pudesse dizer alguma coisa, a senhora, com impressionante agilidade e pressa, alcançou o homem de capa vermelha e prostrou-se aos seus pés.

— Bendito seja Deus que o enviou para nos salvar! — gritou a mulher de joelhos, levantando o tronco e tomando a mão de Lucas para beijá-la. — Orei dia e noite para que este momento chegasse, mas nem acredito que estou diante do senhor. É ele, não é? — perguntou insistente, tornando os olhos para o alfaiate.

— É ele, senhora. Estamos levando-o para ser visto e abençoado pelo Bispo.

— Nem posso acreditar que o trigésimo despertou aqui, em nossa cidade! Em São Vítor! Deus não se esqueceu da gente. — continuou a velha, eufórica, levantando-se com rapidez e abraçando inadvertidamente a armadura do guerreiro.

Lucas permaneceu calado. Estava zonzo. Era coisa demais para um dia só. Olhou para a praça e viu que todos tinham parado seus afazeres, abandonado suas coisas e vindo cercar o grupo de Paulo. Se a multidão tentasse alguma coisa, seriam poucos para ajudá-lo. As pessoas se aproximavam com sorrisos e olhos brilhantes, muitos queriam tocá-lo e, realmente, foi preciso a intervenção enérgica do gigante Paulo.

— Precisamos levá-lo ao Bispo agora! — gritou. — Por favor, abram passagem! Não toquem na capa, ela é novinha! Pelo amor de Deus, não estraguem meu serviço!

Como se não pudesse ouvir a voz de trovão do alfaiate, uma criança teimosa venceu a barreira e puxou repetidamente a capa do cavaleiro. Lucas, que mirava um pouco além da praça para observar uma nova face da muralha que protegia o povoado, voltou a cabeça por causa dos puxões. Sorriu e pousou a mão enluvada na cabeça da menina, que parecia ter uns onze anos. A garota de pele morena abriu também um sorriso. Lucas admirou a beleza da criança, que lhe estendeu um dente-de-leão. Lucas apanhou a flor e agradeceu à menina, que se retirou em desabalada carreira, provavelmente muito envergonhada por estar sendo observada por tanta gente. Lucas soprou gentilmente o dente-de-leão, fazendo com que os corpúsculos se desprendessem e esvoaçassem ao sabor da brisa.

Bento

Paulo gesticulou para que voltassem a caminhar. Um corredor formou-se com a passagem do grupo, e cada vez mais curiosos surgiam e engrossavam a multidão da praça. Ao terminar de percorrer a praça, o grupo pôde caminhar com mais folga, mas não deixou de ser seguido por um bom número de pessoas que queriam ver se era verdade o que corria de boca em boca: que o bento salvador tinha chegado. Lucas notou, quando passavam junto a um prédio cercado e protegido por um grosso muro de pedra e mais duas sentinelas em extremidades diferentes, um bom número de motocicletas. Uma delas foi acelerada naquele instante, como se um mecânico operasse algum tipo de teste. Perguntou a Paulo do que se tratava e lhe foi explicado que aquele prédio sediava a base militar de São Vítor. Soube também que um bom número de soldados estava fora naquela hora, fazendo patrulhas de rotina, procurando indícios de atividade vampírica na redondeza, e mais um tanto saíra em missões em outras cidades. Paulo comentou também que alguns soldados estavam empenhados em uma espécie de plano secreto para tentar pôr fim à ameaça dos vampiros antes mesmo que os bentos o fizessem. Sorriu ao falar a palavra "secreto". Todo mundo sabia que os soldados buscavam uma solução, mas os danados eram bons em esconder qual era o objetivo. Diziam que o alvo deveria ser mantido em sigilo. Quanto menos gente soubesse, menos chances os vampiros teriam de atrapalhar o Grande Plano B. Paulo explicou que, em geral, os soldados eram homens de boa índole, mas a corporação contava com um ou dois carrancudos, que, às vezes, pareciam não ter fé. Os soldados diziam que estavam fartos de esperar pela solução divina e por isso buscavam uma alternativa. Ao que tudo indicava, parecia que caminhavam para algum avanço.

— Vocês sofreram demais no começo, não foi? — interferiu Lucas, compadecido do tom de voz do amigo. — Até cada um achar o seu papel nesse mundo novo.

— Como disse, temos traumas até hoje, senhor. Só de lembrar aquelas primeiras noites, tenho calafrios. Foi um pesadelo.

— Ao menos as crianças que vieram estão livres desses pesadelos...

— Crianças que vieram?

— Sim. Crianças que nasceram depois do começo de tudo, dos piores dias...

— Não existem mais crianças nascendo, senhor.

Lucas parou de caminhar mais uma vez. Baixou a touca de metal que cobria sua cabeça. A caminhada estava fazendo-o transpirar demais. Passou a luva na testa. Não sentia calor excessivo, mas suava.

— Como não, Paulo? E a garotinha que me deu aquela flor? Também vi crianças brincando no pátio do prédio-dormitório...

— Eram como você, senhor, adormecidos que despertaram, e damos graças ao céu por isso ainda ser possível, senhor. Desde aquela noite maldita, as mulheres não engravidaram mais. Parece que a vontade de Deus é que não nasçam mais crianças.

Lucas olhou para o chão. Depois ergueu a mão que ainda trazia entre os dedos a haste do que tinha sido um dente-de-leão. Suspirou ainda mais entristecido.

— Não sei por que, Paulo, mas tenho a impressão de que a sessão de más notícias não está nem na metade.

* * *

Lucas ficou parado no meio da sala. Cortinas pesadas encerravam as janelas de modo que um mirrado fio de luz invadia o ambiente de sombras. Sentia-se estranho, parado sobre aquele tapete velho. Tinha preconcebido uma imagem diferente do local de encontro com o tão reverenciado Bispo. Imaginava-se recebido no átrio luminoso de uma imponente catedral, depois conduzido pelo corredor central de um salão luxuoso e ficaria encarando os clássicos vitrais com a paixão de Cristo enquanto aguardava o homem santo ser apresentado. Pensou que ficaria admirando a nave da igreja e pudesse rezar de frente a uma cruz bem-feita apropriadamente elevada no altar. No entanto, a caminhada parou em frente a uma casa pequena e sem nada de imponente. Era até feia, na verdade, com uma pintura em tom de areia descascada e o piso da diminuta varanda já bem gasto — como muitas outras coisas dentro da velha casa, notou o guerreiro.

Lucas tentava entender se a sala era muito pequena ou se era atulhada demais de móveis e bugigangas, a ponto de tudo parecer espremido no cômodo. A estante tinha tantos retratos, brinquedos, peças de artesanato nordestino e infinitas quinquilharias que parecia incapaz de conter um alfinete a mais. As paredes eram forradas com tapeçaria de gosto duvidoso e mais um tanto de enfeites típicos dos estados do Nordeste. A mesa à sua esquerda, que poderia tocar se estendesse a mão, estava recoberta por uma visível camada de poeira. Provavelmente o tal do Bispo não vivia ali. À sua direita, também ao alcance de sua mão, estava a porta fechada que lacrava os ajudantes do alfaiate do lado de fora. A imobilidade do lugar e do ar causava desconforto e o tique-taque monótono de um relógio de pêndulo encoberto em algum canto fazia a ansiedade aumentar. Começou a imaginar onde se encaixaria naquele jogo abstrato que o destino havia armado.

Bento

Seria ele realmente o salvador daquela gente? Era impossível que fosse, pois ele era um cara comum. Torcia para o Santos, gostava de cinema, odiava literatura. O diacho do doutor tinha adivinhado parte do seu passado. Podia ser nas descrições que ele deu, sobre sua chegada ao apartamento depois de um dia no escritório, o metrô lotado, as ruas apinhadas de carros e gente indiferente que nem olhava para o lado. Agora, naquela nova realidade, ele tinha experimentado um gosto diferente. Todo mundo olhava para ele, para aquela armadura, mas o que ninguém imaginava é que nem ele mesmo sabia o que estava fazendo ali e por que estava dentro de um traje com mil camadas, transpirando em bicas, sentado em uma sala desconfortável esperando por um tal de "Bispo". Bufou, oprimido pela espera. Era um cara normal, não era herói! Nem religioso era, como poderia ser santo?! Tinha algo errado. Não sabia nem se seria capaz de erguer a espada para lutar, era mais natural visualizar-se sendo o primeiro a borrar-se todo na hora da luta e sair correndo sem olhar para trás do que sendo o bravo guerreiro que todos supunham. Salvador? Enviado? Não! Gostava de cinema, mas odiava aqueles filminhos que vinham com aquele papinho de que fulano era o "escolhido"... justamente o cara que parecia ser o oposto de tudo aquilo que o personagem e a plateia buscavam.

Lucas sorriu ao se ver vivendo a mesma situação, prestes a estar diante do "profeta", do "mentor", do "Bispo", que diria: "Você é o escolhido. Você irá nos guiar até a vitória". Bufou de novo. Achava esse tipo de argumento e diálogos uma porcaria. Só poderia ser um pesadelo. Era vendedor de seguros, e isso sabia fazer bem seu trabalho. Quando analisava riscos e tabelas, ganhava de qualquer um. Esportivo, popular, sedã, *hatch*, taxista, caminhoneiro, motociclista... não tinha como recusar, sabia fechar o negócio, não desistia até arrancar um "sim"! Mas essa parada de armadura e espada... sem chance! O ponto é que não conseguia sentir-se especial. Não era mais nem menos que ninguém. Por que agora via-se no centro das atenções? Isso o deixava assustado.

A porta à sua frente rangeu e foi aberta vagarosamente. Das sombras, surgiu a figura de um senhor muito velho, de rosto encovado, sendo trazido em uma cadeira de rodas por Paulo. O alfaiate ajeitou a cadeira da forma que certamente o homem gostava. Soltou-a e contornou-a com cuidado, esbarrando o mínimo possível nos obstáculos no caminho, nas quinquilharias decorativas. Parou de frente para Lucas e ajeitou sua capa, segurando nos ombros do rapaz e olhando-o nos olhos.

— Vai dar tudo certo, senhor. Pode limpar seu coração de qualquer dúvida. Você está aqui por uma razão, não por um acidente. Fique calmo, em paz — disse o alfaiate antes de retirar-se.

Um segundo depois, Lucas ouvia a porta da sala emitir um clique ao ser fechada por Paulo. Ao olhar para o homem na cadeira de rodas, notou que não estava de frente para ele. Não estava certo de que o homem podia vê-lo daquela posição. O velho então, com certa dificuldade, ergueu o braço e indicou o sofá. Lucas sentiu-se burro... é claro, a cadeira estava de frente para o sofá, onde deveria sentar-se. Postou-se diante do velho, sentando-se com cuidado, sempre ereto em virtude da armadura.

O sofá estava coberto com um tipo de manta de trançadinhos e parecia inteiramente empoeirado. Chegou a temer que o velho principiasse um acesso de tosse. Lucas procurou relaxar diante dos olhos dele. Estava desconfortável, mas ao menos estava agora no mesmo nível do seu possível interlocutor. Olhou para o rosto do Bispo, cujos olhos eram fundos nas órbitas e pareciam demasiadamente amarelados, recobertos de certa viscosidade. A pele chegava a impressionar de tantos sulcos, e acreditava nunca ter visto antes alguém tão velho. Perto do Bispo, o doutor de oitenta anos parecia um garotão na flor da idade. O velho balançou o queixo, fazendo a papada tremer. Era magro, como se estivesse com a saúde extremamente comprometida.

— Não se impressione tanto com a minha aparência, bichim, eu já estive bem pior — disse o velho no meio de uma sucessão de pigarros.

Lucas sorriu e pediu desculpas. "Bichim"?!

— Sua mãe nunca lhe disse que é feio ficar encarando os mais velhos?

Lucas riu um pouco, achando engraçado o jeito dele. Apesar da aparência, a voz ganhava força e firmeza e era carregada de um sotaque nordestino. Achou curioso, fazendo-o verdadeiramente relembrar de sua vida passada, quando o sotaque nordestino era tão presente no dia a dia paulistano. Ouviu uma voz na memória, de sua mãe puxando-o pela mão para entrarem no ônibus logo, pois garoava e começa a trovoar. Nos braços da mãe tinha um xale e uma criança. As bordas do tecido, que eram decoradas com pequenos barquinhos e carinhas, uma diferente da outra, tremulavam. Ele pisou no primeiro degrau para subir e ficou olhando para fora, para a rua molhada.

— Gostou da roupa, filho?

— Gostei. Gostei, sim, senhor Bispo. — respondeu o rapaz, voltando para o casebre. Os olhos baços do velho ficaram movimentando-se nas órbitas como se analisassem o jovem sentado à sua frente. A cabeça e o corpo continuavam imóveis, e somente as pupilas dançavam na figura do interlocutor. Lucas sentiu-se um tanto constrangido. Não sabia o que dizer para aquele homem, nem o que fazer. Até agora só havia escutado os outros. Só aumentava a sensação de estar em um bote no meio do mar, com o vento soprando, simplesmente à deriva. Não estava mais em sua cidade, rodeado de rostos familiares, mas diante de um mar desconhecido.

— Essa sensação vai passar logo, cabra. É assim quando todo mundo acorda, seja ele um iluminado feito tu ou um desgraçado feito eu.

— Bispo... eu não... eu estou confuso.

— Todo mundo fica confuso, filho. E difícil abrir os olhos num lugar diferente do lugar em que tu dormiu na noite anterior. Não é fácil, não. É porreta, como dizia meu painho. E olha que eu já vi muita coisa nesta vida, filho. Agora deve ser pior ainda estar no seu couro, no couro de um predestinado.

— Mas eu não sei se sou mesmo o que dizem que sou.

— Olha para o rosto deste velho aqui, menino. Eu vi cada um dos predestinados passar por esta sala. Todos eles quando acordavam resmungavam a mesma coisa. "Quero não... ser um guerreiro da luz." "Quero não... ser possuidor dessa armadura." "O pai do céu tá enganado, seu Bispo." Todos vieram com a mesma lenga-lenga, meu filho. — O velho tossiu duas vezes, depois fez um gesto com a mão enrugada pedindo para que Lucas aproximasse o rosto; ao ser obedecido, continuou em um tom mais baixo de voz. — Se estão dizendo por aí que você é bento, é porque é, homem, assuma isso. É melhor saber pelo menos uma coisa que você é do que não saber nenhuma.

— Nisso eu concordo, seu Bispo. Mas essas roupas são estranhas. Essa cidade dentro de um muro é estranha, até meu nome é estranho.

— As roupas são de um escolhido. E ficaram bem em você. Elas servem em você, em seu peito, em seus braços. Não precisa ter cagaço, não. Nunca ouviu aquela história de que Deus não dá asas para cobra?

— Eu nunca fui de ir à igreja. Como é que posso ter tamanha responsabilidade? Ser um enviado de Deus?

— Oxe, mas cale essa boca, rapaz! Quem foi que disse que tu é um enviado de Nosso Senhor Jesus Cristo? Tu não é enviado nem de Deus nem do Diabo.

— Eu não entendi, senhor Bispo. O senhor mesmo disse que Deus não dá asas para cobra...

— Tu é um bento, um abençoado, mas não é um enviado. Tu foi ungido, mas não foi trazido.

Lucas não encontrou sentido no que o velho disse, mas não retrucou dessa vez. Seus dedos passaram pela textura da tapeçaria que recobria o sofá.

— Olhe, deixe eu tentar explicar, filho... tu não ia muito à igreja, mas conhecia a Bíblia, não conhecia?

— Conhecia, senhor Bispo.

— Para de me chamar de "senhor Bispo", menino. Meu nome é Bispo, só Bispo. Nem padre eu sou. O povo é que me chama assim, "Bispo", com pompa e circunstância, como se eu fosse capaz de fazer o fogo cair do céu ou dividir o mar feito Moisés. Eu só passei muito tempo pensando e andei tendo muitos sonhos que diziam coisas que iam acontecer. Mas já que o povo me dá tanta trela e me trata com tanto respeito, eu deixo. Me tratam bem, cuidam deste esqueleto cansado, e para mim está bom até demais, cabra. — Lucas riu. — Mas vamos tentar manter o fio da meada, porque essa minha cabeça cansada às vezes esquece umas coisas... eu estava dizendo que quando tu lia a Bíblia, aprendia as histórias do Velho e do Novo Testamento, não é verdade?

— É, sim.

— Aprendia o que tinha se *assucedido*, o que estava se *assucedendo* e o que ainda ia se *assuceder*, correto?

— Certo, senhor.

— Em que lugar da Bíblia estava escrito que o mundo ia acabar assim?

Lucas deu de ombros.

— Eu não recordo de tudo. Minha mãe levava eu e meu irmão à missa de vez em quando. Eu nem lembro se gostava tanto assim da igreja. Só sei que as crianças podiam brincar do lado de fora, mas eu gostava de ficar com a minha mãe. Eu tinha medo de que ele se zangasse. O padre falava do Juízo Final, do Reino de Deus...

— Cabra, eu te juro que esse seu padre nunca falou nem mostrou em canto algum da Bíblia que o mundo ia acabar desse jeito, e é por isso que digo que não vai acabar. Em canto nenhum do Livro Sagrado dizia que metade dos homens ia cair em sono misterioso e, dos que sobrassem, metade ia virar aqueles malignos e a outra metade ia sofrer na Terra. Então também não fala de vocês, os bentos — concluiu o velho, dando uma risada rouca no final, misturada a mais um pouco de tosse engasgada.

Lucas achou sentido em parte do que o velho dizia, mas outra soava vazia. Esse papo de Deus sempre rendeu pano para muita manga. Lucas rememorou da mãe olhando para ele na missa. Ela era tão linda, sempre bem arrumada, e passava a mão sobre a sua enquanto o padre dava o sermão do dia. Ele ficava calado, respeitando as ordens de levantar e sentar, de erguer as mãos e de fazer as rezas.

— Filho, todo mundo maldiz o dia em que essa desgraça começou, mas ninguém agradece as veredas que o destino nos apresentou. O mundo mudou depois daquela Noite Maldita. Antes de cair naquele sono misterioso, lembra como era a vida nas grandes cidades? Lembra como São Paulo e Rio de Janeiro estavam se acabando na violência? Era centenas de vezes pior do que hoje em dia, filho. Nos povoados de hoje em dia, ninguém faz sequestro, ninguém dá tiro na cabeça do irmão por causa de droga. Hoje há união, filho, todo mundo junto. Dentro destes muros, agora, só existe gente de bem, não existe morro ocupado pelo tráfico, não existe rebelião em presídio, porque não existem mais presídios... você não encontra gente passando fome debaixo de ponte, não tem mais fome assolando um país inteiro. Está tudo mais igual.

— Mas a violência é da natureza humana, Bispo. Se juntar dez, sai confusão. Sempre tem alguém pensando em maldade.

— Agora não é mais assim, menino. E não é ditadura, não, é opção do coração. Ninguém é obrigado a ser certinho e ninguém vai para a forca ou para a guilhotina. Aqui cada um escolhe o que vai ser, bom ou mau. Se não entra no ciclo da comunidade, passar bem. As portas do muro são serventia da casa, vá se juntar com seus iguais. Todo mundo acha sua função na atualidade, bichim. Quem erra, vai dormir fora do muro e fica lá por cinco dias. Se achar outro caminho, boa sorte. Se for comido pelos ditos-cujos, azar. Se voltar, se endireita. Ninguém quer ficar lá fora, filho. Gente ruim está para fora dos muros e correndo atrás de gente boa para tomar o sangue ou de gente ruim igual a eles, que adoram aquelas criaturas da escuridão. Quem é mau acaba sendo atraído pelos malignos, e quem é do bem é atraído pelos benignos. É isso que a gente tardou a notar. Essa brincadeira que a energia fez foi para separar o joio do trigo, a água do vinho. Bondade e maldade não se misturam. Se tu fosse ruim, não teria acordado bento. Teria sido o outro.

— O outro?

— É. Tu não arrancou o couro de um cabra lá no hospital?

Lucas aquiesceu.

— Foi, não foi? Então não precisa duvidar, filho. Tu é um cabra da moléstia, um guerreiro da gota serena, e vai lutar pela nossa liberdade, para acabar com essa briga do bem contra o mal. Vai açoitar os malditos e preparar a Terra para o recomeço. Isso é o que eu sempre digo. Não precisam ficar chorando pelos cantos, esse não é o fim do mundo. Se fosse, estaria nas Escrituras. Isso é, sim, um recomeço, uma piscada do Pai lá de cima. Ele fechou os olhos e deixou a energia que rege tudo tomar conta de nosso destino. Pelo que eu sonhei, pelo pouco que esta cabeça velha pôde compreender, bichim, essa energia não escolhe o lado... ela simplesmente está aqui, soprando no meu ouvido... está favorecendo este velho.

— Bispo mexeu a boca enrugada e piscou os olhos amarelados. — Sem ela saber o que está fazendo, está me dizendo como os cabras da moléstia do lado bom vão acabar com os cabras malvados. Está aqui, no meu sangue. Quando essa guerra acabar, só vai sobrar gente de boa-fé, gente de coração puro. Acabou a violência descabida que dominava o mundo antes daquela noite. Bendita noite, eu digo. Não existem mais traficantes, não existe mais estupradores, estelionatários... nem políticos daqueles tempos. Agora é só gente e vampiro. E tu é nosso campeão, tu será o cavaleiro da justiça, o guia da batalha.

— Eu entendi parte da sua fala, Bispo, mas essa coisa de bento? Por que dizem que sou bento, salvador, um messias, quando o senhor me diz que não sou enviado de Deus coisa nenhuma? É confuso demais.

— Deixe seu coração em paz que a resposta vai chegar. Vai ficar claro como água. Tu vai buscar a verdade...

Lucas começou a rir. O velho Bispo parou de falar. Seu rosto enrugado ficou imóvel, e, novamente, somente os olhos úmidos e amarelados movimentavam-se.

— Desculpe, Bispo, mas não pude segurar o riso. Essa coisa de falar sem dizer com clareza... me lembrou algo da minha infância.

— O quê?

— Parece que dormi e vim parar em um episódio de *A Caverna do Dragão*. Estou me sentindo o próprio Eric, com essa capa vermelha, sentado de frente para...

— O Mestre dos magos?

— É.

Lucas e Bispo riram juntos. O velho voltou a tossir e ficou em silêncio.

— Isso aqui não é *A Caverna do Dragão*, filho. Poderia até brincar com você, derrubar alguma coisa para desviar sua atenção e depois desaparecer diante de seus olhos, mas essa cadeira de rodas é um tanto lenta e barulhenta! — O homem riu e Lucas respirou fundo. — Não tem confusão, filho. É que demora para você se posicionar nessa nova realidade. Está tudo diferente, mas não perdido, nem tudo tão ruim. Você precisa sempre lembrar que agora só existe bem e mal e que agora é a hora da verdade. Se você vacilar, nosso lado perde; se você se firmar, ter fé no seu poder, vai virar a rocha mais dura do planeta, para passar pela provação e sermos vitoriosos. É simples: é o bem contra o mal.

— O senhor mencionou uma profecia...

— Sim. — O velho fez uma pausa e passou a língua pelos lábios, molhando a pele fina. — Eu comecei a sonhar com essas coisas... No princípio, não ligava, achava que era só o meu desejo de ver essa sombra maldita sumir do céu e nos deixar em paz, mas, depois, algumas coisas com que eu sonhava começaram a acontecer, sabe? Sonhava desde coisas simples, como a cena de um jegue fugindo do dono e indo se esconder em tal lugar até coisas mais complexas.

— E quando o senhor acordou, encontrou o jegue? — perguntou Lucas, assombrado.

— Encontrei. Disse para o homem onde o jegue estava, e pimba! O bichim estava lá, em um canto da floresta. Esse é só um exemplo bobo...

— Não, para mim não é. O que mais o senhor sonhava?

— É o que eu ia dizer, cabra. Quando comecei a perceber essas pequenas coisas, sonhar e antever a queda de uma mulher na feira, a invasão dos vampiros pelo muro 3, certinho, a hora e o lugar... coisa que no meu sonho só se daria na semana seguinte... eu comecei a anotar os sonhos que eu me lembrava. Fazendo tais notas, comecei a montar um quebra-cabeça. Eu via vocês, Lucas, cruzando os pastos nessas roupas maravilhosas, montando tordilhos e arrancando a cabeça dos malditos vampiros. Eu percebi que, de alguma forma, o destino soprava no meu ouvido ventos que a vida ainda não tinha soprado. O destino deixava vazar para cabeça deste pobre velho o que estava por vir. A energia me escolheu sem eu a escolher e me contou o futuro. Então, com as peças desse quebra-cabeça doido, eu escrevi uma profecia mais doida ainda, filho, o romance que todos queriam ler. A história dos trinta cavaleiros de coração guerreiro, dos salvadores. O auto do homem que lideraria esse grupo até a vitória, que é a sua história, filho bento.

— Mas se não sou enviado de Deus, por que me chama de bento?

— Lá vem você de novo com essa pergunta, menino, ô diacho! Parece fixação! Tu é bento porque vai nos salvar. Apesar de estarmos no meio de uma piscadela de Deus, tu é uma benção, cabra. Abençoado seja o homem que nos livrará do medo da escuridão e que varrerá os malditos das terras escuras. Não é abençoado por Deus, é abençoado pelo coração, filho.

— E por que o senhor diz que Deus não tem nada a ver com o que está acontecendo aqui na Terra?

— Porque esse período de trevas não está lá nas Escrituras, bichim. Deus está de férias e deixou que as energias do Universo tomassem conta da casa, fizessem uma limpeza. Sonhei com isso também. O Universo está limpando a sujeira espalhada por aí, e não é só aqui na Terra que isso está acontecendo, não. As energias do Universo são as faxineiras mais esquisitas que eu já vi, meu filho, só querem reduzir a bagunça esparramada por aí. Elas não estão escolhendo amarelo ou vermelho por lógica... só foram com a cara do amarelo aí, dentro de vocês, guerreiros da gota serena.

— E onde eu me encaixo nessa profecia, senhor Bispo? Quem sou eu, de verdade?

— Eu sonhei, filho, que quando trinta de vocês fossem reunidos, quatro milagres iriam acontecer. Quais?

O velho suspirou e deixou os olhos passearem pela face do bento.

— Isso não foi revelado a este pobre velho. Contudo, está bem claro que quatro milagres vão acontecer. E a soma desses milagres vai fazer com que a vitória sobre os vampiros seja possível. Sem os milagres, filho, vencê-los será impossível... balela. Sem os milagres, estamos fadados a terminar como escravos desses peçonhentos.

Lucas notou que o Bispo parecia cansado. Respirava com maior dificuldade do que quando entrou na sala.

— Como vamos vencer, Bispo? Por onde a gente tem que começar?

O velho balançou a cabeça negativamente.

— Não foi dito, filho, não foi revelado. Não sonhei com glória nem com derrota... sonhei com o caminho para a entrada do horizonte dos acontecimentos. Esse dom é uma tortura. Nos sonhos, a energia me dá as receitas, mas não me dá o bolo pronto... tenho que tatear no escuro, misturar as coisas com jeitinho, decifrar o que essa força cósmica está me soprando no ouvido. — Bispo sorriu e balançou a cabeça. — Sorte a nossa essa energia ter procurado o nosso lado, porque se essas receitas fossem sopradas nos ouvidos de nossos inimigos, restaria a nós cavar um buraco bem fundo para tentar escapar de uma sobremesa das mais amargas.

— Mas... o que eu tenho que fazer? Onde estão esses homens bentos agora? O senhor falou tanta coisa, sonhou com tanta coisa, mas eu só acordei ontem, só conheci aqueles que me tiraram de um buraco escuro e a doutora Ana.

— É uma boa moça.

Lucas sorriu ao pensar em Ana, a mulher de olhos cinzas que tinha tirado seu sangue e lhe dado um nome... nome que tinha escapado de seus lábios enquanto ele estava nu e preso contra a parede. E bem antes de começar a sentir aquele cheiro doce e enjoativo que se transformou em um fedor tenebroso...

— Nos sonhos me foi dito que, quando trinta bentos estivessem despertos, o trigésimo iria guiar os demais e levar as trinta espadas dos guerreiros para o Norte, e que os milagres se apresentariam onde repousa o coração do deus Tupã. Que os números serão importantes. Além disso, nada sei.

Bispo inspirou, tentando encher completamente o peito.

— Eu nunca botei os olhos em um dos bichos, mas dizem que são feios. Aquela de tapa-olho me dá muito medo. Tome cuidado com ela. Uns irmãos seus já viram essa peçonhenta na floresta. Dizem que rondava nossos muros desde que o primeiro bento pisou por aqui. Vê-la na minha frente, de verdade, nunca vi, mal saio desta casinha. Nunca saí desta cadeira de rodas desde que acordei.

Lucas crispou as sobrancelhas.

— Não, não fui um adormecido igual você, não tive essa sorte. Eu dormi diferente. Eu sofri um derrame. Fiquei em coma por semanas, depois, quando acordei, era um vegetal. Não movia minhas pernas, nem meus lábios. Respirava por meio de aparelhos, comia por sonda... estava com a vida danada. Apesar de ter perdido a visão, minha audição funcionava. Podia ouvir o sofrimento dos meus filhos, da minha esposa, o drama de ter um marido inválido, atirado em uma cama de hospital com o futuro incerto. Ela me chamava de Mundinho, de Careca. O pior era ouvir o que os médicos falavam, as piadinhas na UTI... ninguém sabia que eu podia ouvir tudo e pensar. O pior era isso, amigo, pensar, ter consciência de tudo o que estava acontecendo com você. Encarcerado em uma cabeça viva e amontoado em um corpo morto. Naqueles dias, estávamos a poucos meses da grande transformação. A vida corria normal e ninguém podia imaginar ou sonhar o que estava prestes a acontecer, exceto eu. Foi nesse período macabro que meus sonhos começaram. Acho que estive à beira da morte por dezenas de vezes. Aquele negócio de luz no fim do túnel... não vi túnel nenhum, cabra, mas por muitas vezes estive fora do meu corpo, sentado ao lado do meu leito hospitalar, olhando para a minha casca inválida. Eu era um espectro, uma assombração no corredor daquele andar de hospital, não conseguia ir para longe do meu corpo... ficava preso ao meu sangue. Ouvia e via os médicos, e os prognósticos eram sombrios. Os médicos não acreditavam na minha recuperação e não davam muitas esperanças para meus parentes, pediam que ficassem preparados. Às vezes, tudo voltava a ser escuridão e sabia que minha parte fantasma estava de volta ao corpo. Comecei a sonhar com a grande tragédia, com milhares de pessoas mortas por aquelas criaturas medonhas. Era um desespero, achei que já estava completamente doido...

O velho fez nova pausa, mexeu rapidamente as mãos, dando apertos no encosto da cadeira de rodas. Recostou a cabeça no apoio da nuca, fechou os olhos e respirou fundo em silêncio por alguns segundos. Sua pele enrugada parecia mais seca e os olhos, mais cansados.

— O senhor sabia de tudo o que ia acontecer... — o velho continuou mudo por um momento, e Lucas chegou a pensar em levantar e chamar o alfaiate Paulo, mas Bispo se mexeu de novo.

— Daí chegou o dia. A bendita noite em que tudo mudou. Muitos tiveram perdas, muita dor, choro, mas eu sabia que aquilo tinha vindo para um bem...

— O senhor realmente acha que esse evento trouxe algum bem?

O velho meneou a cabeça afirmativamente.

— Tenho certeza, filho. O ser humano tem essa mania de exaltar muito mais as perdas que os benefícios de uma grande mudança... isso quando o evento está ligado a mortes dos entes queridos, à perda de pessoas para a escuridão. Desde aquela noite, as mulheres não puderam mais ter filhos... talvez parte do pacote ruim.

— Que pacote?

— Eu tinha 46 anos quando tive o derrame. Estava à beira da morte, mas agora tu está diante de um homem de 76. Estou mais acabado que qualquer senhor de 76 anos que tu conheceu, pois, por causa da antiga doença, fiquei muito debilitado. Reparou como têm muitos velhinhos andando por aí?

Lucas anuiu. Realmente tinha notado isso. A maioria das pessoas da vila parecia ter mais de 50 anos.

— As pessoas não morrem mais de doenças, bento. As pessoas morrem de velhice ou por causa de um trauma, que quer dizer confronto com os malditos. As pessoas não morrem. Isso não é motivo para festejar? Não basta para chamar o evento de bendito? Quem tinha câncer se curou. Quem sofria de Alzheimer voltou a desenvolver suas funções com normalidade. Quem andava de cadeiras de roda, as abandonou. O pacote de benefícios é muito mais cheio que o das mazelas.

Lucas alterou a expressão.

— Está se perguntando o que eu estou fazendo aqui, não é? Precisava ver como eu estava naquela noite. Já te disse que estive morto por alguns minutos? Pois te digo que estive morto por horas, mas ainda estava ligado naqueles aparelhos. Acho que bastou o sopro do destino para me manter do lado de cá... e talvez tenha sido isso que chamou a atenção da energia e deles, dos que vieram das sombras. A energia deve ter se mordido de curiosidade com o fato de um morto agarrado na beira do precipício da morte ainda estar respirando... talvez tenha ficado tanto tempo me olhando que se engraçou com o meu charme e resolveu dar uma colher de chá para este esqueleto cansado. Um dos noturnos me pegou no hospital, e eu estava tão frágil e vulnerável que não consegui protestar. Achei que era o fim, mas, olha que irônico, o noturno cuidou de mim, se apegou ao meu gosto. Eu então mergulhei nas sombras, sem forças, e fiquei anos melhorando lentamente. O primeiro dos sentidos que voltou foi a visão. Finalmente voltei a ver e depois depois ouvir com os meus órgãos de carne. Estava largado em um hospital, vivendo de favores de loucos que ainda perambulavam pela cidade. Meses depois, quando os sobreviventes começaram a se reorganizar, fui trazido por uma equipe de resgate para cá, para São Vítor, nessa lonjura que Deus me deu.

— O senhor lembrou quem o senhor era quando acordou? Lembrava-se da sua casa, de como era sua vida?

— Eu tive um derrame, bichim. Minha cabeça já tava bem estragada, nunca mais vi minha velha, minha companheira, que se perdeu naquela noite, eu sei.

— Lamento ouvir isso. Eu também sinto que perdi alguém, mas o que me dói é que eu nem sei quem foi. Eu me lembrei da minha mãe ainda agora, mas não me lembro do meu pai.

— Muita gente foi perdida, filho. Essa sua história é só mais uma para contar, mas o seu destino, vixe! O seu destino foi traçado por elas, na hora que você fechou os olhos. Elas te escolheram também. E aqui você está. O trigésimo bento, bem diante dos meus olhos.

O velho fez nova pausa na revelação. Os olhos de globos amarelados continuaram em cima do jovem salvador sentado à sua frente. Percebendo que o rapaz continuava calado, boquiaberto com a história que chegava ao seu conhecimento, continuou:

— Eu mal podia falar quando abri os olhos. Mas fui melhorando aos pouquinhos e os sonhos voltaram e começaram a me explicar as forças do espaço negro, das faxineiras do Senhor Nosso Deus. O Universo é cheio dessas coisas estranhas. Esses benditos sonhos trouxeram de novo a esperança aos meus irmãos. Os homens têm muito medo da morte e, por isso, lamentam tanto o acontecido. Mas, repito pela milésima vez, nada de ruim aconteceu. Agora sabemos quem é nosso inimigo. A angústia dos tementes tem hora. É a hora em que o sol se põe, porque os vampiros vêm com toda sua fúria e selvageria. É uma gritaria da gota serena quando os bichos conseguem passar pelas muralhas. São tantos. Vilas inteiras são engolidas nos ataques. Eles fazem a parte deles. Também buscam a vitória e vão fazer de tudo para que vocês falhem. Mas agora, nos dias de hoje, ao menos temos medo com hora marcada. Não precisamos mais temer andar na rua. Não precisamos mais desconfiar de um semelhante que cruza nosso caminho. Agora quem é bom é bom, e quem é mau é mau. Não há mais a agonia e o desespero do dinheiro. Agora temos urgência é em conversar uns com os outros, em sermos unidos e irmãos. Ninguém dá bola para gerente de banco e contas para pagar... a gente dá bola para a altura do muro e para o pôr do sol — mais uma vez o velho interrompeu o discurso inflamado para tomar fôlego, parecia esgotado.

— Posso ajudar, Bispo?

— Acho que este velho já falou demais por um dia, bichim. Chame o Paulo, por favor. Venha me visitar uma hora dessas, vou te contar mais dessas coisas incríveis que tu perdeu. Vou instruir o Paulo para levar você aos outros meninos. Seja um bento da moléstia. Não dê descanso àqueles malditos noturnos. O alfaiate e os demais já sabem de cor e salteado o que devem fazer.

— De cor e salteado... — murmurou Lucas, com um sorriso bobo no rosto por reconhecer mais uma expressão de sua época em uso.

Assim que o alfaiate levou a cadeira de rodas através da porta, Lucas viu-se sozinho na sala atulhada de objetos. Suspirou fundo. A cabeça estava cheia de informação. Sentia-se afundado em uma realidade que não queria aceitar de pronto, não estava preparado, era muita responsabilidade e muita fantasia. Impossível crer naquilo tudo. Queria virar fumaça e desaparecer. O encontro com Bispo serviu mais para confundi-lo do que para esclarecê-lo. O velhinho falante parecia tirado de uma fábula incrível, de uma produção cinematográfica. Ao menos soube da boca do velho que de infarto não morreria. Não sabia se isso era bom ou ruim.

Paulo voltou e indicou a saída ao guerreiro.

— Vamos, bento Lucas. Vou apresentar você aos seus parceiros de batalha.

CAPÍTULO 17

O sol mostrava claramente seu perigoso movimento descendente e cadente para os que estavam fora do portão. Mesmo assim, os soldados mostravam-se felizes pois, apesar de a gasolina de Marcel ter acabado bem antes do posto de abastecimento, os demais alcançaram a meta e puderam socorrer o novato com rapidez. O posto era um lugar conhecido apenas dos soldados mais experientes e ficava perto de uma rocha apelidada de "O Grande Sofá", por causa do seu inusitado formato. Parando alinhado com a rocha, era ainda preciso caminhar cerca de 150 metros em mata fechada, sem abrir passagem com facão para não denunciar o sítio estratégico. Guiando-se ainda pela rocha e por algumas árvores características do lugar, encontrariam a picada já aberta, bem escondida, que terminaria em um encerado camuflado por galhos e, debaixo dele, três folhas de madeirite que tapavam a entrada para o buraco escavado, onde eram acondicionados dezenas de galões com centenas de litros de gasolina, que eram repostos periodicamente. Depois de reabastecidas as máquinas e recuperado o soldado, os motoqueiros rasgavam pela rodovia e, continuando nessa velocidade, venceriam a descida do sol.

A confiança dos motoqueiros desfez-se quando viram a moto do cavaleiro puxador parada em frente a uma muralha de folhas verdes, um obstáculo plantado no meio do caminho. Estavam a duas horas de São Vítor e alcançavam agora as quatro horas da tarde. Mesmo sem aquela árvore, terminariam a missão com a noite começando e teriam que, mais uma vez, rezar para chegar com vida.

Ao encostarem ao lado do líder, um após o outro, foram retirando seus capacetes. Não havia palavra melhor para descrevê-los naquele instante do que decepcionados. A camada verde era compacta, mostrando existir ali muito mais que um par de árvores frondosas cruzando a pista. Marcel saltou da moto tão desnorteado que a Mil e Cem foi ao chão. O novato correu até a muralha e começou a chutar os galhos mais próximos.

— Merda! Merda! Malditos filhos de umas putas!

— O chorão vai começar de novo... — brincou Joel.

Zacarias e Paraná não puderam conter o riso. Ao menos para isso serviu o desatino do novato.

— Cala a boca, novato! — berrou energicamente o líder.

Todos olharam para Adriano, espantados com seu nervosismo. Marcel parou de atracar-se com os galhos e com os inúteis xingamentos. Adriano repetiu o sinal de silêncio e todos entenderam. Um barulho bem alto foi ouvido, vindo de uma máquina, com um zumbido de um pequeno motor. O ruído aumentou de volume como se outra máquina se unisse à primeira, depois mais outra e mais outra, até formar um ronco possante.

Os soldados trocaram olhares nervosos, reconhecendo o som das motosserras. Adriano sinalizou de novo, e o grupo se dividiu, quatro para a esquerda da pista, três para a direita. Engatilharam as pistolas. No flanco direito, Paraná gesticulou para Sinatra, que era o mais leve do grupo. Sinatra aquiesceu e começou a escalar os galhos e troncos das grossas árvores que compunham a muralha verde. Do grupo de Adriano, o escolhido foi Joel, o jovem negro que também era magro e de reconhecida agilidade em escaladas. Apesar de o sol ainda iluminar fartamente o céu e impedir qualquer ação dos noturnos, os malditos poderiam ter ordenado que um grupo de mulos fosse até aquele ponto da estrada e improvisasse um obstáculo. Os vampiros que haviam deixado o Rancho da Pamonha sabiam que tinham largado para trás um grupo de soldados vivos e tentariam a todo custo emboscá-los uma segunda vez. Os escravos de vampiros, em geral, não eram muito habilidosos com armas, mas eram um risco surpresa nas horas de luz, plantando explosivos em pontos estratégicos das muralhas pouco antes do sol cair, empoleirando-se em galhos altos à beira da estrada com rifles de longo alcance ou fazendo serviços como aquele: derrubar árvores para encurralar motoqueiros às portas da escuridão.

As motosserras trabalhavam e deviam estar partindo mais troncos de árvores antigas, fazendo-as cair no meio do asfalto para ampliar a dificuldade do obstáculo. Sinatra atingiu primeiro o topo do muro de árvores. Apesar do seu ronco ensurdecedor, tomava cuidado para não partir os galhos e não chamar a atenção. Quando chegou ao cume e identificou o grupo que cortava as árvores, abriu um sorriso e praticamente saltou lá do alto de volta ao asfalto.

— Estamos salvos! — berrou.

— São soldados de São Vítor! Tem um bento com eles! — juntou Joel, caindo ao lado do amigo, dando as boas-novas ao sofrido grupo de Adriano.

Os homens gritaram vivas e, quase que ao mesmo tempo, atiraram-se contra a barreira, escalando o obstáculo.

— Cuidado com isso, porque a gente tá descendo! — alertou o grandalhão Paraná. Os soldados pararam com as serras, erguendo os óculos de proteção. Os que estavam apenas vigiando o trabalho dos companheiros dirigiram-se ao grupo de Adriano, que saltava os ramos e toras, distribuindo abraços efusivos.

— Como sabiam? — perguntou o líder de Nova Luz.

— O velho Bispo. Ele sonhou que seu grupo precisava de ajuda — esclareceu Társio, líder daquele grupo de São Vítor.

— Bendito Bispo! — celebrou Zacarias.

Os soldados, amigos de longa data, ainda trocavam apertos de mãos e abraços com os companheiros.

— O velho nos avisou às 8 horas da manhã, mas você conhece o Bispo e a mania dele de sonhar pela metade. Tivemos que esperar um bocado até ele "montar" o presságio — resmungou Társio. — Realmente vocês encontrariam problemas com esse amontoado de madeira na pista, mas a gente não pôde fazer nada quando chegou aqui mais cedo. É muito tronco! Se ele tivesse dito que era isso...

Adriano riu e deu tapinhas cordiais nas costas do amigo.

— Metade do nosso grupo teve que voltar até São Vítor para buscar as motosserras. Chegaram há pouco, tem uns dez minutos. Começamos a cortar agora. Até livrar a pista vai mais de hora e já são quatro e cinco. Felizmente, com as ferramentas, alguém teve a brilhante ideia de trazer o bento Francis — explicou Társio, apontando para o guerreiro que também ria e confraternizava com os amigos.

Francis era um dos bentos mais antigos, despertado sete anos depois do evento. Tinha altura mediana, pele bronzeada, rosto másculo com bigode estilo espanhol e um filete de barba que descia do lábio inferior até o fim do queixo. Da indumentária cabida ao combatente, só faltava a capa vermelha. O peito de prata, com a cruz dourada incrustada ao centro, reluzia abundante, já que o sol da tarde incidia na rodovia. O tilintar característico da cota de malha de prata seguia os movimentos do guerreiro. Ainda observando Francis andar entre os homens, ouviu alguém explicando para Paraná que, naquele trecho, a rodovia era muito estreita, parte por culpa do traçado, parte pela ocupação desenfreada da mata, o que havia permitido construir ali a armadilha perfeita.

— Com o bento Francis, mesmo que escureça no meio do caminho, estaremos muito bem reforçados. E duvido que o quartel não mande mais uma patrulha caso a gente não chegue até às cinco — concluiu o líder de São Vítor, soltando a primeira baforada do cigarro caseiro.

Terminado os cumprimentos, Adriano reuniu os homens para ver em que poderiam ajudar. Eram cinco motosserras, e aproximar-se da área de trabalho com outras ferramentas de corte mais iria atrapalhar que ajudar. O que poderiam fazer era revezar na operação retirar o entulho de galhos e folhas do meio do asfalto.

Adriano notou que uma das motos tinha uma carreta atrelada. Aquele acessório era muito usado quando precisam transportar mantimentos a mais ou, como naquele caso, ferramentas para áreas de trabalho distantes. Olhou para o obstáculo de madeira e ficou contente ao perceber que o equipamento partia galhos e troncos com rapidez. Engenhosamente, os soldados esculpiam uma passagem em "V" invertido, de altura suficiente para que as motos cruzassem os troncos primeiro. Concluiu que deixariam para o dia seguinte a remoção definitiva do obstáculo. O sol baixava rápido, mas certamente a presença do bento manteria o grupo calmo e seguro. Sorriu sozinho ao agradecer a presença do protetor, pois ao menos com ele ali seu novato não cairia naquele ridículo berreiro novamente.

CAPÍTULO 18

Lucas teve seu primeiro almoço farto desde que despertou no hospital de São Vítor. Comeu batatas e vagens cozidas, um pouco de arroz e um generoso bife de vaca bastante acebolado. Frutas frescas doces e suculentas completaram a deliciosa refeição. Comeu com Paulo e os alfaiates em um refeitório coletivo, que, àquela hora, estava praticamente vazio. Talvez grande parte da comunidade fizesse a refeição um pouco mais cedo. Lucas estava contente, pois o estômago não estranhava mais a comida sólida e o organismo parecia ter entrado em um funcionamento aproximado do regular. A sede súbita desapareceu, bem como as tonturas.

O refeitório não havia sido o destino imediato depois de saírem da casa de Bispo. Tinham tentado localizar um bento chamado Francis e souberam que ele tinha partido com o grupo de Társio para a estrada. Ouviu Paulo perguntar por outro nome, mas a pessoa procurada também não estava ali. Somente depois de recebidas as informações é que caminharam até o refeitório. Após o almoço, o alfaiate e seus auxiliares levaram Lucas pela cidade em direção a um dos muros.

— Bento Vicente está no muro da frente. Vou apresentá-lo e ficará com os seus. Eles é que sabem o que vão fazer daqui em diante. Eu sou apenas um alfaiate.

O muro, que à primeira vista parecia bem próximo, exigia uma boa caminhada para ser alcançado. Lucas não cansava de observar o comportamento dos moradores de São Vítor, sem dúvida um lugar pitoresco. A maior parte da vila tinha uma topologia plana e podia-se ver longe. Notou, junto ao muro para o qual se dirigiam, alguns barracões rústicos com muitos trabalhadores (que só podiam ser agricultores) e a existência de diversos canteiros com todo o sortimento de hortaliças e legumes. Podia ver também um campo de futebol de boas dimensões, com traves desprovidas de redes e dotado de gramado baixo e verdejante. Sorriu pensando que, acontecesse o que acontecesse, o brasileiro seria um eterno apaixonado por futebol.

— Quando vai ser a próxima pelada? — perguntou Lucas, apontando para o campo.

Paulo sorriu.

— Temos campeonatos disputadíssimos por aqui. O grande clássico é Horteiros contra Vaqueiros. Junta gente pra caramba. É difícil, mas, às vezes, aparece aqui o time do Caranguejeira. O Caranguejeira é líder de um grupo de malucos que fica perambulando de cidade em cidade, rodando pelas estradas em um comboio de carros-fortes. Quando eles aparecerem, a pelada é da boa, todo mundo quer assistir. Você escuta os rojões a quilômetros de distância, é incrível, uma zuada que não acaba. Quando estamos em tempos de calmaria, até organizamos umas partidas externas ou trazemos visitantes para cá. Chamamos de Copa, mas, por motivos de segurança, essas copas não têm data para acontecer. As fortificações montam verdadeiras seleções, cada jogo...

— E um bom Corinthians e Palmeiras? — perguntou Lucas, fazendo graça.

— Ah! Bons tempos aqueles. Eu era palmeirense fanático... mas isso a gente não viu mais... nunca mais.

— É uma pena, não?

— Às vezes, acorda um jogador de futebol conhecido, é raro, mas já aconteceu. Tem uma fortificação perto de onde foi a cidade de São Paulo, chamada Esperança. Sabe quem é soldado lá?

Lucas encolheu os ombros, achando impossível adivinhar.

— O Cafu.

— O Cafu do penta?! — perguntou admirado, a ponto de interromper a marcha.

— O Cafu do penta.

— Grande capitão.

Lucas continuou com o sorriso no rosto quando voltaram a caminhar. Estavam quase chegando, faltava cerca de cinquenta metros para alcançarem o muro. O sorriso insistia nos lábios não só pela satisfação em saber que mais um rosto familiar habitava aquela Terra naqueles dias, mas também por, imediatamente, ter reconhecido o nome e a pessoa. Indicava que, aos poucos, como o restante do organismo, seu cérebro também ia voltando a funcionar, e chegou até a ficar emocionado. Lembrava-se perfeitamente do Cafu. Jogador brasileiro que fora uma grande estrela para o tricolor São Paulo e depois fizera carreira exemplar no exterior. Lembrar-se do Cafu na final da Copa de 2002, erguendo o caneco para bilhões de pessoas. Quem diria, agora era um soldado!

— Nas horas vagas, dizem que ele ensina a garotada de Esperança a jogar futebol — continuou o alfaiate. — Ele despertou dez anos depois do evento.

Aposto que foi dura a realidade... Já veio jogar aqui com a seleção de Esperança. Foi um dia divertido.

Lucas percebia saudosismo na fala do alfaiate. Um homem daquele tamanho, forte como um touro, falando feito criança. O rosto sulcado do alfaiate mostrava que, se já não tivesse passado, estava bem perto dos 50 anos, com suas feições de homem experiente e vivido. Talvez a constituição física espetacular se devesse ao fato de que as pessoas não ficassem doentes, como mencionado pelo Bispo. Realmente, tinha visto muitas muitas pessoas de faces coradas e a grande maioria de aparência excelente, vigorosas. Pelo que lembrava, somente o velho Bispo tinha parecido tão fraco e débil.

O guerreiro olhou para o muro à sua frente. Daquela distância, era obrigado a erguer a cabeça para alcançar o topo. Perto deles observou um imenso portão de madeira e ferro, com correntes de extensão indeterminada, enroladas em rodas também de ferro. Parecia diante de uma obra medieval ou de um cenário de Tolkien. Havia soldados no topo do muro, vigias que andavam um pouco e paravam, olhavam algumas vezes para ele e para o grupo do alfaiate, depois continuavam andando.

— Que altura tem isso aí?

— Primeiro foi construído com sete metros, mas era muito baixo, e os vampiros, quando alcançavam, pulavam com facilidade para dentro. Era impossível detê-los. Depois aumentamos para doze metros, e os monstros já não pulam com facilidade, mas demorou um pouquinho para chegarmos a esse resultado. Vê como as faces do muro são lisas? Vamos subir para você ver melhor.

Subiram por um corredor estreitíssimo, passando por degraus rudes. Ficou escuro por alguns metros e logo voltou a clarear com a luz do sol atravessando na boca de saída. No topo da muralha, Lucas encontrou um corredor de três metros de largura. Ao final da escada pela qual subiu, notou uma porta metálica prateada, que serviria para selá-la na iminência de uma invasão.

— Vem ver — chamou o alfaiate, debruçado-se sobre a parte externa do muro.

Lucas aproximou-se.

— Olhe como essa parede é lisa.

Lucas passou a mão. Realmente era lisa e, a julgar pela viscosidade aderida em sua mão...

— É óleo vegetal. Quando sobra, a gente passa nos pontos estratégicos, porque é difícil cobrir o muro inteiro. Mas só pelo fato de termos alisado as paredes com essa massa, já prejudicou bastante para o lado dos noturnos. Antes, quando a gente tinha deixado no tijolo cru, aqueles demônios subiam isso como se fosse uma escada. Eles têm umas unhas duras, cravam em tudo. Tome cuidado com as unhas deles quando estiver em batalha.

Lucas estava mais impressionado com o baque quente que tinha tomado no rosto quando se debruçou sobre a muralha do que propriamente com o obstáculo de pedra. Por cerca de um quilômetro, a visão era de um Saara. A areia branca refletia a luz do sol e provocava aquela sensação de calor, e os olhos doíam com tanta luz. Enxergou dois pontos negros a longa distância que pareciam duas árvores secas, uma no extremo esquerdo do campo visual e outra no canto direito. Muito além delas começava uma linha verde que deveria ser uma floresta. Logo entendeu a razão daquela desertificação. Não haveria como não perceber a aproximação de alguém bem antes que estivesse próximo o suficiente para oferecer risco. Aquele deserto era uma proteção.

Olhando para a direita, Lucas viu uma parte coberta da muralha que serviria para proteger os soldados do sol. Próximo a eles, havia um homem apenas. Paulo conversava com esse soldado e, nesse instante, saindo das sombras, Lucas viu outro homem, que era forte e tinha rosto rude. Lucas ergueu-se, olhando-o fixamente. Sentiu um arrepio percorrer o corpo quando bateu os olhos na armadura prateada com a cruz dourada no meio do peito. A capa vermelha daquele homem estava bem desbotada e as bordas inferiores com a proteção marrom de couro já bastante gastas. Era um bento!

Lucas sentiu um suor frio brotar da testa. A confusão mental aumentava conforme as passadas do homem o traziam em sua direção. Um bento de verdade! Sentia-se prestes a ser desmascarado. O homem, bem mais alto e forte que ele, parou à sua frente e cruzou os braços. Ficou olhando para Lucas, medindo-o com evidente desdém. Paulo aproximou-se com um sorriso nos olhos e com as mãos juntas.

— Esse é...

— Calado — interrompeu secamente o bento. — Fale quando eu perguntar.

O bento contornou Lucas, que, apesar da altura mediana, ou seja, longe de ser baixinho, media dois palmos a menos que o brutamontes encapado. Lucas percebeu no peito do guerreiro uma imagem de São Jorge igual à sua, que, por culpa das proporções corpóreas diferentes, a do bento dava a impressão de ser uma peça bem menor que a que ele carregava no traje.

— Então esse é o tal? O bento que vai nos guiar contra os vampiros, que vai tornar certa nossa vitória...? — O bento fez uma pausa e sorriu. — Essa eu quero ver de perto — começou uma risada, que só foi acompanhada pelo soldado próximo.

Lucas queria sumir dali. Se na presença de um deles já se sentia um impostor e incapaz, como seria quando os outros viessem vê-lo? Queria virar fumaça e desaparecer. O bento enxugou as lágrimas nos olhos.

— Ah, essa coisa de profecia me mata. Desculpe minha sinceridade, mas estou surpreso. Esperava um colosso, um campeão, mas você é tão pequeno que chega a ser engraçado.

Lucas inclinou a cabeça, nervoso. Tinha uma espada na cintura. Havia acordado em uma terra estranha. Não ouvira falar em cadeia, porém mais uma gracinha e iria tirar a arma da bainha, assim acabaria logo com aquilo. Com alguma sorte, seria esquartejado na primeira briga.

— Meu nome é Vicente. Bento Vicente é como me chamam — apresentou-se o grandalhão.

— Eu já vou indo, bento Lucas — despediu-se Paulo, com a voz desanimada. — Deixo-o com seu irmão, que vai explicar como serão as coisas daqui para frente.

Paulo precisou abaixar-se para sumir pela passagem que dava nas escadas, voltando para seus ajudantes, lugar onde não era hostilizado pelos semelhantes e podia se sentir bem melhor do que ali, na presença de bento Vicente.

— Você já viu um vampiro, bento? — perguntou o grandalhão.

— Eu matei um vampiro.

— No hospital, lógico. Só assim para dizerem se você é um bento. Às vezes eles erram, sabe? — disse Vicente, afastando-se alguns passos. — Mas um vampiro da floresta... você ainda não viu, não é?

— Não. Hoje é o meu primeiro dia do lado de fora. Fui falar com o Bispo e...

— Os vampiros do hospital não contam. Eles são novos, não sabem usar as armas que têm. Você precisa ver um vampiro da floresta, um antigo, criado no mundo. São o bicho. Esses são de verdade.

— O cheiro ruim é o mesmo?

Vicente encarou Lucas por alguns segundos sem responder, olhando-o fundo nos olhos.

— Então você é um irmão mesmo? Se sentiu o cheiro, sem chance, é um filho da mãe de um caça-vampiros. Agora ferrou. Logo você? Você é muito pequeno. Esperamos tanto para receber isso?

— Quer saber um segredo?

Vicente olhou para o soldado que estava próximo e gesticulou para que o homem se afastasse. Fez um aceno com o queixo para que Lucas desembuchasse.

— Eu também estou perdido. Não sei o que vim fazer aqui ou por que me meteram nesta roupa. Antes de acordar naquela droga de hospital, nunca tinha matado nem um mosquito sem pedir desculpas.

— Acho que aquele velho está caducando. Ele nunca errou nessas paradas de sonho. O que acontece é que ele sonha pela metade direto, meu, sonha pela metade. Mas sonhar errado nunca tinha sonhado. Acho que com você é a primeira vez. Onde já se viu mandar alguém do seu tamanho para guiar um bando de soldados? Ninguém vai obedecer você. Não tem jeito de casca-grossa, parece uma bailarina, ninguém vai botar fé. Não quero nem ver.

— Você pode ter até razão, mas não precisa ofender. Bailarina? Você já se olhou no espelho?

Vicente fechou o rosto e aproximou-se ainda mais de Lucas.

— Escuta aqui, resto de bento, não venha com graça para o meu lado, porque você não me conhece. O que eu estou falando é coisa séria. O bento Francis está fora em uma missão, mas, quando ele voltar, vamos começar a arrumar as coisas para ir atrás dos outros. Estou falando que você não pode ser o cara. Não sei nem se aguenta com essa espada. Quando o bicho pegar, quero ter ao meu lado alguém que saiba fatiar um vampiro. Se você é especial, vai ter que mostrar a que veio. Lá na floresta, de noite, não pode nem piscar. Quando os vampiros descobrem um bento, juntam um bando cem vezes maior que o nosso. Nossa carne vale ouro. Sabem que atrasam nosso lado quando matam um dos nossos... e para reunir essa galera toda da profecia do velho Bispo, vamos ter que viajar de dia e de noite. Se me chamar de bailarina de novo, quebro sua cara.

— Foi você quem me xingou primeiro. Se eu sou um bento, vim para somar. Não sei brigar essa briga, mas vocês têm que me ensinar. Eu senti o cheiro daquele desgraçado e não gostei nem um pouco. Se encontrar outro na minha frente, acabo com ele.

— Aqui não tem professor, velho. Espera outro bento chegar para ficar na bota dele, eu não gosto de ficar pajeando recém-acordado. É tanta pergunta que a gente fica tonto. Tem cara que tem paciência, mas tem cara que não tem. Eu não tenho. Meu negócio é ficar nesse muro de olho em quem chega e em quem sai. Se for depois do pôr do sol, meu trabalho é furar quem chega, não preciso nem perguntar. Nessas horas, é melhor ficar longe dos muros. É só essa lição que vou te ensinar.

Bento

Bento Vicente deu as costas para o novato e atravessou a parte coberta, de onde surgiu anteriormente, para alcançar outro corredor da muralha. Lucas preferiu ficar ali onde estava, pois qualquer lugar longe do bento Vicente seria melhor do que em sua companhia. Voltou-se para o lado da cidade e recolocou a touca da cota de prata sobre a cabeça.

O sol estava bem mais baixo e supôs aproximar-se das três da tarde. Lucas observou São Vítor mais uma vez. Teve um sentimento estranho. A cabeça dizia que ali era sua casa agora, mas nada era parecido com as movimentadas e congestionadas ruas de São Paulo. A uma hora dessas, se estivesse no trabalho, estaria voltando do almoço, pois deixava para comer sempre um pouco mais tarde. Poderia estar dando uma volta no Parque Trianon ou mesmo passando pelo vão livre do Masp. O escritório ficava na Pamplona. Apesar do estresse diário, gostava da empresa, dos amigos. Ao tentar lembrar-se do pessoal do escritório, os rostos pareciam embaçados e não sabia se os que se revelavam eram fisionomias reais ou coadjuvantes emprestados pela imaginação, mas sabia que gostava muito do pessoal do trabalho. Odiava o trânsito. Apesar do metrô a uma quadra do prédio, preferia dirigir o próprio carro, contribuindo com o crescente volume de emissão de poluentes. Como reflexo dos pensamentos, olhou para o céu. Nada daquela nuvem cinza-amarronzada no horizonte. Ar puro, delicioso. Tudo estava diferente de fato. Os rostos felizes das pessoas, principalmente, eram outra diferença gritante. Na São Paulo de sua época, se parasse na rua para cumprimentar desconhecidos, era capaz de ser tachado de louco. Apesar da breve passagem no meio do povo, esse parecia muito mais fraterno. Talvez a impressão viesse do fato de Lucas ser uma celebridade. Debruçado sobre aquele muro, passou mais de meia hora observando a paisagem, reparando no trabalho monótono porém ininterrupto dos agricultores. Ao longe, viu o que parecia um rebanho de vacas movimentando-se, pacatas, e lembrou-se da menção que Paulo havia feito ao time dos vaqueiros. Viu um prédio imenso que passou despercebido em suas andanças com o alfaiate. Só podia ser o complexo do Hospital de São Vítor. Por que era tão grande e cheio de médicos se as doenças haviam sido erradicadas com o advento da Noite Maldita? Sem doenças, não precisariam de médicos! Voltou a olhar para a face desértica e reparou na estrada que cortava a areia branca. O asfalto terminava justamente nos portões de São Vítor. Voltou para a face interior e viu que a rodovia não terminava. A alameda principal de São Vítor, por onde andou com o grupo do alfaiate e passou pela praça principal, era a rodovia. Sorriu com a descoberta, muito engenhoso. Mais algum tempo passou até que dois homens se aproximassem, um da sua altura, trazendo uma mochila de couro pendurada ao

154

ombro, e outro mais baixo e magro. O segundo era o que havia estado no muro e foi afastado por Vicente. Estavam com expressões de bons amigos e logo estenderam a mão para Lucas.

— Sou Amaro, líder de um grupo de soldados daqui de São Vítor. Satisfação em conhecê-lo.

— Meu nome é Carlos RG. Trabalho com Amaro — disse o segundo, segurando a tira de couro de seu alforje.

— Lucas.

— Não ligue para o jeito idiota do bento Vicente. Ele é assim com todo mundo. Entendemos que ele é especial, pois luta contra os vampiros como ninguém, destemido que só. Duro é ter de engolir essa arrogância — explicou com a voz calma o líder Amaro, que aparentava cerca de 60 anos e tinha os cabelos completamente grisalhos. Lucas ia responder quando foram interrompidos por um burburinho vindo do portão, na parte interior da fortificação. Pelo muro, viram que havia um grupo de trinta pessoas mais ou menos. Um homem surgiu ao final da escada e chamou Amaro.

— Dia de escala é sempre assim — disse Carlos, vendo Amaro descer pela escada.

— Escala?

— É. Toda terça-feira sai a escala semanal das torres.

Lucas acompanhava interessado a explicação do soldado.

— Está vendo as torres? — perguntou Carlos, apontando para o par de espigões negros que Lucas tinha julgado serem duas árvores secas. — Temos seis no total. Duas desse lado e mais duas no muro 2, além de mais duas na parte sul. Abrimos essa faixa de mil metros ao redor da fortificação toda. Com os postos avançados, podemos ver tudo que se mexe sobre a areia, de dia e de noite.

— Vocês pensam em tudo.

— Você pode ficar encostado aqui, perto do muro. Abaixe a sua touca de malha de prata.

Lucas soergueu as sobrancelhas e ficou parado no lugar que Carlos pedia. Não sabia o que ele queria, mas estava curioso. Carlos abriu sua mochila de couro e tirou uma câmera fotográfica.

— Vale a pena gastar um pedaço do meu rolo com você. Não dá nem para acreditar, o trigésimo guerreiro bem na mira da minha lente.

Lucas ficou imóvel e ouviu o clique. Carlos girou o disco mecânico que enrolava o filme até travar e aproximou-se um pouco mais.

— Essa é para o RG.

— RG? Está falando sério?

O rapaz deu de ombros e sorriu para Lucas.

— Fora cuidar do muro, eu não tenho muito o que fazer. Então, todo mundo que chega aqui em São Vítor ou acorda aqui, eu registro. Eu fotografo, revelo e, se nas suas coisas não tiver um RG, faço um para você.

— Nas minhas coisas?

— É. Disseram que você veio do subsolo cinco. É lá que fica quem chegou no começo. Pode ser que tenham pegado alguma coisa sua, uma identificação. Isso ajuda a saber quem era quem.

Lucas ficou calado, olhando para as pessoas aglomeradas ao redor de Amaro. As vozes estavam exaltadas e ele virou-se e olhou para o areião. A luz do sol fazia aquela areia brilhar e chegava a ofuscar um pouco a visão por um instante.

— Eles, esses noturnos, atacam muito a cidade?

— Pô! Essa fortificação é um dos centros estratégicos dos sobreviventes, é aqui que concentramos boa parte dos adormecidos. São trazidos para o hospital vindos de todo canto. Temos grupos de buscas que vão para as cidades, e ainda tem gente dormindo em tudo que é canto. A gente mela o jogo dos sanguinolentos. — Carlos guardou a câmera e ajeitou a tira de seu alforje de couro no ombro. — Eles também caçam os adormecidos e têm um estoque como o nosso. Sabemos onde é, mas é impossível invadir.

— A fortificação é intransponível?

— Quê? Esses bastardos têm o estoque deles em um lugar que não é fortificado. Sabe onde os desgraçados guardam os adormecidos?

— Não tenho ideia.

— No antigo Hospital das Clínicas.

— Hã?! No HC? Na Dr. Arnaldo?

— É. O lugar está dominado.

— Mas e se formos de dia? Não conseguimos acabar com eles?

— Meu, São Paulo virou um ninho de vampiros. Graças a Deus estamos bem longe daquela tumba a céu aberto. Se você entrar naquela arapuca, não sai mais. Tem noção de quantos prédios têm em São Paulo? Cada um deles está tomado por trepadeiras e verdadeiros ninhos de vampiros, é medonho. Você olha para aqueles arranha-céus, e estão todos ocupados por vampiros. Quando cai a escuridão, você só escapa por milagre... aliás, quando escurece, não tem para onde escapar.

— Mas de dia eles não atacam, atacam?

— Não. Mas de dia o HC é vigiado pelos mulos...

— Os escravos de vampiros?

— Isso. Os mulos ficam em posições estratégicas. Quando veem nossas motocicletas ou tropas se aproximando, abrem fogo sem dó. Eles querem mais é ver o circo pegar fogo. Depois que a baderna começa, tentam acertar a gente só nas pernas. A sorte é que a maioria é grossa na pontaria. Eu já estive em uma emboscada dessa. As balas passavam zunindo, mas tudo longe. Os que são bons de gatilho vão para as armas de longa distância. Manja aquele lance de *sniper*? Pois é. Eles viram *snipers*. Esses são os venenosos, pegam bem no olho. Como diria o bento Vicente, com *sniper* é sem chance. E esses mulos, escravos, são doidos para virar vampiros. Dá pra acreditar em um treco desses? Você tem noção? Viver de tomar sangue de gente deve ser que nem droga, viciante. E a maioria dos mulos é um perigo, porque a maior parte deles foi banida de alguma fortificação por andar fora da conduta. É gente do mal.

— Cara, não dá para acreditar. Vampiros e loucos dominando as cidades.

— É. E tem mais.

— O que pode ser pior que isso?

— Quando as pessoas fugiram das cidades, deixaram para trás os cães. Você já parou pra se perguntar quantos cachorros viviam na Grande São Paulo naquela época?

— Milhares?

— Milhões!

— Pode crer. O que aconteceu com os bichos?

— Piraram, bento, piraram. Não tinha ninguém para cuidar deles e, ironicamente, apesar de viverem nas cidades, tornaram-se selvagens. Comiam o que encontravam pela frente, organizaram-se em matilhas gigantescas. Surgiu um novo tipo de flagelo ambulante: as matilhas de cães urbanos. Eles tomaram as ruas e atacam tudo que se mexe.

Lucas balançou a cabeça. Não dava para acreditar.

— Com o tempo, a comida e as pessoas rareando nos arredores, os bichos começaram a atacar até mesmo os vampiros ou as matilhas rivais. Tem hora que é pior topar com uma matilha de cães urbanos do que topar com os malditos, bento. É foda.

— De dia cães e mulos. Que fauna!

— Ih, se eu fosse te atualizar de tudo, você pirava antes de sair daqui. Os sobreviventes da Noite Maldita tiveram que tomar decisões bem duras, sabe?

— Eu fico pensando nas pessoas que se separaram. Com essa coisa de rádio e celular... deve ter gente que nunca mais se viu.

Bento

— Tentaram reunir muitas famílias, bento. Teve gente que se reorganizou só para isso, para reunir parentes perdidos, indo até as casas e prédios abandonados, juntando documentos e fotografias. — Lucas ficou olhando para o rapaz. — À noite são os vampiros que não dão descanso, são ardilosos, tramam. Todo dia tem ataque, e, se não é em São Vítor, é no Éden Novo. Se não é no Éden, é em Nova Luz. É uma guerra, cara, e é por isso que está essa confusão aí embaixo.

Lucas olhou pelo muro e viu que Amaro conversava com a delegação nervosa.

— Sempre que sai a escala, alguém discorda e vem falar com o chefe, porque é ele quem organiza a programação. Ninguém, cara, ninguém quer ir para as torres.

— É um trabalho de responsabilidade. Tem que ficar de olho aberto.

— É um trabalho ingrato, bento. Você vigia os muros para a coletividade e, quando vê o bando dos vampiros chegando, tem que dar o sinal. Pronto, você está indo para o sacrifício, porque quando dá o sinal e dispara os foguetes, os vampiros sabem que na torre tem gente e já era para quem está vigiando. Acabam com a dupla que estiver lá em cima. É quase certeza que vão apagar você, são poucos os que escapam nessa situação. Depende da vontade dos vampiros, não da nossa. Eles estão longe demais para a gente ajudar com eficiência. Quando recebemos o sinal, disparamos o alarme e vem todo mundo para o muro. Nossos *snipers* tentam salvar o pessoal da torre que deu o alerta, o resto manda bala nos invasores. Os bentos são nossa última defesa quando o combate parte para o corpo a corpo. Aí vocês são as feras da guerra. Os vampiros têm o maior cagaço de bater de frente com vocês. Sorte sua. Conosco, voam na jugular na hora. De vocês, nunca tomam o sangue. É tipo um ácido para os caras, não sobra nem o pó.

— E os bentos? Não ficam com medo? Não fogem da briga?

— Como se vocês pudessem... — resmungou o soldado. — Vampiro e bento são iguais a gato e cachorro. Vocês querem mais é ver o oco. Nunca vi um bento bater em retirada. É por isso que a gente tem medo quando os vampiros vêm em grande número. Vocês só param depois de mortos. E toda vez que morre um bento, cara, a vila fica ruim por semanas.

— Sério?

— Sério. Porque demora para acordar um bento. Já chegou a demorar mais de um ano. Teve semana que surgiram dois, mas é raríssimo, demora meses. E nunca chegávamos no número. A profecia falava em trinta, e já vi gente aqui dando a vida no combate para que os bentos não levassem a pior. Graças a Deus você acordou. A profecia cumpriu-se. São trinta bentos, e agora é com vocês.

Pouco a pouco, conversa a conversa, Lucas sentia-se montando o quadro real do mundo em que se encontrava, cheio de sangue e batalhas. O planeta havia submergido novamente na Idade das Trevas.

— O Amaro dividiu a vila em três grupos. Todo mundo, incluindo os bentos, vão para as torres. Depois dos quinze anos, todo mundo entra no rodízio. Cada grupo fica de prontidão por três meses. São doze luas para você vigiar a noite. Então, durante esse tempo você está na lista e, cedo ou tarde, acaba indo para a torre. Às vezes, passa o trimestre inteirinho sem ser agraciado, mas pode ter certeza de que no próximo turno do seu grupo você vai estar no topo da lista. Com isso, você fica três meses tenso e seis meses tranquilo, e assim vamos tocando o barco. Esse modelo é copiado na maioria das fortificações. Apesar de ser democrático, sempre tem discussão quando sai a lista da semana.

— Por que o Amaro não prepara a lista do trimestre inteiro?

— Porque já é arriscado para caramba fazer com uma semana de antecipação. A gente não sabe quem vai estar vivo no dia seguinte, bento. Quando alguém morre em uma invasão, ninguém quer substituir o cara. Dá o maior azar puxar guarita no lugar de morto.

Lucas entendeu o problema. Desviou o assunto quando viu uma série de garrafas de vidro cheias de água empilhadas e amparadas em um canto.

— O que é aquilo?

— Água benta.

Diante do silêncio do bento, que andou até perto das garrafas, Carlos continuou:

— Água que vocês benzem. Serve para jogar na cabeça dos vampiros. Eles derretem que é uma beleza. Pena que vocês façam tão pouco.

— Quanta água um bento faz?

— Por dia? Dá um barril de quarenta litros. Se fizer mais, a água fica fraca e vai enfraquecendo até que não funciona mais. E o bento que faz muita água fica uns dias sem conseguir fazer. Por isso é melhor um pouquinho por dia.

— Como é que eles fazem essa água?

— E eu vou lá saber? Você que é bento, não eu. Você que tem que saber!

Lucas sorriu e recolocou a garrafa de água benta no lugar. Um sino soou repetidas vezes. Colocou as mãos em concha acima das sobrancelhas para diminuir a luz e melhorar a visão. Procurava a torre de onde o sino retinia.

— Onde vai ser a missa? — perguntou, ao notar que algumas pessoas haviam parado os afazeres e passavam a andar apressadas.

Bento

— Não é missa, não. É o sino das cinco da tarde, que anuncia que falta pouco para anoitecer. Depois do bater do sino, os cidadãos, menos os soldados, claro, estão liberados das tarefas. A maioria vai para casa, tranca tudo e se esconde debaixo da cama. Tem gente que é menos preocupada, tranca tudo e dorme em paz... particularmente, eu não durmo direito. Fico cuidando das minhas fotografias, recortando os rostos que imprimo. Durmo bem depois que amanhece. Esses merdas nunca vão me pegar sem luta. Quando eles passam o muro, é a pior coisa do mundo. É um deus-nos-acuda, porque nunca passa um sozinho. Passam dez, cem, mil. Não sei se é sorte ou azar, mas como aqui tem o hospital, a maioria vai para lá. Querem tomar o controle do hospital por causa dos adormecidos. A nossa sorte é que os ataques desses vampiros são muito desorganizados, porque, se fossem bem comandados, bento, ninguém estaria aqui para contar a história. Seriam imbatíveis, e você teria acordado um dia desses dentro de uma caverna escura.

Lucas olhou para o horizonte. O sol caía rápido e a luz do dia ia mudando gradualmente. Amaro subiu as escadas, literalmente salvo pelo gongo. Com o aviso do sino, os reclamantes afastaram-se e deixaram livre o comandante.

— Carlos estava me explicando sobre o rodízio nas torres. Se não tem remédio, por que reclamam tanto?

— A queixa não é tanto pela responsabilidade. Como você mesmo disse, não tem remédio. O problema é que a vigília é feita em dupla, por 24 horas. Começa às dezessete e trinta de um dia e termina as dezessete e trinta do dia seguinte. Os homens reclamam muito dos parceiros. Às vezes, o camarada que caiu com você no sorteio é meio dorminhoco, não ajuda muito ou morre de medo. Por conta dessas diferenças, chegam aqui irritados. É difícil agradar a gregos e troianos, mas vamos levando.

— E os soldados?

— Sabemos contra o que estamos lutando. Mesmo assim, quando estamos lá na vigia e justamente no nosso turno vemos a mancha de olhos vermelhos chegando, flutuando feito capetas alados... filho, vou te contar, dá um frio no espinhaço! Você está entre a cruz e a espada. Às vezes, os malditos ficam naquela pressão psicológica, armam as fileiras no limiar da floresta. Você vê aquele mar de olhos em brasa queimando o escuro da mata, é feio. Você não sabe o que vai acontecer. Aí um dos vigias fica olhando, enquanto o outro vai preparando as bichonas. Tem que deixar as armas prontas para mandar fogo. Já deixa também os fogos no esquema. Rojão de seis tiros avisa que a mancha está indo para a cidade. Rojão de três tiros coloca os guardas de prontidão no muro, mas aí é que tem homem que vacila lá em cima. Até soldado já deu para trás. Quando você dá o tiro de prontidão, dá tempo de a vila inteira se preparar, porque aqui dentro fica todo mundo de sobreaviso. Os soldados nos muros e nos postos estratégicos prontos para o combate final, e os cidadãos todos trancados, debaixo da cama, se tudo der errado... é raro, mas às vezes dá errado. — O líder Amaro fez uma pausa, olhando demoradamente para ambas as faces do muro. — E, ao mesmo tempo que o vigia salva a vida dos que estão na vila, coloca a própria em risco. Depois do aviso, é segurar o cano e rezar.

Lucas e os soldados fitaram demoradamente a torre à esquerda.

— Como eu disse, às vezes, os malditos fazem só uma pressão, uma tortura psicológica — continuou o líder veterano. — A mancha fica na beira da floresta e depois de minutos, horas, recua e some na escuridão. Quando decidem atacar, vão passar pela torre e, em retaliação ao aviso dado, matam os vigias. Uma vez ou outra, a gente garante daqui o pessoal da vigia, mas quando os noturnos são muitos, não tem jeito.

— Como é que se mata um vampiro? É como naquelas lendas que ouvíamos?

— Vampiros não morrem, são destruídos. É como na lenda mesmo, e já assisti a coisa que até Deus duvida.

— Mas se não morrem, como vocês fazem?

— Têm algumas formas de destruí-los. Decapitá-los com uma lâmina de prata, aí já era. Por alguma razão, ferimentos feitos com prata no corpo do vampiro não cicatrizam. O bicho está acabado, mas logo que você arranca a cabeça dele tem que tomar cuidado com o corpo, porque ele não está morto ainda. Mantenha-se longe das garras do vampiro decapitado, porque pode ser fatal. Tiros de bala de prata também apavoram bem as feras. Usamos balas que se fragmentam quando entram no corpo dos malditos, mas elas não surtem o mesmo efeito que em nós, humanos. Danam bem menos os safados, talvez porque internamente eles sejam mais moles que a gente. Vem ver — convidou Amaro.

Lucas seguiu o líder até a cobertura sobre a muralha.

— Aqui, debaixo do telhadinho, fica o armamento extra. Cada soldado é responsável por sua arma. Quando soa o alarme, já vem com o rifle e munição. No tempo de vacas gordas, a gente deixa o municiador inteiro com pontas de prata. As balas são só banhadas no metal, não carece de ser maciço em prata. No período de vacas magras, os municiadores são intercalados, prata, chumbo, prata, chumbo.

Lucas viu uma parede com duas dúzias de rifles pendurados e perto uma caixa com grande quantidade de pentes de munição prontos para o uso. Uma arma maior chamou a atenção. O cano de disparo tinha mais de um metro e meio. Parecia uma metralhadora.

Apontou para o artefato.

— Essa é nossa "deita-corno".

Lucas sorriu.

— É o nosso trunfo, uma metralhadora .60, derruba até avião — continuou o líder de voz mansa. — Ela é que ajuda a deitar a maioria dos vampiros no areião. Quatro balas comuns, sendo uma de prata, é um arregaço, mas, às vezes, nem ela basta. Temos três em São Vítor, mas eram dezessete. Como agora estamos na lei da sobrevivência e da solidariedade, levamos as outras para fortificações menos guarnecidas. Temos que dividir tudo, até água benta, se for necessário.

— E aquela história de cruz, alho e estaca?

— Estaca no peito funciona, mas depois tem que decapitar com espada de prata, porque se alguém tira a estaca do peito do bicho ele acorda de novo. Em cruz eles não encostam, mas não têm medo, não. Alho não funciona. Não bebem sangue de bento, parece que é ácido para eles, mas o melhor remédio mesmo é o sol. A profecia diz que, quando os trinta bentos se juntarem, vamos vencer os malditos. Acho que vamos ter sol dia e noite, ou melhor, dia e dia. Deve ser isso.

Lucas mirou o horizonte. Uma assombrosa quantidade de pássaros voava em grupos distintos, embelezando o disco rubro que se escondia atrás das árvores. O céu estava vermelho e carregado de nuvens que refletiam ainda mais lindamente a luz minguante.

Emocionou-se com a força da natureza, pois não se lembrava de ter visto pôr do sol mais belo em toda a sua vida. Contudo, um misto de confusão e ansiedade não o deixava aproveitar o cenário. Era a primeira vez que via o sol mergulhando no horizonte e a noite começando a chegar. Nem mesmo a variedade de aves passando, a visão de grupos imensos de tucanos, garças e mais um sortimento impressionante de aves aplacava aquela sensação de desalento. Estaria ele aos pés do bento Vicente? Seria mesmo ele um salvador? Difícil de acreditar.

CAPÍTULO 19

Mal o sol caiu no horizonte, deixando um rastro de luz vermelho-arroxeada, que a temperatura começou a baixar. O vento passou de morno a frio, e Lucas ficou contente por estar dentro daquela roupa quente. Podia ver, de tempos em tempos, o bento Vicente na outra seção da muralha, que chamavam de muro 2, com permanente cara de poucos amigos e jeito nervoso. Lucas fixou o olhar no areião, pois tinha visto, cinco minutos antes, dois homens chegaram à torre da parte esquerda, quase simultaneamente com a dupla que se conduziu para a torre da direita. A guarda rendida encontrava-se agora a caminho da cidade fortificada. Vinham caminhando rapidamente, decididos, e em menos de dez minutos estariam dentro de São Vítor.

Amaro e Carlos escavavam, ao lado do bento e pareciam calmos, fincados em banquetas pequenas, peças rústicas feitas de duas partes de madeira, semelhantes a uma letra "T". Um terceiro soldado veio do muro 2 com uma tocha acesa e começou a acender outras tochas espetadas em lanças altas acima do muro. Lucas voltou-se para a cidade e viu o ritual sendo repetido nas residências distantes do muro, mas notou luz em algumas ruas.

— No hospital havia luz elétrica. Não usam aqui?

— A gente usa luz onde é mais necessário. Temos um holofote no topo da cobertura, que serve aos dois muros, mas não usamos muito. A luz é reservada para o hospital, para a escola, para o refeitório e para o quartel, e atendemos alguns pedidos especiais. Perto da fortificação, subindo o rio, mantemos uma pequena barragem onde geramos energia, mas não seria o suficiente para a vila toda — explicou o líder Amaro. Nesse instante, alguns soldados começaram a aparecer pela boca da escada. Estavam sorridentes e aproximaram-se em silêncio.

— Sou Matias, líder do terceiro grupo de São Vítor. Vim assim que pude para conhecer o novo bento — apresentou-se o homem simpático, de olhos puxados e traços indígenas. Matias não era muito alto, mas bastante forte, como a maioria dos soldados que Lucas tinha observado. Ao menos confortava saber que lutaria ao lado de homens bem-feitos e que, certamente, seriam habilidosos em combate. Mais dois líderes apresentaram-se, um homem negro de pele clara chamado Willian e um homem oriental apresentado como Chen. Todos foram simpáticos e mostraram-se contentes em finalmente ver desperto o trigésimo bento e descobrir, de uma vez por todas, até onde ia a veracidade da profecia.

De acordo com as histórias proclamadas pelo velho Bispo, de agora em diante os vampiros estariam com os dias contados. A conversa continuou animada, e os soldados explicavam para o incrédulo bento como eram os vampiros. Tentavam imbuí-lo de coragem, dizendo artimanhas e pontos fracos para derrubar o maior número de feras possível. O clima descontraído entre os soldados só foi quebrado quando ouviram o estalar de um rojão de tiro único. Como cães de caça, em um segundo estavam todos juntos ao muro, olhando em direção à floresta. Lucas olhava para a torre de onde veio o disparo, vendo a fumaça de pólvora desfazer-se no ar.

— Um só, bento sortudo. Ainda não era hora de mostrar a que veio — bradou a voz forte de Vicente, vinda do muro 2.

Lucas espantou-se mais com a possibilidade de ouvir tão bem Vicente, mesmo estando tão longe, do que propriamente com a mensagem carregada de maldade.

— Finalmente — disse Amaro, debruçando-se sobre o muro e sinalizando para os soldados que haviam descido correndo.

— O quê? — quis saber o bento novo.

— Um tiro só diz que o vigia está vendo gente nossa chegando. É a patrulha de Társio, e já não era sem tempo. Willian já estava organizando o grupo para sair atrás dele — explicou Carlos.

Não demorou muito para que o rugido das motos enchesse o ar. Amaro fez novo sinal para os soldados postados ao lado do grande portão, e os homens começaram a girar a roda de ferro para estender um cabo de aço que tracionava o portão. A imensa peça de madeira e ferro começou a deslizar, deixando o asfalto livre para quem quisesse entrar. Notou que os soldados em cima do muro estavam tensos e seguravam as armas de prontidão. Um deles até mesmo preparava a potente metralhadora, abaixando uma portinhola de madeira debaixo da cobertura. Dessa forma, o cano da metralhadora tinha sob a mira todo o deserto branco.

Olhando para a estrada, o bento viu o surgimento de luzes de faróis. Um comboio com mais de quinze motocicletas aproximava-se em alta velocidade. Duas vinham um tanto mais para trás, mesmo assim desenvolvendo acima dos oitenta quilômetros por hora. Lucas não tinha calculado, mas desde que apontaram saindo da floresta, até cruzarem os portões, não havia se passado nem um minuto. Carlos conversou rapidamente com Amaro e retornou para o lado de Lucas.

— Vamos até o quartel. Você vai ser apresentado ao bento Francis.

Lucas engoliu em seco. A última apresentação a um bento não havia sido uma boa experiência. Não sabia o que o futuro lhe guardava, mas sabia que, se aceitasse aquela missão e aquela realidade, deveria travar um bom relacionamento com os bentos.

Chegando ao prédio vigiado, retangular e cinzento, passaram pelo portão principal, que dava imediatamente na garagem. As motos estavam desligadas e as unidades mais próximas ao portão irradiavam calor, indicando que pertenciam ao comboio recém-chegado. Em uma delas, uma Harley, vinha atrelado um carrinho de eixo duplo e cercado de madeira. Dentro dele e em cima de um cobertor velho, estava um homem maltrapilho, desacordado.

Carlos empurrou uma porta dupla de vaivém e conduziu Lucas pelo corredor. Os soldados que cruzavam com o novo guerreiro cumprimentavam-no com a cabeça. Alguns, mais animados, demonstravam simpatia, e outros eram meramente formais, dando pouca atenção. Mais uma porta de vaivém, e chegaram a um novo salão tão amplo quanto a garagem da entrada. Vários soldados conversavam e riam alto, mas a figura que capturou a atenção de Lucas foi a do homem que trazia uma armadura prateada, semelhante à sua, no peito. Diferindo de seu traje, no outro não existia a capa vermelha, nem mesmo a desbotada como a de Vicente, nem a touca. Quando o homem de peito prateado viu Lucas, também parou com a conversa. Abriu um sorriso largo, de dentes bem cuidados e brilhantes, e caminhou decidido com a mão enluvada estendida para Lucas.

— Então você é o tal? O trigésimo bento? Que satisfação!

— Esse é o bento Francis — juntou Carlos.

Lucas não poderia ter melhor recepção por parte de um semelhante e teve uma boa impressão daquele sujeito. Não era um brutamontes como Vicente, nem mal-humorado, apesar de esse bom sentimento, mais uma vez, ter ficado intimidado pelo vigor físico demonstrado pelos veteranos. Lucas sentia-se raquítico, doente, e talvez por isso alguns soldados olhassem de viés para sua figura franzina, pensava. Todos, sem exceção, pareciam bem mais fortes que ele.

Depois do cumprimento de mão, bento Francis emendou um abraço fraterno no recém-desperto, fazendo seus peitos de metal chocarem-se.

— Qual é o seu nome? — perguntou, afastando o trigésimo do peito.

— Lucas.

Bento

— Lucas! — repetiu o bento, olhando firme nos olhos do novo bento e colocando as mãos nos ombros do rapaz. — Seja bem-vindo!

O novo bento ficou em silêncio.

— Com sua chegada, tudo muda. Esta noite, que seria como qualquer outra, ganha importância histórica. Vamos falar com Vicente mais tarde, temos muitos preparativos para realizar. Amanhã, ao nascer do sol, partiremos em nossa missão profetizada. Temos agora que reunir os trinta abençoados para que tenha início a salvação de nossa terra.

— Não sei se estou preparado...

— A preparação é na raça, nenhum bento tem escolha. Antigamente, antes das universidades, os engenheiros, médicos, mecânicos se faziam na prática. Ninguém chega preparado para este mundo, Lucas. Você será um bento prático, vai aprender a dominar sua força. Medo não existe, acredite em mim... essa é nossa sina, bater com os vampiros até a morte. A mente fica leve e vazia de temores, você fica selado na espada, e a única coisa que interessa é arrancar cabeças de malditos noturnos, esquivar-se dos ataques e arrancar mais cabeças de vampiros, exatamente nessa ordem.

— Não sei se sou o tal salvador...

Os soldados presentes a essa altura já haviam rodeado os dois guerreiros. Francis colocou as mãos nos ombros de Lucas mais uma vez.

— Você é nosso salvador, é o trigésimo bento. Isso nunca aconteceu antes, então é você, não tem erro. Está escrito na sua testa: "Eu sou o cara". Você é o salvador, não duvide disso.

— Diga isso para o seu amigo grandalhão, o Vicente.

— Nosso amigo grandalhão, Lucas. Nosso! — destacou Francis, rindo ao final da afirmação, mantendo as mãos nos ombros de Lucas. — Vicente tem aquele jeito, mas não pode fugir de nossa sina. Pode até não querer participar, mas quando chegam os vampiros, não tem jeito, e ele tem muito para ensinar para você, já matou mais vampiros que qualquer outro bento. Temos uma contagem para incentivar, um *score*. Aquele grandalhão carrancudo já abateu mais de seiscentos vampiros nesses anos. É um artilheiro da espada.

Lucas sorriu.

— Fique tranquilo. Todos nós vamos ajudar você. Só precisamos reunir os outros.

Os soldados juntaram-se a Francis em exclamações coletivas de incentivo. A vida de todos estava em jogo.

— Estou indo ao hospital agora. Encontramos um ex-morador de São Vítor no caminho para cá, na beira da estrada. Eu não me lembrava do sujeito, mas um dos soldados o reconheceu. Parece que foi mandado embora porque roubava coisas das casas dos outros moradores, e isso não é tolerado por aqui, mas, como está desacordado e parece que vinha buscar ajuda em São Vítor, para mim não é correto largar um moribundo na estrada. Fiz votos para tratar os necessitados, não posso negar o que vai no meu caráter. Deve ter passado fome e está desacordado de fraqueza. Por que não vem comigo? Assim conversamos mais.

Lucas atendeu prontamente ao pedido e, junto a Carlos, seguiram para o pátio de entrada do quartel. É claro que estava curioso para conhecer mais daquele mundo ao lado de quem diziam ser seu semelhante, mas o que logo veio à cabeça de Lucas foram um par de olhos verde-acinzentados e lábios largos e sensuais. Talvez tivesse sorte de encontrar com a sua linda doutora Ana.

Francis pediu que Carlos conduzisse a motocicleta com a carroceria até o HGSV, enquanto caminhava ao lado do novato. No trajeto, que levou quinze minutos de caminhada pelas ruas mal iluminadas por luzes que escapavam das frestas de algumas janelas ou por tochas chamejantes espalhadas aleatoriamente, Francis explicou que, sete anos depois da Noite Maldita ter desencadeado os fatos, ele despertou em um pequeno hospital na região de Cabo Frio, no Rio de Janeiro. Naquela época, os sobreviventes já viviam em pequenos povoados fortificados que começavam a montar em São Vítor, a dias de viagem dali. Pouco se sabia sobre os bentos, mas já existiam seis. Os homens viravam lendas vivas por conta de atos destemidos e combates memoráveis contra as investidas vampíricas em suas vilas. Logo, Francis ganhou fama igual, e da germinal São Vítor chegou uma mensagem: estavam reunindo os bentos e era imprescindível que estivesse lá em poucos dias. Explicou que foi nessa ocasião que o velho Bispo também começou a ganhar fama por suas previsões certeiras e pelo esboço da profecia. Começava a acender esperança entre os sobreviventes.

Francis falava pausadamente e, muitas vezes, parava para olhar nos olhos do novato e passar algo com mais emoção ou então ajeitar os bigodes finos e bem aparados, que pareciam dois triângulos com as bases unidas abaixo das narinas do homem. Revelou também que foi em São Vítor que começou a lembrar-se de sua vida passada, e parecia que o destino estava colocando-o no lugar certo. Participar da organização do Hospital Geral foi fundamental para reavivar sua memória. Francis tinha sido médico do Hospital das Clínicas, na São Paulo viva, e, com o passar de mais alguns meses, lembrava-se de quase tudo. Explicou para Lucas que não deveria ter pressa em recuperar a memória, pois era como mágica. "Você está amarrando uma pamonha e, de repente, zás! Vai voltando tudo." O bento veterano explicou que, em pouco tempo, Lucas poderia ter acesso ao seu prontuário no HGSV. Alguns adormecidos contavam com essa vantagem, graças a um trabalho heroico desenvolvido por uma gangue de motoqueiros, que vivia próxima à distante Osasco.

O relato curioso e vivo de alguém que presenciou e protagonizou passagens sombrias e cruciais da recente história humana foi cortado quando chegaram ao hospital. Contrastando com as ruas escuras, o salão era bem iluminado por lâmpadas fluorescentes e o ambiente era dotado de limpeza e harmonia exemplar. Lucas viu o homem desacordado deitado em uma maca. Carlos apontou para Francis quando entraram, e uma moça de roupas coloridas deu a volta no balcão e começou a fazer perguntas. Precisava saber onde tinham encontrado o homem, em que condições, nome, coisas que ninguém sabia. Francis explicou o que pôde e disse que, pela manhã, deveriam chamar o pessoal mais velho da vila para reconhecer o ex-morador e, principalmente, fazer chegar ao conhecimento do líder Amaro o exato porquê de aquele homem ter sido expulso da fortificação. Disse, inclusive, que o homem deveria ficar sob vigilância de um guarda o tempo todo até que o conselho decidisse o que seria feito dele após a recuperação.

Francis destacou Carlos RG para a vigília inicial, e o soldado pareceu contrafeito a princípio, pois estava escalado para o muro e não tinha falado com ninguém sobre ficar no hospital escoltando um maluco achado na estrada. Francis disse que precisava resolver coisas com Lucas, mas, assim que retornasse ao quartel, pediria para alguém vir imediatamente substituí-lo. Carlos resmungou qualquer coisa e acabaram chegando a um acordo. Quando um enfermeiro levou a maca para dentro, Carlos desapareceu pelo corredor, seguindo a maca, pois não deveria desgrudar os olhos do paciente. Francis virou-se para Lucas.

— Vem. Vou mostrar a você o depósito.

— Depósito?

— É, o lugar onde guardamos os adormecidos.

Lucas aquiesceu e acompanhou por intermináveis corredores o novo companheiro. Alguns trechos eram menos iluminados que outros, e logo estavam em corredores cobertos do chão ao teto pelos conhecidos azulejos brancos. Chegaram a um elevador, e Lucas ouviu a máquina funcionar, sentindo uma leve brisa escapar pela fresta central da porta por quase um minuto até que a luz do carro surgisse do outro lado. Entraram, e o novo bento notou que no painel havia oito botões. Foi tomado por uma sensação de *déjà-vu*. Oito números diferentes, que estranho! Não havia oito andares no prédio!

Francis apertou o último abaixo, e a máquina começou a descer, parecendo acelerar. O elevador era largo e fundo o suficiente para carregar duas macas. Parou abruptamente, forçando a flexão dos joelhos do homem surpreso, e as portas se abriram. Em vez de um caminho livre, surgiu uma nova porta de metal com um painel de visor digital. Francis digitou rapidamente no painel numérico, e um alarme curto e seco soou. A porta deslizou de cima para baixo, e Lucas seguiu o parceiro, com suas botas estalando contra um piso metálico.

— Cuidado! — avisou Francis. — Qualquer coisa, segure no corrimão.

Lucas não entendeu a advertência, mas de toda forma andou com mais cautela. Esperava uma escada perigosa ou uma descida íngreme, mas nada disso encontrou. Viu só uma luz fraca quinze metros adiante e um vento forte cortante vindo dos pés, que parecia atravessar o piso metálico.

— Aqui é o depósito. Todos os adormecidos recolhidos nesta região são trazidos para cá, para centralizarmos a operação. Como você mesmo viu, não é só gente normal e bentos que despertam do sono, tem também os malditos. Mesmo desorientados e fracos pelo acordar recente, são bem perigosos, e se conseguirem tomar a primeira dose de sangue, então...

Chegaram ao fraco ponto de luz. Francis girou um botão. Lucas ouviu um zumbido demorado, como o de um flash sendo carregado e, de repente, as luzes começaram a acender. Lucas agarrou-se ao corrimão como aconselhou o amigo e sentiu uma vertigem inesperada. Estavam numa passarela metálica suspensa no topo de um imenso vão. Não podia mensurar a distância até o chão, porque a vista não alcançava. Na sua frente, distante uns dez metros da passarela suspensa, havia um piso repleto de macas e, sobre cada uma delas, um corpo coberto por um lençol branco, deixando apenas a cabeça de fora. Eram tantos! Não podia contar e estava olhando para um andar apenas! O piso repleto de macas repetia-se à sua direita e à sua esquerda. Só não existia acesso na parede terminada no elevador, que era lisa até onde a vista alcançava.

— Quantos andares?

— Sessenta andares subterrâneos.

— Sessenta?!

— Sessenta. Aqui eles são hidratados e monitorados. A capacidade é de mil e seiscentos adormecidos por andar. Até o vigésimo subsolo, todos estão em macas. Dali para baixo, todos estão em cima de colchonetes produzidos aqui mesmo. Somos responsáveis por 83 mil vidas humanas. Tem muito, muito mais gente aí fora ou em poder dos malditos.

— São mortos pelos vampiros?

— Mortos? Você não tem noção... Os adormecidos tratados pelos vampiros estão até mais preservados do que aqui.

— Você está brincando?

— Nada. Os adormecidos são fonte de sangue inesgotável dos malditos, sangue vivo. Credo — Francis fez um sinal da cruz sobre o peito metálico.

— Nossa! Tem mais gente aqui embaixo do que lá em cima.

— Tem.

Lucas olhou para o teto e viu que grandes hélices giravam lentamente, provocando a corrente de ar.

— Mantemos um eficiente sistema de ventilação que garante oxigênio abundante dia e noite.

— E como vocês sabiam que eu era eu mesmo? A doutora Ana me chamou de Lucas. Depois vi escrito em uma das fichas dela. De onde eu vim?

Francis ergueu os ombros.

— Você é o trigésimo, não é?

— Sou.

— Então para que se preocupar com o resto?

Lucas ficou calado um instante e voltou a olhar para além da passarela, projetando o corpo para o lado. Eram muitos.

— Nossa... é impressionante! — murmurou o novato. — Como não morrem?

— Ninguém sabe e ninguém nem quer mais pesquisar. Com certeza está ligado ao fato de não adoecermos mais. Ninguém morre de gripe, câncer ou derrame. Os corpos definham um pouco, mas você vai ver, logo vai ganhar força como nós, e seus músculos voltarão à forma antiga ou até melhores. Os adormecidos não têm escaras, aquelas feridas que se formam em razão da imobilidade. Não sofrem infecções hospitalares, não têm infarto, falência múltipla de órgãos, nada. Só morrem se for por falta de oxigênio, e de fome só morrem os despertos. Por isso, contamos com um avançado sistema de vigilância, um luxo destinado ao subsolo apenas, pois não temos abundância de energia elétrica. Usamos câmeras com visão noturna que trafegam em trilhos fixos no teto de cada andar. Voluntários também cuidam da patrulha diária para monitorar esse exército de gente em estado de hibernação. Ao menor sinal de movimento, vêm os enfermeiros remover os recém-acordados para cima.

— É muito impressionante!

— Você ainda não viu nada, Lucas. É impossível absorver todas as novidades no primeiro dia. Você vai ficar com essa cara de espanto por mais uns seis meses ainda. Estou até estudando com o conselho para formar uma espécie de cartilha para o recém-desperto estudar. É muita coisa, muita informação, e todos se sentem perdidos.

— Põe perdido nisso, estou até tonto. E o pior é acordar e saber que você é o cara que tem que pôr um ponto-final nessa desgraça.

— Nem tudo é desgraça nessa nova vida, meu amigo. Tem muita coisa boa acontecendo também. Talvez eu sinta até saudades quando este inferno todo passar. Quero que os vampiros acabem, só isso. Nossa vida vai bem assim... sem os dentes deles.

— Saudades? Saudades de quê?

Francis abriu um sorriso e bateu com a mão no cabo da espada.

— Somos bentos! Somos especiais, uma coisa importante nesta vida que todos levam. Eles se amparam em nossa imagem, em nossa presença, Lucas. Você vai aprender isso também.

Lucas balançou a cabeça anuindo, mas, pessoalmente, achava difícil que alguém de fato sentisse falta daquela vida, sem os confortos de outrora.

— Vamos. Temos que chamar um guarda para render o Carlos RG. Ele tem que voltar para o muro. A escala não pode ser quebrada.

Em cerca de seis minutos, estavam fora do hospital. Francis explicou mais uma coisa a respeito do estoque: todos os adormecidos possuíam um prontuário anexo à maca e uma etiqueta no dedão, como corpos no IML. Os prontuários tinham poucas informações médicas, mas principalmente um histórico a respeito do paciente. Diziam onde foram encontrados, em que condições, o possível endereço residencial e onde estavam os familiares. Em muitos casos, as pessoas conseguiam reencontrar a família. Uma vez a cada dois meses, eram montadas tropas para escoltar os adormecidos que tinham parentes até as fortificações onde estes deveriam residir. Todos tinham direito a uma tentativa. Dali para a frente, deveriam se arranjar com o pessoal da cidade destino. Alguns desses prontuários eram mais detalhados, contendo fotografias, documentos, agendas, arquivos de programas e coisas que poderiam ser úteis para a memória do recém-desperto. Esses prontuários "bônus" eram conseguidos por gangues fora das muralhas, como a mencionada anteriormente pelo bento veterano.

Em instantes, voltaram para as ruas mal-iluminadas. Tinha esfriado bastante, e Lucas ergueu os olhos para o céu. Já estava completamente escuro e o firmamento encheu gloriosamente a visão do novato.

— Nossa!

— Eu falei, Lucas, que esse espanto não para. Vai ser um "Nossa!" atrás do outro.

Lucas sorriu e apressou o passo para acompanhar o veterano. Estavam a meio caminho do quartel quando ouviram em alto e bom som três explosões repetidas. Estancaram.

— Rojão de três tiros... — balbuciou Lucas, com os olhos demonstrando surpresa.

— Vampiros! — bradou Francis, começando uma corrida em direção ao muro.

* * *

O horteiro Feijão e o mecânico Ivan tinham chegado ao pé da torre esquerda religiosamente às dezessete e trinta. Traziam uma mochila com mantimentos para as 24 horas de vigília. A dupla rendida descia rapidamente a escada vertical de madeira, e a prática fazia com que os vinte metros de altura não intimidassem mais os homens. A torre, feito uma casa na árvore, era montada no alto de um corpulento tronco de jequitibá. O posto era relativamente espaçoso, cabendo os dois homens de plantão. Enquanto um descansava sobre um colchão fino, o outro ficava sentado no chão de tábuas, atento, e tinha à disposição uma potente luneta, uma moringa de barro para a água fresca e uma rústica peça de ferro fundido bem estreita, de um metro de altura, cuja extremidade superior terminava em uma caixinha ventilada, onde tentavam manter brasas acessas para a feitura do café ou qualquer coisa quente para ingerir. Os últimos dias haviam transcorrido com relativa calma nos postos de observação, mas, mesmo assim, as primeiras horas na torre eram tensas, com pouco papo e muita reza. A nova dupla sempre chegava quando o sol já estava tocando a mata. Em pouco menos de uma hora seria noite fechada, e os vampiros poderiam atacar a qualquer momento. Essa sensação era ainda pior para as duplas que cuidavam das torres 1 e 2. Por razões desconhecidas, os vampiros idiotas preferiam esse caminho, ou iam em direção ao muro 1, ou corriam para o muro 2. Eram burros, os vampiros. Os muros do lado sul eram mais baixos, no entanto eram desprezados pelas criaturas. Ser vigia das torres 3 ou 4 despertava alívio. Feijão nem sequer se lembrava de ter ouvido falar de morte nas torres sul. Os malditos sempre vinham pela 1 ou pela 2, mas dificilmente atacavam as duas ao mesmo tempo.

Feijão, corpulento, remexeu a mochila e retirou embornais com frutas, um com mangas-rosas e outro com um bom tanto de jabuticabas negras e roliças, como o horteiro, e algumas mexericas cheirosas. Feijão também tirou da mochila duas marmitas, dentro das quais estava o jantar da dupla. O almoço do dia seguinte seria trazido por alguma boa alma pela manhã. Por último, puxou um potinho com pó de café, voltou-se para o braseiro e reavivou as chamas. Primeiro, passaria um café do jeito que gostava.

Ivan, um mecânico mato-grossense habilidoso que foi acolhido em São Vítor junto ao pai e à mãe havia dez anos, também foi até a mochila e dela retirou a munição. Olhou para o canto onde jazia o equipamento de trabalho na torre (dois rifles e duas dúzias de municiadores cheios) e pensou que balas não faltariam. Introspectivo, costumava falar somente quando lhe perguntavam algo, mas, mesmo assim caladão, gozava de boa fama com os amigos de trabalho por ser tido como uma pessoa agradável e gentil. "Uma boca fechada faz muitos amigos", pensava ele, que tinha casado ali mesmo em São Vítor. Cida, sua esposa, veio também do Mato Grosso, mas de uma cidade muito a noroeste de Cuiabá, fazendo quase divisa com Rondônia. Ivan compadecera-se da mulher, que tinha perdido uma criança para o lado das trevas, um menino de nove anos que se tornou vampiro na grande mudança. Cida e o filho caçula adormeceram naquela maldita noite. Ela acordara doze anos antes, e a alegria só veio esquentar um pouquinho seu coração quando o filho mais novo também acordou do sono inexplicável. Ivan, que havia consolado por conversas seguidas o coração de Cida, viu-se contagiado pela felicidade da mulher, sentindo-se bem ao lado dela e do menino. Não demorou muito até entender que não conseguiria mais viver sem aquelas duas pessoas em sua vida, e o casamento veio como consequência natural.

Feijão estendeu um copo com café fumegante para o vizinho, que terminava de checar as armas. Ele também era uma figura quieta e dava-se bem com o parceiro de cabelos ruivos e pele sardenta. Olhou para a floresta, trezentos metros à frente, para a luz que minguava rapidamente. O cruzeiro de tochas no areião tinha sido aceso pela dupla rendida. Eram quatro latões cheios de óleo que queimavam e emitiam uma luz flamejante que dançava e variava de alcance de acordo com o vento. Olhou para a torre 2 e viu que seu cruzeiro também ardia, permitindo boa visão do areião, mas a luz das tochas acabava muito antes da floresta, o que não chegava exatamente a ser um problema para o trabalho, uma vez que os malditos vampiros possuíam olhos que ardiam feito brasas quando se preparavam para o ataque, e era impossível não vê-los. Muitas vezes, os olhos treinados na tarefa detectavam até mesmo um único par de globos chamejantes correndo pelos galhos, feito um macaco esperto, mas que de macaco não tinham nada. Esses bichos eram assassinos empoleirados, aguardando um momento de distração ou de fraqueza

Bento

da cidade para, mais uma vez, investir contra os muros, tentar lograr os soldados e invadir o hospital de São Vítor.

Ivan não era muito de conversa. Sentado no chão de tábua, colocou a caneca de ferro esmaltado e de pintura gasta pelo uso em cima de um banquinho à sua direita. Feijão olhava pela estreita janela de vigilância. Existia uma espécie de varanda que contornava a torre quase inteiramente, mas depois do pôr do sol a porta de acesso à área externa ficava sempre fechada. Ivan tirou da mochila um estojo de madeira com seu equipamento de limpeza, que fazia parte do seu "fazer hora". Como tinha que ficar 24 horas enfurnado na torre, matava o tempo limpando os rifles. Às vezes, repetia a tarefa três vezes durante a espera, desmontava e limpava minuciosamente. Deixaria para desmontá-los depois do amanhecer, pois esse cuidado durante a noite não convinha. Por ora bastava um lustro para começar a matar o tempo. Espalhou um produto de cheiro forte em um paninho velho e começou a limpeza superficial da arma. Esfregava a coronha da arma para tirar a gordura aderida pelo contato com os parceiros menos prendados. Tinha estado no movimento monótono de vaivém com o pano por um bom tempo, desanuviando, quando seus olhos bateram de relance na caneca do amigo negro, que não parava quieta, com respingos do líquido preto indo ao chão. O beiço proeminente do camarada subia e descia sem controle. Ivan sentiu o sangue esfriar nas veias. Feijão estava tremendo dos pés à cabeça. Colocou-se de joelhos e espiou pela janela. O coração disparou, e um suor frio brotou na testa. Não no plantão deles! Não podia ser! Engoliu em seco e trocou um olhar com Feijão. O negro parecia ter retomado parcialmente o controle, posto que só a caneca chacoalhava, derrubando o café pelo assoalho. O horteiro tirou os olhos escancarados da janela e fixou-os em Ivan.

— É agora, irmão — balbuciou Feijão, voltando-se para a floresta.

Pares de brasas rubras dançavam inquietas entre os galhos das árvores. Umas saltavam ao chão, outras pareciam voar. Em poucos segundos, o número dobrou e, no final de um minuto, a floresta em frente à torre 1 parecia estar em chamas. Feijão, ainda trêmulo mas ciente do dever, apanhou o rojão de três tiros.

— Espera, irmão, quem sabe eles vão embora... — pediu Ivan, segurando o braço do parceiro, que já procurava a trava no teto do cômodo para disparar o alarme. Feijão engoliu saliva, os olhos não desgrudavam da floresta. Mais um minuto que pareceu levar um ano se passou, mas o número de brasas crescia.

— Eles vão invadir, Ivan. Nunca vi tanto vampiro.

— Deus do céu! Cuida do meu filho e da minha mulher, meu Deus! — pediu Ivan, fazendo o sinal da cruz. — O que a gente faz, Senhor?

— Calma, homem!

— Eles vão acabar com a gente, Feijão!

— Nunca vi tanto vampiro, Ivan. Se a gente der o aviso antes, pelo menos a vila tem alguma chance... e melhora para o nosso lado também, porque vão começar a atirar neles antes de alcançarem a torre.

— Santo Deus! Faz o que tem que fazer, Feijão, dispara logo essa merda! Ai, Pai do céu! Nós estamos fritos! — praguejou o mecânico, colocando o cano do rifle através da janela. Os olhos não paravam, acompanhando, arregalados, o crescente movimento dos malditos na mata adiante.

Feijão espetou uma brasa do braseiro e levou até o pavio do rojão. Enquanto ouvia o pavio consumir-se, Ivan recolheu o rifle rapidamente. Retirou a corrente com um crucifixo do pescoço e enroscou na ponta do cano da arma. Estremeceu quando ouviu o estouro do disparo seguido de três explosões. O alerta estava dado. Voltou a colocar o cano do rifle através da janela estreita em altura, mas larga na horizontal. O crucifixo dançava de lá para cá, denunciando o tremor da arma.

Feijão apanhou seu rifle também. Estava pronto para o uso. Ivan já tinha deixado o equipamento no jeito. Retirou do saco na parede o rojão de seis tiros. O coração batia acelerado, e agora os olhos estavam fixos na mancha. Os olhos negros do horteiro refletiam a floresta envolta em chamas espectrais. Nunca tinham visto tantos vampiros.

* * *

Vicente ergueu os olhos para o céu. Três disparos. Vampiros. Sentiu o característico embrulho no estômago que antecedia o combate. O alvoroço começou no muro, e ele não precisou gritar ordens. Os líderes de tropa é que comandavam os homens, mas depois de tantos anos de confronto, todos sabiam mecanicamente o que tinham de fazer. Não se passaram nem três minutos até que um caminhão parasse perto do muro e de lá descessem os guardas extras de muralha. Mais um minuto até que todos estivessem em posição. *Snipers* nas posições mais altas e dois soldados montando a metralhadora "deita-corno".

Vicente já tinha deixado o muro e procurava pelo bento novato. Agora era a hora da verdade, de saber se aquele magricela realmente era quem diziam ser. Ao passarem em frente ao quartel, bento Francis apanhou uma motocicleta. Lucas vinha na garupa. Pararam bem antes do muro, e, enquanto saltava da moto, Lucas teve um braço agarrado por Vicente, que se aproximou com sua capa desbotada esvoaçando.

— Hora da verdade, bento.

— Não se preocupe, Lucas. — disse Francis. — Isso faz parte de nosso ritual de iniciação. É uma brincadeira entre iguais. Uma espécie de prova final.

Lucas viu os braços agarrados pelos bentos. Foi arrastado até o meio de duas toras de árvores enterradas na areia.

— O que é isso?

— Relaxe, Lucas! — gritou Francis. — Se fosse para o seu mal, eu não estaria fazendo isso. Você não confia em mim?

Lucas, desorientado, disse que sim, enquanto via os pulsos serem atados em algemas de ferro. Grossas correntes davam a volta nos troncos de madeira e agora terminavam em seus punhos. Estava preso. Como queriam que lutasse daquele jeito?

— Não posso lutar assim! — bradou Lucas.

— Um bento de verdade pode! — respondeu Vicente, rindo no final.

— A profecia diz que você é especial, então vai ter que nos mostrar por quê — juntou Francis.

— Eu não posso lutar assim!

— A profecia diz que você vai salvar o mundo dos vampiros.

— Eu não sei lutar contra vampiros. Vocês têm que me ensinar!

— Para de chorar, mocinha. Se você é especial, vai tirar esse batizado de letra.

A argumentação foi interrompida quando ouviram seis tiros espocando. Era o aviso final.

— Rojão de seis tiros, Lucas! Hoje é seu dia de sorte! Lembra o que isso significa?

— Significa que eles estão vindo — respondeu o novato a Vicente.

Francis colocou-se de joelho e começou a orar. Vicente aproximou-se de Lucas e agarrou-lhe brutalmente o rosto pelo queixo.

— Todo mundo fala que você vai dar um jeito neste inferno. Quero só ver. Aposto que você não aguenta nem erguer essa espada.

— E se eu não for o tal? Como vou me salvar, preso nessas algemas?

— Se você não é o tal, por que deveria se salvar? Se a profecia for uma farsa, é melhor que você seja morto pelos vampiros para pagar a derrota do povo. Para sua sorte, esses noturnos são rápidos.

Vicente afastou-se, andando em direção ao muro. Francis terminou a oração e ficou em pé. O peito de prata luzia, refletindo a chama das tochas ao redor. Disparos esparsos foram ouvidos do muro.

— São os atiradores, Lucas. Quando começar a ouvir a artilharia pesada do muro é porque eles estão perto. Se os atiradores pararem de atirar, é porque os caras das torres já eram.

— E vocês, quando vão ajudar?

— Só quando os vampiros cruzarem o portão e o cheiro dos malditos sequestrar nossa sanidade. Aí vamos nos engalfinhar e só vamos parar quando todos estiverem mortos. Eles ou nós.

Lucas abaixou a cabeça. Um suor frio desceu da testa, escapando da touca de prata. O cheiro... ele estava sentindo aquele maldito cheiro... o mesmo fedor horrível que Gabriel exalava no hospital. Sentiu os olhos arderem, chacoalhou as correntes, queria sair dali. Vampiros de uma figa! Era tudo culpa deles! Por que tinham que estar ali? Tinha arrancado a cabeça de Gabriel, colocado as tripas do homem para fora, e faria o mesmo com aqueles desgraçados! Deu um puxão na corrente. Francis olhou para trás e sorriu para o bento agitado. Lucas passou a respirar pesado, enchendo todo o peito e depois soltando o ar lentamente à medida que seus ouvidos captavam as explosões sucessivas. O muro todo começou a atirar. Francis estava falando alguma coisa para Vicente, de costas para Lucas, mas o cérebro do novato não queria ouvi-lo. Os tiros espocavam, e seus olhos acompanhavam os homens do muro que gesticulavam, fazendo sinais, erguendo as armas. Ele sentiu dor de cabeça e aquele fedor horrendo foi tomando suas narinas. Seus olhos arderam como se pegassem fogo. A escuridão mudou com um brilho no céu, os tons mais claros tornaram-se amarelados, e começou a ouvir guinchos e grunhidos das feras. Lucas dobrou os joelhos e também grunhiu. Francis parecia começar também a sentir a aproximação dos vampiros e deu alguns passos para a frente. Lucas fechou os olhos, e o céu amarelo, por causa da luz bruxuleante emanada pelas tochas nos muros e nas casas, desapareceu. Era como se tivesse perdendo os sentidos.

— Se prepara, Lucas, eles estão chegando!

Vicente fez um sinal da cruz e desembainhou a espada. Ouvia os gritos dos soldados e das feras. Um soldado caiu do muro para a parte interna da fortificação com duas flechas cravadas no peito. Maldição! Ivan não parava de atirar com a preocupação estampada no rosto. Atirava e rezava e pensava que, se ao menos Feijão pudesse ajudar, tudo seria melhor. O coração quase parava quando a munição acabava e ele perdia segundos preciosos na substituição do cartucho vazio pelo carregado.

Feijão estava imóvel, caído no chão, com uma flecha atravessada na garganta. O sangue cruzava as tábuas e escorria pelos sulcos entre as madeiras. Aquilo só servia para atiçar ainda mais a sede daqueles malditos. Por precaução, Ivan tinha descido a proteção de madeira da janela estreita, e ouvira ainda meia dúzia de flechas baterem na tábua. Estava com a escotilha da escada aberta e metia bala para baixo, tentando, em vão, impedir a aproximação das criaturas. Uma pilha de corpos de vampiros jazia imóvel no areião, e era mais fácil acertar aqueles que tentavam subir do que se preocupar com os que já tinham conseguido e agora saltavam no telhado e no corredor da vigia, distribuindo unhadas contra as tábuas para tentar descascar a proteção do humano.

O mecânico procurava enfiar a bala de prata bem no meio dos olhos das criaturas para que não se levantassem mais e, se não fossem salvos pelos amigos de presas longas e arrastados para as tocas, morressem definitivamente com a chegada da manhã. Enxugou o suor da testa, não estava fácil. Os malditos não usavam necessariamente a escada e muitos escalavam enfiando as unhas no tronco do jequitibá, alcançando o topo sem entrar na sua mira. Vinham rápido, rodeando a pequena casa da árvore, como marimbondos ao redor da colmeia, com os rostos voltados para cima, encarando Ivan com as bocas escancaradas e sorrisos malditos contrastando contra as presas pontiagudas. Quando a munição terminou pela enésima vez, Ivan notou que as criaturas estavam muito perto. Tampou a escotilha do chão e arrastou o pesado corpo de Feijão para cima dela. Por baixo não iriam entrar. Recostou-se no fundo da guarita, praticamente sem ar. O peito queimava. Todas as portas estavam travadas. Puxou a caixa de municiadores para perto e recolocou um pente no fuzil. Sua respiração era entrecortada, e parecia a um instante de cair, vítima de enfarto. Era duro confrontar a morte e saber que a passagem para o outro mundo seria em questão de minutos, talvez até de segundos.

Ouviu pancadas no teto da guarita e soube que os malditos estavam lá em cima. Disparou algumas vezes contra o telhado de madeira. Estavam batendo no teto e na porta de acesso à varanda de observação. O corpo de Feijão parecia vivo de tanto que chacoalhavam as tábuas da escotilha do chão. O negro sem vida rolou e uma cabeça pálida de uma vampira demoníaca surgiu pela fresta. Ivan ergueu a arma e a cápsula explodiu. A cabeça da maldita desfez-se em pedaços, sumindo pela abertura. Três segundos e outra criatura tomou o lugar da primeira. Era um homem. Novo disparo, e Ivan gritou desesperado dessa vez, achou que ia morrer! Viu o terceiro vampiro, e sua arma vacilou, o dedo do homem tremeu. Era uma criança, uma menina! Os olhos vermelhos brilharam, enchendo a guarita daquela luz maldita, e Ivan superou o bloqueio momentâneo para fazer o topo do crânio da menina desaparecer. Ossos ensanguentados cravaram-se na parede oposta. Dessa vez, o corpo da criatura demorou a cair, quase forçando o homem a disparar novamente. A zoada no telhado só crescia e as batidas contra a porta lateral da guarita aumentavam, mas Ivan mantinha os olhos fixos no buraco, não havia chance de eles entrarem por ali. Morreria, mas mataria o maior número possível de noturnos. A porta lateral voou para dentro da guarita, derrubando o braseiro. Uma nova cabeça pálida e peçonhenta surgiu pelo buraco da escada. Mais um tiro e outra cabeça. Um vampiro entrou pela porta lateral. Ivan não errou o disparo, mas o vampiro não caiu. No instante seguinte, quando puxava outra vez o gatilho, sentiu uma dor lancinante no peito e Ivan gritou. A dor foi aumentando, e ele entendeu que uma flecha tinha perfurado sua carne, atravessado seus ossos, prendendo-o à parede.

Ainda conseguiu atingir o novo vampiro que aparecia pelo buraco de baixo. Ergueu o fuzil na direção do vampiro resistente que entrava pela porta lateral, fumaça saía do ferimento aberto de seu pescoço, que grunhia enraivecido e injetava-lhe um olhar amedrontador. Disparou, atingindo o inimigo repetidas vezes, fazendo-o tombar bem na porta, com a cabeça para fora. Um novo vampiro surgiu pelo buraco da escotilha e um segundo pela porta lateral. Dor infernal! Ivan puxou o gatilho na direção do que vinha pela porta. Um estalo seco. Nenhuma explosão. Os vampiros franziram o cenho e fixaram o olhar no bravo sentinela. Ivan puxou a arma, não para recarregar, pois não havia mais tempo, mas para retirar a correntinha com o crucifixo do cano quente do fuzil. Mal teve tempo de desenroscar a peça a segurá-la contra a palma da mão, quando foi agarrado e erguido pelo pescoço, ferindo a cabeça ao batê-la contra o teto. A explosão de dor atrapalhou a visão, a cabeça latejava e o sofrimento causado pela flecha aumentava terrivelmente. O vampiro que tinha entrado por baixo do abrigo lambia o sangue de Feijão. Mais um entrava pelo buraco do chão, grunhindo e erguendo as narinas, embebedando-se do aroma hipnótico do sangue fresco derramado. O vampiro forte que o mantinha preso pelo pescoço exibia os dentes, anunciando seu final. Ivan apertou o crucifixo, fechou os olhos e sentiu o ar faltar no peito, como uma asfixia. A mão inimiga apertou ainda mais a traqueia. O sangue brotou do pescoço ferido pelas garras afiadas da criatura, que penetravam sua carne. A haste da flecha rompida ainda estava cravada no tórax, quase na base do pescoço, sendo arrancada lentamente pela criatura.

Quando achou que desmaiaria de dor, notou que os malditos estavam estáticos, nenhum deles mexia-se. Pareciam esperar alguma coisa. Ivan fechou os olhos seguidas vezes, não porque quisesse, mas faltava-lhe forças para manter-se acordado. Os vampiros tentavam escutar algo, e o humano percebeu que o barulho do lado de fora tinha cessado. Ouvia os tiros ao longe, vindos da muralha, mas as batidas no teto tinham parado. Parecia ser isso o que os vampiros estranhavam, e com razão, era estranho demais. A casa da árvore estava tomada por vampiros enlouquecidos pelo cheiro do sangue, e seus olhos iam daqui para ali, buscando explicação, quando ouviram seguidos baques, como corpos caindo. De tanto estranhamento, o agressor chegou a afrouxar a garra e soltar Ivan no chão. Ao cair, a sentinela inspirou fundo, mandando oxigênio para a circulação. Deitou-se e quase perdeu a consciência. A flechada tinha provocado uma ferida fatal. O sangue abandonava o corpo com rapidez agora que a haste de fibra de carbono repousava na mão de seu algoz. Estava frio. Ouviu mais três baques. Corpos foram ao chão, e Ivan forçou a visão uma última vez antes de mergulhar nas trevas. Uma mancha vermelha movimentava-se na guarita. Ergueu a mão com o crucifixo pendurado para o santo salvador.

— Bento... — murmurou ao desmaiar.

* * *

Instantes antes, Francis via Vicente poucos metros à sua frente, estando o grandalhão mais próximo do muro. Também segurava a espada e a balançava com ansiedade. O combate avizinhava-se. Logo os malditos estariam pulando o muro e seria a vez dos bentos baterem com as espadas. Fatiariam os invasores e lutariam com gana, sabendo enfim por que a profecia dizia que Lucas seria especial em combate. Dependiam daquele confronto para colocar em prática a sequência do plano de reunir os trinta bentos.

Francis controlou a respiração e o odor foi intensificando-se. O cheiro das criaturas era inconfundível. Sentiu o suor brotar na testa e o frio na barriga, era sempre assim. Cada um tinha uma reação, e, para ele, era como estar a bordo de um carrinho de montanha-russa. Aquela era a hora em que o carrinho se desprendia do cabo do elevador e entrava no trilho para o primeiro mergulho. Os tiros explodiam e era formidável assistir ao trabalho do muro. Os soldados eram bravos e derrubavam um bom número de criaturas, mesmo que os malditos usassem a velocidade sobrenatural da qual eram dotados. Mais três disparos de sinalizador para o céu foram ouvidos. Os foguetes subiam até quase perderem-se de vista e depois desciam vagarosamente, incandescentes, banhando de luz o deserto e permitindo maior sucesso contra as criaturas. Os disparos foram diminuindo de intensidade, o que era um fato estranho. Muitas vezes, os soldados conseguiam impedir a passagem dos malditos sem a interferência dos bentos, mas, dessa vez, estavam muito agitados, gritando várias vezes que a mancha era gigante. Francis conhecia esse ritual e sabia que, pelo volume de gritos e movimentos, logo os malditos ganhariam os muros de São Vítor. Era questão de poucos minutos, mas alguma coisa anormal estava acontecendo.

Os tiros reduziram-se e depois veio uma explosão de vivas e festa por parte dos soldados. Francis estranhou mais e buscou os olhos de Vicente. O bento estava parado, de costas para o muro, com os olhos esbugalhados em direção aos pilares onde Lucas havia sido acorrentado. O trigésimo bento não estava mais lá! As correntes balançavam soltas diante dos olhos espantados dos dois veteranos. Francis, lentamente, virou a cabeça. Não podia ser!

* * *

Lucas parou, retomando o controle sobre a respiração e sobre o próprio corpo. A luz amarelada do céu tinha desaparecido. O que se via agora eram pontos de luz vermelha, descendo lentamente do céu. Eram sinalizadores, como aqueles usados pela Marinha. Encarou enojado a espada suja de sangue negro, fedorento e podre e desviou o olhar para o chão, mas sua visão encheu-se com um quadro que só poderia ser o do próprio inferno. Nem Dante imaginaria um cenário igual. Guardou a arma cortante na bainha e olhou para os braços feridos. As argolas das algemas ainda estavam presas em seus punhos e, de ambas, pedaços das correntes que o aprisionaram momentos antes pendiam com seus elos encadeados, balançando como pêndulos. Aos seus pés, o corpo moribundo de uma sentinela agonizante. O bento estava tonto, mas sentia-se muito bem.

* * *

Francis chegou ao topo do muro 1. Tinha que tomar cuidado com as cápsulas espalhadas pelo chão, que seriam recarregadas. Colocou as mãos na borda da muralha e olhou para o areião, incrédulo. As luzes vermelhas dos sinalizadores desciam sobre um mar de corpos de vampiros aniquilados. A meio quilômetro dali, cercado por cadáveres decapitados amontoados, podia ver um homem com capa vermelha, o bento novato!

— Eu parei de atirar só para assistir — disse um dos soldados, dando um tapinha no ombro do guerreiro incrédulo.

— Ele é o cara, bento Francis! Ele é o cara! — acrescentou outro.

Francis trocou mais um olhar silencioso com Vicente, que também tinha chegado ao muro. Nunca tinham visto aquilo. O velho Bispo estava certo. O trigésimo bento chegaria ao mundo para acabar com os vampiros e já tinha começado bem. Segundo os soldados, Lucas tinha acabado com metade do exército que viera com carga total. Deitados no areião, deveriam existir mais de 2 mil corpos.

Os homens do muro ficaram estáticos, assistindo o bento aproximar-se pela areia, trazendo um corpo sobre o ombro direito. Ao cruzar o portão, Lucas foi recebido com vivas e muita excitação. Os soldados nunca tinham visto nada igual. Ivan foi prontamente socorrido e levado com vida pelo caminhão até o hospital, tinham que agir rápido se quisessem salvar o pobre homem. Bastava estancar o sangue e repor o volume perdido. Aquele mundo onde doenças não existiam estava livre de infecções, inflamações e tormentos que acompanhavam ferimentos daquela proporção.

Lucas ainda conservava um ar de embaraço, perdido no meio da situação. Não tinha bem certeza do que tinha feito, muitas imagens ocupavam sua cabeça. Estivera de fato no areião, lembrava-se do momento em que, investido de puro ódio, tirou a espada da bainha e traçou o primeiro arco no ar. O metal silvou e perpassou o pescoço de uma das criaturas. A cabeça gritante rolou para cima e tombou na areia. Lembrava-se de subir aquela escada vertical de madeira e de ir destroçando o que encontrava pela frente, com pedaços de corpos caindo. Queria salvar o soldado e vampiro nenhum impediria isso, mataria todos aqueles fedorentos. Os vampiros gritavam, e ele viu-se parando no topo da casa da árvore. Sua capa esvoaçava, belíssima, enquanto ele salvava a sentinela. Desceu com o homem nos ombros, largando-o no areião quando foi cercado por vampiros vindo de todos os lados, alguns atirando flechas.

Lembrava-se de ser melhor e mais rápido e, nesses momentos, quando era o mais veloz, sentia um frio na barriga. A maioria dos vampiros parecia congelada no tempo e ele, feroz, rasgava as carnes pálidas, removendo cabeças do lugar. Manejava a espada como se a tivesse usado a vida toda, como se fosse algo que brotava da palma de sua mão, uma extensão que fazia parte de seu corpo. Sabia exatamente qual caminho traçar com a lâmina, como deslizar sobre o osso com seu fio afiado. Os corpos tombavam diante da sua fúria, e sua capa vermelha dançava, confundindo o inimigo, protegendo-o do agressor. A medalha de São Jorge sacudia no peito, seus dentes estavam cerrados, seus olhos injetados. Ossos e restos de vampiro batiam contra seu peito de prata. Ele abaixava-se e levava pernas e joelhos, aparava um golpe com a espada e dava um contragolpe com precisão e certeza de destruição. Via o desespero nos olhos das criaturas, opressores vendo-se oprimidos, enquanto girava e a capa vermelha voava. Respirava fundo, enchia o peito e aparava mais golpes, com a espada em seu braço batendo contra a malha de metal.

Nessa hora, como se estivesse saindo de um transe, no meio dos soldados, já protegido na fortificação, Lucas olhou para o braço atingido. Doía próximo ao cotovelo. Mexeu-o e viu que a articulação funcionava bem, era uma ferida muito pequena para quem havia enfrentado e vencido um exército de demônios.

Depois de entregar a sentinela para os soldados, cercado pelos homens que lhe rendiam exclamações de surpresa e imediata devoção, Lucas voltou para o portão. Atravessou novamente a pequena abertura, suficiente para passar um homem por vez, e viu Vicente e Francis a vinte metros de distância. Andavam entre os corpos, separando as cabeças dos vampiros que ainda se mexiam. Outros soldados também se adiantaram para puxar pelas pernas alguns dos corpos. Lucas alcançou os bentos, que estavam calados. Francis abriu um sorriso.

— Então? O que achou?

Lucas encolheu os ombros sem dizer nada.

— Você é especial, não restam dúvidas — tornou Francis.

Mais soldados passaram pelos bentos. Os homens puxavam os corpos espalhados, concentrando-os junto ao muro.

— O sol vai dar cabo desses corpos fedorentos — explicou Vicente. — Quando amanhecer, já era. Virarão pó.

Onde estavam, poucos dos vampiros estavam decapitados. A maioria, que agonizava, havia caído vítima das balas dos exímios atiradores de muralha.

— Se ainda existem alguns vivos, por que não estamos daquele jeito, parecendo malucos? — perguntou Lucas.

— Não sei — respondeu Francis, enquanto descia a espada no pescoço de uma vampira, que sofregamente levantou a mão tentando evitar o golpe. — Sei que, quando estão assim, moribundos, não ficamos descontrolados. Mas basta começarem a atacar, querendo nos pegar...

— É isso mesmo, bento. Se os vampiros não atacam, não ficamos loucos. Sentimos o cheiro, sabemos que estão por perto, mas se um deles pensar em levantar o dedo para nos pegar, pronto! Parece que o cão atiça a cabeça da gente e viramos marionetes assassinas de vampiro — completou Vicente.

Lucas franziu a testa com repugnância. Vicente tirava a espada do peito de um vampiro e abria-lhe um talho na barriga. O vampiro era um homem gordo, e da ferida escapou um bolo negro e malcheiroso, revestido por uma película brilhosa. Vicente espetou a bolha e um líquido espesso e duas vezes mais fedorento misturou-se com a areia.

— Sangue podre... — murmurou o soldado.

Lucas recuou dois passos, enojado. Olhou para o grupo de soldados que, com cautela, removia um vampiro decapitado de cima de um grupo que ele havia atacado. Retiraram outro corpo e, quando deram as costas, um par de braços brancos e de veias roxas levantou-se do amontoado de corpos, colocando uma flecha no arco que trazia. Um vampiro vivo e armando o ataque!

Os bentos Vicente e Francis pararam com o trabalho quando ouviram o grunhido escapando da boca de Lucas. Estáticos e espantados, viram os olhos do trigésimo bento mudar de cor. Eram como as brasas que queimavam os olhos dos malditos noturnos, mas, em vez de vermelho maléfico, os olhos emanavam uma luminosidade amarela viva. Era assustador. Contudo, as estranhezas não terminaram. Em um piscar de olhos, Lucas tinha desaparecido e ressurgia duzentos metros à frente, a tempo de evitar que a flecha armada por um maldito fosse disparada contra os trabalhadores. A espada zuniu com tamanha agressividade que a cabeça do vampiro subiu dez metros antes de cair ao chão. Viram Lucas olhar para os lados, grunhindo como uma fera da escuridão, ameaçador. Quando o corpo do vampiro desfaleceu sobre a pilha, os olhos amarelos apagaram-se lentamente, de um modo sinistro. Trocaram um olhar demorado.

— Nunca, nem no céu nem no inferno, vi isso na minha vida — murmurou Vicente.

— É, grandão, você vai ter que dar o braço a torcer. Esse cara é o presente de Natal que estava faltando. A profecia não tem erro, ele vai ser a peça-chave na luta contra os vampiros.

— Você acha que com ele conseguimos invadir o Hospital das Clínicas?

— Com ele, conseguiremos invadir até a casa do capeta, Vicente. Mas essa história de HC é melhor deixar para mais tarde. A profecia diz que agora é hora de juntar os trinta bentos.

Vicente grunhiu qualquer coisa inaudível, um tanto contrariado.

— Sairemos ao amanhecer — comunicou Francis.

CAPÍTULO 20

O velho não tinha dado trabalho e morreu sem dar um pio. O mais difícil tinha sido esperar a desatenção do guarda do muro para embrenhar-se ente um amontoado de caibros e tábuas de madeira, onde, futuramente, seria erigido um barracão para ferramentas ou qualquer tipo de depósito.

O coração batia rápido e ainda se ouvia os disparos na muralha 1. Retirou do saco de pano o pote de vidro, onde o líquido ainda estava morno. Sorrindo contente com a perfeita execução da segunda fase de seu plano, o assassino retornou o pote ao saco. Aquele punhado de sangue lhe compraria a eternidade. O vampiro tinha lhe prometido a conversão, e ele seria uma criatura da noite também, um imortal. A vila de São Vítor lhe pagaria, Amaro lhe pagaria, todos pagariam. Tinha sido expulso por culpa de um mal-entendido, mas agora daria o troco. Seria o vilão que todos achavam que era, dando razão às línguas e julgamentos daqueles cidadãos.

Talvez já tivessem dado por seu sumiço no hospital, mas pelo que entendera dos diálogos que tinha escutado, oportunamente não fora identificado. Sabiam que ele era um degredado, contudo, não exatamente quem era ele. Caso dessem por sua falta, pediriam uma patrulha comum para procurar por um doente enlouquecido. Enquanto não ouvisse a explosão, sabia que as coisas estavam dentro do controle e poderia esperar pelo amanhecer para tentar escapar na maior naturalidade, pois mesmo driblando o guarda do muro, dificilmente passaria despercebido no areião naquele momento. A sentinela da torre, por ser noite e estarem sob ataque de vampiros, poderia até mesmo matá-lo antes que conseguisse esconder-se na floresta.

Tinha plantado um explosivo com detector de aproximação no quarto do velho. Assim que algum curioso, quando desse pela falta do homem, chegasse perto de seu leito, pronto: BUMMM! Poderia ouvir o barulho a quilômetros de distância. Depois desse alarme, não haveria volta, e, fosse a hora que fosse, teria de transpor o muro e cruzar o areião. Os malditos soldados não demorariam dois minutos para ligar seu sumiço à explosão na casa do velho. Recostou-se

Bento

ainda mais na madeira, desejando tornar-se invisível, e torceu para que a casa não explodisse antes do raiar do sol. Com alguma sorte, depois das oito da manhã, quando quase todos na vila já estivessem metidos com seus afazeres, andando de lá para cá, um cidadão a mais perambulando no areião não chamaria tanto a atenção das sentinelas.

CAPÍTULO 21

A vermelhidão no horizonte denunciava a chegada do sol. Em poucos minutos, o disco amarelo iria se levantar, trazendo luz ao novo dia. Lucas sentiu um cutucão no ombro depois de ficar calado por mais de meia hora. Virou a cabeça e viu bento Francis.

— Venha ver o que acontece quando chega o sol.

Subiram a escada interna da muralha, caminharam pelo corredor de manobras e Francis apontou para o pé do muro. Lucas debruçou-se e vislumbrou o amontoado de corpos de vampiros decapitados. Três grupos de cinco soldados caminhavam pelo areião, e cada um arrastava atrás de si, atada por cordas, uma extensa chapa metálica, que deviam medir uns dez metros de largura por dois de altura.

— O que é aquilo? — perguntou Lucas.

— Você já vai ver.

Na face oposta da cidade, a luz do sol tocava o topo das árvores e avançava. Fora da cidade, os soldados que puxavam as chapas afastaram-se uns cem metros do muro 1 e limparam a areia de cima das peças. O sol ganhou altura, e os benéficos raios de luz cruzaram acima da muralha. No entanto, em razão do ângulo de incidência, a muralha de doze metros de altura produzia uma extensa sombra sobre o areião, protegendo o amontoado de corpos de vampiros. Assim que a luz do sol tocou a areia, distante do muro, os soldados ergueram as chapas metálicas, fazendo com que a luz fosse refletida para a base do muro.

— Afaste-se — alertou Francis, puxando o ombro de Lucas para trás.

Uma fumaça branca fétida e densa subiu e foi levada para o alto pelo vento. Lucas voltou a debruçar-se e olhar para baixo, porém aquela poeira fazia os olhos arderem e nada podia ser visto. O cheiro era o mesmo que o inquietava quando os vampiros se aproximavam, mas ele não entendia bem por que não estava enlouquecido naquele instante.

— Por que o cheiro deles queimando não tira a gente do sério?

— Como estávamos explicando à noite, só saímos do sério quando eles querem nos atacar, quando estão vindo contra as muralhas. Se cruzarmos no meio da floresta com um deles, sentiremos o cheiro, mas conseguimos raciocinar. Ficamos mais ariscos, nervosos, pedindo para que os malditos cruzem nosso caminho, mas conseguimos nos controlar. Porém, se no meio da mata, na escuridão, eles também nos virem e vierem para cima, sai da frente! Ninguém segura a gente.

— E mais ou menos como um "sentido aranha"?

Francis riu ao se lembrar do Homem-Aranha.

— Deve ser! — respondeu.

Depois de alguns minutos, a fumaça dissolveu-se, e Lucas conseguiu enxergar o rés do muro. Havia uma pilha de estátuas ressequidas, que lembrava o formato de braços e pernas esqueléticos. Os vampiros tinham praticamente virado pó.

— Assim que bater um vento mais forte, essa montanha horrorosa vira areia — explicou o companheiro.

Francis ficou com o olhar perdido no horizonte por um instante. Depois de um longo hiato, virou-se para o novato.

— Vamos embora, Lucas. Temos que juntar os nossos amigos. Não podemos mais perder tempo. Quero descobrir de uma vez por todas que raios de milagres são esses que nos libertarão dos malditos.

Lucas não havia dormido aquela noite, mas sentia-se muito disposto, como se os músculos não se cansassem da carga constante do traje e do fato de estar alerta havia mais de 24 horas. Talvez o descanso acumulado de trinta anos causasse agora uma insônia permanente. Sentia apenas um pouco de fome, nada muito urgente, no entanto. Ao chegarem ao quartel, bento Vicente com sua capa vermelha desbotada estava no pátio.

— Já era hora! — bradou o fortão.

Havia bastante movimentação, com soldados preparando armas, mochilas sendo carregadas com alimento e, pelo que pôde perceber, contariam com a escolta de vários soldados.

— Quantos soldados vão conosco?

— Dez.

Francis pareceu avaliar o número. Depois de um breve momento, anuiu.

— Tudo bem. Só não podemos perder muito mais tempo. Serão muitas horas de viagem, e muitos dias se passarão até que os trinta bentos estejam juntos. Cada hora perdida nos põe longe da vitória. Não podemos nos deter por muito mais tempo.

— Estou aguardando Adriano, que está falando com Társio. — disse Vicente — Amaro está preparando nossos cavalos. Os soldados vão nas montarias também, e nada de motos.

— Você sabe montar? — perguntou Francis.

— Não me lembro.

— Vai ter que começar a lembrar, Lucas.

CAPÍTULO 22

Três horas depois de terem deixado a fortificação de São Vítor, os três bentos acompanhados por um grupo de dez soldados chegaram ao topo de um aclive. Em seguida, adentraram uma planície imensa, com árvores garbosas espalhadas pelo terreno coberto por um tapete verde de tirar o fôlego.

— Nossa! — exclamou Lucas, impressionado com a beleza do lugar.

— O senhor ainda não viu nada, bento Lucas — acrescentou o soldado que vinha ao seu lado. — Esta terra está linda demais, parece que a gente só fazia maltratar a natureza, mas sem o homem destruindo tudo, parece que o mundo está até mais feliz.

O jeito simples do homem falar fez Lucas refletir. O soldado não parecia ser alguém muito instruído, mas era sincero, falava com o coração. O planeta parecia feliz pelo fato de o homem ter reduzido seus domínios e sua agressão. A natureza poderosa recuperava cada vez mais seu lugar de direito e sua saúde merecida. O verde espalhava-se e tomava os rincões, trazendo vida e beleza aos quatro cantos do mundo. Pensar nisso fez Lucas soltar um longo suspiro e refletir que a palavra "mundo" agora ganhava um novo significado em sua cabeça. Como estariam os outros lugares, os outros países? Todos viveriam assim, entocados e escondidos durante a escuridão, unidos no propósito de lutar contra aquela raça maligna?

O bento puxou a rédea de sua montaria e fez o cavalo dar meia-volta, avistando a paisagem que se estendia morro abaixo. Olhou para os outros dois bentos e depois para os soldados, que estavam silenciosos enquanto avançavam montados em cavalos tordilhos, belos animais, todos quase da mesma cor marrom-escura, facilmente confundida com preto. Fez uma pausa nos pensamentos e abriu um sorriso quando uma grande borboleta pousou na crina de seu cavalo. Tentou colocá-la em seu dedo recoberto pela grossa luva, mas o inseto só pousou na mão do bento por breves segundos e logo retomou voo, empurrado pelo vento. Ainda sorria quando um barulho surdo e distante chegou aos seus ouvidos, algo como uma explosão vinda de muito longe. Um segundo depois, ouviu a reação dos animais e foi como se a floresta morro abaixo ganhasse vida. Bandos de pássaros em revoada deixavam a copa das árvores, tingindo o céu em multicores, e um bando de pombos brancos veio em sua direção, fazendo Lucas curvar-se sobre o torso do tordilho, com medo de ser atingido. Pelas suas costas, ouviu o galopar dos bentos e dos soldados voltando, até pararem na beira do morro.

— São Vítor! — exclamou Francis.

Bento Vicente segurava a rédea do cavalo, tentando mantê-lo parado. Os animais também tinham se agitado, andando para a frente e para trás, empertigados.

— Vamos voltar? — perguntou Adriano.

— Não, não podemos voltar. Isto já é o começo, nossa primeira distração.

Os soldados olharam para Francis sem saber o que ele queria dizer.

— O Bispo me preveniu. Disse que seriam muitas as armadilhas no caminho e que lutaríamos contra o que não existia antes.

— Lutar contra o que não existia? Que merda isso quer dizer? — perguntou o bento mais truculento.

— Não sei, Vicente, só sei que temos de ser rápidos. Vamos continuar, precisamos unir os trintas bentos, os trinta guerreiros. Só assim a vitória contra o mal prevalecerá.

Francis bateu com a rédea no cavalo e disparou. Os soldados acompanharam o cavaleiro em seu galope. Bento Vicente aproximou-se e golpeou a traseira do cavalo de Lucas, que disparou sobre o gramado, pegando o bento novato desprevenido. Lucas agarrou-se às rédeas, mas, para surpresa do veterano, encaixou-se na sela e encontrou equilíbrio, dominando o animal. Lucas continuou a corrida, aproximando-se da manada em disparada. Vicente ficara para trás. O bento, antes de disparar em perseguição ao grupo, olhou para o horizonte e viu um fio de fumaça subindo ao encontro das nuvens. Achou que deveriam voltar, pois São Vítor corria perigo. Às 11 horas da manhã, o comboio parou na beira de um lago. Lucas, como de costume nas últimas horas, ficou encantado com a paisagem. Um enorme bando de capivaras corria na margem em disparada, provavelmente assustadas com a aproximação dos cavaleiros. O sol radiante produzia um brilho encantador sobre a água, ondulando somente sob os pés nervosos dos animais silvestres.

Os homens apearam, e Lucas foi o último a descer do tordilho. Logo, um soldado aproximou-se e tomou a rédea do animal, prendendo-o junto aos outros. Os soldados retiraram os calçados e lavaram os pés no lago, enquanto Francis e Vicente conversavam, parecendo discutir um assunto tenso. Lucas demorou-se um instante com os olhos na paisagem. Faltava muito para acostumar-se com a paleta do mundo novo, com o azul assustador do céu, com o número de pássaros piando nas matas e com o tanto de bichos cruzando o caminho. Percebeu que os soldados que se chamavam Paraná e Joel descarregavam parte dos cavalos. Paraná era alto e, como bento Vicente, muito forte. Mais um amigo juntou-se a eles e suas feições pareciam ser indígenas, com a pele escura e os cabelos escorridos. Era um homem que, apesar da feição madura, na faixa dos 40 anos, exalava vigor e juventude, e atendia pelo nome de Raul. O tal Joel era um rapaz negro, magro e bem mais jovem, com 22 ou 24 anos, no máximo. Ao que pôde entender, estavam preparando um acampamento.

* * *

Adriano enxugou o cavanhaque amarelo com o braço e fitou demoradamente o lago. Não fazia parte de seus planos estar ali, pois a uma hora dessas deveria estar voltando para Nova Luz, levando notícias para sua mulher, Carina. Tinha seus afazeres lá, mas era um soldado, um líder de pelotão, e não era dono de seu destino. Pertencia à estrada e às aventuras, à briga árdua contra os vampiros, e estar junto aos bentos era um coringa, podendo significar proteção ou morte. Os bentos eram temidos pelos vampiros, mas quando eram detectados pelo lado do mal, tornavam-se troféus cobiçados, como alvos ambulantes, e os vampiros faziam de tudo para derrubá-los, para que a profecia não se cumprisse e os bentos não fossem trinta.

O soldado virou-se e olhou para o bento novato, Lucas, que estava afastado de Vicente e Francis, que discutiam alguma coisa. Que ironia! Um dia a mais e Gaspar teria vivido para ver o trigésimo bento acordado. Talvez os soldados que conheciam o plano desistissem e finalmente se rendessem à profecia. Se duas noites atrás o maldito plano não fosse tão importante quanto era, talvez não tivesse que ter atirado no meio da testa do amigo. Adriano baixou a cabeça por um instante, olhou para o lado e viu Gaspar ali com eles, ajudando Marcel e Paraná a prepararem a boia. O líder não era um cara de coração mole, mas teve que apertar os olhos, que estavam ficando vermelhos. Voltou-se para o bento, um rapaz magrelo, perdido no meio dos soldados, parecendo ter medo até de pisar na bosta dos cavalos. Se não tivesse visto o estrago que aquele magricela tinha produzido no dia anterior, não acreditaria que ele fosse capaz de empunhar a espada que carregava. Balançou a cabeça, abaixou-se e encheu o cantil com água. Antes de partir, repetiria a operação, pois gostava de carregar água fresca.

Caminhou sem botas pelo solo marcado, entremeado por grama e terra seca, sentou-se no chão e recostou-se em um largo tronco. Paraná assoprava os gravetos empilhados, atiçando o fogo. Os outros homens também estavam livres das botas e procuravam relaxar. Cumpriam uma espécie de ritual de início de toda jornada e aproveitavam ao máximo as primeiras paradas, quando ainda estavam incógnitos e em área segura. A partir do pôr do sol, estariam andando em terreno inimigo e, mesmo que não cruzassem com vampiros durante a primeira noite, poderiam encontrar mulos pela manhã ou banidos que viviam na mata e agora serviam aos noturnos. O problema não era a primeira briga, mas sim o que vinha depois, e um encontro, um confronto contra mulos ou vampiros durante o dia ou a noite servia de alerta, delatando a posição do grupo, o que era particularmente perigoso quando carregavam bentos, considerados prêmios ambulantes. Seus soldados teriam que lutar com toda a gana para manter aquele magrelo vivo. "Precisavam juntar os trinta bentos" era o que cada um deles se repetia, feito um mantra. Só assim manteriam a cabeça no lugar, enquanto arriscavam o pescoço por um grupo de esquisitos que andavam para lá e para cá com capas vermelhas. Um grupo que, quando fosse posto junto, desencadearia os quatro milagres da salvação. Era por isso que aquela jornada valia a pena e que deviam correr o risco. O soldado líder de Nova Luz fechou os olhos e pensou em Carina.

* * *

Marcel tinha desembalado todo o equipamento da cozinha e tirou o lenço da cabeça para esfregar o cano de sua arma. Tinha que manter o rifle sempre limpo e pronto para a ação.

O grandalhão Paraná jogou um punhado de carne seca dentro da panela e pendurou acima das chamas. Mexeu com uma colher de pau para as ervas e temperos misturarem-se ao cozido e despejou grãos de arroz em uma outra peça. Uma panelada de legumes completaria a refeição. A comida não era abundante, por isso fazia questão de caprichar no sabor. Sorriu quando Sinatra começou a cantar, pois gostava da voz do amigo, sempre presente nas andanças de soldados. Mexeu mais uma vez na panela da carne, e o aroma dos temperos começou a espalhar-se e a abrir o apetite dos companheiros de jornada. A comida era racionada em função do volume a ser transportado, já que, apesar de os cavalos carregarem um bom peso, a maior parte da carga era reservada ao armamento. Como poderiam ficar vários dias na mata antes de alcançar a próxima fortificação, era preciso economizar nas refeições. Paraná olhou para Marcel, e viu que o rapaz ainda esfregava a arma. Aproximou-se calado, sem chamar a atenção dos outros.

— Oi, Marcel.

O rapaz negro olhou para o grandalhão.

— Desculpe o mau jeito lá no Rancho da Pamonha, mas foi a única maneira de fazer você parar.

— Minha cabeça está doendo até agora, mas tudo bem, fazer o quê? Eu estava fora de controle, não estava?

Paraná anuiu, balançando repetidamente a cabeça.

— Então deixa para lá, Paraná. Tomara que você não perca o controle em uma próxima vez. Se eu tiver que te esbofetear com esse meu muque, acho que você não vai sobreviver — emendou o soldado, exibindo o bíceps do braço magro, caindo na risada com a própria brincadeira. Paraná riu de volta.

* * *

Lucas, sentindo-se deslocado, juntou-se aos bentos, e ao aproximar-se notou que ainda discutiam calorosamente. Não estavam exatamente aos berros, mas pareciam nervosos o suficiente para fazer saber que batiam boca; comedidos para não inflar o grupo, mas ríspidos.

Lucas olhou para o soldado que cantava, o que chamavam de Sinatra. Sorriu e passou a mão na cabeça, achando que conhecia aquela canção. Como era o nome? Não lembrava. E o cantor? Era o... Lulu. Lulu Santos!

— Quem disse que o rádio não funciona mais? — disse Francis, o bento médico, aproximando-se. — É por isso que a gente gosta de andar com o Sinatra, ele é um rádio ambulante.

— Eu lembrei o nome do cantor dessa música.

— Você vai lembrar um monte de coisas, bento. Tem gente que lembra a vida toda, mas com sortudos como você, que dormiram tempo demais, talvez demore um pouco ou até nunca volte tudo.

— Quando acordei, não me lembrava nem do meu nome.

— É assim mesmo.

— O que vocês estavam discutindo tanto?

— Seria um pouco demais para você, Lucas. Ainda não é da sua conta — respondeu Francis.

Lucas ficou surpreso com a resposta atravessada, mas não insistiu. Era um novato e tinha pouca informação, até mesmo para discutir.

* * *

Adriano olhou para o bento mais velho e sabia que os dois veteranos discutiam por causa do plano secreto. Bento Vicente, um dos poucos a engajar-se na causa dos soldados, certamente tentava convencer Francis a empurrar Lucas em direção à concretização do plano desenvolvido por um grupo de soldados inconformados, mas o líder dos soldados de Nova Luz sabia que o bento Francis não colocaria em risco a conclusão da profecia em troca da ação ousada que teriam de encenar caso quisessem botar as mãos na máquina. Sem contar que nem tinham certeza de que ela ainda funcionaria.

— Temos que comer rápido! — gritou Francis. — Engulam a boia, nada de soneca, levantamos acampamento e *tchau e benção*. Temos muito chão para cruzar até Esperança. Lá nosso grupo vai aumentar, encontraremos mais dois companheiros: bento Edgar e bento Duque, mas para chegar vamos passar duas noites na floresta.

Francis andava sem capa, com a armadura cobrindo o tronco, que refulgia com a luz do sol. O crucifixo encravado no peito remontava aos cavaleiros das cruzadas, e a imagem de São Jorge balançava presa ao cordão encardido enquanto o bento gesticulava e falava com o grupo. Bento Vicente, depois da interrupção da discussão, tinha se distanciado, e sua capa desbotada balançava levemente, empurrada pelo vento calmo que cruzava sobre as águas do lago.

Além dos sete soldados do grupo de Adriano, compunham o comboio mais três soldados oriundos de São Vítor, o líder Willian e os soldados Carlos e Alicate. Carlos era o mais falante dos três, com um linguajar de malandro e sotaque fluminense, sendo também o que Lucas conhecia melhor entre todos eles. Francis voltou até onde o novato estava e pediu que se sentasse em um dos troncos ao redor do fogo.

— Depois que chegarmos a Esperança e apanharmos a primeira dupla de bentos, deixaremos o Sul e rumaremos para o Norte. E quando eu digo Norte, é Norte mesmo. Temos bentos espalhados pelo Brasil e vamos ter de subir, rumo à Bahia. Vamos refazer parte desse caminho de hoje depois de passar por Esperança, mas nos desviaremos de São Vítor. Se conseguirmos manter uma boa marcha acelerada, acho que no máximo em trinta, trinta e dois dias, teremos todos os bentos reunidos.

— As trinta espadas.

— O quê?

— Como o Bispo falou. Pediu para reunirmos os trinta bentos, as trinta espadas. Só nós, bentos, carregamos espadas.

— É... Como eu dizia, acho que em um mês estaremos os trinta reunidos, e terão início os prometidos quatro milagres que salvarão o mundo.

Francis olhou para Lucas.

— Lucas, eu vi o que você fez ontem. Carlos me disse que contaram por alto que você derrubou trezentos e sessenta vampiros em um único ataque.

Lucas passou a mão na cabeça e suspirou. Trezentos e sessenta!

— Isso é coisa para caramba, eu nunca tinha visto isso! Para você ter uma ideia, Vicente já abateu seiscentas criaturas, em todos os anos de bento. Se você repetir a façanha, vai alcançar o placar do bento mais produtivo na sua segunda batalha. Isso é fantástico e é tudo o que precisávamos, mas estou preocupado — Francis baixou mais a voz. — Não sei se isso será uma constante em suas lutas ou até quando você continuará favorecido. Então, quero que preste muita atenção: não se exponha a riscos desnecessários, precisamos de você vivo. O que você fez ontem já lhe confere o status de herói, não precisa fazer mais nada. Quero você vivo até juntarmos os trinta bentos, porque precisamos descobrir quais são os milagres que irão nos libertar dos malditos.

— Quatro milagres — balbuciou Lucas.

— Quatro milagres é tudo o que precisamos.

— Talvez assim que nos juntarmos, os vampiros peguem fogo e desapareçam.

Francis sorriu.

— Não, esse seria um milagre *premium*. Acho que não temos direito a esse pacote. Bispo disse que mesmo depois dos milagres, ainda teremos muita luta, que a vitória não estará garantida, mas o caminho será sinalizado — proferiu o bento veterano.

— É muita responsabilidade para nós, não é?

— Você vive uma vida diferente agora, bento Lucas. No passado, naquela terra perdida, com nossos corações cobertos pela poluição e pelo dinheiro, nossos valores estavam também confusos e sepultados. Agora, a verdade e o propósito são claros, e, seja bento ou não, todas as pessoas de bem vivem em função do próximo. Todos querem proteger o irmão, ajudar e viver em comunhão, e é isso que estamos buscando ao cruzar essas florestas: um remédio definitivo contra o mal vampiro. Cuide do próximo que estará cuidando de si mesmo.

Lucas aquiesceu. Concordava, mas continuava achando que a missão de salvar o mundo era muita responsabilidade para trinta homens. Os cavalos soltos na planície foram reagrupados. Sinatra e Zacarias cuidaram da parafernália do almoço, enquanto Joel e Marcel carregaram as montarias. Era hora de deixar para trás o acampamento do almoço e voltar para a floresta, pois ainda teriam de encontrar um lugar seguro para o acampamento noturno. Sabiam que estavam em uma região que os favorecia, onde os ataques durante a noite a grupos de soldados eram menores. O que preocupava os mais experientes era a noite seguinte, quando estariam em zona de grande risco, e mesmo estando com os bentos que arrebentavam as criaturas, o medo insistia em suas veias.

Estavam quase todos montados quando ouviram o galopar de um cavalo aproximando-se, trazendo alguém em suas costas. O homem gesticulava, mostrando que queria que esperassem. Carlos tirou sua pistola da cintura e a deixou pronta. Da distância que estava não podia identificar o cavaleiro, mas, mesmo sendo pouco provável que fosse um desconhecido, o seguro morreu de velho.

— É um mensageiro de São Vítor — disse o líder Willian, baixando o binóculo.

O cavaleiro precisou de mais um minuto para vencer a distância. Estava agitado.

— Graças a Deus encontrei vocês!

Vicente circulou o cavaleiro e mordeu os lábios, sabendo que aquela explosão que tinham escutado significava problema.

— O que aconteceu, mensageiro?

— Uma desgraça, Willian! Uma explosão!

— Ouvimos o barulho, garoto.

O rapaz olhou espantado para bento Francis.

— Por que não voltou, senhor? Estamos em apuros, todos estão em pânico!

— Desembuche logo, rapaz. O que aconteceu?

— A casa do Bispo, senhor. Ela explodiu e tudo virou fogo. O seu Fernando entrou na casa e nunca mais saiu, o fogo comeu tudo e os dois morreram.

— Como isso aconteceu? — perguntou Willian.

— Ainda não sabemos, senhor, mas, graças a Deus, alcancei os senhores. Estão tentando descobrir o que aconteceu na casa do seu Bispo, mas precisamos de vocês lá. Estão todos em pânico.

Os soldados sabiam que a morte de Bispo pesaria enormemente não só em São Vítor, mas em todo o país. Bispo era uma espécie de guia, uma luz, alguém que conhecia o que os olhos humanos não viam. Era o responsável pelo renascimento da esperança. Só que, justamente agora, quando o trigésimo bento caminhava ao encontro do cumprimento da profecia, os olhos de Bispo iam-se embora, lançando sombras sobre o futuro. A fé seria abalada.

— Ninguém vai voltar, mensageiro. — Todos os olhares convergiram para Francis. — Ninguém vai voltar — repetiu.

Bento

Os soldados ficaram quietos, e o mensageiro de São Vítor permaneceu encarando o bento, como se o guerreiro lhe cravasse um golpe de misericórdia, acabando com o fio de vida de sua esperança. Sua face, de boca aberta, não escondia a surpresa e a decepção. O garoto procurou sustentação no olhar de Vicente e do líder Willian, porque aquilo só podia ser brincadeira do bento Francis.

— Devíamos voltar — disse Lucas, rompendo o silêncio.

Francis encarou o novato.

— Não, Lucas, não devemos voltar. Nosso destino está à nossa frente, e devemos continuar rumando para o Sul, ao encontro dos dois bentos em Esperança. De que serviremos em São Vítor? Somos abençoados, mas não levantamos mortos, e se Bispo está morto, deve ser enterrado. Descubram o que aconteceu. Não conseguiremos fazer o velho Bispo levantar da cova, e isso é só o começo, o próprio Bispo havia me prevenido. O despertar de Lucas não é a garantia da vitória, esses malditos vampiros e seus mulos plantarão mais armadilhas. Se deixarmos o caminho para Esperança, deixaremos o caminho para o cumprimento do que foi visto. Os trinta bentos têm que se juntar, só depois disso veremos qual será nosso próximo caminho.

— Devíamos é aproveitar a força desse desengonçado e tentar colocar as mãos na máquina — resmungou Vicente, aproximando-se do grupo mais uma vez.

O cavalo de Vicente empinou, agitando os demais.

— Já discutimos isso, Vicente. Agora temos o trigésimo bento e não precisaremos da máquina se formos rápidos.

— Deus te ouça — retrucou Adriano.

Francis olhou com reprovação para Adriano, depois se dirigiu ao mensageiro.

— Vá para São Vítor e diga que nada podemos fazer.

— Coloquem os soldados em alerta, dobrem a segurança e peça para Amaro investigar pessoalmente o ocorrido. Peça para que levem o corpo do Bispo ao hospital antes de ser enterrado — orientou o líder Willian, mostrando-se preparado para situações de emergência. — Amaro deve explicar ao povo o motivo de não voltarmos: porque não podemos acordar os mortos. Bento Francis está certo, temos uma missão de importância sem precedentes em nossa história.

— Sem precedentes em nossa história — repetiu o mensageiro, vacilante, como se quisesse decorar cada palavra do líder Willian.

— Não percamos mais tempo, vamos! — bradou o bento.

Francis guiou o grupo, circulando a margem do rio em um galope rápido. Lucas lançou um olhar para trás. O mensageiro também galopava, mas no sentido oposto, retornando a São Vítor. Voltou a olhar para a frente e agarrou-se firme à rédea, já que estava se acostumando com a montaria. A capa vermelha esvoaçava, e a espada batia em sua perna ao sabor do galope, fazendo-o ouvir o tilintar de sua touca metálica, com a cota de malha cobrindo seus ouvidos. Seria um sonho? Aquele novo mundo assustava. Era um escolhido, no dorso de um cavalo em uma cruzada inimaginável, atrás de outros bentos, de uma profecia, de milagres e salvação.

CAPÍTULO 23

Cantarzo ergueu as narinas, deixando o vento noturno invadir seus pulmões, e sentiu cheiro de fumaça, percebendo que em algum lugar distante, na floresta, viajantes acampavam, provavelmente soldados ou banidos. Mas não importava, porque nada queria com eles naquela noite, apenas encontrar seu soldado "pau-mandado". No topo de uma árvore, Cantarzo balançava em um galho fino que não aguentaria o peso de um homem daquele tamanho, mas havia muito que a criatura não poderia ser denominada daquela maneira, pois já era outra coisa, algo encantado, um bicho da noite. A criatura, pendurada feito um animal silvestre, era um vampiro caçador da melhor qualidade, que saltava do cume de uma árvore à outra, com o esplendoroso firmamento refletindo sua luz branda sobre a Terra. A sombra do vampiro cruzou o topo de doze árvores na floresta.

O cheiro dos viajantes convergia para o ponto de encontro, e, curioso, pensou que, depois de tratar com o lacaio, talvez fizesse uma visita, porque aquilo era sua natureza, caçar, assustar, beber vida. Quem sabe os viajantes pudessem ajudar, dando pistas sobre o paradeiro de um novo Rio de Sangue. Cantarzo saltou, cruzando o ar e parando no topo de um eucalipto, seguindo o cheiro. Estavam longe, mas logo estaria sobre eles, colocando suas unhas afiadas sobre a jugular da caça, impingindo medo e dominação, seduzindo, fazendo-os falar, e gostava disso. Adorava sua função. Era muito melhor do que viver como Raquel, ora ensinando novatos, ora lambendo as botas dos mais antigos moradores das sombras. Raquel cortejava e gostava de ser cortejada, vivia em função dos parasitas que temiam a mata e sugavam somente os adormecidos. Mas ele não queria aquilo. Era um vampiro caçador, queria a floresta, a noite, o vento mexendo com as tiras de couro que prendiam seus cabelos, buscando cravar os dentes no pescoço dos desavisados para tomar energia direto da fonte, do sangue humano, o mais poderoso e delicioso entre os animais.

Acelerou os saltos sobre as copas das árvores, que se agitavam com sua presença, balançando ao sabor de sua passagem. Os pássaros desavisados disparavam em voo quando o vampiro batia nos galhos onde faziam ninho e agitavam outras criaturas. Era como se, em conjunto, dissessem: "Cuidado, é o vampiro que passa". Cantarzo desceu pelo tronco largo de um flamboyant florido até alcançar um trecho do chão que ficava sem a cobertura verde e tornava-se de barro. Avistou pegadas e rastros frescos de cavalos que tinham passado por ali, talvez seis, talvez mais. Andou pelo gramado e seus olhos de vampiro perscrutaram a escuridão, mas sem encontrar nenhuma pista adicional. Se havia cavalos provavelmente eram soldados, pois só eles andavam em bandos naquela região. Banidos em geral eram solitários, homens que não se enquadravam nas regras dos acuados, das pessoas que ficavam envoltas nos muros. Eram a escória errante, pedindo pelo apadrinhamento de um vampiro, como havia feito seu lacaio. Eles sempre chegavam com o mesmo pedido de obter uma doce e maldita vida eterna.

Cantarzo ergueu os olhos, atento ao ouvir um estalido. Correu e saltou para o tronco de outra árvore frondosa, escalando com agilidade seus primeiros galhos. Olhou para a floresta, mas não viu nada, talvez fosse um engano. Depois de ter abandonado Raquel e seus estúpidos seguidores à própria sorte no esconderijo dos soldados na beira da estrada, tinha que colocar um olho nas costas. Sabia que a vampira viria como um raio atrás de vingança. Pensando nisso, Cantarzo sorriu, pois gostava de irritar a guerreira petulante, sempre cercada por aqueles vampiros grandalhões para sentir-se protegida. Assim que tivesse a chance, Cantarzo rasgaria o segundo olho da vampira, deixando-a cega e perdida nas sombras, e mostraria a ela o que era agilidade na caçada, esperteza. Ela e aquele vampiro Gerson pagariam caro pela arrogância que carregavam, ainda mais se seu plano se concretizasse. Teria a proteção absoluta dos vampiros mais velhos e poder fundamental para subjugar de uma vez por todas a raça humana, com poder suficiente para erigir um exército de noturnos que mostraria aos mais antigos o quanto ele, Cantarzo, estava certo. O lugar dos vampiros era na superfície, com a inferior raça humana subjugada.

Cantarzo saltou para outra árvore, ganhando altura, e vasculhou as redondezas. Nem mesmo Raquel conseguiria esconder-se tão bem, porque estava ocupada com o chamado a um dos grandes centros vampíricos, segundo o que ouvira da conversa de um dos vampiros. Alguma coisa grande e importante acontecia que incomodava os mais velhos, mas Cantarzo não se interessava. Caso seu plano surtisse o efeito vislumbrado, ganharia um poder inimaginável para açoitar as fortificações de forma contundente para dar-lhes a vitória contra a resistência e lhes garantir o domínio sobre todos os Rios de Sangue da Terra. Ergueu mais uma vez o nariz e sentiu que cheiro de fumaça estava mais forte, sabendo agora exata-

Bento

mente de qual local vinha. Caso o maldito lacaio ainda não estivesse no ponto de encontro, um pouco de ação para se exercitar não seria de todo o mal.

* * *

Francis ouviu o barulho dos pássaros em revoada. Era madrugada, portanto aquele som queria dizer uma coisa: perigo. Os pássaros estavam certamente fugindo de vampiros! O bento deixou sua tenda e seus olhos se arregalaram. Aproximou-se dos soldados de sentinela e perguntou:

— Quem acendeu essa droga de fogueira?

Raul, Joel e Carlos estavam vigiando o acampamento e não tinham prendido nenhum fogo. Olharam para as cinzas mortas que restaram da preparação do jantar e voltaram os olhos para o bento. Estaria louco? Francis, notando a indagação dos soldados, completou:

— Não estou falando desta fogueira, diacho! Estou falando daquela!

Os homens tiveram que forçar a visão para finalmente enxergar um fio de fumaça subindo ao céu, com uma pequena parte passando ao largo do halo de luz provocado pela lua. Raul deu de ombros.

— Não tínhamos nota...

— Ssshhhhh! — fez o bento, colocando o dedo na frente da boca.

Os homens ficaram em silêncio, e Joel apanhou sua arma. Ouviram uma árvore balançando e mais pássaros deixando os galhos, alguns passando em frente à lua.

— Silêncio... — pediu o bento.

Raul e Carlos deitaram a mão em seus rifles, Carlos fez o sinal da cruz, pensando que mesmo com três bentos não era a hora certa de cruzar com um bando de vampiros. Se eles fossem muitos, seriam todos mortos! Joel olhou para o bento.

— Eles vão nos pegar.

— Fiquem quietos que não virão. Estão atrás daquele fio de fumaça que algum idiota acendeu. Eles não nos viram.

— Como sabe que não viram a gente?

— Se tivessem visto, Joel, eu já estaria louco, tomado. Estaria correndo ao encontro daquela árvore agora.

A árvore balançou mais uma vez e a criatura passou para outro galho. Os homens no acampamento não conseguiam ver o vampiro e não sabiam dizer se era um ou mais.

André Vianco

* * *

Cantarzo agarrou-se ao galho fino e pendeu o corpo até a ponta, fazendo o ramo vergar, então olhou para a fogueira. Não parecia um acampamento. Havia uma grande pedra debaixo dela, abrigo para um homem só. Saltou da árvore e seu corpo cruzou o ar com tanta rapidez que bateu no chão. O homem dormia, e havia cheiro de sangue. Cantarzo deixou os olhos vermelhos brilharem, emitindo involuntariamente um ligeiro grunhido. Seus instintos falavam alto, queria o sangue, cujo cheiro já tomava todo o seu ser e começava a drenar sua razão. Caminhou ao encontro do homem e um odor familiar foi tomando suas narinas. O homem mexeu-se no seu sono, virando o corpo, e Cantarzo viu seu rosto. Exibiu os dentes pontiagudos e grunhiu mais alto. O homem remexeu-se. Cantarzo aproximou-se e agarrou-o pelo pescoço, erguendo-o de uma vez e colocando-o contra a parede de pedra.

— Você?! — grunhiu o vampiro.

O homem gritou aterrorizado.

— O que faz aqui tão cedo? Por que está acampando no mato, com fogo aceso? Quer ser morto por outro vampiro?!

— Não, Cantarzo. Não!

— Por que não foi ao ponto de encontro?

— Ainda estava longe! *Gasp*! Está me enforcan...

Cantarzo não deu ouvidos e continuou a segurar o lacaio pelo pescoço.

— Eu consegui! Trouxe o que me pediu!

— Tão fácil? Não vejo feridas.

— Eles são tolos, vampiro, disse que eram. Não sei como vocês não conseguem tomar aquela porcaria de cidade, se são tantos...

Cantarzo grunhiu nervoso e soltou a garganta do homem, deixando-o no chão.

— Não tomamos porque não é nossa hora ainda, mas vai chegar o momento de nossa raça jogar para valer.

— Jogar?

— Um dia será nossa vez nesse jogo mortal, será nosso *round*. Será o fim de sua raça.

— Você prometeu me transformar em um vampiro...

— Primeiro cumpra sua parte.

O homem passava a mão no pescoço, buscando aliviar a dor do estrangulamento sofrido. Ainda tremia quando se virou e encarou o vampiro. Tinha medo daquela face espectral, daqueles olhos que banhavam ao redor com luz vermelha.

Bento

— Onde está, Lúcio?

O lacaio arrepiou-se ao ser chamado por seu nome pela criatura. Era a primeira vez que o ouvia da boca do vampiro. Lúcio apanhou um saco de couro e, de dentro dele, retirou um pote de vidro.

— Aqui está, vampiro.

— Você conseguiu...! — murmurou o vampiro com os olhos brilhando.

Cantarzo estendeu a mão para apanhar o pote, mas antes que o alcançasse, o humano recolheu-o, escondendo-o. O vampiro grunhiu.

— Passei por maus bocados, vampiro. Não ouse me abandonar ou quebrar sua promessa. Serei o homem mais caçado deste mundo por culpa do meu crime.

Cantarzo urrou e ergueu o mortal mais uma vez pelo pescoço, tomando o cuidado de amparar o pote de vidro e evitar sua queda.

— Como ousa, mortal, cobrar de mim alguma coisa? Não tem medo de mim, criatura?

O homem engoliu em seco, apavorado. Cantarzo era um vampiro terrível, com conhecida fama de caçador, uma lenda na floresta. Seus olhos vermelhos pareciam cuspir fogo.

— Eu tenho medo, Cantarzo. Con... Confio em você, mas quero ter certeza de que me tornará um vampiro. Não gosto dos homens, eles só me maltratam.

Cantarzo soltou a vítima e ergueu o pote até a altura dos olhos, encostando nele o nariz e vendo uma velha etiqueta de papel suja de sangue humano ao redor do vidro.

— Como conseguiu?

— Eu fingi que estava desmaiado na beira da estrada quando ouvi as motos, e foi mais fácil do que eu esperava. Quando vi, já estava dentro da cidade, sem perguntas, incógnito. Como você conseguiu incitar um ataque à fortaleza, assim que dispararam o alarme e todo mundo ficou louco e preocupado em se esconder dos vampiros, eu escapei do hospital. Sei como as coisas funcionam. Com todo mundo em alerta, os soldados deixaram o quartel e tive tempo de ir até o arsenal e apanhar um explosivo, uma bomba com detector de movimento. Entrei na casa do Bispo, degolei o velho e enchi o pote com o sangue. Essa parte foi fácil, porque o velho não tinha muita força, sabe? Ficou com aquele olhão arregalado, só esperando o que eu ia fazer. Como os homens me maltrataram para caramba, eu também maltratei o velho. Espetei ele aqui, ali, depois degolei, como a gente combinou, plantei a bomba de aproximação e me mocozei em um monte de madeira junto do muro. Sabia que ninguém ia até a casa do velho, e alguma coisa me dizia que eu saberia a hora em que encontrariam o corpo do Bispo. Ouvi uma certa explosão, sabe? — comentou ironicamente o assassino, querendo ser engraçado e exibindo um sorriso sádico. — De manhã, quando a casa do cara explodiu, a confusão foi armada toda de novo e foi fácil passar pelo muro. A sentinela do areião me viu, mas estava tão doido com a explosão que só perguntou se eu sabia o que tinha acontecido. Falei que foi a caldeira do refeitório que tinha ido para o saco e ele engoliu a história. A uma hora dessas já devem estar atrás de mim, mas não importa. O sangue do feiticeiro está nas suas mãos agora.

Cantarzo olhou mais uma vez para o pote, incrédulo. Ajoelhou-se, segurando o recipiente com as mãos espalmadas, como um troféu mais valioso que a cabeça de um bento.

— Se isso for o sangue de um bento, humano... Eu acabo com você!

— Fica calmo, Cantarzo. Juro por Deus que é o sangue do Bispo. Como você acha que ia conseguir degolar um bento? Os caras são fogo, são fortes. Já o Bispo, coitado, era só um velhinho indefeso.

Cantarzo abaixou-se e colocou o pote no chão. Tinha que tomar o sangue e descobrir se sua trama teria efeito.

— Conta, vampiro. Quando vai me tornar um de vocês?

— Cala a boca.

Lúcio não ousou abrir falar novamente. Havia algo de bizarro na voz da criatura. Cantarzo desrosqueou o pote e o cheiro bom do sangue do Bispo infestou suas narinas. Era um aroma adocicado, mas havia algo diferente ali. Só o cheiro já dizia que era sangue especial, safra rara. Cantarzo aproximou o pote da boca e sorveu o conteúdo todo a grandes goles, fechando os olhos. Baixou o vidro só depois de saborear a última gota. Passou a mão pela boca, manchando sua pele alva com o vermelho-sangue e arremessou o recipiente contra o paredão de pedra. Inspirou fundo, sentindo o cheiro da noite. O sangue do velho em seu estômago queimava suas vísceras, infiltrando-se em seu ser. Cantarzo contorceu-se, enovelando-se no chão, e urrou de dor enquanto sangue do Bispo penetrava sua carne de vampiro.

Lúcio permaneceu estático, assombrado pelo espetáculo que se dava diante de seus olhos. Cantarzo apertou os olhos e vislumbrou uma face de mulher surgir diante de seus olhos. Era o primeiro presente do dom maldito, uma mulher de cabelos brancos e olhos mortos, mas não era uma vampira. A mulher abriu a boca, articulando os lábios, e Cantarzo sentiu seu corpo esquentar subitamente, como se tivesse sangue bombeando nas veias, como se tivesse um coração pulsando! Abriu os olhos e estendeu as garras para Lúció. O lacaio debruçou-se sobre o vampiro e aproximou-se.

— O que você me deu, Lúcio?

— O sangue do velho, senhor. Dei o sangue do Bispo... — disse o humano, amedrontado.

— Vai embora, Lúcio. Vai!

— Para onde, senhor?

— Para o Norte.

— Mas onde, senhor?

— Traga Tereza.

Lúcio puxou a mão de Cantarzo, tentando erguê-lo.

— Não morre agora, vampiro de uma figa! Você precisa me tornar imortal também!

— Primeiro vá e me traga Tereza. Só conseguirei continuar depois que a bruxa me curar, lacaio.

— Mas onde ela está?

Cantarzo urrou de dor e contorceu-se mais uma vez, sem conseguir levantar-se, sentindo a cabeça doer, como se cem baionetas cruzassem seu crânio. Apertou os olhos e mais uma vez viu a bruxa, que mostrava alguma coisa, um lugar. Um rio...

— Vá para onde a serpente engole a tartaruga.

— Onde é isso? Onde ela está?

— Eu não vejo tudo, filho da mãe. Eu vejo a serpente comendo a tartaruga. Vá para o Norte!

Cantarzo gritou mais uma vez e entrou em convulsão. Seu corpo estremeceu tanto que Lúcio se afastou, assustado. O vampiro parecia um peixe jogado para fora d'água, debatendo-se, agonizando.

De repente, tão súbito como começou, o vampiro estancou, inerte, morto... um pedaço de carne amaldiçoada sob a luz da lua.

CAPÍTULO 24

Os cavalos chegaram à beira de uma depressão no caminho. Francis apontou para a frente e Lucas viu os muros altos e largos fechando completamente o povoado. A visão do dia raiando e da vida começando a mover-se em Esperança era privilegiada, e Lucas sentiu a pele arrepiar ao lembrar que ali conheceria mais dois dos homens bentos, que se juntariam ao comboio, aumentando o número para cinco. Ainda teriam de correr atrás de mais vinte e cinco para juntar as trinta espadas e conseguir os profetizados quatro milagres para libertar a humanidade das garras das criaturas das trevas.

Os soldados de Adriano desciam o morro com cautela Graças à memória ainda recente do acidente fatal vivido por Gaspar. Ao contrário do grupo de Nova Luz, Carlos e Alicate desciam com mais ímpeto, sendo os primeiros a atingir o descampado que circundava a fortificação. Lucas demorou um pouco mais olhando para o forte de cima do morro e, depois de alguns segundos, tirou os olhos dos muros e mirou o horizonte, sentindo um novo arrepio percorrer os braços. Conforme a luz do sol ganhava força, as sombras, confundidas com as árvores apontadas para o céu, tomavam forma e uma infinidade de prédios erguendo-se no horizonte formou uma paisagem conhecida. Lucas bateu com os calcanhares no tordilho e colocou-se a descer o morro. Perguntou alto para Vicente:

— O que é aquilo?

Vicente olhou para o horizonte.

— Aqueles prédios?

— É.

— Era a porra da cidade de Campinas.

Lucas engoliu em seco.

— Aquela cidade agora é um túmulo, uma terra tomada pelos vampiros. Cada prédio é um covil, cada bairro uma armadilha. De noite e de dia, um perigo.

Lucas desceu calado, ruminando as palavras de Vicente, que, percebendo sua expressão preocupada, continuou:

Bento

— Você não devia se importar com a situação da cidade, bento novo, afinal de contas, você é o salvador anunciado pelo falecido Bispo.

Lucas olhou para Vicente sem saber se o veterano estava incentivando-o ou espicaçando-o. Provavelmente, era a segunda alternativa, pois Vicente fazia pouco dele e parecia ter inveja. De repente, um tiro de rojão espocou, anunciando à cidade a aproximação dos soldados, e uma parte dos cavaleiros ao pé do morro disparou em cavalgada em direção ao portão de Esperança.

Os cavaleiros foram recebidos com muita curiosidade. Bastou cruzarem os portões para que fosse de boca a ouvido a boa-nova de que o trigésimo bento havia despertado e que, de agora em diante, a vitória contra os malditos seria questão de tempo. As pessoas cochichavam e apontavam para Lucas, e sorrisos pipocavam aqui e ali. Logo o povo junto à muralha gritava extasiado, saudando o bento. Francis e Vicente ladeavam o novato; o primeiro sorria para a multidão e para Lucas, empolgado com o momento e contagiado pela emoção, enquanto Vicente mantinha a cara fechada, segurando o cavalo emparelhado ao do novato.

De repente, Lucas viu dois homens trajando as armaduras torácicas, com o grande crucifixo em relevo ao centro e os belos dragonetes dourados nos ombros prendendo a conhecida capa vermelha. Eram os bentos que guardavam Esperança. Vicente parou e desceu do cavalo, auxiliando Lucas. Juntos com Vicente foram ao encontro dos bentos Duque e Edgar. O primeiro, de pele muito negra, tinha os braços fortes e o peito largo. Edgar, de pele pálida, contrastando com a do abençoado colega, tinha olhos verdes, era da altura de Lucas e seus braços eram mais finos, portanto tinha uma aparência menos truculenta que os demais guerreiros. Lucas notou no peito de ambos a medalha de São Jorge, uma espécie de tradição, presente do alfaiate a todos os escolhidos pela profecia. Duque tinha a armadura amassada na parte lateral esquerda e a prata riscada. A capa presa aos dragonetes era desbotada e mostrava um reforço na barra, provavelmente arrastada por quilômetros atrás dos malditos vampiros. A indumentária de Edgar era igualmente "batida", revelando um traço da experiência contida naqueles homens. Ambos os guerreiros abriram um sorriso largo ao parar os olhos sobre o novo irmão, vindo em direção aos bentos e abrindo os braços para Francis.

— É este o homem? — perguntou Duque, pousando a mão nos ombros de Lucas. O novo bento foi invadido novamente por aquela sensação de intrusão. Apesar do revelador e impressionante episódio perpetrado em São Vítor, quando abateu com sua espada mais de trezentos vampiros, não se sentia ainda igual aos outros guerreiros, e sim um farsante, desconfortável. Edgar olhou Lucas de cima a baixo e também pousou a mão no ombro do novato por um segundo sem dizer uma palavra, mas seu sorriso aberto revelava a simpatia pelo novo irmão. Vicente aproximou-se e deu um tapa nas costas de Lucas, que cambaleou dois passos para a frente.

— Este magrelo é o nosso salvador. Não se baseie pelo tamanho e pelos braços murchos deste rapaz, porque eu mesmo vi o que ele fez em São Vítor. O bichim é rápido na espada e dizem que vai me passar fácil, fácil no placar... se não morrer antes.

Duque, Edgar e Francis riram.

— Viemos reunir os bentos, como reza a profecia — revelou Francis. — Vocês devem nos acompanhar. Vamos fazer uma refeição e dar de beber aos cavalos. Um descanso rápido, e partiremos.

— Esperança ficará desprotegida. Temos um número reduzido de soldados e armamento. De quantos homens vão precisar? — perguntou Duque.

— De nenhum, por enquanto, trouxemos dez conosco. O grupo de Adriano, de Nova Luz, e mais três de São Vítor.

— O Adriano — comentou Duque— é metido naquele plano. Não reclamou por ajudar os bentos?

Francis olhou para o líder de Nova Luz, que descia do cavalo e confraternizava com os soldados de Esperança.

— Ele não fez nenhuma objeção. Está estranho, e me disseram no acampamento que é por causa do Gaspar.

— O que tem o Gaspar? — quis saber Edgar.

— Sofreu um daqueles acidentes estranhos, ao que parece, daqueles que só os soldados que estão metidos nesse raio de plano sofrem — comentou Francis, passando a mão por seus bigodes afilados.

— Os soldados que conhecem o plano só estavam buscando uma garantia, caso nosso trigésimo bento nunca aparecesse — resmungou Vicente. — E estão certos. Até onde sei, não tem nada garantido nessa história, ainda mais agora com a morte do Bispo. Quem irá guiar nosso caminho de agora em diante? Quem vai nos dizer se estamos indo para o lado certo ou não?

Os olhos calmos de Edgar transformaram-se e pararam sobre Vicente.

— Você disse que o Bispo morreu?

— E, irmão, isso mesmo.

— Como isso aconteceu?

— Não sabemos ao certo — intrometeu-se Francis, como se quisesse colocar panos quentes no assunto. — Sabemos que houve uma explosão e que o velho

Bento

Bispo foi vítima desse acidente, mas é melhor isso não ser divulgado prontamente. Deixe essa gente sofrida saborear a chegada de Lucas.

Edgar aquiesceu, concordando prontamente. Duque olhou mais uma vez para o novo bento, agora sem o sorriso enfeitando a face; estava analisando o novato. Vicente balançou a cabeça, como se discordasse.

— Deixar o povo saborear a chegada de Lucas. Ah, que bobagem! — resmungou.

Os soldados em missão e os bentos foram levados ao refeitório comunitário de Esperança. O dia na fortificação ganhou ares de feriado, e ninguém queria ir aos afazeres. Todos que acordavam para o trabalho, antes de chegar ao destino, davam com o burburinho e uma fila começou a se formar na porta do refeitório. Os soldados de Esperança tiveram dificuldades para conter os curiosos. Todos teriam chance de ver o trigésimo bento, mas a pedido do soldado líder da cidade, dariam tempo para o recém-desperto fazer a primeira refeição do dia antes de ser atirado aos olhos dos aldeões.

Lucas sentou-se ao lado do soldado Carlos, que atacava as fatias de pão caseiro e bolo de cenoura. O bento sentiu o encorpado cheiro vindo do bule de café, e o perfume não enganava: o sabor do líquido negro era tão agradável quanto o aroma. Depois de uma xícara, deitou também um pouco de leite no recipiente. Ficou estático por um tempo. A voz de Carlos, gastando conversa com Alicate, ecoava sem sentido em sua cabeça, tornando-se grave e pastosa. Lucas fechou os olhos. A voz do soldado foi desaparecendo gradativamente até chegar em sua cabeça, trazido pelos ouvidos, o grasnar coletivo de um bando de gaivotas, um som de mar, de ondas arrebentando. Lucas sentiu-se angustiado, parecia que estava procurando alguma coisa, e tão repentinamente quanto havia mergulhado naquela vaga lembrança, voltou ao refeitório. Nada de gaivotas, nem daquela sensação de proximidade do mar. Estava de novo em Esperança, uma cidade fortificada próxima a Campinas, com as risadas de Carlos e Alicate nos ouvidos. Estava em um mundo onde lutava contra criaturas da noite. Mexeu mais uma vez o café com leite, no fito de ganhar mais lembranças, recuperar aquela sensação, e talvez a memória se refrescasse... Sorveu do líquido morno, sem mais nada voltar à mente. O que fazia perto do mar, tomando café com leite? Quando teria feito aquilo? Estava angustiado naquela manhã longínqua, a pontinha de lembrança lhe dizia isso. Estava procurando alguma coisa perdida, querida. Seria uma mulher? Uma paixão? Não sabia. Nada mais se formava em sua cabeça, mas o que tinha era tristeza. Lucas piscou os olhos e depois deixou a visão vagar pelo refeitório. Estava sozinho e triste, vendo aquelas pessoas... Por que iria lutar junto daqueles homens? Por que estava vestindo aquela roupa estranha, cavalgando com uma capa vermelha por terras desconhecidas? Lucas sorveu mais café enquanto Vicente o encarava. Provavelmente, o brucutu nojento tinha percebido sua súbita mudança de estado de espírito.

Logo depois do desjejum, Lucas permaneceu no refeitório e recebeu a visita das centenas de aldeões que estavam se acotovelando na porta do galpão. Queriam apenas ver o trigésimo bento, tocar o recém-desperto. Para eles, estar com Lucas já parecia um milagre realizado, e todos diziam palavras de incentivo. Um ou outro chegava a pedir a benção ao herói aguardado.

Lucas manteve-se calado durante boa parte da visita, sem saber o que dizer àquela gente. Distribuía sorrisos, tentando não demonstrar o desconforto que sentia. Providencialmente, bento Duque aproximou-se dele, tirando-o do refeitório debaixo dos protestos dos remanescentes que aguardavam sua vez. O negro conduziu Lucas até os aposentos da soldadesca e sugeriu que o novato descansasse o esqueleto com os demais enquanto os preparativos para seguir adiante eram providenciados.

Lucas sentou-se na cama forrada assim que Duque deixou o alojamento. Lá dentro, escuro por causa das pesadas cortinas, tinham doze camas. Dois soldados que o acompanhavam na jornada roncavam, dormindo profundamente. Lucas pressionou os dragonetes sobre a armadura, na altura das clavículas, liberando sua capa. Enrolou-a, colocando-a a seus pés, e seus dedos soltaram as travas laterais do peito de ferro, depois os fechos nos ombros. O tórax dividiu-se em dois, com a parte traseira caindo no colchão da cama de solteiro e a frontal sendo amparada pelas mãos de Lucas. O trigésimo desvirou a couraça, olhando demoradamente para a cruz dourada que dividia a peça em quatro partes prateadas. O que aquele símbolo significava? Por que carregavam cruzes de ouro no peito se Bispo havia lhe dito que estavam vivendo no meio de um cochilo de Deus? Lucas passou a luva de couro sobre a cruz, sobre símbolos. Juntou a parte de trás da couraça e a colocou sobre a capa vermelha. Tirou as luvas marrons e apertou os dedos um instante, soltando as tiras de couro do punho, liberando as mangas da cota de malha de ferro. O tilintar dos elos de prata ganhou volume. Soltou também a tira que percorria a barra da cota e puxou a peça pela cabeça. Foi a vez da tira de couro das costas ser desatada, que deu um pouco mais de trabalho pela posição incômoda e pela largura do couro. Assim que deu um jeito no obstáculo, sentiu o colete de couro afrouxar. A gola alta tinha deixado um hematoma abaixo do seu queixo e a pele estava dolorida, mas teria que se habituar àquela desconfortável vestimenta. Jogou o colete por cima da cota metálica e por último livrou-se do ridículo saiote verde-escuro. Deitou-se e cobriu-se com uma manta marrom. Apesar de não sen-

Bento

tir frio, sentia-se mais confortável assim, era um costume, sempre dormia coberto, independentemente do clima. Fechou os olhos enquanto refletia: como poderia saber que aquilo era um costume? Tinha dormido trinta anos no subsolo de um hospital, descoberto, jogado em uma maca, como poderia ter certeza da maneira que dormia em seu apartamento? Não poderia, mas sentia-se muito bem, coberto em uma manhã quente, mesmo assim.

* * *

Por volta das 11 horas da manhã, o grupo de cavaleiros cruzava novamente o portão, deixando Esperança com o reforço dos bentos Edgar e Duque. Com exceção de Francis, os outros quatro bentos faziam as capas tremularem ao sabor do vento e da cavalgada. Estavam agora indo para as fortificações ao norte e estariam cada vez mais expostos aos vampiros, sendo improvável não toparem com o exército das criaturas nas próximas noites, pois estavam rumando para áreas de atividade intensa durante as horas de escuridão. Cedo ou tarde, seriam detectados e caçados. As espadas de prata não descansariam na bainha todo o tempo.

CAPÍTULO 25

Aproximava-se das cinco da tarde, e o sol, ainda amarelo e vivo, avançava rapidamente de encontro ao horizonte. Os bentos permaneciam agrupados no centro, protegidos pelos soldados que iam ao redor.

Bento Vicente conversava com Adriano, Sinatra entoava outra canção antiga, fazendo mais cinco cantarem o refrão em conjunto e Lucas sentia novamente o passado inundando sua mente. Fechou os olhos e viu um bar enquanto os soldados faziam coro para Sinatra. Aquela música... era Andança, de Caymmi! Lucas viu-se em uma mesa erguendo um copo de chope, ouviu risadas e duas moças em um microfone. Era um karaokê.

Vicente afastou-se de Carlos e veio ter com Francis. Conversavam sobre o acampamento noturno, pois teriam de encontrar um abrigo. Estavam em território perigoso e um confronto prematuro com as criaturas da noite deveria ser evitado a todo custo. Não temiam tanto um primeiro embate, que poderia ser vencido, mas sim a lamentável situação de ter a posição do grupo delatada. O problema seria a noite seguinte, quando os vampiros se organizassem e viessem em número impressionante para cima da tropa. Não podiam colocar em risco a missão de juntar os trinta bentos, tinham que zelar pela realização dos quatro milagres.

Vicente, seguido por Adriano e Paraná, disparou na frente do grupo. O campo aberto e de vegetação rasteira permitiu que fossem vistos pelo grupo por um bom tempo. Cerca de trezentos metros adiante, quando suas figuras tinham se transformado em pontos galopantes, desapareceram na mata que se erguia na frente. Quarenta minutos mais tarde, quando o sol já batia na linha do horizonte tingia o céu de púrpura, Vicente e Adriano ressurgiram, pois tinham encontrado um lugar apropriado para o acampamento noturno. Os cavalos aceleraram, acompanhando a dupla pela mata, chegando ao local escolhido com o céu já escuro. De um casebre colado a um riacho escapava uma luz tremeluzente. Paraná tinha improvisado um vassourão com folhas secas e tirava o que conseguia de pó do interior da decrépita construção.

— O que é isso? — perguntou bento Francis ao se aproximarem.

— Um amontoado de tijolos que o Adriano encontrou — respondeu Vicente.

Os cavalos rodearam o casebre e, aos poucos, os homens foram desmontando. Lucas, apesar do longo cochilo da manhã, sentia-se cansado, e seus olhos pesavam. Não se lembrava de ter sentido tanto cansaço algum dia em sua vida. Afagou a crina de seu tordilho marrom-escuro antes de apear e suas botas afundaram no mato alto que ladeava o casebre. Olhou com mais atenção a construção e pela primeira vez concordou com o grandalhão mal-encarado. Aquilo não passava de um amontoado de tijolos e estava prestes a desabar. Lucas adentrou o ambiente iluminado por um lampião a querosene, e velhas teias de areia, tingidas de negro pelo pó acumulado, projetavam sombras fantasmagóricas na parede. O casebre era dotado de cômodo único, sem paredes ou qualquer tipo de divisória, e na parede mais próxima ao riacho um engenho estendia uma haste de cobre através de um buraco pela parede. Certamente usavam a força da água para a moagem de algum produto agrícola. Duas mesas grandes, também cobertas pelo pó dos anos, compunham toda a mobília existente, e o teto, igual às paredes, parecia aguardar o sopro do lobo mau para desabar sobre os pobres porquinhos.

— Não é uma suíte do Luxor, mas vai servir de abrigo para o pernoite.

Ouvindo o comentário de Francis, Lucas voltou ao batente da porta. Sinatra, como de costume, cantarolava alguma coisa, enquanto Alicate livrava-se da bota no lado de fora da casa.

— É melhor eu tirar isso aqui fora e ir lavar os pés no riacho, senão vocês não me deixarão dormir aí dentro — advertiu o soldado.

Lucas sorriu, enquanto Sinatra parou com a música para uma risada. O soldado apanhou as rédeas de dois cavalos e levou-os para perto do riacho, para que tomassem água fresca.

— Quem está com fome? — perguntou Paraná, de dentro.

— Vai ser boia fria, não quero fogueira chamando a atenção de ninguém. Comam pães.

Surgiram alguns muxoxos depois da ordem de Vicente. A maioria dos homens estava faminta, torcendo por um bom pedaço de carne no bucho antes de pregar os olhos. Contudo, tinham que concordar com o bento que já estavam em uma área considerada de risco. Um vacilo e, pronto, estariam na mira dos vampiros.

O trigésimo bento, ainda parado no batente da porta, observando a sombra fraca de sua figura ser projetada para a terra de pedriscos na frente, estava calado. Ergueu os olhos para o céu e viu uma quantidade alucinante de estrelas, em um céu impressionante. Olhou para o seu cavalo no meio do mato alto, pastando tranquilo. Pobres animais! Deveriam também estar cansados da corrida constante. Lucas caminhou em direção ao tordilho. Bento Duque, com sua couraça surrada por batalhas, surgiu do lado de fora, enquanto Lucas afagava o pescoço de sua montaria. De repente, ouviram algo. Os olhos de Duque, demonstrando surpresa, viraram para a floresta, e Sinatra, ainda no riacho com os cavalos, olhou ao redor. Alicate, descalço, apanhou o rifle recostado na parede do casebre, colocando-se em pé e destravando a arma.

— O que foi isso? — perguntou Lucas ao bento negro.

Duque levantou o dedo, colocando-o na frente do nariz para pedir silêncio. O rugido vigoroso ecoou mais uma vez na noite, mais poderoso e mais próximo dessa vez.

— Uma onça, Lucas. E das grandes — revelou bento Duque.

Lucas tirou a mão do cavalo e desembainhou a espada.

— Sshhh! — repetiu Duque.

Zacarias e Joel surgiram na porta do casebre, trazendo suas armas prontas para disparar.

— E se acendermos uma fogueira? Ela não vai chegar perto da gente com uma fogueira acesa — sugeriu Alicate.

Francis negou com a cabeça. Vicente também deixou o casebre e foi para o lado de Sinatra, junto ao riacho. O bento grandalhão desembainhou sua espada, com os olhos varrendo o escuro. Ouviram o rugido da fera mais uma vez, e vinha das árvores, atrás do casebre, depois do riacho.

— Onça... — murmurou Lucas.

— É o que tem de monte por aqui — rebateu Duque, em voz baixa, próximo de Lucas.

— Vocês nunca descansam, não?

Duque sorriu, exibindo sua dentição perfeita. Os homens voltaram-se para o riacho, podendo ouvir a grande onça movimentar-se na mata. Estava correndo e pássaros despertos pela fera voavam em disparada, enchendo a noite de barulhos. Repentinamente, um vulto saltou do meio das árvores vindo para o leito do riacho, correndo na direção de Sinatra. Alicate, com mira pronta, disparou, mas o bicho alcançou o soldado-cantor, derrubando-o na margem do rio. Levantou-se mais uma vez, voltando a correr, e um segundo disparo do rifle de Alicate fez a criatura tombar. Mas era apenas uma capivara. Para surpresa de todos, uma onça-pintada imensa surgiu das árvores, e o belíssimo animal parou na beira da mata, olhou para os soldados por um momento e esgueirou sua pelagem pintada de volta à escuridão. Quando o grupo descongelou, Alicate avançou até a capivara abatida e encostou o cano do fuzil no animal. Estava morto.

— Pelo menos a boia de amanhã está garantida.

Os homens riram, desanuviando um pouco.

— Vamos descansar o esqueleto, macacada, que amanhã temos um dia cheio. Cinco da manhã: cavalgar. Sete da manhã: cavalgar. Nove da manhã: cavalgar — lembrou Vicente.

— Zacarias e Marcel pegam o primeiro turno e depois revezam com Alicate e Sinatra. Escorem bem a porta e fiquem de ouvidos atentos — orientou o líder Adriano, cofiando o cavanhaque. — Onça é o menor dos nossos problemas.

Lucas recolheu a espada. A inesperada visita tinha espantado o sono, mas o cansaço ainda pesava sobre os ombros e, assim que deitasse, escorreria para a terra dos sonhos.

* * *

Lucas acordou suavemente e abriu os olhos tentando enxergar na escuridão. Uma sombra estava ao seu lado. Ouvia gotas caindo do teto e estalando nas poças, além de alguém chamando seu nome mais uma vez. Era por isso que tinha aberto os olhos, havia alguém o chamando em um sussurro. Sentou-se sobressaltado, despertando de fato. Não estava no casebre, onde havia adormecido, mas cercado por corpos empilhados e ressequidos, cadavéricos. O coração disparou e Lucas ouviu a voz repetindo seu nome. O bento levantou-se, procurou por ela, pisou sobre corpos para aproximar-se do homem que o chamava e achou um corredor entre os cadáveres. Um ser moribundo estendeu o braço em sua direção e, em vez de seu nome, o monstro, quase seco, balbuciava algo ininteligível, talvez pedindo ajuda, com os olhos afundados nas órbitas. Era um "morto-vivo". O chamado tornou a acontecer, vindo de mais adiante, e Lucas tateou as paredes de pedra. Gotas desprenderam-se do teto ao som de goteiras, como se tivesse chovido muito sobre o casebre. As pedras estavam úmidas, e o chão, liso e viscoso como limbo. A pele do trigésimo bento arrepiou-se ao chamado de seu nome. Ele tocou o peito, sentindo a cruz em relevo, e veio um conforto. Ele continuou caminhando por todo o corredor e por fim se deparou com um novo canal de pedras sob uma claridade. Sua respiração estava entrecortada, e a voz continuou chamando.

— Venha, Lucas!

Ele passou a enxergar o chão com pedras negras e musgo nas reentrâncias. Um ar frio percorreu o corredor e atingiu a boca da caverna. Escalou três metros para abandonar o buraco e viu eucaliptos ao redor. Um vento suave farfalhava nos galhos e folhas caíam.

Uma claridade fraca mostrava que estava amanhecendo.

— Onde você está? — perguntou Lucas.

Olhou ao redor, para a floresta plena de árvores, e viu um terreno acidentado. Um pano vermelho sujo e desbotado estava amarrado ao redor de um tronco. Lucas desequilibrou-se e caiu junto a uma pedra, fazendo os galhos das árvores agitaram-se mais ariscos. Ergueu os olhos e viu criaturas que saltavam nos galhos, muito leves, transitando com graça. Ficou imóvel, e uma delas aproximou-se, santando do topo da árvore e batendo em cima da pedra ao seu lado. A criatura flexionou o tronco, farejou no ar e em seguida grunhiu.

Lucas arregalou os olhos e viu que aqueles seres eram vampiros! Pousou a mão na espada e arrancaria a arma da bainha, mas, por alguma razão, sentia-se petrificado de medo. Eram muitos, em muitos galhos, como uma tribo silvestre, antiga e primitiva, composta de seres leves como plumas, que, de modo selvagem, preferiam caminhar sobre as árvores a andar sobre o chão. O vampiro que estava em cima da pedra ergueu o tronco e urrou, enquanto Lucas olhava fixamente para a horrenda criatura. O monstro tinha a pele branca e as veias azuis destacavam-se de maneira gritante. Tinha lábios ressequidos, olhos vermelhos e caninos longos feitos para rasgar a carne da presa, na sede do sangue. As criaturas saltaram das árvores, escondendo seus olhos de brasas ardentes na boca da caverna, e o último deles, o que estava cravado no topo da rocha feito uma gárgula maldita, também deu seu salto e desapareceu pela entrada da toca. A floresta voltou ao silêncio, e as árvores, ao movimento calmo proporcionado pela brisa suave. Lucas levantou-se com o coração ainda disparado e a mão no cabo da espada. A boca da caverna já estava morta.

— Rios de Sangue — disse a voz.

Lucas sobressaltou-se e virou, vendo, no meio das árvores, a imagem de um homem. Caminhou ao encontro da visão.

— É aí que eles moram, Lucas, e estão nesses buracos que escondem nossos irmãos. Escondem-nos para servirem-se de sangue.

— Você... — murmurou Lucas aproximando-se, confuso.

O corpo espectral abandonou sua posição e aproximou-se do interlocutor.

— Você está morto! — espantou-se o bento.

Lucas estava com os olhos arregalados, sem acreditar no que via. O corpo translúcido do velho Bispo estava na sua frente!

— Bispo! — exclamou.

O fantasma andou entre as árvores. Lucas engoliu em seco.

— Meu corpo está morto, Lucas, fui vítima de uma cilada, uma trama maldita — revelou o fantasma, com voz calma e baixa. — Não sei por quanto tempo estarei por aqui, menino, mas tenho certeza de que isso não vai durar, não. Tudo arde, e a luta é constante. Está tentando me digerir, Lucas, comer minha consciência.

Lucas andou novamente ao encontro do fantasma do Bispo, que se afastou antes de ser tocado e caminhou em direção à boca da caverna, apontando para o buraco.

— Está vendo, bichim? É aqui que os cabras se escondem. Viu aquela gente seca lá embaixo?

Lucas aquiesceu.

— São nossos irmãos, os que os malditos sanguinolentos chamam de Rios de Sangue. De dia, a gente roda para salvar o povo adormecido, e, de noite, eles varrem a escuridão para prender mais gente. É a guerra, bichim, mas agora que tu está aqui, isso vai ter um fim.

Lucas abaixou a cabeça.

— Eu estou com medo, Bispo.

O fantasma, com olhos serenos, fitou longamente o bento.

— Ainda está com medo? Mesmo depois de ter dado conta de uma legião do capeta nos muros de São Vítor? Oxe! Deixa de ser besta, cabra, tua força, tua energia é tão poderosa que tu está até aqui comigo. Ninguém mais está, só tu. Isso não te diz alguma coisa?

— Acho que estou sonhando... deve ser isso.

— O mundo dos sonhos rege o mundo dos vivos, filho. Tudo o que é sonhado é colocado em prática.

Lucas caminhou até a boca da caverna e o velho Bispo andou mais um pouco. Só agora o bento notava que o velho estava em pé.

— Você está andando...

Bispo sorriu.

— Aqui eu ando, filho. Não é bom isso?

Lucas aquiesceu.

— Vim para te dar um aviso.

O bento notou que a expressão do velho mudou, abandonando o ar leve para escurecer de seriedade.

— Aqui eu continuo vendo coisas, mas não sei até quando, filho. Minha essência escorreu pela garganta de um maldito, e eu temo que, se ele sobreviver, vai começar a ver o que eu vejo também, mas vai ver o que é bom para ele, vai querer estragar nossa vitória, vai melar, Lucas.

— Nós vamos conseguir juntar os trinta bentos?

Bispo não respondeu.

— O que você viu, Bispo? Diga.

— Eu te vejo lutando contra o Demônio, bento Lucas. Tu é o escolhido e vai pegar a pior parte do trabalho. É um guerreiro danado de bom, cabra da peste, mas para juntar os trinta, tem que despertar aquela tua teimosia. Lembra a teimosia? Obstinação, impaciência. É desse Lucas que os bentos precisam. O Lucas que procura sem cansar.

Lucas engoliu em seco.

— Tu vai lutar contra a fera, bento. Fogo e fumaça, o inferno, menino. E eles também vão aprender a lutar, Lucas. Vocês têm que correr, têm que ter pressa, porque os milagres...

— Você viu? Você viu os milagres? — perguntou Lucas, afoito, interrompendo o espectro. — O que vai acontecer quando juntarmos os trinta bentos?

O fantasma do Bispo mudou o rosto.

—Tu tem que tomar cuidado, Lucas. Cuidado! E se apressa, põe gana nesses homens.

— O que são os milagres, Bispo?

O fantasma falava e sua boca movia-se rapidamente, mas som nenhum saía. No semblante de Bispo, estava estampado o medo. Um vento forte farfalhou as folhas das árvores, e o fantasma apontou na direção de um eucalipto. Lucas sentiu um embrulho no estômago e olhou para onde o velho apontava, o pano vermelho ao redor do tronco.

— Lucas! — um grito.

Lucas abriu os olhos, encontrando as teias e as ripas do teto. Um fio de luminosidade entrava por frestas nas telhas de barro, enquanto bento Duque o balançava pelos ombros.

— Que sono pesado, irmão, não pode ser assim. Os malditos podem atacar a qualquer instante.

Lucas levantou-se.

— Coloque sua capa, vamos partir.

Lucas olhou ao redor e viu que era o último dentro do cômodo.

— Eu tive um sonho.

Bento Duque, que caminhava para fora, estacou e virou-se.

— Teve o quê?

Bento

— Um sonho. Com o velho Bispo.

Duque parou de frente para Lucas, calado e passou a mão na cabeça.

— Ninguém tem sonhos, Lucas, ninguém sonha desde o dia em que os malditos infestaram a Terra.

Lucas, quieto, apanhou sua espada embainhada, prendendo-a ao cordão de couro. Bento Duque virou-se, agitando sua capa vermelha, e caminhou até desaparecer pela porta iluminada.

CAPÍTULO 26

Lúcio olhou para o caixote de madeira sem saber o que fazer. Por mais quanto tempo o vampiro permaneceria daquele jeito? Será que acordaria algum dia ou estaria morto? Não podia ir até algum covil devolvê-lo, pois seria morto e sabia disso. Teria que esconder o corpo inanimado de Cantarzo ou carregá-lo consigo.

Passou o braço pela testa, limpando o suor. Tinha conseguido o caixão e a corda para puxar o maldito e, apesar de a lama fazer o caixote deslizar mais facilmente, ainda assim o corpo do noturno era pesado. Iria por baixo das copas mais frondosas, assim evitaria o sol direto sobre o caixão, mas não conseguiria arrastá-lo por muito tempo. Onde encontraria uma cobra engolindo uma tartaruga? Teria de abandoná-lo à própria sorte, mas e se não estivesse morto? Poderia estar em uma espécie de transe, hibernando, afinal, tinha ingerido sangue. Nunca tinha visto antes, de perto, um vampiro alimentando-se, mas sabia que eles não caíam mortos depois de tomar o líquido da vida, e sim continuavam feito cães urbanos atrás da caça sangrenta, como demônios. Por outro lado, o maldito não tinha tomado um sangue qualquer, mas o do Bispo, e sangue mais especial que aquele no meio dos humanos não havia.

Lúcio raspou as unhas na barba e viu que o sol estava chegando, e nada do maldito acordar. Cantarzo era pesado, e o jeito foi apanhar a casca de uma árvore velha. Cavou entre as raízes, alargando a reentrância, e depois de suar por mais de meia hora na tarefa de tirar o barro úmido de debaixo do raizame, já tinha espaço suficiente. Arrastou a caixa de madeira contendo o corpo de Cantarzo para o fundo e começou a recobrir com o barro revolvido. Para tornar o esconderijo ainda melhor, puxou as velhas raízes para cima e cobriu tudo com uma boa quantidade de folhas velhas, para que sol nenhum atingisse a caixa e nem curioso algum descobrisse o esconderijo. Lúcio passou o braço sujo de barro debaixo do nariz e demorou para recuperar o fôlego da exaustiva tarefa.

Percebeu que estava com fome e tudo o que queria era um pedaço de pão. Não conhecia muito bem aquela região, mas se encontrasse a casa de um banido, talvez conseguisse comer alguma coisa. Andou por entre as árvores e chegou à beira do barranco, onde, para baixo ou para cima, só havia mais mata. Teria que tomar cuidado para não perder o vampiro. Viu que algumas espécies de bromélias jaziam logo abaixo, adornando todo o pé do barranco, e sentou-se em uma pedra para descansar mais e aproveitar para memorizar as particularidades da paisagem. Não sabia se voltaria, tomaria essa decisão depois. Tinha feito o que o vampiro havia pedido em troca da imortalidade, mas agora o maldito estava daquele jeito, apagado. Não tinha, portanto, garantias de que voltaria a ver Cantarzo andando pela mata novamente e não sabia o que fazer. Começou a descer o morro para procurar água e fumaça, onde provavelmente haveria comida. Depois colocaria o coco para pensar como fazer para encontrar uma bruxa, uma serpente e uma tartaruga.

CAPÍTULO 27

— Amanhã, a uma hora dessas, estaremos cruzando os portões de São Pedro, Lucas, e mais três bentos se juntarão à nossa cruzada — disse bento Francis.

— Menos três bentos até os milagres — adicionou Edgar.

Os cascos dos cavalos produziam um som oco contra o asfalto, já que a maior parte do dia tinham cavalgado sobre a estrada. Lucas não cansava de notar a exuberância da natureza, bem diferente do mundo que havia conhecido, cinza de aparência e atitude, aglomerado de gente que se trombava na rua sem acenar a cabeça ou dar um bom-dia. Entendia cada vez mais as palavras que Bispo havia lhe dito, não as do pesadelo bizarro da noite anterior, mas aquelas escutadas dentro da casa do velho, quando falou que o dia fatídico que separara os vivos dos mortos havia sido um dia de benção, e não de tragédia, um divisor de águas, pois, daquela noite assombrada em diante, os grandes ícones do homem foram ao chão para restar os dois sentimentos a que os sobreviventes se agarravam: o medo e a união.

O fim do velho mundo havia sido necessário para lembrar aos homens a real missão dos irmãos na Terra: proteger uns aos outros, viver uns com os outros, todos sob o mesmo sol e o mesmo céu, colocando em primeiro lugar o bem-estar do grupo e não a cobiça privada, em que o deus-dinheiro era mais importante. Os grandes bancos, com suas sedes erigidas e encravadas nos corações das metrópoles, deveriam agora ser ninho dos malditos, ocupados pelos vampiros amaldiçoados pela escuridão e sedentos de sangue. Lucas sorriu com seus pensamentos recentes. Dinheiro era uma lembrança vaga, assim como a pilha de contas em sua casa.

Seu sorriso sumiu ao lembrar de sua casa e de seu passado perdido. Não conseguia se lembrar de amigos ou parentes, mas sorriu novamente rememorando os últimos dias. Era curioso como não tinha ouvido alguém falar de dinheiro nenhuma vez. Os homens falavam em esperança e salvação, em irmandade e união, e as pessoas pareciam mudadas. Recebeu roupas de guerreiro, cavalo, espada, e ninguém lhe havia pedido dinheiro algum, apenas que fosse, de fato, o salvador, o homem com quem Bispo sonhara, o libertador dos humanos que bateria os malditos vampiros para os confins do inferno e baniria o medo da noite. Lucas suspirou, apertou os olhos e viu uma valise cheia de notas, muito dinheiro e uma aflição crescente ao perceber que aquele dinheiro representava vida. Abriu os olhos e sentiu a luz do sol inundar sua cabeça, varrendo para baixo do tapete da consciência seu fiapo de memória.

— Vamos cortar caminho por ali — disse Vicente, arrancando Lucas de suas divagações. O bento olhou para onde o colega apontava, um caminho largo e aberto na floresta, com chão de barro úmido. Sentiu um mal-estar, pois a via escurecia à medida que as árvores se intensificavam.

O som seco dos cascos de cavalo ia dando lugar ao barulho da lama. Alguns dos soldados iam na frente, averiguando a passagem, e outros cercavam os guerreiros armados. Adriano aproximou-se com um volume nas mãos.

— Vista isso, estamos em terreno perigoso.

Lucas apanhou uma peça de pano da mão do soldado e ficou observando Adriano distribuir peças iguais aos outros. As peças eram grandes capas de cor marrom com capuzes na extremidade, e os cinco bentos e mais três soldados as vestiram.

— Assim não damos tanto na vista que somos bentos e evitamos armadilhas por parte dos malditos noturnos.

— Mas a essa hora, ainda tem sol, e eles não podem nos atacar — argumentou Lucas.

— Mas os mulos podem.

Lucas olhou para Francis e lembrou-se dos mulos, os escravos dos vampiros, que poderiam criar encrenca durante as horas de sol, conseguindo detectar um grupo de soldados em missão e delatar a posição ao inimigo noturno assim que o sol baixasse. Os banidos viviam nas matas e usavam desses expedientes para criar bons relacionamentos com os monstros da noite e ter seus pescoços poupados.

— Se algum mulo vir nossas capas vermelhas e armaduras reluzentes, quando chegar a noite os malditos estarão em cima da gente. Bentos são perigosos, mas são peças importantes no jogo dos noturnos. Valemos muita coisa para esses desgraçados, e eles pulam feito loucos em cima do nosso couro, mesmo sabendo que, provavelmente, serão picados e moídos por nossas espadas de prata.

— Eles devem conhecer a profecia.

— Conhecem, sim, Lucas. Esses banidos são pessoas más que foram colocadas para fora das fortificações e dão mesmo com a língua nos dentes. Selam amizade, compactuam com os malditos e vendem informações. Por isso os noturnos sabem onde guardamos os adormecidos e atacam tanto São Vítor: porque sabem que lá se concentra o maior número de adormecidos de todo o Brasil.

— Por que não descobrimos onde ficam esses mulos e acabamos de vez com eles?

Francis puxou a rédea do cavalo e parou o animal, e Lucas fez o mesmo. O bento mais antigo suspirou fundo.

— Não matamos gente, Lucas, mesmo dando vontade... Essa vida já é tão desgraçada, tão terrível, que fizemos um voto de não matar os irmãos, mesmo os maus que vivem fora dos muros.

— Mas se eles prejudicam tanto a missão...

— Viver fora da fortificação já é castigo suficiente, e mesmo com os pactos que tecem com os malditos noturnos, esses banidos são uns coitados, vítimas de suas atitudes... Até mesmo seus protetores da noite acabam se virando contra eles. Os noturnos são bestas sem escrúpulos e sem coração. Quando querem sangue, só buscam um corpo quente e de coração pulsante. Esquecem de pactos e de relacionamento.

O grupo de cavaleiros afastava-se e apenas Alicate aguardava a dupla que conversava.

— Vamos andando, Lucas. Temos que percorrer muito chão até São Pedro. E vamos orar também, pois estamos em terreno inimigo, e nesta região a atividade dos noturnos é constante. Se descobrirem um grupo de cinco bentos na mata, juntarão tantos noturnos quanto for possível para arrancar nosso couro.

Lucas arrepiou-se, lembrando a visão em seu pesadelo, dos malditos vampiros empoleirados nas árvores feitos pássaros do inferno, com a pele branca de veias negras e azuladas que realçavam a aparência demoníaca e asquerosa, exalando pelos poros uma névoa de perigo e alertando aos incautos: "Fiquem longe de mim".

Cavalgaram vagarosamente por cerca de uma hora. Apesar do ar sombrio que sentiam a princípio, o caminho era calmo e harmonioso. Uma brisa constante refrescava a pele, aliviando o calor proporcionado pela farda de guerreiro. Bento Edgar aproximou-se com sua montaria, permanecendo ao lado de Lucas, e depois de cinco minutos, abriu a boca:

— E aí? Como é ser o tal?

Lucas sorriu, soltando ar pelo nariz, mas continuou calado, escutando a voz dos soldados conversando na frente e o barulho dos cavalos passando pelo chão úmido. Os cavaleiros balançavam sobre as selas, acompanhando o movimento dorsal da montaria.

— Sei lá, dá um embrulho no estômago...

Edgar levantou o rosto, olhando para as árvores ao redor. As copas altíssimas, com cerca de vinte metros acima de suas cabeças, peneiravam os raios de sol.

— Já, já vai escurecer.

— Como é que você chegou aqui? — quis saber Lucas.

— Que nem você. Um dia acordei, fui colocado em uma sala e fiquei esperando o que ia acontecer.

— É estranho, não é?

Edgar concordou com a cabeça.

— Dormi como corretor de seguros, acordei como salvador do mundo.

Continuaram em silêncio mais um instante.

— E você? Lembra-se da sua vida antes de adormecer?

— Ah, já me lembrei de tudo faz tempo. Às vezes, demora para as coisas voltarem para a cachola... mas elas voltam de uma hora para outra, sem explicação.

— Está difícil... Nem do meu nome eu me lembrava.

— Eu lembrei tudo. Não sei se isso é bom... às vezes, preferiria ficar desmemoriado. Assim o peito não ia doer tanto na hora de me lembrar da minha preta e dos meus dois bacuris.

Lucas riu da expressão.

— Eu era policial rodoviário, morava em Ubatuba e trabalhava em Caraguatatuba.

— Ubatuba?

— É, as praias mais lindas do litoral paulista, lembra?

— Ubatuba... — repetiu Lucas.

— O caso Roberto... o louco do asilo, lembra?

— Acho que... lembro... — Lucas puxou a rédea, fazendo o cavalo parar.

Edgar também parou seu animal vendo que Lucas tinha a expressão estranha.

— Lembra o caso do asilo? Passou no *Fantástico*. A Globo deu o maior apoio pra nossa causa. A ação "Desespero que salva". O policial maluco era eu. Lembra?

Lucas apertou os olhos vendo um flash, ouvindo o som das ondas e vendo carros de TV.

— Não tenho certeza...

Baixou a cabeça e viu um folheto na mão, com a foto de um rapaz conhecido olhando para o lado, ouvindo os gritos desesperados de uma mulher que tirava a filha de uma multidão de famintos.

— ... acho que eu estava lá.

Edgar abriu um sorriso largo.

— Não acredito!

— "Desespero que salva".

— É, foi esse o slogan idiota que eu bolei, mas que deu certo.

— O que foi que aconteceu? Eu não lembro bem.

— É o que eu ia falar. Eu era policial rodoviário, mas nas horas vagas eu dava uma de professor de Educação Física voluntário no maior asilo de Ubatuba.

— Sei — concordou Lucas.

— Teve uma época em que o asilo só funcionava na base de voluntários, daí a prefeitura cortou a verba que sustentava o pouco que restou da casa de velhinhos, e eu comecei uma campanha, pedindo aos empresários de Ubatuba e região uma contribuição mensal para manter o lugar. Tinha muita gente que ajudava, mas chegou uma hora que não dava mais, não tinha luz, não tinha água, tinham cortado tudo.

— Nossa.

— E todo mundo estava cagando para os coitados. Sabe, tinha um monte de gente lá que havia sido pai e mãe de família, criado três, quatro filhos e nenhum filho da puta aparecia para ajudar. Os coitados estavam morrendo à míngua, nem tinha mais sentido eu continuar tentando dar aulas de Educação Física, e virei enfermeiro na raça, faxineiro. Minha mulher já estava querendo me largar, porque quando eu não estava no trabalho, estava no asilo. Eu sei lá, simplesmente não conseguia largar aquela gente ali.

— Putz, você não pirou? O que aconteceu?

— Se eu não pirei? Acho que não pirei porque Deus mandou um monte de anjos para segurar minha cabeça. Graças a Deus mais voluntários apareceram, mas tudo gente pobre, como eu. Não dava para fazer milagres, mas a gente ia levando, até o dia da merda maior...

— Que merda?

Bento Edgar deu um toque de calcanhar na barriga de seu cavalo, fazendo-o voltar a andar. Lucas o acompanhou.

— Chegou uma ordem de despejo que acabou com o ânimo de todo mundo. Cento e cinquenta velhinhos que seriam postos no olho da rua. De tanto que eu enchi o saco no fórum, consegui duas semanas de prazo, mas isso não ia adiantar, não dava para colocar cento e cinquenta velhinhos dentro de um apartamento de dois dormitórios.

— E o que você fez?

— Ah, comecei com a ação "Desespero que salva". Eu e mais três malucos ficamos sentados na frente do asilo e começamos uma greve de fome. Mandamos avisar jornais e rádios da região, e em dois dias estava todo mundo sabendo e indo para a frente do asilo ver os quatro malucos que não comiam nada.

— E deu certo?

Bento

— Não era para dar... mas no terceiro dia começou a acontecer. Mais dez pessoas se juntaram a mim e, de quatro, passamos a quatorze. Em uma semana, éramos cento e cinquenta grevistas do desespero. Não deixamos passar disso, pois queríamos que cada um de nós representasse um velhinho. Tinha gente que trazia bolacha, frango, mas a gente estava unido, e não deixei ninguém fraquejar até onde aguentei. Do sétimo dia em diante, era só na base da água. Eu já não estava vendo mais nada. Veio o Fantástico, o SBT, a Record, todo mundo querendo mostrar os cento e cinquenta malucos. Tinha médico voluntário que veio atender a gente, hidratar e tudo o mais, mas só assim para esses cornos aparecerem. Quando chegou o dia de tirar os velhinhos do asilo, quem disse que tiveram coragem de tirar a gente da frente? Com a televisão lá, não passou um. No nono dia, a coisa engrossou, e um monte de grevistas foi levado para os hospitais. Eu, não. Não deixava, dizia que morria se ninguém desse um jeito na situação do asilo e que aquilo não podia, que eu sozinho não podia nada.

Lucas sorriu.

— Acho que agora, com você falando, eu lembro. Teve uma empresa que assumiu o asilo, não é?

— É, uma construtora. Pagaram as contas atrasadas, as contas dos grevistas nos hospitais, e contrataram médico e enfermeira para os velhinhos de Ubatuba.

— Está vendo? Tinha gente boa ainda no mundo.

— Tinha, mas tive que fazer o maior auê.

Continuaram atrás do grupo enquanto a luz no céu ia minguando.

— Depois de um tempo, as coisas voltaram ao normal. Eu voltei a ser um simples guarda de estrada e até ganhei uma medalha do comando por isso.

— Legal.

— Não sei quanto tempo passou, até que uma bela noite eu dormi e, *alakazan!* Aqui estou eu.

— Que história! Você é um cara bastante obstinado.

— Todos nós somos, Lucas, temos essa teimosia, essa gana por dentro. É só encontrar a chave.

O novato suspirou mais uma vez. Depois de completar a curva, Lucas viu bento Vicente e bento Duque apeando dos cavalos. Os soldados que iam na frente já tinham descido e buscavam amarrar os animais próximo a um córrego de água limpa e fundo de pedras. As criaturas, sedentas, abaixavam elegantemente a cabeça, deixando a crina encobri-los parcialmente enquanto bebiam água. Lucas, sem saber por quê, sentiu outro calafrio, estava perturbado. Por que aquela sensação crescente de desconforto, aquele pressentimento de perigo?

Sinatra encheu a floresta com sua voz aveludada, cantando e descontraindo os parceiros de viagem. Bento Lucas parou o animal, e soldado Carlos aproximou-se para auxiliá-lo a descer do tordilho, no entanto ele já havia se acostumado ao transporte, descendo rapidamente e sem embaraço algum. As pernas e a virilha já não incomodavam tanto e não se sentia tão desengonçado sentado no dorso do cavalo.

Carlos notou os olhos de Lucas e encontrou neles algo diferente, um semblante preocupado. O bento olhava para todos os lados, inquieto.

— O que foi? Que cara é essa?

Lucas encarou o soldado por um breve segundo, como se estivesse saindo de um transe. Voltou a olhar para o caminho de barro à frente, igualmente aberto por baixo da copa das altas árvores em uma floresta de eucalipto, como tantas outras que haviam cruzado.

— Nada, Carlos. Só não estou me sentindo bem, é uma sensação esquisita de perigo — disse, apertando as luvas.

— Hum, sei — respondeu o soldado, balançando a cabeça.

Carlos olhou em volta também e viu que faltava pouco para o pôr do sol. Ainda estava junto do bento novo quando ouviram um barulho e em seguida risadas. Os homens estavam na beira do regato, os cavalos relinchavam e erguiam as patas. Carlos correu até o meio dos colegas, e Lucas, vindo atrás, viu quando bento Duque levantou-se da água enquanto os outros bentos e os soldados faziam gozação. Duque, irritado, arrancou a capa marrom ensopada e, quando se livrou do apetrecho, também sorriu. Os amigos que escarneciam não tinham culpa de seu acidente. Ele tinha pisado em falso ao aproximar-se do córrego e uma pequena pedra tinha rolado, levando seu pé e o resto do corpo ao fundo da água.

— Vai chegar o dia de vocês, podem deixar — brincava o negro grandalhão. — Quando tiverem um vampiro nas suas costas, não gritem meu nome, que não vou ajudar nenhum de vocês. Onde já se viu rir de um pobre bento que cai no rio?

Os soldados riram ainda mais alto e fizeram também suas graças. Bento Duque torceu a capa marrom com a ajuda de Alicate e estendeu em cima de uma pedra para que quentura da rocha talvez tirasse a umidade do tecido. Infelizmente, faltava pouco para o sol se esconder no horizonte. Vicente olhava para o morro à frente, onde a hóstia rubra começava a tocar.

— Andamos demais, Francis. O sol já vai embora e não encontramos um esconderijo decente para esta noite.

— Vamos descansar mais um segundo, irmão, os cavalos estão mortos. Com certeza encontraremos abrigo adiante.

Bento

— Na escuridão? Sem chance, conhecemos pouco estes cantos.

— Não assuste os homens, Vicente. Vamos encontrar um abrigo. Somos cinco bentos, vampiro nenhum vai se meter a besta conosco.

Vicente resmungou qualquer coisa e começou a andar sozinho pela estrada de barro. Ao que parecia, procuraria um esconderijo por conta própria. Lucas, depois das risadas junto ao riacho, livrou-se daquele aperto no peito e sentou-se junto aos soldados para descansar um pouco da jornada no lombo do cavalo. O grandalhão Paraná acendia o fogo para esquentar água para um café e Marcel, para auxiliar, já tinha estendido uma toalha no chão, onde havia posto duas broas salpicadas de farinha. Uma refeição ligeira não cairia mal. Duque ainda ria com alguns dos soldados e Sinatra voltara a cantar, ajudando a distrair os rapazes.

Duque pressionou os dragonetes que vinham nos ombros e liberou a capa vermelha. A peça também estava molhada e ficava colada nas costas de sua armadura e nas batatas das pernas, causando desconforto. Retirou a capa e depois os coturnos. Com a ajuda de outro soldado, também torceu bem o manto, olhando em volta à procura de um lugar seguro para deixá-lo secar.

Vinte minutos se passaram, e todos sorviam em pequenos goles o café fumegante e saboroso preparado por Paraná. O pão macio, apanhado em Esperança, confortava o estômago, e todos conversavam despreocupados, porém Lucas mais ouvia do que falava. As reuniões à beira do fogo eram excelentes para o novato descobrir mais sobre a sociedade atual, conhecer palavras e integrar-se ao novo vocabulário. Analisava também o jeito de cada soldado, de cada bento, e tentava desvendar que tipo de pessoa existia por trás de cada rosto. Cada vez mais convencia-se de que eram pessoas do bem, como Edgar se mostrava, gente sofrida que lutava pela sobrevivência. Não que o sofrimento as enobrecesse, mas sofriam porque queriam sofrer, estavam na estrada porque queriam trazer mais conforto para os irmãos, mais segurança, livrar o mundo daquelas pestes da escuridão. Traziam cicatrizes nos braços e faces porque estavam na vida batendo-se contra o perigo. Não ganhavam dinheiro em troca, mas gratidão, irmandade e companheirismo, valores que pareciam a Lucas a moeda corrente do mundo novo.

Lucas estava descontraído, observando com a caneca de café quente na boca, quando se voltou mais uma vez para o horizonte e viu que o disco vermelho já tinha caído para trás do morro, tingindo o céu de tons rubros e violáceos. Baixou os olhos para o caminho abaixo das copas das árvores e avistou Vicente, que vinha pela estradinha de barro, onde as sombras da noite já tomavam seu lugar. O bento sorria ao aproximar-se.

— Encontrei uma gruta segura!

Lucas olhou para o córrego. Sobre uma grande pedra, a capa marrom de bento Duque parecia quase seca. O bento, que estava sem a capa, caminhava somente com a elegante armadura torácica de prata, trazendo nela as marcas de combates antigos. Lucas procurou pela capa vermelha, mas ela não estava estendida sobre pedra alguma. Olhou em volta com a caneca na boca, sorvendo mais café quente, e observou as árvores. Engasgou-se com o líquido fumegante. Derrubou a caneca e sentiu o coração disparar, caindo da pedra em que se encontrava sentado. Abriu os braços ainda desequilibrado e ouviu as risadas dos soldados.

Bento Francis o encarou com seriedade, e Lucas apontou para as árvores, com o coração batendo tão rápido e tão forte que poderia arrancar a armadura. Todos olharam na direção que o dedo indicava. Esperavam encontrar um monstro empoleirado na árvore, mas tudo que viram foi a capa vermelha do bento Duque amarrada no alto, enrodilhando o tronco de um eucalipto.

— Uhhh, cuidado com a capa! — escarneceu Vicente.

Lucas levantou-se, atabalhoado.

— Meu sonho! — gritou, lembrando-se da gruta com o velho Bispo, em que tinha visto um tecido vermelho enrolado em um tronco de árvore.

Bento Francis aproximou-se, também sentindo um calafrio percorrer a espinha, pois o amigo bento havia lhe contado em detalhes o pesadelo e lembrava-se de ele comentar alguma coisa sobre um pano vermelho. Ninguém sonhava desde a Noite Maldita. Pensava nisso quando ouviram um estouro.

— Todo mundo para o chão! — gritou o líder Adriano.

Os soldados buscaram a proteção das pedras. Tinham o riacho às costas e somente as rochas como barreira. O tiro parecia ter vindo do lado esquerdo da clareira, mas não tinham garantia nenhuma de estar no meio de um cerco. Teriam sorte se houvesse apenas um atirador. Adriano rastejou até os cavalos e ouviu outro tiro. Uma lasca de árvore saltou próxima à cabeça de bento Vicente.

— Mulo desgraçado! — urrou o grandalhão.

Adriano arremessou um fuzil para Paraná, e o soldado destravou a arma apoiando-se em uma rocha e fazendo mira na floresta. Se o maldito desse mais um tiro, revelaria sua posição.

— Sorte nossa que esses mulos são ruins de mira — balbuciou Francis ao ouvido de Lucas.

— A gruta... a gruta que Vicente encontrou...

— O que tem a gruta, Lucas?

— Ela está cheia de gente.

— De adormecidos?

Bento

— Gente... gente seca! Tem alguns vivos, que precisamos ajudar!

— E vampiros, Lucas? Tem vampiros nela?

Lucas levantou a cabeça.

— Está vendo aquela touceira logo ali? — Francis levantou-se e olhou rapidamente. — Ali é a boca de uma gruta — completou Lucas.

Francis ia dizer alguma coisa, mas uma explosão bem ao lado deles interrompeu a conversa.

— Eu acertei! — gritou Raul.

— Tem certeza? — perguntou o líder Willian.

— Certeza, cara, pode apostar.

Raul ergueu o rifle com mira telescópica em sinal de vitória e voltou a se proteger contra a pedra. Os soldados do grupo de Adriano não questionaram, pois sabiam que Raul era o melhor de alvo do grupo e, quando estava com aquele rifle, dificilmente perdia um tiro. Vicente olhou para a árvore lascada e mediu um palmo até sua cabeça. Fez o sinal da cruz, porque aquela tinha passado raspando. Os homens continuaram um instante atrás das pedras, enquanto Raul olhava para a mata com a mira. Willian e seus soldados, Alicate e Carlos, olhavam a outra margem do riacho, procurando indícios de movimentação e sinais de inimigos nas proximidades.

— Tudo limpo — gritou Raul. — Acho que era um só, um azarado.

— Se tiver mais gente por perto, os tiros vão chamar a atenção.

— Vamos nos esconder na gruta! Lá vamos estar protegidos e poderemos nos defender melhor, sem ter que nos preocupar com a retaguarda.

Joel atravessou a estrada de barro e embrenhou-se na mata, buscando o corpo do atirador na direção indicada por Raul. Os soldados levantaram-se e foram em direção a Vicente.

— Na gruta, não! — gritou Francis, levantando-se também.

— Por quê? — quis saber bento Edgar.

— Na gruta... têm vampiros.

O silêncio pesou sobre o grupo. Vicente olhou para o horizonte, e um fino fio vermelho perdia a força, entregando o céu à noite. Repetiu o sinal da cruz e pousou a mão no cabo da espada.

— Traga Joel — pediu Francis ao bento Edgar.

Edgar, o magricela de músculos definidos, saiu atrás do soldado, e um vento frio agitou a copa das árvores.

— Quanto tempo temos? — perguntou Alicate.

232

— Nenhum. Preparem as armas com balas de prata. Nós vamos sair dessa — disse Adriano. — Defendam os bentos, custe o que custar. Quando os malditos chegarem, eles vão ficar loucos, mas não podemos perder nenhum, ouviram? Nenhum.

Os soldados aquiesceram.

— Precisamos juntar trinta bentos. Se um morre, acabou a profecia.

Os soldados ouriçaram-se e partiram para os cavalos, preparando as armas. Marcel retirou do meio de suas coisas três garrafas com água benta, sua amiga inseparável.

Os bentos também pareciam empertigados.

— Como sabem que têm vampiros naquela gruta? — questionou Vicente.

— O pesadelo de Lucas, lembra?

O bento balançou a cabeça positivamente.

— Ele sonhou com esse lugar, com as criaturas.

— "Ele sonhou com esse lugar" — repetiu Vicente, mudando a voz para um tom mais agudo, fazendo graça com a expressão. — Você vai ficar prestando atenção em tudo o que esse merda fala?

Um vento mais forte bateu na estrada, e a touceira de mato alto agitou-se. Uma sombra sinistra escapou pela boca da gruta e saltou para cima de uma árvore.

— "Você vai ficar prestando atenção em tudo que esse merda fala?" — repetiu bento Francis, fazendo graça na sua vez.

Bento Vicente sacou a espada.

— Vicente, você tem que aceitar que Lucas é o homem! Ele veio para nos ajudar. Em vez de ficar fazendo pouco, ponha sua espada ao lado dele, morra no lugar dele. É o único caminho.

O vampiro parou empoleirado no galho firme do eucalipto e seus olhos vermelhos varreram a mata. Abriu um sorriso ao avistar, quarenta metros adiante, o grupo de soldados e pensou que lutar por um pouco de sangue quente no começo da noite seria um bom exercício. Grunhiu, chamando a atenção dos irmãos noturnos. As roupas negras da criatura esvoaçaram quando cruzou o ar, deixando uma árvore e partindo para outra.

Bento Duque estalou os dedos e desembainhou a espada prateada. Edgar cuspiu na luva de couro e sacou sua arma também. As capas marrons com capuz confundiriam as criaturas por um tempo. O vampiro agarrou-se firme ao galho, parou e examinou melhor o grupo, então viu que um homem negro trazia o tórax protegido pela armadura de prata. Era um bento!

Dezenas de vampiros saíram pela boca da gruta, a maioria saltava direto da abertura para um galho de árvore, movendo-se com grande velocidade e agilidade, cercando perigosamente o grupo de soldados junto ao córrego. Relinchos de cavalo encheram a mata.

— Sangue bento! — bradou o líder dos vampiros, apontando para Duque.

O líder foi o primeiro a abandonar o galho frondoso e cruzar o ar em direção ao grupo de humanos. Os demais vampiros grunhiram, exibindo seus dentes pontiagudos e descendo para mais perto do chão. Assim que o líder tocou o solo, as criaturas saltaram das árvores, formando uma perigosa nuvem de vampiros ao redor dos poucos soldados. Bastou o grito ameaçador da fera para que os bentos fossem tomados pela força estranha que os empurrava ao encontro daqueles monstros. Bento Duque gritou e ergueu sua lâmina, indo na direção do vampiro líder. Bento Francis sacou a espada. Via que eram muitos os inimigos chegando e sabia que a luta seria infernal.

— Fogo! — gritou Adriano.

Disparos começaram a espocar ao redor dos bentos. Os soldados tentariam abater o maior número possível de criaturas antes que elas tocassem nos bentos, tentando a todo custo salvar aqueles homens sagrados e manter a concretização da profecia em curso.

Assim que o vampiro líder gritou e tocou no chão, vindo de encontro à espada de Duque, Lucas começou a sentir uma queimação interna. O cheiro fétido das criaturas entrava por suas narinas, sugando-lhe o autocontrole. Com suor escorrendo da testa, abaixou a cabeça, e sua mão segurou firme o cabo da espada. Um grunhido gutural formou-se em sua garganta. Abriu a capa marrom e retirou o capuz, fazendo sua capa vermelha esvoaçar ao girar o corpo. O círculo de vampiros em torno deles pareceu aguardar um segundo ao perceber mais um bento revelado. Risos partiram da boca das feras. Dezenas delas estavam no chão, além de um bom número que ainda estava empoleirado nas árvores. Os olhos do bento encheram-se de luz, emanando um espectro amarelado, e Lucas arrancou a espada da bainha, provocando um chiado metálico.

Marcel, apesar da tensão do momento, parou para observar Lucas e sentiu a pele arrepiar. Os olhos do bento estavam amarelos, e Marcel chamou a atenção de Raul quando o bento disparou em desabalada carreira de encontro aos malditos.

O vampiro líder parou o ataque antes de se encontrar com a espada de Duque e, surpreso, percebeu uma sombra prateada e vermelha cruzando seu caminho. No instante seguinte, seu corpo vampírico perdia as forças e sua cabeça escapava do pescoço. Lucas continuou a corrida, ignorando os vampiros que surgiam ao seu lado, pois queria alcançar as árvores.

Adriano deu mais um tiro. Outro vampiro sentiu a carne penetrada pelas balas de prata, tombando aos gritos, ferido gravemente. O líder dos soldados de São Vítor fez nova mira e mais um desgraçado saía do caminho.

Os vampiros que gargalhavam em cima das árvores, observando a batalha, ficaram tensos quando perceberam o vampiro líder cair decapitado. Notaram que, debaixo daquelas capas marrons, surgiam cada vez mais bentos, e, no instante seguinte, um dos vampiros notou aquele homem de capa vermelha subindo rapidamente na árvore. Não teve tempo de dar o alerta, pois, quando flexionou o corpo, a espada afiada do bento já o tinha atingido na altura do joelho. O vampiro urrou de dor, porque a prata sempre exercia essa maldita reação, queimando a carne e comendo os nervos. Viu sua perna rodopiando no ar e indo ao chão, e depois de mais um segundo a lâmina passava em seu abdômen, colocando para fora seus órgãos podres. A fera não teve mais forças e despencou das alturas com os olhos vermelhos fixos em um par de gemas amarelas espectrais.

Lucas partiu para o seguinte, saltando igual aos malditos de galho em galho, alcançando um a um, evitando a fuga das criaturas. No entanto, teve que voltar ao chão ao notar a massa crescente de atacantes fechando-se sobre os companheiros. Saltou de cima da árvore, cruzando o espaço com a espada acima da cabeça. Ao tocar o solo, o golpe poderoso da lâmina atravessou de cima a baixo uma vampira, dividindo-a ao meio. Lucas apertou o cabo da espada e, com mais ferocidade, bateu contra as criaturas que o cercavam, usando o cotovelo e as pernas para afastá-los e a lâmina afiada para exterminá-los.

Edgar abaixou-se, pois o cheiro horrendo que exalava dos malditos o deixava atordoado. Eram muitos ao redor, mas não tinha medo, queria estrangulá-los um a um. Entretanto o número gigantesco de criaturas impedia uma tortura mais severa. Tinha que ser breve nos golpes, e o bento cruzou a espada horizontalmente, repartindo ao meio mais uma criatura. Os agonizantes mutilados que ficavam largados ao chão eventualmente lançavam seus braços para tentar derrubar os guerreiros. Os tiros dos soldados estavam sendo de grande valia, impedindo muitas vezes que os guerreiros espadachins fossem agarrados pelas costas. Miravam principalmente a cabeça do inimigo, garantindo, dessa forma, que os corpos dos mortos-vivos permanecessem seguramente inanimados. Vendo os semelhantes caindo um a um com grande velocidade, o número reduzido de vampiros que permanecia empoleirado nas árvores adotou nova estratégia. Aos poucos, bentos e soldados perceberam que as brasas circundantes em cima das árvores desapareciam, mostrando que os malditos estavam fugindo!

Lucas, ao perceber que os bentos estavam investindo pesado contra o ataque em terra, voltou a sua fúria para os vampiros que tentavam fugir. Correu para atirar-se árvore acima, bailando pelos galhos tal qual faziam os malditos. Empenhava toda a sua força e energia contra as criaturas, alcançando uma boa quantidade e fazendo seus corpos caírem retalhados. Em poucos minutos, havia se afastado cerca de um quilômetro do acampamento. Os malditos noturnos conheciam bem a floresta e seus esconderijos, mesmo assim, por conta do odor horrendo que escapava das criaturas, Lucas encontrou mais meia dúzia deles, acovardados, entocados em buracos e grupamentos de árvores. Assim que o fedor desapareceu, não teve mais como perseguir os vampiros em fuga. Seus olhos voltaram à coloração normal, e ele retornou para o acampamento, onde os companheiros tinham dado cabo do volumoso bando de inimigos. Três soldados estavam feridos, com sangue esvaindo de cortes abertos pelas afiadas garras dos monstros da escuridão. Os bentos olharam para Lucas.

— Alguns se foram, e não consegui acabar com todos.

— Maldição! — protestou bento Vicente.

— Eles voltarão com mais — acrescentou Duque.

— Quanto tempo temos? — perguntou Lucas.

Francis, juntando-se aos amigos, respondeu:

— Não dá para saber, muitos deles morreram aqui. Não vão querer se bater com nosso grupo sem uma preparação. Por outro lado, acaba de escurecer, e eles terão tempo de sobra para uma segunda investida. Creio que levarão, no mínimo, mais quatro horas para se reorganizar. Terão de juntar outros bandos, contar o ocorrido, voltar até aqui. Por que quer saber?

— Dentro daquela gruta... tem gente viva lá embaixo.

— Rios de Sangue... — murmurou o soldado Sinatra.

Lucas aquiesceu.

— É isso mesmo, é o que eu vi no meu sonho.

— Mas não podemos nos deter por causa disso, temos que levantar acampamento e socorrer os feridos...

— Mas vamos abandoná-los? Eu vi esse lugar antes, no meu sonho, vi gente viva lá dentro! Bispo não deve ter me mostrado isso à toa!

— Seguramente não mostrou à toa, Lucas — continuou Francis. — Mas temos uma missão a cumprir. E se esses malditos voltarem em número dobrado, como vamos detê-los? Esse primeiro ataque deixou Zacarias, Raul e Willian feridos... praticamente nossos melhores atiradores. Não poderemos contar com os braços deles, seremos esmagados. Se perdermos um bento que seja, adeus profecia, mas se nos mantivermos firmes em nossa meta, com a ajuda dos quatro milagres, com certeza poderemos voltar a essa gruta e salvar essa gente.

Lucas baixou a cabeça, consternado. Não estava certo aquilo, pois tinha gente viva lá embaixo.

— Caso fôssemos para o fundo da gruta salvá-los, como os transportaríamos para São Pedro? Como levaríamos essa gente para lá? Nos Rios de Sangue, não encontramos uma ou duas dúzias de pessoas, eles estocam centenas, Lucas! Centenas! Depois de entrar lá, não poderemos deixar uma sequer para trás. Eles matarão todos os restantes e mudarão para outra toca, e não é isso que você quer, certo?

— Claro que não é isso o que eu quero.

— Prometo que depois que os trinta bentos estiverem juntos, esta gruta será o primeiro lugar que visitaremos.

Lucas não discutiu mais.

— Vou cuidar dos feridos, Lucas. Um ex-médico ainda sabe dar um jeito em algumas feridas. Ajude os demais a preparar as coisas para nossa partida. Não podemos ficar aqui, e esta noite ainda será longa. Andar por esses caminhos com três homens sangrando é chamar problema, porque a noite é deles — falou, impondo um fim à discussão.

CAPÍTULO 28

Raquel ergueu mais o nariz para farejar melhor. Seu olho bom vasculhou o caminho e encontrou sobras de uma fogueira na clareira. Avistou no chão de barro ressequido algumas pegadas humanas e cheiro de vampiro. Era Cantarzo, mas o maldito tinha desaparecido. Raquel grunhiu e gesticulou, e um par de brasas vermelhas saiu da mata, aproximando-se. Gerson também olhava para todos os lados, e ambos buscavam pistas que pudessem levá-los a Cantarzo. O maldito pagaria pela traição, Raquel não deixaria aquilo passar.

Anaquias foi o último a surgir, o único não obcecado pela ideia de estrangular Cantarzo. O "caçador vampiro" não era de todo ruim, até gostava do velho Cantarzo, o que era engraçado, mas se mantinha fiel a Raquel, sua mestra da noite. Por ela, arrancaria a garganta de sua mãe se fosse pedido, pois era a senhora do covil, a fera, e a ela deviam respeito, até mesmo Cantarzo. A memória dos vampiros não era a coisa mais sensata a se fiar. As lacunas da noite pegavam a mente deles e levavam pedaços do passado, mas todos sabiam o que a lenda ruiva já tinha feito. Ela era determinada, implacável e nunca desistia quando colocava uma meta na cabeça. Foi Raquel quem conseguiu derrubar um muro pela primeira vez, foi a primeira a montar uma emboscada e matar dois bentos de uma vez só. Ela era uma fera da escuridão, uma combatente temida pelo lado da luz. Tinha sobrevivido a um golpe de espada em seu olho. Se existia uma vampira para se estar ao lado quando os malditos do dia chegavam, era ela.

— Ele esteve aqui, sim... — murmurou a vampira, chamando a atenção de seus dois escudeiros.

— Também posso sentir o cheiro do filho da mãe! — emendou Gerson.

Raquel agachou-se ao lado da fogueira, vendo que não havia sangue ali. Sentia o cheiro de alguma coisa, algo estranho, cujas marcas estavam no barro ressequido. Abaixou a cabeça até o chão, cheirando o solo, e teve certeza de que Cantarzo se deitara ali. Mas o que o vampiro tinha feito naquele lugar e em companhia de um humano? O que estava tramando? Cantarzo não era de travar amizade com humanos e não gostava de mulos. Era um caçador puro, como ela.

Anaquias caminhou até uma grande rocha que marcava o fim do descampado, depois da qual a floresta vigorosa se iniciava, e percebeu um odor estranho. Seus olhos se acenderam, permitindo que enxergasse ainda melhor na noite, e viu uma mancha na pedra. Raspou com a unha e percebeu ser sangue seco, que exalava o cheiro esquisito. Não cheirava sangue de gente, mas era! Anaquias baixou os olhos e viu vidro estilhaçado. Encontrou uma peça menor, um círculo, o que revelava que aquele monte de pedaços já tinha sido um pote, cujo fundo possuía mais daquele sangue estranho. Anaquias cheirou mais uma vez e notou que aquela porção ainda estava úmida. Lambeu o sangue, sentiu que era saboroso e então lambeu novamente, com mais gana. Era mesmo sangue de gente, teve certeza, mas nesse instante feriu a língua no vidro afiado. Arremessou o vidro ao chão, partindo-o em dois pedaços. Raquel estava debruçada sobre a fogueira e Gerson andava vagarosamente, buscando no chão por pistas que levassem ao vampiro.

A "caçadora líder" continuava sem entender, pois aquilo não era natural, alguma coisa estava acontecendo. Não via nem ouvia notícias de Cantarzo havia duas noites. Não se incomodava com o sumiço do vampiro, mas queria ela mesma dar cabo dele. Reviraria aquela floresta de cima a baixo para encontrar Cantarzo, que sofreria o pior castigo impingido a vampiros inimigos: seria esfaqueado e enterrado e definharia até que seu corpo vampírico não pudesse mais ser animado, perecendo enquanto estivesse ciente de sua danação e de sua incapacidade, com uma estaca de madeira enterrado no peito. Nunca mais Cantarzo a faria de idiota na frente dos demais, nem a diminuiria perante os velhos vampiros.

Raquel agachou-se sobre as pegadas do humano e percebeu as marcas ao redor de onde Cantarzo se deitara. Teria o humano dado cabo do caçador? Impossível... mas as marcas diziam isso. O chão, que parecia ter estado molhado tempos antes, deixava isso claro, e a maioria das pegadas do humano estavam sobrepostas por um sulco largo, como se algo tivesse sido arrastado. Raquel ergueu o olho bom para o caminho, pensando em ir atrás daquele humano, que poderia lhe dar as respostas do que tinha acontecido.

Anaquias caminhava em direção a Raquel quando sentiu uma contração no estômago e então curvou-se. Merda! Como aquilo doía! Gerson percebeu o amigo dobrado, quase caindo para a frente, buscando equilíbrio e cambaleando. De repente, Anaquias se encostou em uma árvore, sentindo um tremor da cabeça aos pés, e apertou os olhos. Se tivesse um coração humano funcionando, o músculo cardíaco estaria disparado. O que era aquilo?

— Está tudo bem? — perguntou Gerson, aproximando-se.

Bento

Anaquias recolocou-se em pé. A dor, assim como veio, desapareceu. O vampiro desencostou da árvore e buscou Raquel com o olhar. A vampira correu e saltou para o tronco espinhoso de uma jaqueira, depois subiu e saltou para a árvore vizinha.

— Vamos — resmungou Gerson.

O vampiro grandalhão acompanhou a vampira líder e Anaquias correu para não ficar para trás. Não sentia mais nada, mas aquilo tinha sido muito estranho, uma sensação que nunca tinha experimentado antes, como se algo cutucasse seu corpo e mexesse em sua cabeça. Tinha visto uma coisa esquisita... como se outros olhos mostrassem... Mas não sabia o que aquilo significava. Talvez fumaça ou uma serpente de boca aberta engolindo uma tartaruga.

240

CAPÍTULO 29

A noite angustiante passou lenta, mas, finalmente, o sol se levantou sem que os bentos e soldados experimentassem novas surpresas. Por volta das oito horas, montaram acampamento para que os soldados feridos tivessem os curativos revistos por Francis e para que descansassem um pouco da jornada. Com os três machucados, a marcha seria mais lenta naquele dia e provavelmente não alcançariam São Pedro até o poente. Estavam perto de alcançar a estrada novamente e talvez fosse o caso de mandar um soldado na frente, a todo galope, para buscar ajuda na próxima fortificação e preparar a chegada dos bentos e dos homens feridos. Francis estava certo de que os três feridos não morreriam, mas precisariam ao menos de descanso, principalmente Willian, já que o líder dos soldados de São Vítor tinha um extenso corte abdominal e não poderia fazer esforços até que a cicatrização estivesse avançada. Do contrário, o sangramento poderia voltar e a hemorragia levaria embora sua vida. Em outros tempos, a preocupação maior do médico seria controlar a inflamação e debelar uma provável infecção que se instalaria na ferida.

Com o sol a pino, Paraná pediu uma parada quando chegaram a um regato. Além de água para o bando, o soldado queria descanso para os cavalos com um pouco de sombra. Francis concordou e, em menos de cinco minutos, estavam todos com os pés na água, refrescando-se um pouco do sol ardido. As árvores altas filtravam os raios intensos, mergulhando a comitiva em ladrilhos de sombras e luz.

Paraná tirou a capivara do lombo de seu cavalo e, com a ajuda de Marcel, carregou-a para junto do riacho. Pegou a faca afiada da cintura e rasgou o bucho do bicho. O pouco de sangue que tinha sobrado no corpo da criatura tingiu a água do regato. Paraná, habilidoso, corria a faca por baixo do couro da capivara, tirando a pele do animal, pensando que em mais alguns instantes aquele pernil gordo estaria servindo de almoço para o grupo. Joel, vendo os preparativos, começou a juntar pedras de bom tamanho para demarcar o fogo.

Zacarias, apesar dos cortes no corpo, sentia-se muito melhor, e tirou a camisa e a calça para descer a margem do riacho e se banhar. O líder Adriano também despiu a camiseta, pensando que aquele negócio de cavalo estava acabando com suas costas e com sua paciência, pois queria sua moto. Se estivessem indo pela estrada, torcendo o cabo, já estariam em São Pedro àquela hora. Desceu para junto de Zacarias e molhou os braços, sentindo-se ansioso, não por acompanhar os bentos, já que esse era seu trabalho e seu dever, principalmente naquela missão tão importante, mas porque a saudade de Carina falava alto no peito. De noite, dormindo no meio da "marmanjada", sentia falta do corpo macio e quente da esposa e dos seus beijos. Baixou as mãos em concha e jogou água no rosto, e uma porção do líquido fresco reteve-se em seu cavanhaque loiro. Esfregou a água fria nos músculos dos braços, pensando em quantos dias ainda levariam naquele caminho para juntar os trinta bentos.

Francis acomodava Raul e Willian, que se queixavam de dor nos cortes, enquanto fitava o líder de Nova Luz. Abriu seu embornal, retirou um frasco com comprimidos feitos no HGSV e deu uma pílula a cada um com o cantil. Voltou a olhar para Adriano e percebeu que o soldado tinha uma marca no peito. Não era tatuagem, como pensou a princípio, e sim uma cicatriz, como boi marcado. Então era verdade que aqueles homens envolvidos com o plano tinham marcas? Que bando de doidos! Aquilo era pouca fé na profecia do velho Bispo. Eles não abriam o bico, apesar de todos saberem que tramavam alguma ação ousada, mas não revelavam os detalhes a ninguém que fosse de fora do círculo. Francis duvidava até mesmo que Vicente conhecesse tudo, pois temiam que seu segredo salvador caísse nas garras dos vampiros. Desviou o olhar quando o soldado Alicate aproximou-se.

— Posso ajudar, senhor?

Francis olhou para o céu e viu que o sol brilhava acima das árvores. Deveria ser quase meio-dia.

— Pode, Alicate.

— Como?

— Você monta bem?

— Só não sou chamado de vaqueiro porque já me chamam de Alicate.

Francis sorriu.

— Depois da boia, monte em seu cavalo e corra sem parar até São Pedro para buscar ajuda. Vamos continuar nessa marcha lenta até o fim do dia... eu costurei as feridas dos homens, mas não podemos abusar. Se acelerarmos no lombo dos cavalos, vão sofrer demais.

Alicate olhou para Willian e Raul e viu que os soldados estavam com os olhos fechados, deitados junto à raiz de uma grande goiabeira.

— Estão tão mal assim?

— Não vão morrer, mas esses analgésicos de São Vítor não são para isso. Nessa velocidade, vamos acabar dormindo fora da fortificação. Vá direto a São Pedro e peça transporte para os feridos.

Os soldados na beira do rio começaram a rir. Zacarias contava alguma piada e fazia graça com os colegas. Lucas tirou a capa vermelha e depois o peito de prata para descansar o esqueleto. Apesar do calor, a vestimenta já não incomodava tanto. Bento Vicente aproximou-se e estendeu duas goiabas grandes para o colega. Lucas apanhou as frutas e acenou agradecido.

— Isso, vai enganando a barriga enquanto o grandão prepara a boia.

— Olha quem fala — retrucou Lucas. — Você deve dar dois do Paraná.

Vicente sorriu e coçou a barba. Lucas mordeu a goiaba vermelha, que estava doce e saborosa.

— O que você fez ontem... sem dúvida, você é especial.

Lucas quase engasgou com a fruta.

— Você está me elogiando?

— Elogiando, o escambau! Não sou viado para ficar agradando homem. Só estou dizendo que você é diferente. O velho Bispo devia estar certo.

Lucas sorriu.

— Nunca vi gente com o olho daquele jeito.

Seu sorriso murchou.

— Que jeito?

— Seus olhos... pareciam duas brasas amarelas... igual as janelas dos malditos, mas, em vez de vermelhos... amarelos!

Lucas mordeu novamente a goiaba.

— Olha, eu não tenho muito jeito para falar com os outros... não sou bajulador... só queria dizer que pode contar comigo.

Lucas parou um instante.

— Você é magrelo feito um grilo, mas é rápido. É como Ali falava... parece frágil feito borboleta, mas ferroa como um zangão.

Vicente tirou a capa surrada e soltou também o peito de prata, colocando-o no chão, sobre o tecido.

— Esse é um mundo louco, Lucas... e agora que os milagres virão, só tenho medo de uma coisa.

— De quê? — perguntou o trigésimo bento, no meio de mais uma mordida.

— De tudo voltar a ser como era antes.

— Mas isso não seria bom?

Vicente bufou e balançou a cabeça negativamente.

— Se a gente vivesse no mundo de antes, duvido que um de vocês estivesse aqui parado falando comigo.

Lucas não entendeu.

— Do que você está falando, Vicente?

— Que rezo sempre para o mundo não voltar a ser o que era. Não sei por que que fui escolhido para estar com vocês, nessa missão dos infernos, arrebentando cabeça de capetas, mas não quero que as pessoas voltem a agir como antes dos vampiros.

— Não quer que os vampiros desapareçam?

— Isso eu quero, sim, mas e depois que eles desaparecerem? O que vai ser da gente, para que vamos existir?

Lucas deu de ombros. Com tanta novidade na cabeça, ainda não tivera tempo de sentar debaixo de uma goiabeira para meditar sobre o futuro. Sua vida era o presente.

Vicente tirou o colete de couro, depois a cota de malha de metal e, por fim, sua camisa de mangas longas, deixando o peito largo e pálido nu. Lucas olhou demoradamente para ele. O gigante virou de costas, e Lucas ficou impressionando, pois o bento era coberto por tatuagens por todo o tronco e braços.

— Deve estar se perguntado onde eu descolei esse barato, não está?

Lucas aquiesceu.

— Fiquei sete anos guardado, velho. Puxei cadeia em tudo que é canto, já matei, roubei, taquei fogo em malandro folgado, já cortei rola de estuprador, fiz de tudo. — Lucas estava ouvindo imóvel, boquiaberto. — Sete anos no xadrez e era para eu ter ficado mais, minha pena era de trinta e dois. Mas aí veio a Noite Maldita e todo mundo ficou louco. Até as trancas do xadrez os doidos abriram. Teve cara que entrou numa de saquear tudo, roubar apartamento, juntar joias, mas também teve gente sangue bom, que arriscou o pescoço e voltou para o xadrez para tirar os adormecidos do buraco. Foi assim que eu saí de lá, foi algum bom samaritano que tirou este mal elemento do buraco.

— Cara... — balbuciou Lucas.

— Teve cada história, velho, cada coisa... Se você parar para falar com cada um aqui neste acampamento vai escuta cada história... Dá até vontade de chorar.

— Mas você... é um cara bom... você...

Bento Vicente riu alto.

— Cara bom? Há! Há! Há! Sou um cara bom porque acordei bento. Quando os vampiros vêm para cima, eu não tenho escolha, saio retalhando tudo, sem chance, e como eu arranco cabeça de vampiro, todo mundo gosta de mim. Mas eu me pergunto: e depois que os vampiros forem exterminados? Vou ser visto como um bento ou ex-presidiário?

Lucas sorriu e levantou-se, erguendo o braço e pousando a mão no ombro do colega de jornada.

— Será visto como um guerreiro, bento Vicente, isso eu garanto.

Vicente, calado, fitou Lucas demoradamente e, depois de alguns segundos, abriu um sorriso.

— Firmeza.

— Firmeza! — retribuiu Lucas, sorrindo de volta.

* * *

A noite havia muito tinha chegado quando os cavaleiros se aproximaram de São Pedro. Faltavam cinquenta quilômetros quando ouviram o ronco dos motores rasgando a estrada. Em cerca de um minuto os faróis surgiram na escuridão e foram só mais alguns segundos até os veículos cercarem os cavaleiros. Alicate vinha em cima de uma das motos, trazendo o reforço de São Pedro para escoltar os cavaleiros até a fortificação. Um dos veículos era uma picape Ford, com uma "deita-corno" .50 acoplada a um tripé.

A escolta decorreu sem aborrecimentos, e, apesar das felicitações calorosas ao encontro, a maior parte do caminho foi feita em silêncio. Os cavaleiros estavam cansados do esforço concentrado dos últimos dias de viagem e queriam relaxar um pouco, então logo ao raiar do sol voltariam para a estrada.

Ao adentrarem os portões de São Pedro, apesar de passar das nove horas da noite, a multidão que aguardava para saudar os bentos entrou em alvoroço. Os rostos felizes davam vivas e queriam tocar as capas vermelhas dos guerreiros, em especial a do trigésimo, o prometido, o guerreiro salvador, bento Lucas. A fortificação contava com um refeitório comunitário, muito semelhante ao de São Vítor, para onde os cavaleiros foram conduzidos, recebendo um jantar adequado. A mesa foi colocada com fartura, com um caprichado sortimento de carnes e vegetais para aplacar a fome dos guerreiros.

Francis demorou para juntar-se aos demais, pois deixava o médico da fortificação a par da situação dos três feridos. Explicou bem o estado de Willian, o único que precisou ficar no alojamento médico em separado, recebendo atenção de uma enfermeira. Raul e Zacarias já se encontravam sentados à mesa para o jantar àquela altura.

Bento

Depois do breve relatório, bento Francis dirigiu-se ao refeitório, também sentindo o estômago queimar e os músculos reclamarem da jornada. No meio da algazarra, notou algo de estranho: as pessoas estavam contentes, ainda saudando e festejando a presença dos bentos e dos soldados, Vicente gargalhava e brincava com um bebê no colo, mas algo estava errado naquela cena e demorou até atinar o que era. Faltava algo no cenário que não era para estar faltando, algo sutil. Olhou para Duque, que notava a preocupação no semblante do amigo. Francis aproximou-se:

— Onde está o bento de São Pedro?

A fortificação era guardada pelo bento Arthur e sua presença não era percebida no salão.

Elton, um dos líderes dos soldados de São Pedro, aproximou-se:

— Ele partiu em missão esta tarde, senhor.

— Missão? De que tipo?

— Acho que a mesma de vocês, senhor. Juntou os outros e partiu em missão de libertação. É por isso que a população está tão efusiva. Ninguém vai conseguir dormir esta noite.

— Espera um pouco... Juntou os outros? Não estou entendendo — insistiu. — Normalmente conhecemos as missões importantes com antecedência. Apenas a jornada que começamos hoje de supetão não era conhecida, mas se Arthur tivesse uma missão, teria mandado um mensageiro.

— Acho que não teve tempo, senhor. Os demais chegaram hoje de manhã e, ao que pude perceber, de surpresa.

— Você preencheu um relatório sobre essa saída extraordinária? — perguntou Duque.

— Claro, senhor.

— Quem eram esses "demais"? — quis saber Francis, soerguendo as sobrancelhas e farejando desgraça.

— Cinco bentos e mais um grande grupo de soldados, fortemente armados, senhor, daqui de São Pedro, de Nova São Paulo e também de São Joaquim. Saíram em missão, rumando para a velha São Paulo, senhor.

— Quantos soldados? — insistiu Duque.

— Vinte daqui, mais trinta de São Joaquim e trinta da Nova São Paulo.

— Oitenta soldados... — murmurou o bento negro.

Francis empalideceu, pois sabia o que aquilo significava e que, propositadamente, os seis bentos estavam se desviando da rota traçada pela profecia. Eram os bentos descrentes. Vicente também simpatizava com a ideia desses fracos de espírito, no entanto permanecia aliado ao grupo que buscava cumprir o que havia sido profetizado pelo velho Bispo, ou ao menos era no que acreditava. Lançou um rápido olhar para o bento que ainda brincava com o bebê e depois buscou Adriano com os olhos. Encontrou o líder de São Vítor de costas, servindo-se de um pedaço de cordeiro assado. Adriano fazia parte dos desesperados que tinham um "plano" bolado por bentos e líderes da soldadesca descrentes, pessoas que não tinham fé nas palavras de Bispo e que estavam colocando naquele exato momento o futuro de todos os sobreviventes em risco. O bento caminhou rápido até o soldado e bateu-lhe nas costas.

— Precisamos conversar agora.

Francis deu as costas ele e partiu para a porta do refeitório sem esperar resposta. Zacarias e Marcel olharam para o líder de Nova Luz ao notarem seriedade na voz do bento. Adriano soltou o pedaço de cordeiro no prato, levantou-se e seguiu pela mesma porta pela qual Francis saíra. Assim que pisou no calçamento externo do refeitório, banhado apenas pela luz oscilante de um trio de tochas pendurado rente à parede, foi abordado pelo bento.

Francis, com o dedo em riste, falava com a voz carregada, visivelmente nervoso, tentando mantê-la em baixo volume para não despertar a atenção dos camaradas dentro do refeitório.

— Nunca pressionei vocês, soldados, mesmo sabendo que tramavam por nossas costas, descrentes de nossa missão. Aconteceu algo aqui esta tarde, e eu preciso saber agora que merda de plano é esse!

Adriano soltou um risinho baixo.

— Se você acha que vai me intimidar com esse seu tom de voz, está enganado.

Mal terminou de pronunciar a frase e ouviu o retinir de metal, e um reflexo ligeiro cruzou o ar. O fio da espada do bento pressionava perigosamente sua garganta.

— Não quero intimidar ninguém, valoroso soldado. Sua vida é mais preciosa que a minha, você salvou mais gente nas matas do que eu decepei vampiros com minha espada, mas o momento é delicado e eu estou disposto a tudo para fazer com que os trinta bentos sejam reunidos, até mesmo encher um cemitério de mártires se for necessário.

— Por que acha que eu sei de alguma coisa?

— Todo mundo sabe que você está envolvido nesse tal plano desesperado. Você tem a marca no peito que só os soldados envolvidos têm. Se por um acaso eles foram para a velha São Paulo, quer dizer que podem não voltar, e não vou permitir isso.

Adriano, com a lâmina ainda encostada em seu pescoço, permaneceu calado.

— Preciso saber para onde foram, Adriano. Depois que Lucas acordou, o plano de vocês perdeu o sentido, não consegue enxergar isso? Vamos dar uma chance à profecia. Foram a São Paulo para quê, para se arriscar? Que máquina é essa que Vicente tanto fala? — os olhos faiscantes de Francis queimavam os de Adriano. Ele baixou a lâmina, recolhendo a espada e balançou a cabeça negativamente passando a mão no cabelo. Voltou a encarar Adriano. — Precisamos dos trinta bentos, nenhum a mais ou a menos.

Adriano passou a mão no cavanhaque, cansado e estressado. Uma espada no seu pescoço não tinha ajudado em nada, e o fantasma de Gaspar morto por sua pistola aparecia em sua mente. Com o despertar do trigésimo, havia esperança enfim, mas a morte em vão de um irmão... se soubesse de Lucas, poderia ter tentado salvar o amigo.

Engoliu em seco.

— Eles foram para o HC... a máquina está lá.

Francis apertou os lábios, porque não haveria pior lugar para ir na velha São Paulo. O Hospital das Clínicas, como sabiam, havia se convertido no maior covil de que se tinha notícia, onde os vampiros estocavam sua comida, os corpos adormecidos, os Rios de Sangue.

— A máquina... que maldita máquina é essa? O que ela faz de tão importante para valer a vida de seis bentos e oitenta soldados em uma missão suicida?

— Quando eles partiram?

— Elton disse que esta tarde.

— Então vão tentar entrar ao amanhecer.

— Mesmo que partamos agora, não chegaremos até a alvorada em São Paulo, ainda mais até o Hospital das Clínicas.

— Não, chegaremos à tarde.

— Deus! Temos que partir agora!

— Eu vou ajudar vocês, mas tem que me prometer uma coisa.

— O quê?

— Que nunca mais vai colocar a porra dessa espada no meu pescoço! Estou do seu lado!

— Às vezes, as piores surpresas aparecem daqueles que cavalgam ao seu lado dia e noite.

— Deu para perceber... — retrucou Adriano, passando a mão no vergão formado na altura de seu pomo de Adão.

Depois de falar com Elton, bento Francis avisou os demais, exceto os três feridos, que o descanso havia sido suspenso e que tinham uma missão das mais

André Vianco

duras pela frente. Na próxima hora, teriam que partir de São Pedro, sem descanso, em uma missão desesperada de resgate. Seis bentos, mais oitenta soldados, estavam prestes a entrar no sepulcro gigante formado pela velha São Paulo, e teriam que correr, encontrá-los e trazê-los de volta a São Pedro para conseguirem voltar ao curso da profecia e à salvação.

CAPÍTULO 30

O líder Elton conseguiu reunir trinta homens, contando com ele próprio, para a missão de bento Francis. Não eram todos soldados, pois boa parte do contingente especializado havia seguido com bento Arthur e não convinha deixar a cidade sem a cobertura de homens mais treinados. Mesmo tendo agido com pressa e urgência, o destacamento só ficou pronto três horas depois do pedido de Francis, que gritava, coordenando o regimento para arregar os cavalos e a munição.

Uma incursão à velha São Paulo era o pior que poderia acontecer a essa altura do jogo. A velha metrópole era infestada por mulos atiradores, soldados dos noturnos e, nas horas escuras, era o maior *playground* de vampiros do mundo. Francis juntou-se a Elton, Duque, Edgar e Vicente para traçar estratégias, mas bento Lucas ficou à margem dessa tarefa, já que sem conhecer o cenário do novo mundo era difícil ajudar. Ele andava perdido no meio da agitação. Sabia que ir à velha São Paulo estava longe do plano dos bentos e que a jornada corria um risco imenso, uma vez que seis bentos estavam a caminho de enterrar-se naquele inferno infestado de perigos. E se morressem?

Francis soube de Elton que os guerreiros recrutados por bento Arthur foram os bentos Eliseu, Murilo, Tarso, André e Cosme, guerreiros da pesada, mas insuficientes para saírem vivos de uma incursão ao Hospital das Clínicas. Se havia alguma sorte naquilo era o fato de os bentos recrutados pertencerem a fortificações da região Leste e Noroeste, poupando tempo precioso da jornada. Restavam agora os bentos do Norte e Nordeste do Brasil Novo. Francis estacou no meio do pátio, dos cavalos e da agitação da soldadesca que andava para lá e para cá, fazendo os ajustes finais para a partida.

Passou os dedos por seu bigode afilado aproximando-se de bento Duque.

— O que você acha de fazer um passeio diferente do nosso, Duque?

O bento negro olhou para o amigo.

— O que você tem em mente?

— Os bentos que estão com Arthur são do Leste e Noroeste, estão juntos e vão nos poupar um tempo precioso... se os virmos de novo com vida.

— Vira essa boca para lá, Francis. Vamos alcançá-los a tempo.

— Aprecio sua fé, Duque, mas a jornada até a velha São Paulo não costuma trazer boas lembranças — Francis fez uma pausa, voltando ao assunto. — Tirando o grupo de malucos que foi à velha capital, a maioria dos nossos irmãos está agora no Norte e Nordeste do país... e isso vai facilitar a coisa para nós.

— Quer que eu vá na frente?

— Isso. Esse desvio inesperado para Nova São Paulo vai nos tomar tempo demais, uns dois dias ou três.

— Sei.

— Junte um grupo de soldados e busque os cinco bentos do Norte. Vamos ganhar tempo e nos reuniremos ao norte da velha Salvador, em Santa Maria, fortificação de bento Dimas. Se chegarmos primeiro, esperamos vocês lá.

— E se eu chegar primeiro, espero você lá — concluiu Duque.

Francis pousou a mão no ombro do guerreiro.

— Vá! Que Deus o acompanhe!

— Se ele ainda estiver cochilando, como dizia o velho Bispo, que sonhe comigo ao menos. E que seja coisa boa — respondeu o negro, sorrindo.

* * *

Lucas estava sonolento. Era a primeira vez que se sentia verdadeiramente exausto depois de ter despertado no hospital de São Vítor. De repente, percebeu os cavalos à sua frente reduzirem de tamanho e baixou sua tocha, apertando os olhos para ver se não estava sendo vítima de alucinação por causa da fadiga, mas, longe disso, os cavalos realmente pareciam diminuir. Estavam entrando na região pantanosa, o atalho que bento Edgar lhe falou horas antes. Os animais afundavam parcialmente, deixando a água muitas vezes cobrir a bota dos cavaleiros. Parte do grupamento tinha vindo em veículos motorizados, trazendo o armamento pesado que havia sido deixado para trás pela missão suicida de bento Arthur. Como previsto, os veículos não tiveram condições de fazer o caminho mais rápido e perigoso e fugiram do terreno pantanoso, dividindo o grupo de soldados. Vinte e cinco embarcados em veículos motorizados iriam pela estrada, aumentando brutalmente o percurso até a velha São Paulo, e Lucas e os cavaleiros teriam que ter a atenção redobrada de agora em diante.

A história do alagado remontava a muitas batalhas sanguinárias, nas quais, ao cair do sol, os vampiros sempre tinham vantagem. As criaturas medonhas da noite, uma vez que não precisavam de oxigênio no organismo, podiam submergir

Bento

por tempo indeterminado, criando as mais terríveis armadilhas no meio do pântano, ferindo a montaria e os soldados com crueldade e devorando grupamentos inteiros em questão de minutos. Somente em circunstâncias extremas, como experimentavam agora, os bentos cruzavam a região pantanosa durante a noite, uma região que, depois do evento, tomou os arredores da gigante metrópole e ainda era vigiada pelos mulos durante o dia. Ali, o perigo era constante.

Os cavalos moviam-se habilmente pelo terreno pantanoso. A profundidade do alagado eventualmente variava, com trechos onde a água não alcançava a sola dos calçados e outros onde chegava quase aos joelhos, e, mesmo assim, os fortes tordilhos avançavam. Além da escuridão, uma névoa constante varria a região, dificultando a visão dos soldados e impedindo que a luz da lua ajudasse. O clarão traiçoeiro das tochas era um mal necessário. Estrategicamente, o líder Elton, o melhor conhecedor da região, puxava a tropa e em alguns trechos conduzia os amigos soldados por áreas secas, cavalgando cerca de um quilômetro por cima de mata alta, depois voltavam para a água, sendo circundados novamente pelo líquido gelado e pela névoa esvoaçante. Árvores tortas e agourentas lançavam seus ramos encurvados sobre a cabeça dos soldados. Boa parte dos cavaleiros vinha trajando o manto marrom encapuzado, para que os bentos não ficassem francamente expostos. Apesar de os vampiros conhecerem aquele artifício, a manobra mantinha incógnito o número preciso de guerreiros abençoados, podendo, eventualmente, intimidar o ataque de um grupo reduzido de malditos noturnos.

A marcha prosseguiu monótona madrugada adentro. Depois das três da manhã, alcançaram uma campina seca, onde árvores desfolhadas cercavam a paisagem. O chão era coberto por grama verde e uma neblina intensa varria o terreno seco, carregada pelo vento frio da noite. Como traziam poucas tochas para evitar chamar a atenção, era difícil enxergar o grupo todo. Lucas bateu com os calcanhares na barriga de seu cavalo e se aproximou dos bentos Edgar e Francis. O cavalo de Elton foi adiante, desaparecendo na neblina cerrada, e demorou dois minutos até voltar, com o rosto aborrecido, balançando a cabeça negativamente.

— Vamos descansar meia hora e depois continuamos — disse Francis, com a voz abatida.

Depois de alguns murmúrios, exclamações de satisfação e um bom tanto de insatisfeitos também, os homens desmontaram. Lucas desceu com facilidade de seu cavalo, caminhou até uma árvore e enrolou a rédea do animal em um galho. Estava exausto e precisava dormir... mas Francis disse apenas meia hora, o que não bastaria para descansar. Caminhou com os olhos pesando de sono até o bento médico. Francis estava com a cabeça baixa e os olhos também fundos.

252

— Por que ficou tão desanimado? — perguntou Lucas.

Francis inspirou profundamente e, quando exalou o ar, uma nuvem de vapor escapou com a respiração.

— Esperava encontrá-los aqui, este lugar é o ponto de descanso. Tinha esperança de que tivessem montado acampamento nesta clareira e que pudéssemos evitar uma desgraça, mas eles estão marchando e, a uma hora dessas, devem estar às margens da cidade, só esperando o raiar do sol para irem ao Hospital das Clínicas.

— Mas e se eles conseguirem o que querem, a máquina, e derem o fora?

— Você não tem ideia no que se transformou nossa cidade natal, Lucas — murmurou o bento, virando-se de costas.

— Eles devem ter alguma chance, Francis. Se a cidade está tão ruim assim, por que eles arriscariam?

Francis baixou o capuz e tirou o manto marrom, arremessando-o ao chão. Não usava a capa e suas costas prateadas refulgiram a luz lúgubre das chamas alaranjadas. Virou-se para encarar Lucas.

— Porque eles não sabiam que você despertou, Lucas. Eles foram à velha São Paulo, para aquela merda de HC, porque estão desesperados. É desespero mesmo.

Lucas calou-se e engoliu em seco, com medo, sentindo uma lufada de pavor gelar seu peito. Baixou a cabeça envergonhado de ser um medroso e considerado o salvador.

— Vá descansar, Lucas. Deite-se um pouco, porque meia hora passa voando.

Lucas aquiesceu e voltou vagarosamente para junto de seu cavalo. Tirou também o manto marrom e o dobrou, fazendo dele um travesseiro, mas não dormiria, apenas pensaria, pois devia haver alguma coisa dentro dele que justificasse aquele acaso, algo nele que o faria útil para aquele grupo de guerreiros. Pela primeira vez, não desejava que tudo fosse resolvido apenas com um passe de mágica, mas queria ser igual a eles, um guerreiro, um soldado, não um covarde. Lucas queria ser um bento.

O cansaço geral havia aumentado após as oito horas da manhã. O sol tinha afugentado a neblina, subindo rapidamente e ardendo contra o grupamento. O descanso de meia hora no meio da madrugada não tinha aliviado muita coisa, e, apesar de Lucas desejar parar para uma hora de cochilo, ao menos não ousava colocar obstáculos contra a marcha. Francis explicou bem a situação, e cada minuto ganho seria decisivo.

Às dez horas da manhã, como se ouvisse as súplicas mentais dos cavaleiros, Francis ofereceu uma pausa para que os animais se refizessem e os homens

Bento

comessem e tivessem um breve repouso. Estavam cada vez mais próximos dos escombros do que tinha sido o coração econômico da América Latina. Francis queria seus bentos e os quinze soldados descansados, alertas e prontos para passar fogo nos malditos mulos que perambulavam pela ex-capital.

Lucas desmontou ágil, cada vez mais acostumado ao mundo novo, e sua capa marrom esvoaçou com a descida da montaria, fazendo sua touca de metais rilhar. Queria despir um pouco a couraça reluzente que cobria seu peito e tomar um banho, mas isso parecia impossível, pois levaria mais tempo tirando e recolocando a vestimenta do que dando um descanso aos olhos e ao esqueleto.

Mais uma vez, Paraná começou a preparar o fogo para a comida. Os soldados de Adriano juntaram-se para ajudar e bater papo, mas ninguém conversava muito sobre a missão adiante. Não estava nos planos de nenhum deles deixar Nova Luz, escoltar os bentos e, de quebra, dar uma passadinha na velha São Paulo para resgatar um grupo de malucos. Adriano sabia que esse dia chegaria, cedo ou tarde, mas sentimentos ambíguos crivavam seus pensamentos, e talvez o que mais prevalecesse fosse o da frustração. Estava feliz pelo trigésimo bento ter acordado, mas havia muito deixara de acreditar naquela profecia, já que ocorreram tantas as mortes nas fortalezas e inúmeros relatos das batalhas sangrentas em que os bentos acabavam estraçalhados pelos vampiros. Já não acreditava ser possível um dia juntar trinta santos enviados por Deus para livrar a Terra daquele mal. Acreditava naquilo que bento Arthur estava fazendo, na lógica, não na mágica, ou seja, deitar as mãos na máquina de alteração genética. Teriam de extraí-la do maior covil do mundo, mas não daquele jeito! Tinha lutado todos esses anos nas estradas, carregando soldados para lá e para cá, trocando informações, buscando uma estratégia para os comandantes, mas parecia que tudo tinha sido jogado fora em uma ação tresloucada seguida de outra. Era uma grandes frustração. Sabia que estavam indo para a velha São Paulo para, no máximo, servirem de cortejo fúnebre, de traslado de corpos, já que seis bentos e oitenta soldados não dariam cabo daquilo. Respeitava bento Arthur, mas aquilo era burrice, pois para tomar o HC de assalto e conseguir tirar dali alguma coisa, mesmo uma agulha, teria de invadir a velha São Paulo com, pelo menos, três mil homens.

Balançou a cabeça consternado. Mesmo se Arthur e seu pequeno exército entrassem na velha São Paulo no alvorecer, levariam algumas horas até alcançarem o abandonado e sombrio Hospital das Clínicas. Os mulos já estariam despertos e eles teriam de lutar contra os lacaios dos vampiros, seria inevitável. Bastaria um disparo para chamar a atenção de todo filho da mãe armado que habitasse a região. Uma vez dentro do HC, não sabia predizer quantos perigos aguardariam a comitiva e, pensando nisso, um calafrio percorreu seus braços. Talvez os bentos e soldados estivessem entrando no HC nesse exato momento... Talvez estivessem descobrindo demônios pelos corredores, que passavam dentes afiados nos pescoços dos soldados e capturavam os bentos para lhes preparar uma morte lenta e dolorosa. Apertou os olhos e se benzeu. De repente, a voz do soldado Sinatra tomou o acampamento. A maioria dos soldados calou-se, ouvindo a aveludada voz afinada do homem cantar Crying ao estilo do bom e velho Roy Orbison.

Um jovem aproximou-se de Lucas com bastante cerimônia, e o bento desviou os olhos de Sinatra. Percebendo que o rapaz queria achegar-se, fez um sinal com a mão. O rapaz abriu um sorriso e estendeu o braço para cumprimentar o guerreiro.

— Meu nome é Matias, vivo em São Pedro, e é um prazer conhecer o senhor.

Lucas fez um meneio e retribuiu com um sorriso, apertando a mão do rapaz.

— Acordei há nove anos, senhor. Nem imagina o desespero que foi para aceitar. Não dava para acreditar que o mundo em que eu vivia tinha virado isto aqui — o rapaz fez uma pausa e sentou-se ao lado de Lucas. — Aí eu conheci vocês, os bentos. Cara, que maneiro! Desde então não deixei de rezar nem um dia sequer para o senhor despertar. O senhor não tem ideia, não é?

— Do quê, Matias?

— Do quanto o senhor era esperado.

Lucas balançou a cabeça negativamente, e ficaram em silêncio um instante.

— Eu posso imaginar... também torceria para caramba para uma coisa dessas acontecer, um milagre... — continuou Lucas.

— Serão quatro, senhor, quatro milagres.

— É verdade, soldado.

— Ah, eu não sou soldado, não, senhor, só vim ajudar nessa missão porque esperei por isso a minha vida toda.

— O quê?

— Estar ao lado do libertador, do nosso salvador, e queria conversar com o senhor, ajudá-lo. O líder Elton falou no refeitório que estavam precisando de ajuda.

Lucas olhou para o rifle preso por uma cinta de couro no ombro do rapaz.

— Mas então você não sabe usar isso aí?

— Sei, sim, senhor Lucas. Hoje em dia, praticamente todo mundo sabe, porque quando a coisa aperta, todos têm que defender o muro, a cidade. O bom é que esses malditos, quando querem entrar em uma fortificação, parecem que ficam burros, vêm sempre pelo mesmo caminho — o rapaz fez nova pausa e cuspiu na grama aos seus pés.

— Se você não é soldado, o que faz na sua cidade? — interessou-se Lucas.

Bento

— Na verdade, eu trabalho no time da memória.

— Time da memória?

— É.

— O que é isso?

— Nosso grupo trabalha depois de os soldados encontrarem adormecidos por aí, às vezes uma ou duas pessoas, às vezes uma família inteira, outras vezes um aglomerado, ou, como os malditos chamam, Rios de Sangue. Vamos até o lugar onde foram encontradas.

— Hã...

— Nós vamos até lá e tentamos resgatar a identidade do adormecido para deixar alguma coisa para que ele refresque a memória.

— Tinha ouvido falar desse trabalho, mas não achei que ainda faziam isso. Entendi que isso só foi feito logo após a Noite Maldita.

— Ainda fazemos, sim, senhor — continuou Matias. — Pegamos documentos, fotografias, toda informação que pudermos encontrar no local e vamos colocando dentro de computadores. Assim, alguns dos adormecidos, quando acordam, têm a chance de relembrar algo mais. É ruim lembrar de tudo sozinho, demora demais e, às vezes, a gente nem lembra tudo.

Lucas pegou-se em um flash de memória naquele exato instante, e sua mão percorreu o espelho do banheiro, na tentativa de livrar o vidro do vapor que aderia à superfície e dificultava a visão. Depois, viu-se fazendo a barba, tudo em questão de dois ou três segundos.

— O senhor viu seus pertences, as anotações na sua prancheta?

O bento meneou a cabeça negativamente, como se ainda estivesse sob efeito de lembranças.

— Então acho que não tinha nada. Eles sempre mostram as coisas quando a pessoa acorda — completou o adolescente.

— Não se incomode, Matias. Eu vou lembrar das coisas, aos poucos, mas vou lembrar.

— Esse fardo... não o assusta?

Lucas encarou o rapaz, cujos olhos brilhavam de excitação. Que resposta aquele menino queria ouvir? Que estava borrando as calças, com medo de não ser o tal? Que estava afundando em um mar de antagonismos, cercado por certezas recheadas de incertezas, com medo de não trazer droga de milagre nenhum para humanidade, de não oferecer utilidade alguma, que era um farsante? Lucas sorriu, dissimulando.

— Assusta, às vezes. Tem hora que sinto um fogo inflamar meu peito... uma certeza, mas depois, às vezes, quando estou sozinho e pensando nas coisas e em mim mesmo, sinto um vazio... uma impotência. Não sei quem eu sou ao certo, não me lembro do meu passado e fico inseguro, mas se focalizo aqui, este mundo, esta nova realidade... É um contexto novo, me chamam de herói, de libertador, me vestem com essa couraça no peito, uma espada na cintura. — Lucas baixou a cabeça e fez uma pausa. Estalou a língua e passou a mão no cabelo, continuando: — Isso, às vezes, me dá força. Quando farejo esses vampiros desgraçados, viro outra pessoa, não sou eu mesmo, não paro para pensar, saco a espada da bainha e faço coisas indizíveis. Eu não sou assim, sou um escolhido, aceito isso, mas o que é ser um escolhido?

O rapaz deu de ombros, porque não sabia o que responder.

— Um escolhido é uma marionete na mão do destino, Matias. Um escolhido é forjado pela fortuna e torna-se o que os outros querem. Eu era... só mais um na multidão, mais um imbecil com contas para pagar todo mês, com fatura do cartão de crédito vencida, prestação do carro atrasada, contas de água e luz, impostos sufocando, impossibilitando-me de viver. Minha preocupação era com meu emprego e minha aparência, em comprar roupas novas, presentes para... — Um frio no estômago, estava prestes a dizer um nome. — ... para uma mulher. — Lucas baixou a cabeça, como se uma nova lembrança chegasse. — Eu me misturava na multidão, trombava com milhares de rostos todos os dias a caminho do trabalho... eu ia de metrô, tinha carro, mas quando precisava economizar combustível ou quando tinha rodízio, acabava indo de metrô, e à noite a gente tinha medo uns dos outros...

— É verdade... eu me lembro disso, senhor.

— Agora tudo mudou. O que eu sou? Você disse bem, que fardo eu carrego? O de salvador, porque alguém disse que eu serei o salvador deste novo mundo e que levarei a humanidade aos milagres que nos libertarão dos vampiros. Ufa! — Lucas bufou, arregalando os olhos.

— Mas este mundo novo, Matias, tem suas vantagens, porque ao menos quando olho ao redor não tenho mais medo dos semelhantes. Sei que aqui estão as pessoas de bom coração e que, de alguma forma macabra, o destino separou os bons dos maus, e talvez seja até mais apropriado dizer que o sol separou os bons dos maus. Eu vejo agora gente se ajudando, trabalhando junta. — Lucas olhou para bento Vicente por um instante. — Tudo é bem diferente do mundo antigo, onde trabalhávamos para sustentar nossas contas-correntes. Acho que é uma bênção o dinheiro não existir mais.

Bento

— O senhor tem razão, bento Lucas.

— Ei, pode me chamar só de Lucas, não precisa dessa coisa de senhor e de bento.

Matias sorriu e afastou-se carregando o rifle. Lucas reteve o olhar um instante sobre a figura do rapaz e viu que o menino não tinha medo de lutar. Sabia que estava se engajando em uma missão difícil e perigosa, mas estava ali para estar com ele, Lucas, na luta contra os noturnos. O bento benzeu-se, pedindo que Deus os ajudasse a vencer aquele mal e a unir os trinta bentos para desencadear o fim daquelas criaturas.

Matias levantou-se para deixar o bento descansar.

O bento retirou o manto marrom encapuzado que envolvia sua couraça para fazer novamente um travesseiro e, deitando-se um pouco, cerrou os olhos.

CAPÍTULO 31

Eram mais de duas horas da tarde e, naquele momento, não só o novato Lucas, mas a maioria dos homens cavalgava com os olhos arregalados e surpresa com o cenário. Havia pouco tinham penetrado na velha cidade de São Paulo e viam-se cercados por incontáveis esqueletos negro-acinzentados que subiam verticalmente. O que antes eram prédios comerciais e moradias agora eram elevações assombradas em concreto armado. As ruas da gigantesca capital do estado estavam desertas, e a maior parte dos prédios era coberta em mais da metade de sua altura por trepadeiras verdejantes. Apesar da aparente solidão, todos carregavam a estranha sensação de ter olhos colados nas costas, como se vultos malditos assomassem eventualmente às janelas dos prédios fantasmas e, a qualquer segundo, o primeiro disparo de arma seria dado para o inferno se instalar ao redor da tropa.

Lucas reteve o cavalo um momento, com uma sensação de *déjà-vu*. O prédio à sua frente era mais um no meio de centenas naquele bairro e, como a maioria deles, estava coberto por uma camada negra de fuligem, mostrando que se consumira em chamas sem que os bombeiros viessem em seu socorro, e vegetação que crescera posteriormente. A velha cidade era rica em pássaros e bandos imensos cruzavam por entre as torres de concreto. Nas lojas do piso térreo tinham sobrado as fachadas de alguns pontos comerciais, onde se podia ver restos do que havia sido uma Drogasil, uma Casa do Pão de Queijo e uma unidade do CCAA. Talvez as logomarcas trouxessem aquela sensação de familiaridade ou quem sabe ele tivesse feito um curso de idiomas ali ou comprado um sanduíche... Vai saber.

— Ande, não fique para trás! — resmungou bento Vicente, ao passar ao seu lado.

Lucas ergueu a rédea do cavalo e cutucou-o levemente com o calcanhar. Estavam a poucas quadras do que havia sido a avenida Nova Faria Lima, onde havia prédios dentro dos quais jaziam milhares de corpos adormecidos, abandonados na fuga para as fortificações, com exceção de um local ou outro ocupado pelos serviçais dos vampiros, humanos degredados dos novos centros ou que, por alguma razão bizarra, preferiam a companhia das criaturas da noite à dos semelhantes.

Continuaram cavalgando, e os cascos dos cavalos estalavam contra o asfalto rachado. Em diversos pontos do chão escuro, o mato selvagem vencia as brechas e erguia verdadeiras touceiras no meio do caminho, das quais os soldados tinham que desviar. Francis e Edgar iam na frente, tentando "ouvir" adiante, bem atentos. De repente, Edgar pensou ter escutado alguma coisa, um tiro talvez.

Lucas voltou a observar o cenário caótico e inacreditável da cidade morta havia trinta anos. Os carros abandonados tinham perdido a cor original, perecendo devorados pela ferrugem ou pelo fogo, e seus pneus murchos deixavam o que restara das rodas no nível do chão. Das sacadas dos prédios desciam samambaias gigantes, e era possível encontrar toda sorte de vegetação. Lucas parou o cavalo novamente e fixou o olhar em um poste de sinalização de trânsito, vendo os dois luminosos que auxiliavam os pedestres na travessia. Sentiu um calor súbito subindo-lhe pelo corpo e apertou os olhos, com uma tontura. Um barulho absurdo entrou pelos ouvidos, como buzinas, risadas altas, camelôs anunciando produtos pirateados, cobradores de vans berrando itinerários... Aquelas ruas, quando as olhou pela última vez, estavam abarrotadas de gente no vaivém frenético do dia a dia da metrópole, mas agora pareciam um cenário de algum filme surrealista, uma coisa à John Carpenter. O bento voltou a si quando Francis gritou, chamando a atenção da tropa, que puxou as rédeas freando os cavalos. Lucas olhou ao redor. Estavam no meio de um dos mais tradicionais cruzamentos da cidade, no encontro da avenida Rebouças com a avenida Faria Lima.

— Estamos nos aproximando do HC! Cuidado redobrado!

Lucas sorriu, como se fosse preciso pedir aquilo. Tomavam o caminho liderado por Francis quando ouviram claramente uma explosão. Não era um disparo, mas algo maior, como uma bomba ou uma granada. Olhando Rebouças acima, não viram nada de anormal ou imediatamente preocupante, portanto continuaram avançando em silêncio. Um minuto depois, viram uma grossa coluna de fumaça negra subindo ao céu, mas vinda de longe, morro acima. Ainda admiravam a trilha escura que ascendia além dos prédios quando avistaram a estranha figura: um homem cambaleando em direção ao meio da pista que descia, deixando os escombros queimados do que havia sido já um tradicional restaurante japonês. O soldado Carlos ergueu seu rifle, fazendo mira, enquanto Edgar levantava seu binóculo.

— Eu derrubo daqui — disse o soldado.

— Espere! — pediu Francis.

— Não atire, é um dos nossos e está ferido.

Ao ouvir bento Edgar, Vicente disparou em sua montaria, e a capa vermelha do guerreiro gigante farfalhou presa aos dragonetes.

— Iááá! — gritou Francis, batendo os calcanhares em seu cavalo e perseguindo o amigo.

Quando Lucas também atiçou o cavalo, os soldados de escolta dispararam atrás do trigésimo bento, como ferro atraído por um ímã poderoso. Vicente alcançou o soldado e viu que o homem estava vazando sangue, mal podendo manter-se em pé. O ferido, ao ver o bento aproximando-se, caiu no asfalto, erguendo uma mão para o alto. Vicente desmontou rapidamente e aproximou-se para desvirar o homem e encará-lo, enquanto os demais também chegavam e os cercavam.

— Eles estavam esperando por nós... — balbuciou o ferido.

Com o som dos cascos de cavalos ao redor, Vicente precisou abaixar mais para ouvir a voz fraca do soldado.

— O que disse?

— Eles estavam esperando por nós, bento Vicente, eles sabiam.

— Sabiam o quê?

Francis baixou-se ao lado do soldado ferido e viu que havia bastante sangue descendo da cabeça e alguns ferimentos abdominais, além da roupa rasgada e chamuscada em vários pontos.

— O que aconteceu? Como ficou assim? — perguntou.

— Estamos lá... desde cedo... estão acabando com todos nós... eu... alguma coisa explodiu... fiquei encoberto por entulho... eles estão nos prédios, só esperando a gente se mexer... vão acabar com todos.

Francis e Vicente trocaram um olhar grave.

— E os bentos?

O soldado fez uma expressão de dor, terminando por soltar um gemido, contorcendo-se nos braços de Vicente.

— Eles... estavam esperando por nós... nos emboscaram, afunilaram o caminho... só deixaram passagem pela Teodoro Sampaio... eles colocaram atiradores lá... quando nos preparávamos para entrar, eles os mataram.

— Quem foi morto? — quis saber Francis, interrompendo o relato.

— Todos eles... todos os bentos...

Os rostos dos bentos e dos soldados em volta do sobrevivente esmoreceram, sem poder acreditar no que ouviam. Não poderia ser verdade! A atitude precipitada daquele sexteto de bentos havia colocado a profecia em risco! O desespero e a decepção não tardaram a tomar aquele grupo e, quando a notícia chegasse aos povoados, esses sentimentos seriam multiplicados, levando embora a esperança e a salvação.

— Só eu consegui fugir... mas não consegui voltar... meu cavalo... foi morto... eu estou ferido... acho que não vou conseguir...

Francis levantou transtornado, com a certeza de que estava tudo acabado. Olhou para o soldado ferido e mordeu os lábios, consternado. Apanhou seu cantil e ajoelhou-se junto ao homem, depois ergueu a camiseta do soldado e espalhou água sobre as feridas da região abdominal, percebendo outra perfuração no braço esquerdo. Com seu lenço, tentou remover a maior quantidade possível de sangue, mas o abdômen estava bastante inchado e extremamente dolorido ao toque, com uma hemorragia importante.

O sangue esvaía-se vagarosamente mas de maneira contínua, e pelo ferimento do braço o homem também sangrava. O médico providenciou um curativo e pressionou o ferimento maior.

— Eles estão lá, cercados... Toda vez que tentam abandonar os esconderijos, tomam uma rajada de fogo, e os que conseguem escapar da metralhadora são pegos pelos atiradores. Vão mantê-los naquela ratoeira até o anoitecer. — O soldado contorceu-se mais uma vez, apertando o manto que cobria Vicente. — E quando a noite chegar, estaremos liquidados.

Lucas engoliu em seco e olhou ao redor, pensando em quantas criaturas malditas existiriam naquela cidade fantasma, em quantos seriam os vampiros que se escondiam dentro daquele sem número de prédios abandonados. Mesmo sendo empossado de uma força que desconhecia, que o fazia saltar feito uma besta louca para cima dos vampiros, tinha vontade de sair correndo, voltar ao Hospital Geral de São Vítor e continuar dormindo. Um bolo dolorido formava-se na boca do estômago, e ele pareceu perder a certeza, a convicção de viver em um mundo real, sentindo-se refém de um pesadelo horrendo e sem fim.

Fechou os olhos e inspirou fundo, sentindo o peito apertar, então pensou que não estava ali para disseminar medo, nem aflição, precisando ser o oposto disso, e aquela era a hora para a provação. Não adiantava ser apenas uma espada afiada, pois tinha despertado como trigésimo bento para ser um líder, para guiá-los, e nada tinha a temer. Já estivera quieto, morto e apático por trinta anos. Algo do passado soprava em seu peito e ele soube qual combustível precisava queimar no coração daqueles homens: esperança.

— Onde eles estão? — perguntou novamente bento Francis.

— Já disse, senhor, na Teodoro Sampaio... estão sendo arrasados... Daqui a algumas horas, vai cair a noite... não vão conseguir fugir...

O bento médico derramou água nas mãos para limpar o sangue, secou-as apressadamente e recolocou as luvas de couro. Olhou para sua tropa que, como ele, tinha o semblante abatido, talvez pela marcha acelerada e cansativa que tinham enfrentado nas últimas horas, talvez por acabarem de saber que seis bentos estavam mortos e eles haviam voltado à estaca zero com a profecia, sem poder mais juntar as trintas espadas. Como cada vez mais provações desdobravam-se diante de seus olhos e sua fé rachava, as incertezas represadas há muito começaram a vazar por essas novas frestas. Tinha baixado a cabeça sem perceber, olhando para o asfalto antigo coberto por pedriscos, mato em pontos fendidos e escombros de alguma coisa que já havia sido um prédio.

Ergueu os olhos mais uma vez e encarou novamente os homens. Como Duque havia partido em missão, estavam em quatro bentos e apenas quinze soldados, pois o restante, vinte e cinco deles, tinham se separado, já que os veículos motorizados não conseguiriam vir pelo atalho alagado. Ele ruminava pensamentos e tentava formar uma estratégia, mas a pressa era grande demais, e ele se sentia perdido e afundando, como quando despertou sete anos antes e descobriu que tinha perdido sua esposa e seu filho de cinco anos, que não era mais o médico chefe do departamento de queimados onde trabalhava. Seu mundo estava se perdendo novamente, com a impossibilidade de cumprir a profecia, pois era para isso que ele existia agora, era por isso que respirava e por isso tinha escolhido defender São Vítor, para estar próximo do Bispo e ouvir de sua boca, diariamente, que havia uma esperança. Mas com Bispo morto, com a notícia da morte dos seis bentos precipitados... tudo se dissolvia, feito castelo de areia na beira da praia. Foi nesse momento de aflição que seus olhos viram surgir bento Lucas, do meio dos homens, caminhando decidido e com um brilho diferente nos olhos.

— Eu sei exatamente o que temos que fazer — disse Lucas, chamando a atenção do grupo.

Bento Vicente, sempre carrancudo, virou-se para Lucas, se perguntando o que aquele recém-acordado metido a besta iria fazer agora.

— Esses atiradores, esses mulos, estão atacando os homens encurralados, ocupados em se divertir enquanto os matam. Não creio que tenham visto esse soldado fugir, então temos a vantagem da surpresa ao nosso lado. Uma vez li um livro de Sun Tzu e, acreditem, surpresa é meio caminho andado para se vencer uma batalha.

— O que você tem em mente, bento Lucas? — perguntou bento Edgar.

— Levar vocês até lá para acabarmos com aquele bando de assassinos. Vamos fazê-los se arrepender de terem mexido com a turma errada.

Francis não sabia o que Lucas pretendia de fato com aquele teatrinho, mas talvez fosse justamente aquilo que faltava, pois o bento havia transformado o

Bento

semblante daqueles dezoito homens, até mesmo no olhar do truculento bento Vicente, apesar de ser um sujeito invejoso, que não dava o braço a torcer. Lucas estava mexendo com a cabeça deles, lhes dando esperança, e isso era tudo o que precisavam para entrar em terreno hostil, com inimigos escondidos em todos os cantos, prontos para massacrá-los.

— Eu vou levar vocês até lá e vou trazer cada soldado que ainda estiver vivo de volta para casa. Eu sou o trigésimo bento e nunca mais se esqueçam disso.

Os homens começaram a gritar, erguendo as armas que traziam, como que ingressando no mundo dos fanáticos, onde bastava a fala de um líder militar e religioso para que entregassem a vida por um ideal. Estavam embriagados pelas poucas mas poderosas palavras que Lucas proferira, inundados de confiança. Lucas pediu que bento Francis e o soldado Elton mostrassem o que haviam trazido de explosivos para traçar rapidamente uma estratégia e partir para dar fim ao cerco que trucidava os soldados.

* * *

Gabriel tinha a respiração rápida e entrecortada, e a cada espoco que escutava, seu sangue gelava nas veias. Era isso, estava acabado. Quantos soldados tinham caído? A metade do grupo formado por bento Arthur? Talvez já fossem mais. Aqueles mulos malditos! Estavam só brincando com eles, torturando-os, mantendo-os apavorados e acuados, preparando o terreno para os vampiros. Em algumas horas anoiteceria e estariam liquidados, e quando o sol caísse no horizonte, os malditos despertariam do sono hipnótico e voariam sobre eles. Os mulos desgraçados queriam que os soldados remanescentes ficassem vivos, porque sangue vivo era mais saboroso.

Gabriel apertou os olhos. O soldado de São Joaquim estava sentado, com os joelhos flexionados, abraçando seu fuzil, e via mais cinco soldados na sala, igualmente assustados, com os olhos arregalados e vermelhos em desespero. Gabriel conhecia o plano e, quando partiram de São Joaquim para São Pedro dias antes, sabia para onde estava indo, ciente de todas aquelas possibilidades, mas não podia acreditar que terminaria daquele jeito. Enquanto discutiam com os bentos o plano, tudo parecia favorável, e havia anos nenhum humano maluco tentava algo contra o Hospital das Clínicas. Os mulos não temiam uma invasão à velha São Paulo, estavam despreparados, rendidos, o plano era bom e a surpresa ajudaria. Era entrar e sair do covil, só tendo que deitar a mão na bendita máquina.

Em sua mente, tinha se visto centenas de vezes voltando vitorioso para casa, com a missão cumprida. A máquina seria enviada ao Hospital Geral de São Vítor, para os técnicos verem se ela estava de fato funcionando e, conseguindo colocá-la em atividade, darem uma dor de cabeça nervosa naqueles vampiros filhos de uma puta. Mas não era isso que acontecia. Estava no chão, acuado, com a perna recolhida para não sujar a calça no sangue de outro soldado, estendido à sua frente, com a boca aberta e um buraco no meio da testa. Diziam que os mulos eram ruins de tiro... não que não acreditasse nos amigos, mas para ele aquele disparo lhe pareceu particularmente perfeito, e não precisavam ser melhores que aquilo para matar gente. Via-se agora como um rato amedrontado no interior do que tinha sido uma loja de instrumentos musicais e, quando fechava os olhos, via o espectro de bento André tombando ao seu lado. Estava ao lado dele na hora do primeiro tiro, e não houve tempo para reação. Bento André estava no chão, o sangue jorrava do seu pescoço e ele estava em aflição. Gabriel tentou se abaixar para ajudá-lo e não soube o que fazer na hora com um tiro no pescoço. Não tinha sido um arranhão no cotovelo, ele não era médico, e mesmo assim não o deixaria morrer ali, no meio da desértica Teodoro Sampaio. Quando se abaixou, ouviu o segundo tiro, e ainda assim pressionou com ambas as mãos a ferida no pescoço de André, mas o sangue insistia em espirrar por entre os dedos. O bento não falava, apenas tinha virado os olhos em sua direção e os mantinha horripilantemente arregalados.

Gabriel sentiu os olhos marejarem, tudo estava acabado. Se o lendário bento André afundava nas garras da morte diante de seus olhos, o que seria dele, um reles soldado? Seria morto também, a fé era agora farelo. Olhou ao redor e viu que os outros estavam correndo, os oitenta soldados e mais cinco bentos correndo rua abaixo. Gabriel sentiu medo. Precisavam sair dali, então tirou as mãos do pescoço do bento caído, vendo um esguicho de sangue voar longe, descrevendo um arco escarlate no céu, enquanto respingos choveram em seu rosto. Gabriel ficou hipnotizado por um segundo com aquela cena terrível, e mais um segundo, mais um batimento cardíaco, mais um arco de sangue escapou do pescoço do bento agonizante. Aquele segundo jato hemorrágico pareceu tirar o horrorizado soldado do transe, e Gabriel ergueu o bento para tentar a fuga.

Deu dois passos, mais um jorro escapou da ferida e Gabriel assustou-se com o sangue acertando em cheio o lado de seu rosto, entrando por seu ouvido. Escutou uma nova explosão, um outro tiro, que atingiu a armadura prateada de André. Gabriel soltou-o, assustado com o barulho de ricochetear da bala na couraça, deu dois passos para trás e tropeçou, ouvindo mais tiros. Os bentos que gritavam ordens tentando organizar o batalhão e iniciar um revide foram tombando um a um diante de seus olhos. Os homens começaram a revidar contra os atiradores, mas não sabiam de onde os tiros dos mulos vinham, nem para onde mirar! Depois de cinco minutos, os tiros diminuíram e seus olhos pousaram no legendário bento André, caído de cara no meio da rua. Podia ouvir os gritos dos soldados feridos, caídos no meio do asfalto da Teodoro Sampaio. Estavam todos encurralados. Os malditos mulos tinham preparado a cilada e obtido êxito.

Ele mordeu os lábios ao perceber que os malditos mulos sabiam que eles viriam. Como os bentos não perceberam que as ruas bloqueadas com carros destruídos, empilhados, formando verdadeiras paredes de ferro, faziam parte de um plano maldito para exterminá-los? Depois, Gabriel lembrava-se de começar a escutar os berros dos soldados, escondidos como ele, em outros estabelecimentos abandonados. Eles gritavam, tentando reger uma reação, mas sempre perdiam mais homens batendo de frente com o mesmo problema. Os atiradores eram muitos e estavam bem escondidos. Não sabiam ao certo para onde direcionar a rajada de fogo, nem quantos eram os inimigos, e com isso perderam munição e mais vidas. Por fim, sobraram os soldados amedrontados demais para arquitetar um estratagema e colocar todos para fora dali a salvo. Para complicar, o tempo nunca parava de correr, o sol ia mudando perigosamente de lugar e em mais algumas horas chegaria a escuridão. Estavam fritos. Se não fossem pegos pelas balas dos mulos, seriam pelas garras das criaturas da noite.

Gabriel balbuciou que jamais voltaria a ver a esposa, e essa certeza ia se solidificando cada vez mais, fazendo uma angústia sufocante entalar na garganta. Desesperado, largou o rifle e entregou-se às lágrimas. Queria ver Agnes pelo menos mais uma vez e, em seu pranto, colou a testa no chão, fazendo cacos de vidro e sangue colarem na sua pele. Apertou os olhos e inspirou fundo, voltando a colar-se na parede, e outro espoco veio dos prédios, com barulho de vidro se quebrando. O tiro potente ecoou entre os prédios, e ele ouviu o farfalhar de asas de um bando de pássaros que voou a curta distância. Ele estranhou, pois não era medo o que sentia agora, como se a rápida e repentina crise tivesse aliviado seu peito. Do bolso interno do seu colete, retirou a foto de Agnes segurando Júnior, o filho perdido. Gabriel passou a mão sobre o rosto dos dois, depois sobre a testa, livrando-se dos cacos e sujando os dedos com o sangue de algum colega. Sentia algo estranho no peito, um calor alentador, um conforto e coragem. Era isso: coragem! Inspirou fundo e posicionou-se melhor na porta do estabelecimento, vendo que restos do que tinha sido um Ford Ka jaziam junto ao calçamento. Olhou fixamente em direção à origem do tirou e não encontrou mais vestígios de fumaça no ar. Pensou que poderia ter localizado o maldito atirador dessa forma quando ouviu outro tiro e buscou a direção com os olhos. Vinha de outra posição, de outro assassino, e dessa vez encontrou uma trilha de fumaça subindo para o céu a partir de uma janela quebrada, de um cano entre as venezianas retorcidas a setenta metros de distância, no sexto andar. O disparo do agressor passara longe, portanto ele não era o alvo desta vez.

Ergueu mais a cabeça, e olhou para o topo de dois prédios, e viu os malditos descontraídos, tendo a certeza de que um deles ria ao conversar com os demais. Estavam simplesmente mantendo-os ali, naquela jaula, naquele beco construído com carros destruídos e empilhados nos cruzamentos da Teodoro Sampaio. Não conseguiria acabar com todos, mas ao menos um deles seria morto por sua arma. Gabriel fez mira na veneziana quebrada, vendo que o cano do atirador ainda estava lá. Não apontava na direção de Gabriel, do contrário, provavelmente já estaria estirado na calçada. Entretanto, quando colocou o dedo no gatilho, percebeu uma explosão nas suas costas, e a parede de veículos ruiu. Um buraco largo surgiu entre os carros, que foram ao chão. Gabriel recostou-se no carro que lhe servia de abrigo e assim que a grande quantidade de fumaça foi se dissolvendo, abriu um sorriso. Viu as capas vermelhas esvoaçantes dos bentos e mais soldados. Eram reforços!

* * *

Elton disparou com uma arma de cano largo, e cilindros fumegantes voaram 150 metros adiante, indo parar no meio da rua. Uma densa cortina de fumaça formou-se, servindo de distração e proteção para alguns deles durante a ação. Bento Lucas havia sido preciso em sua orientação, ou seja, a estratégia era uma ação de assalto, em que deveriam evitar o confronto com os mulos e localizar o mais rápido possível os sobreviventes. Dos corpos, deveriam recolher somente os seis bentos, a qualquer preço. Um explosivo abriu a parede de veículos improvisada pelo inimigo na altura da praça Benedito Calixto, e rápidos e objetivos, os soldados foram invadindo o perímetro. Da calçada, o soldado Gabriel orientava-os, gritando e mostrando onde estavam os homens sobreviventes. Em poucos segundos, os soldados acuados foram deixando seus esconderijos e auxiliando os que acabavam de chegar, enquanto os de São Pedro perguntavam pelos corpos dos bentos.

Gabriel, aproveitando a cortina de fumaça, cravou o joelho direito no chão e voltou a fazer mira na veneziana. Um novo disparo escapou daquele maldito atirador, e ele puxou o gatilho, fazendo o rifle expelir uma sequência de disparos. Não poderia afirmar cem por cento que o inimigo estava morto, mas o cano da arma desapareceu da fresta. Com sorte, seria um a menos, pensou, voltando o cano de sua arma para o topo do prédio mais próximo, onde havia visto o par de mulos rindo segundos antes. Agora eram sete homens, com os pés no beiral do telhado,

Bento

disparando rajadas contra o chão. Gabriel puxou o gatilho mais uma vez e cinco caíram, estourando os corpos no calçamento, e dois desapareceram. Fez mira no prédio seguinte e percebeu que os mulos estavam recuando, buscando proteção para efetuar os disparos, o que significava que estavam com medo e não contavam com um segundo regimento. Agora, vendo os inimigos, os soldados conseguiam revidar os disparos, e os mulos, surpreendidos, tomavam cuidado. Gabriel puxou o gatilho mais uma vez, fazendo nova vítima. Olhou para o asfalto e viu três dos bentos, abatidos na operação que descia a Teodoro, sendo carregados nas costas de soldados de São Pedro. O rosto inanimado de bento André passou diante de seus olhos e Gabriel sentou-se na calçada para se recostar no Ka.

Lucas comandava parte do pelotão e havia distribuído os soldados em três quintetos. Ele ocupara-se com o resgate dos bentos mortos, e faltava um corpo, o de bento Murilo, de Nova São Paulo. Interrogou os soldados que escapavam e soube que bento Murilo tinha tentado avançar. Os mulos pareciam se refazer do susto, e as saraivadas de tiros aumentavam e surgiam de forma mais organizada e perigosa. Subiram um quarteirão, e bento Lucas chamou oito soldados que revidavam tiros, dando cobertura um ao outro. Recostaram-se atrás de uma picape, e Lucas sentiu um arrepio percorrer seu corpo. Na rua transversal, quase ao final da nova quadra, havia um homem de capa vermelha, imóvel. Sua posição mostrava que sua última atitude tinha sido rastejar, buscando proteção dentro de um sobrado comercial, mas sua vida terminou nas escadarias. Olhou para cima, para o lado oposto da rua, e não viu nenhum sinal de mulos. Adentrou o quarteirão, seguido por sua escolta, ouvindo tiros na rua principal, e pensou que teriam de ser rápidos, pois a presença dos soldados e da fumaça distrairia os inimigos, mas, se demorassem, os soldados teriam partido e seria mais difícil escapar com vida daquela batalha. Correu até o corpo e viu que o homem de capa vermelha e couraça metálica no peito estava de bruços, com a mão estendida tocando os primeiros degraus da escada de mármore, onde pretendia buscar abrigo, e também mais dois soldados mortos do seu lado esquerdo. Lucas desvirou-o.

— Bento Murilo — disse um dos soldados, fazendo um sinal da cruz.

Lucas colocou o homem no ombro e refez o caminho rumo à rua Teodoro Sampaio. Os soldados deram cobertura para os tiros que vieram na direção do grupo. Lucas foi obrigado a abaixar-se próximo à esquina, perdendo o equilíbrio e derrubando Murilo, e teve de arrastar o corpo do bento para perto de um carro. Os tiros ora ricocheteavam, ora arrancavam pedaços das paredes, mas os soldados continuaram a revidar. Estavam quase na esquina, faltando poucos metros para encontrarem-se com o grupo principal e empreender a escapada Teodoro

Sampaio abaixo, quando da esquina oposta vieram rajadas de projéteis. O som dos rifles em conjunto era ensurdecedor. Lucas jamais esteve no meio de uma guerra, mas algo em sua cabeça dizia que aquilo não era tão singular em sua vida, e, como aquelas lembranças sem hora marcada, a sensação de já ter estado rodeado por fuzis e disparos não lhe era estranha. Lucas ordenou que permanecessem naquela posição mais uns instantes, pois recostados aos veículos estariam protegidos, mesmo que temporariamente. As balas arrancavam pedaços da fachada dos prédios em frente ao grupo, lançando dejetos sobre suas cabeças e enchendo o ar de poeira.

— O que vamos fazer, bento Lucas? — perguntou Domingos, um dos soldados que o escoltava.

— Vamos esperar os nossos amigos abrirem caminho. Eles sabem que estamos aqui e sabem o que têm que fazer.

Bento Francis estava de volta à passagem aberta na parede de carros empilhados e percebeu o tiroteio intensificando-se duas quadras acima. Lucas estava lá, em busca de Murilo, e só faltava seu grupo. Olhou para o topo dos prédios, vendo que havia soldados na esquina à esquerda, e podia ouvir mais disparos sendo efetuados da rua onde estava Lucas. Chamou a atenção de seus homens, e Elton disparou mais granadas de fumaça. Teriam que subir dois quarteirões, mas agora não contariam mais com o efeito surpresa. As línguas de fumaça providenciadas pelo soldado bloquearam temporariamente a visão dos inimigos que disparavam do alto dos edifícios.

— Procurem proteção e disparem contra os prédios! Mandem bala em tudo o que se mexer. Temos que garantir a saída de Lucas! — gritou bento Francis. — Ele precisa escapar com vida!

Os soldados deixaram os corpos dos bentos mortos abaixo da linha de carros empilhados e voltaram para atender a ordem de Francis. Buscaram posições onde houvesse o mínimo de proteção, bloqueando as balas inimigas e abrindo fogo, mas não parecia suficiente. A cada instante, mais e mais mulos surgiam nas janelas, e não demorou um minuto para que o primeiro deles fosse atingido.

Lucas olhou para os soldados, que atiravam contra o prédio de esquina do outro lado do quarteirão. Continuavam debaixo de fogo cerrado e, a cada segundo, os disparos adversários pareciam aumentar. A lataria do carro que lhe servia de cobertura tilintava a cada novo projétil recebido, e eventualmente um disparo ou outro varava o chassi do veículo, fazendo lascas do cimento da calçada voarem para todos os lados. Lucas olhou para Domingos e viu que o soldado disparava repetidamente com o fuzil, tentando conter os adversários.

— Eles são muitos! — gritou outro dos soldados ao seu lado.

— Nunca vamos sair com vida!

— Vamos viver, sim! — retrucou Lucas — Tenho que juntar os trinta bentos!

— Como vamos passar por eles, senhor? — retornou o soldado, incrédulo.

—T enha fé, soldado! Eu vou tirar vocês daqui com vida! Continuem atirando, não se deixem apanhar.

Mal terminada a frase de Lucas, os soldados escutaram uma retumbante explosão. Diante de seus olhos, espantados, parte do topo do prédio na esquina oposta virou fumaça e pedaços de concreto atingiram a calçada com um barulho ensurdecedor, enquanto uma nuvem imensa de poeira tomou a avenida.

— É a nossa deixa! Vamos correr!

Lucas colocou Murilo nas costas novamente e abandonou a proteção dos carros. Um silêncio nervoso instaurou-se momentaneamente e nem soldados, nem mulos disparavam, como que hipnotizados pela explosão. Lucas lançou um olhar para cima e, do meio da nuvem de fumaça, viu surgir um pedaço enorme de concreto, um pedaço do prédio! Sabia que aquele destroço não cairia em cima dele e dos soldados, mesmo assim era difícil não se impressionar, não sentir medo. Em um relance, pôde ver três ou quatro mulos ainda agarrados ao que sobrara das janelas do edifício. O choque do concreto contra o asfalto foi tremendo, e Lucas e os soldados abaixaram-se, buscando proteção atrás de outro veículo abandonado pelo tempo. Desta vez não se escondiam de balas, mas de uma furiosa nuvem de poeira que varreu o cruzamento da Teodoro Sampaio. Lucas e a escolta foram encobertos pela nuvem de dejetos.

— Corram! — gritou.

O acidente seria o despiste ideal. Assim que dobraram a esquina, os soldados gritaram rua abaixo, eufóricos. Viam Lucas e os soldados vivos, marrons, descendo pelo calçamento. Seguindo a ordem de Vicente, voltaram a atirar na direção dos edifícios, mesmo sem poder enxergar claramente por causa da nuvem de poeira que ainda valsava no ar. Os tiros teriam mais efeito moral que fatal. Lucas e os soldados tinham entendido o que acontecia: a tropa motorizada tinha acabado de chegar e, com ela, a artilharia pesada surgia para salvar o restante dos soldados. Nos veículos motorizados vieram armas de grande poder destrutivo e uma espécie de canhão ainda fumegante, que devia ter sido o responsável pelo estrondoso incidente assistido havia pouco. Vendo Lucas se aproximar com o corpo de bento Murilo, Francis regeu a retirada dos soldados, e os mulos, ainda cegos pela poeira, voltaram a efetuar perigosos disparos que cortavam o ar sobre suas cabeças.

— Vamos embora! Vamos sair daqui, agora!

Francis tinha pressa. Os corpos dos bentos foram acondicionados nos veículos, e, em poucos minutos, retomaram seus cavalos. Apesar de terem escapado daquela emboscada com sucesso, recuperado os corpos dos bentos e salvado doze soldados sobreviventes do massacre, sabiam que a batalha ainda não tinha terminado. Havia um inimigo gigante, que descia em sentido ao horizonte. Sobravam poucas horas de sol e, se não estivessem longe do centro de São Paulo e daqueles prédios malditos, seriam atacados por um número inimaginável de criaturas da noite.

Cavalos e veículos começaram a descer os cruzamentos mortos da Teodoro Sampaio, afastando-se rapidamente da aglomeração inimiga. Eventualmente deparavam-se com novos disparos feitos por mulos escondidos nos apartamentos pelo caminho, que atentavam contra os fugitivos. Sorte dos soldados e bentos que os atiradores competentes muito provavelmente haviam sido chamados para a armadilha.

Bento Francis cavalgava ao lado de Lucas. Francis olhou para o novato e viu que era outro homem que estava montado no cavalo. Não havia traço daquele rapaz franzino, cheio de ansiedade e medo, pois quem cavalgava ao seu lado era um herói altivo, alguém que os conduziria, de alguma forma, para a libertação, que tomou o comando daquela tropa, salvou a vida de um grupo de soldados apanhados em uma ratoeira e devolveu esperança ao rosto da tropa que descia a rua naquele momento. Mesmo que seu peito lutasse contra a amargura e a certeza de que os trinta bentos jamais seriam unidos, posto que carregavam na frente o corpo de seis de seus amigos, uma chama queimava em sua alma. Uma grande mudança havia acontecido, e Francis não fazia ideia por qual estrada o destino os conduziria dali em diante.

CAPÍTULO 32

O truculento bento Vicente cavalgava mudo, com seus braços fortes nas rédeas do cavalo conduzindo a montaria, um tordilho de pelagem negra que era um dos mais belos animais do comboio. Seus olhos de guerreiro vagavam de rosto em rosto, observando os soldados cansados e preocupados. O sol descia no seu eterno curso natural, indo para o horizonte, e o fantasma da escuridão penetrava no pensamento dos combatentes.

Vicente sentia-se estranho, perturbado, e lutava contra aquilo, contra aquela admiração crescente. Nunca teve heróis na vida, pois sua infância pobre o colocara no trabalho aos nove anos. Nunca teve um pai presente e os parceiros da mãe iam e vinham, cada qual, feito um joalheiro, um ourives, deixando a sua marca na pedra bruta que era a cabeça dele, com a violência doméstica esculpindo uma joia rara, preciosa e perigosa. Vicente conheceu também companhias erradas, cresceu entre bandidinhos, marginais pé de chinelo.

Sem ídolos, nunca admirara um homem ou gostara de um, o que atrapalhava sua cabeça. Sabia que era macho, hétero, e nunca admitiria, nem para si próprio, que estava seduzido, caído de quatro em admiração por Lucas. Virou-se e viu que ele vinha logo atrás ao lado de Francis, imponente, como um líder. Vicente voltou a olhar para a frente e pensou como aquele homem conseguia transbordar determinação e atitude e encher o peito dos homens ao redor de esperança e bravura. Nunca tinha visto aquele bando atirar-se tão cegamente contra os inimigos, e, nesse caso, os oponentes estavam em vertiginosa vantagem numérica. Quando Lucas avançou contra os mulos, estavam em dezenove homens e os vinte e cinco motorizados chegaram depois, fazendo o papel da cavalaria. Tiveram a notícia prévia de que os seis bentos que organizaram a expedição haviam sido mortos, mas toda a adversidade não foi capaz de ofuscar o brilho e a energia que emanavam daquele bento novato. Ele próprio, que a princípio zombara da figura franzina e frágil de Lucas e fez questão de exibir sua arrogância nata e brutalidade forjada pela mão de padrastos bêbados e marmanjos aproveitadores, sentia-se envolvido, atraído por essa nova energia desse novo homem. Algo tinha acontecido com Lucas, e algo muito bom, que não afetou apenas o bento novo, mas todos ao seu redor, e que o velho e falecido Bispo tinha visto antes de todos eles com aquele olho mágico que enxergava o futuro e que escapou a ele na primeira impressão. Sentia-se envergonhado por estar atraído por um homem, mas não havia outra forma de definir aquilo, pois Lucas atraía a todos, e todos, como ele, estariam dispostos a morrer para levar Lucas adiante, rumo à concretização da profecia.

Lembrando-se desse ponto da missão, Vicente experimentava outra sensação. Mesmo olhando agora para o veículo que metros à frente transportava os corpos dos bentos mortos, sabia que podia contar com Lucas, e isso, sim, era esquisito. Como um código secreto, todos partilhavam sem falar daquela sensação, estavam abatidos pelo fato de os bentos terem morrido, mas, de alguma forma, bento Lucas emanava um elixir calmante, uma sensação que os fazia crer que tudo se arranjaria, pois sabiam que Lucas resolveria aquele impasse. Agora sequer duvidava de que o bento novo fosse capaz de ressuscitar os mortos. De repente, viu-se reprimindo um sorriso no rosto duro, coberto por uma barba rala, e sentiu um arrepio cruzar o peito. Bateu com os calcanhares no tordilho para fazê-lo disparar, tomando a dianteira da marcha e postando-se metros à frente de bento Edgar. Não queria que os demais vissem seu sorriso, nem que percebessem que também tinha gostado da batalha e que se simpatizava com a atitude do novo bento. Queria preservar seu ar marrento e mal-encarado, porque era um homem, não um babão que se encantava com outro macho.

* * *

Marcharam mais duas horas até chegar à entrada do vale pantanoso. Edgar, novamente na ponta do grupo, parou o cavalo puxando fortemente as rédeas. A visão da região à frente provocou-lhe um calafrio, e ele levou a mão à testa fazendo o sinal da cruz. Vampiros não tomavam sangue de bentos, mas procuravam suas jugulares para abrir um talho e tirar-lhes a vida. Ergueu sua touca de malha de ferro, que lhe protegeria o pescoço, e desceu do cavalo. Os cavaleiros que seguiam Edgar também pararam, e os veículos motorizados aproximaram-se lentamente. Tinham que definir uma estratégia de escapada, e se os cavaleiros decidissem ir pelo pântano, ali seria novamente o ponto de separação. Edgar aguardou até todos se reunirem, e era a primeira vez que paravam desde que debandaram da armadilha. Sabiam que não teriam muito tempo até o anoitecer, mais uma hora de luz talvez, e então a temível região pantanosa teria de ser transposta na escuridão. Francis desmontou com agilidade e cruzou o meio do grupo a pé, parando às margens do pântano. Olhou demoradamente para o atalho e respirou fundo, depois olhou para os veículos motorizados, equipados com a artilharia pesada.

— Acho melhor desistirmos do atalho e avançarmos pela estrada. Pelo menos teremos a proteção das armas pesadas — disse, por fim.

— Não, irmão — interferiu Lucas.

Os olhares convergiram para o novato.

— Não temos tempo. O atalho nos dará horas de vantagem, um tempo precioso. Precisamos unir os trinta bentos o mais rápido possível, porque somente com o auxílio dos quatro milagres colocaremos fim a essa situação de medo da escuridão.

Vicente olhou para o horizonte, onde o sol derramava a luz derradeira sobre os morros. A velha São Paulo desaparecia nas sombras, sendo dragada rapidamente pelas trevas, trazendo com a noite o desespero e libertando as feras malditas. Lucas também olhou para São Paulo e seu amontoado de prédios negros. A inexistência de energia elétrica não permitia que as luzes dos postes públicos fossem acesas, o que agravava ainda mais a má impressão que aquele mausoléu gigantesco podia proporcionar. A luz enviesada do poente criava sombras extensas que anunciavam a chegada da noite. A voz preocupada de Francis cortou o silêncio.

— Posso estar enganado, Lucas, mas perdemos seis bentos esta tarde. Se cruzarmos o pântano, podemos perder muito mais. Por que tanta urgência se os trinta bentos não serão postos juntos tão cedo? Teremos que aguardar meses, quiçá anos, até que seis novos bentos despertem do sono.

— Não, não vamos esperar tanto. Temos que cruzar o pântano e ganhar tempo, cada minuto é precioso. Sinto essa urgência queimando o meu peito, é um palpite, algo que não vou ignorar.

— Desculpe a intromissão, bento Lucas, mas escute bento Francis. Esse risco é desnecessário, e durante as horas que economizarmos cruzando esse pântano, seis bentos não acordarão, posso garantir. Se nos mantivermos unidos, teremos mais chance.

Lucas olhou para o soldado Adriano.

— Sei que está preocupado e que preza pela vida de seus companheiros de jornada, soldado, mas garanto que essas horas serão cruciais. Os vampiros ganharão uma arma poderosa esta noite e se não agirmos com presteza e caminharmos ao encontro da profecia, nossos dias estarão contados. Precisamos reunir os bentos faltantes, o mais rápido possível, e indo com os veículos, pelo asfalto, vamos nos atrasar.

— O que serão três ou quatro horas a mais?

— Serão tudo! Temos que ir por este caminho — disse, apontando para o pântano e depois olhando para os veículos. — Sei que não devemos estar juntos esta noite e que os carros estarão levando os feridos e não serão tão ágeis, então temos que ir por este caminho. Os vampiros precisam de uma lição, para temer algo além do sol.

— Os bentos morreram, Lucas. Você é poderoso, mas não ressuscita os mortos.

Lucas encarou Elton. De fato, não poderia ressuscitar os mortos, mas algo dizia que tinham que ganhar as horas e seguir por aquele pântano, e era isso que fariam.

Caminhou até a picape que levava os corpos dos bentos no compartimento traseiro.

— Os seis estão mortos e nosso dever agora é sepultá-los. Eu sou o trigésimo bento e fui escolhido para levá-los ao encontro do que foi profetizado. Vim para as horas amargas, não para as alegrias.

— Sepultá-los? — perguntou, incrédulo e com nítida decepção na voz, Gabriel, o soldado salvo da emboscada por bento Lucas.

— Como Francis disse, os seis estão mortos e nada há para se fazer a esse respeito. Vamos enterrá-los e continuar nossa jornada. — Lucas aproximou-se do veículo com os corpos e apontou para os três soldados que o ocupavam. — Tirem as couraças, as capas e as espadas desses homens. Elas vão conosco.

Diante do grupo silencioso, o trio cumpriu a ordem. À medida que as couraças e espadas eram depostas, Lucas, com cuidado, apanhava as armas embainhadas de duas em duas. Unindo o par de espadas, enrolava-as usando um par de capas vermelhas. Com as tiras de couro que escapavam das bainhas, fechava firmemente o embrulho. Entregou o primeiro par de espadas para bento Francis. Com o mesmo cuidado, uniu o segundo par e entregou-o a bento Edgar. O último par de espadas conduziu até bento Vicente, que permanecia montado em seu cavalo.

— Cuidem dessas armas com a vida.

Lucas voltou-se com serenidade e olhou para os corpos enfileirados.

— Vamos enterrá-los.

Apesar da liderança súbita e arrebatadora que Lucas havia adquirido, os soldados olharam para Francis buscando confirmação. Havia um cerimonioso ritual a ser cumprido antes do sepultamento de um bento, que tinha o corpo tratado como um santo. No entanto, mediante as circunstâncias e urgência, o ritual deveria ser abreviado. Francis aquiesceu, e, um segundo depois, meia dúzia de pás surgiu dos veículos. O bento juntou-se aos homens, que começaram a cavar o solo, dando instruções e confirmando que não cumpririam à risca o rito de sepultamento. Tinham que correr se não quisessem virar comida de vampiros.

Bento

Um silêncio respeitoso cresceu até que só o som dos pássaros na mata e das pás contra o solo tomaram conta do ambiente. Minutos mais tarde, suado com o esforço empreendido, Francis, com cerimônia, aproximou-se dos cadáveres e retirou do pescoço de cada um deles o cordão com a figura de São Jorge. Segurando as seis imagens, fechou-as na mão e fez uma longa e silenciosa oração.

Quando as covas ficaram prontas, o sol já havia se deitado, e a escuridão tomava a mata. As lanternas dos veículos foram acesas, criando uma atmosfera sombria ao redor das sepulturas, e os corpos foram depositados no fundo das covas e cobertos com pressa. Ao final da operação, Vicente surgiu com cajados feitos de galhos das árvores próximas. No cume de cada cova, enterrou metade do cabo improvisado, mantendo-os firmes na terra. Lucas assistia mudo à ação e Francis passou a Vicente a primeira couraça torácica, que jazia ao pé da cova de Murilo. Vicente fixou o peito de prata com firmeza no cajado, unindo-o à madeira com uma fita de couro. Fez o mesmo com as demais, até que a cova de cada bento estivesse representada pela respectiva armadura. Ao terminar, olhou para os soldados e, apesar de o bento estar calado, todos perceberam a emoção na expressão daquele gigante, que poucas vezes na vida tinha o rosto livre da carranca. Lucas benzeu-se em frente aos túmulos e acenou para Francis, que aproximou-se de Adriano e estendeu-lhe a corrente de bento André.

— Tome, soldado, que isso lhe traga proteção.

Adriano apanhou a peça e olhou-a demoradamente, enquanto a voz de Francis, chamando todos para a marcha, entrava em seus ouvidos. O líder de Nova Luz fechou os dedos, comprimindo contra a palma da mão a pequena imagem do guerreiro São Jorge. Meia dúzia de soldados reclamou do cansaço, mas não tinham outro remédio. Era urgente retomar a marcha, do contrário, ficariam sozinhos na beira do pântano, com a velha São Paulo às suas costas, guardando um exército sem fim de criaturas da escuridão.

Os motores dos veículos roncaram e as luzes dos faróis vibraram. Enquanto os carros manobravam para voltar à estrada e dividir o grupo, os soldados montavam os cavalos.

— Fogo! — bradou Vicente.

Os soldados improvisaram uma fogueira com rapidez. Nela, tochas foram acesas para que o caminho no pântano fosse iluminado. Com as tochas prontas, apressaram-se em reduzir a fogueira a cinzas, enquanto os bentos e alguns dos soldados vestiam as túnicas marrons, mais uma vez buscando confundir a visão de possíveis inimigos.

276

Matias olhou para o céu, fechou os olhos, e viu que uma garoa leve balançava ao sabor do vento, molhando sua face. Se aquela névoa se adensasse, não seria nada bom. Cavalgar no pântano e ainda com chuva... A maioria dos cavaleiros benzeu-se antes de adentrar o terreno pantanoso, tendo a impressão de saltar do fogo para a frigideira. Pelo menos os que adentravam aquele temido terreno estariam acompanhados dos bentos.

CAPÍTULO 33

Anaquias abriu os olhos abandonando o transe, acendeu-os feito brasas e exibiu as presas afiadas. Ao se ver cercado, seu instinto o fez preparar-se para o combate, e assim que um vampiro voou em sua direção, desviou-se com habilidade, deixando o agressor chocar-se contra a parede. Estavam na sala do que havia sido um imenso apartamento em um bairro chique de São Paulo, onde metade do ambiente já havia sido tomado por vampiros com ares de poucos amigos. Desviou-se do segundo agressor, mas sabia que não poderia fazer aquilo a noite toda, ainda mais com os braços acorrentados nas costas e presos firmemente pelas mãos de outros vampiros. Avistou Gerson e Raquel, e, quando o terceiro inimigo atacou, Anaquias saltou sobre o agressor e o agarrou pelo pescoço, cessando o ataque. Iniciou uma série de golpes que fez os atacantes escutarem uma sequência de "claques" e "crecs", enquanto empurrava o inimigo para o meio da sala. O vampiro urrava de dor, sem conseguir manter-se em pé, com os ossos das pernas e dos braços literalmente moídos.

— Fui eu quem ensinou isso a ele — murmurou sorridente a líder Raquel. Gerson sorriu.

— Pare, Anaquias, renda-se, você não pode com todos nós! — disse um vampiro cinzento e de face cadavérica.

— Peça você para que seus lacaios cessem os ataques. Vim aqui para ajudar, não para ser trucidado.

O vampiro acinzentado andou pelo assoalho de madeira da sala com suas botas estalando a cada passo. O semicírculo de vampiros diante de Anaquias manteve-se imóvel, esperando as ordens de seu líder para atacar novamente.

— Sei seu nome — disse Anaquias. — Você é o vampiro chamado César.

O vampiro de face sulcada o encarou.

— Você sabe muitas coisas, e é por isso que estou aqui.

— Eles vieram? Vocês conseguiram?

As perguntas de Anaquias quase não foram ouvidas em razão dos gemidos de dor do noturno ferido. César tirou o vampiro com os ossos moídos do chão e ergueu-o como se não possuísse peso, aproximando-se da sacada do prédio. Virou-se para encarar Anaquias.

— Como eu disse, você sabe muitas coisas.

César levantou o ferido sobre a cabeça e voltou-se para a sacada, arremessando-o metros à frente através da vidraça. O vampiro voou junto com os cacos, caindo quinze andares até a rua. Provavelmente iria sobreviver a tal atrocidade, mas, caso ainda estivesse inteiro, levaria meses até que pudesse ficar em pé. César caminhou até Anaquias, encarando-o demoradamente.

— Você não fede a traidor, Anaquias.

— Eles vieram? — insistiu o vampiro.

César simplesmente meneou positivamente a cabeça, o que fez Anaquias abrir um sorriso e virar-se de costas. Em seguida fechou as mãos e ajoelhou-se.

— Eu sabia! — berrou, embebedado pela vitória e pela confirmação.

Usando velocidade sobrenatural, César agarrou Anaquias pelas costas e, antes que o grito de Raquel pudesse ajudar, arremessou o suspeito contra a parede. Ele tombou, retorcendo-se de dor.

— Sabia? — perguntou César, tirando o cabelo de sua testa. — Por que não nos contou que os outros viriam?

Anaquias ajoelhou-se novamente. Às suas costas, parte do reboco da parede ruiu e afundou pelo choque recebido de seu corpo.

— Que outros?

— Como você disse, fechamos a Teodoro Sampaio e construímos o corredor para preparar a tocaia.

César andou para a frente e para trás, olhando para os vampiros amarrados e depois de volta para Anaquias.

— Acontece que convidados inesperados surgiram na festa. — Anaquias fez nova careta de dor, tentando erguer-se. — Então, como sou o responsável pela segurança desta parte de São Paulo, resolvi vir pessoalmente perguntar se você realmente está do nosso lado. E aí, está?

Anaquias grunhiu.

— Duvida?

— Quem lhe falou que eles viriam, vampiro? — Anaquias passou a mão pelo peito. Seus olhos apagaram. — Quem lhe falou? — repetiu, impaciente, César.

— Foi a voz... a voz na minha cabeça... — A risada de César se sobrepôs ao murmúrio de Anaquias. — Ele me disse... que eles viriam... Não falou de outros, mas disse que viriam seis bentos. Vocês os pegaram?

César parou de rir.

Bento

— Foram mortos, todos os seis.

— Guardem o sangue deles, ele vai precisar. Ele viu isso, viu a bruxa pedindo o sangue dos bentos...

— Ele? Bruxa? — perguntou César, com ar de deboche.

— Guardem o sangue.

— Impossível. Os corpos foram levados com os outros, que "ele" se esqueceu de dizer.

— Mas como? Vocês prepararam o caminho... mesmo que tivessem vindo outros.

César deu uma bofetada com as costas das mãos no rosto de Anaquias, que se dobrou perante o golpe, baixando a testa no chão.

— Quem é *ele*? — insistiu César.

Os olhos de Anaquias acenderam-se mais uma vez. César abaixou-se para agarrar o vampiro pelo pescoço, no entanto Anaquias foi mais ágil, virando-se rapidamente e agarrando César primeiro. O vampiro, surpreso, arregalou os olhos, e Anaquias arremessou-o de encontro ao teto e agarrou-o novamente pelo pescoço.

— A voz... na minha cabeça...

Anaquias segurou a cabeça de César e empurrou-a contra uma coluna no meio da sala, esmagando o crânio do vampiro inimigo.

— ...É a voz... — Colocou César sobre os ombros e deu passos decididos em direção à janela arremessando o vampiro pela sacada. — ...é a voz do vampiro-rei.

Anaquias virou-se para o bando de soldados vampiros que mantinham Raquel e Gerson amarrados. Todos olhavam estáticos para o vampiro franzino. Quando o primeiro pensou em avançar contra Anaquias, teve a iniciativa contida por um brado do inimigo.

— Acalmem-se! Nem pensem em me atacar!

O brado foi tão poderoso e cheio de razão que os vampiros se sentiram minados, incertos. O vacilo de um instante foi suficiente para dar mais solidez à impressão causada pelo vampiro vidente.

— Durante meu sono, o vampiro-rei disse mais coisas... disse que vocês viriam e, junto a mim, haveriam de se preparar. — Os vampiros se entreolharam. — O vampiro-rei precisará de nossos braços, de nosso trabalho. A voz diz coisas que estão por vir e nos guiará.

Raquel e Gerson, ainda ajoelhados e acorrentados, olhavam incrédulos para a figura transformada do pacato Anaquias.

— Libertem Raquel e Gerson. — gritou Anaquias.

280

Mais uma vez os vampiros ficaram sem reação. César tinha armado um esquema para capturá-los, pois estava desconfiado de que Anaquias tinha contato com os humanos e estava armando alguma tramoia para entregar o covil do Hospital das Clínicas aos bentos. Não deveriam confiar naquele vampiro estranho.

— Libertem-nos! — urrou Anaquias mais uma vez.

Ainda boquiabertos, Gerson e Raquel sentiram as mãos soltas, vendo que de alguma forma Anaquias estava controlando aqueles vampiros. Anaquias caminhou de volta à sacada do apartamento, de onde era possível ver que uma coleção de trepadeiras tomava a lateral do prédio e ramos grossos espalhavam-se para todos os lados. Olhou para baixo e encontrou dois corpos na rua: o do soldado arremessado por César e, ao seu lado, o do próprio carrasco. Os lacaios de César afastaram-se de Gerson e Raquel e trocaram olhares, ainda confusos.

— Você acabou com nosso líder, e não devemos voltar de mãos vazias ao covil, nem podemos deixar que vão embora, como se nada tivesse acontecido aqui — disse um deles, adiantando-se.

Anaquias caminhou pelo assoalho de madeira, encarando o vampiro que lhe dirigiu a palavra. Era tão alto e forte quanto Gerson e tinha o cabelo raspado e uma tatuagem tribal que subia pelo pescoço, tomando o queixo.

— Devemos obediência aos anciãos daqui...

— Obedeçam a mim de agora em diante — retrucou Anaquias, cortando o vampiro. — Jamais arremessarei um de vocês janela abaixo, porque não é assim que um líder impõe respeito.

Os vampiros se entreolharam.

— Obedeçam a mim, e a voz dirá o que devem fazer.

O grupo de soldados vampiros começou uma discussão em voz baixa, parecendo conferenciar acerca do pedido de Anaquias. A discussão tomou mais de um minuto. Raquel aproximou-se do companheiro magro e transformado e sussurrou-lhe:

— Para com esse teatro, Anaquias. Você deu sorte com César, mas não abuse. Vamos dar o fora daqui, porque eu ainda quero arrancar o couro de Cantarzo.

Anaquias olhou friamente para o olho bom de Raquel.

— Não estou de brincadeiras, mulher! Esta noite fui visitado novamente pelas imagens.

Raquel sorriu com o canto da boca, debochada, e Gerson também ladeou Anaquias.

— Deixe disso, Anaquias. O que está acontecendo com você?

Anaquias baixou a cabeça pela primeira vez, como se o velho Anaquias ressurgisse naquele rosto duro.

— Eu escutei a voz... eu vi o futuro...

— O que você viu?

— Vi o futuro, Gerson, um caminho para acabarmos com os humanos, fincarmos nossas garras na Terra e tomarmos, de uma vez por todas, o topo da cadeia alimentar.

Os vampiros pararam de discutir, cessaram o barulho, e o tatuado deu dois passos à frente do grupo, encarando Anaquias.

— Se deixarmos vocês partirem, seremos destroçados pelos anciãos, mas sentimos fé no que disse. A quem devemos obedecer: a você ou aos anciãos?

Raquel bufou e meneou negativamente a cabeça.

— Nem a mim, nem aos anciãos — respondeu Anaquias.

Os vampiros voltaram a cochichar, contrariados.

— De agora em diante, todo vampiro que rasteja pela Terra deverá obedecer ao vampiro-rei! — bradou Anaquias.

CAPÍTULO 34

Élcio aconchegou-se junto ao braseiro. Aquela tarde que tinha esfriado consideravelmente e, com a chegada da noite e da garoa, aquele calorzinho vinha a calhar. Valdo olhou pela janelinha depois de vinte minutos que tinham chegado à torre, vendo atrás os muros da fortificação e à frente, uns duzentos metros adiante, a floresta erguendo-se depois do areião. Era a sentinela de plantão daquela noite, protegendo o povoado de Santa Rita contra os miseráveis noturnos.

Élcio espichou a perna, que formigava depois de muito tempo acocorado, já que o abrigo no topo da torre era baixo e não era possível ficar em pé confortavelmente — não por culpa do lugar, mas de sua herança genética, que o levava a ter dois metros e cinco de altura. Quando abriu os olhos naquele novo mundo, custou a acreditar em tantas mudanças. Demorou também para lembrar do seu passado e precisou dar uma boa lida nos arquivos feitos em seu nome, trazidos em uma caixa, e ver fotografias para começar a se recordar que fora jogador de basquete, tendo atuado profissionalmente na equipe de Suzano. Ao se lembrar disso, um sorriso surgiu no canto de sua boca. Élcio coçou o nariz e voltou a massagear a coxa, o que fez o formigamento ir diminuindo aos poucos. Ao lado do braseiro, tinha uma penca de bananas, um pote com pó de café e um fuzil russo, arma comum nas fortalezas de traficantes na virada do milênio e úteis para pessoas que tiravam a vida por um punhado de químicos e muito dinheiro. Elas continuavam servindo para o mesmo fim, defender e arrancar a vida do inimigo, contudo eram usadas dentro das novas fortalezas pelos humanos sobreviventes.

Valdo espiou pela vigia e acionou um interruptor vermelho, iluminando com poderosos refletores os arredores da torre de madeira. O areião banhou-se de luz, e ele viu a garoa salpicando a areia, roubando-lhe a cor clara e enchendo-a de manchas escuras. Ficou observando por uns dois minutos, calado, os remoinhos de garoa agitados pelo vento e acabou sentando-se, escorado na parede. Respirou fundo e lembrou-se de que há semanas não viam sequer um par de olhos na floresta, graças a Deus, e que os escalados para a estressante tarefa de ficar plantado em cima da torre voltavam ilesos. Enquanto puxava a correntinha de dentro da fina blusa de lã, pensou que a falta de ataques não era garantia de nada, e sua angústia só aumentava. Tentava não deixar transparecer pelas suas feições, pois não queria que o parceiro de vigília achasse que estava ao lado de um cagão, mas, pensando consigo mesmo, quem não tinha medo de ficar nas torres? Isso não seria vergonha nenhuma. Apertou o crucifixo na palma da mão, enfiou-o de novo dentro da roupa, sentindo o metal suavemente aquecido tocar a pele do peito, e colocou a mão em um dos bolsos da calça de tecido grosso. Sacou um maço de cigarros, feitos de fumo de corda e enrolados em palha seca, e uma caixa de munição. Coçou a barba por fazer e envergou-se sobre o braseiro para acender o cigarro. Deu duas tragadas rápidas e uma longa. Expirou fazendo bico, lançando a fumaça para o outro lado do cômodo. Olhou para Élcio e viu que o gigante magrelo estava lendo uma brochura.

— Você não trouxe uma blusa, não? — perguntou para Élcio.

O rapaz só balançou a cabeça negativamente, sem tirar os olhos do livro.

— Vai esfriar mais. — Deu mais uma tragada longa.

— Sou calorento.

Valdo apanhou a caixa de munição.

— Olha o que eu descolei para a gente. — Élcio ergueu os olhos. — Peguei com o Negão para quebrar um galho. — O grandalhão magrelo voltou os olhos para o livro. — Passa aí sua pistola. Vou colocar umas balas revestidas de prata na sua munição. — Élcio fechou os olhos e apanhou a pistola no assoalho ao seu lado.

— Você se importa em me deixar ler em paz por uns vinte minutos, por favor? — reclamou, estendendo a arma para o parceiro. Valdo sorriu, pois era a primeira vez que fazia vigília com Élcio. Sabia que o gigante era esquisitão.

— O que você está lendo?

— João Ubaldo Ribeiro.

— Ah...

Valdo arrancou o municiador das pistolas e retirou as balas comuns, substituindo todas por munição banhada em prata. Era hábil e, em poucos minutos, a substituição dos projéteis estaria completa.

* * *

Sabrina colocou a mesa, fazendo o cheiro da carne assada encher a casa. Eloísa, a filha de nove anos, desperta havia poucos meses, foi a primeira a entrar na cozinha. O pai biológico de Eloísa havia morrido em combate nos primeiros anos após a Noite Maldita, mas Sabrina jamais vira o marido após aquele dia. Tudo o que sabia dele foi dito por quem cuidou dela enquanto esteve adormecida ao lado da filha por dezoito anos. Passou por maus bocados depois de acordada. Deixou de ser uma bela adormecida para encarar o novo mundo quando, separada da filha pelo sono incerto dos adormecidos e do marido pelo sono eterno dos mortos, vagava sem ânimo pelas comunidades da detestável realidade, vivendo de vila em vila, da caridade de outras boas almas. Levou anos até que retomasse o gosto pelo céu azul e pelo sorriso após as piadas, e parte disso vinha de Gustavo, seu novo marido.

Gustavo apoiou Sabrina e nunca desistiu dela. Não ligava quando encontrava a mulher com os olhos cheios de lágrimas, lendo à luz de velas as cartas deixadas pelo falecido marido, nas quais o pobre homem contava parte de seu desespero ao vê-las dormentes como mortas, e as aventuras para perseguir o fio de esperança na organização da sociedade na nova situação, no novo mundo. Respeitava as lembranças de Sabrina e não sofria de ciúmes por um homem morto. O novo casal, ambos horteiros, trabalhava junto nos canteiros da fortificação, contribuindo com a vida na vila, e sabiam da importância de cada par de braços no atual método de vida.

Santa Rita não contava com um refeitório central, como em outras fortificações, a não ser o dos soldados. Portanto, era permitido que cada casa preparasse sua refeição, e aquele era um dia especial, que merecia um bom pedaço de caça e o melhor tempero e dedicação. Mais dois casais viriam até a casa e, provavelmente, antes de a vila dormir, haveria algum tipo de comemoração no galpão de festas, que até poderia ser na praça, com direito a músicos no coreto, mas a virada do tempo não permitiria. Sabrina abriu mais o sorriso, duvidando que aquela garoa, apesar de fria, atrapalhasse qualquer celebração naquela noite. Estaria mil vezes mais contente, como se fosse possível, se Gustavo estivesse em casa.

Eloísa rodeou a mesa com os olhos compridos para cima da travessa. Apesar de adorar o assado da mãe e os legumes fresquinhos e coloridos que guarneciam a carne saborosa, buscava outro prato, o da sobremesa: bolo de cenoura. Gustavo não jantaria em casa naquela noite, pois tinha caído na inevitável escala de sentinela, saindo de casa com um beijo apaixonado em sua Sabrina, um aperto em sua cintura e terminado com um abraço terno e demorado. Como amava aquele homem! Sabrina sempre ficava com o coração apertado quando Gustavo tinha que se empoleirar naquela torre de madeira, mas, graças a Deus, fazia tempo que os malditos noturnos não tentavam nada em Santa Rita. O único inconveniente naquela vila prazerosa era o fato de, apesar de pequena, manter um estoque de adormecidos, que ocupavam cinco dos seis galpões de um velho parque industrial. A mulher sentia calafrios quando passava por aqueles corredores, e até um ano antes era comum encontrá-la cruzando as fileiras de intermináveis rostos pálidos e corpos magros conectados a bolsas de soro, em uma manobra, diziam os médicos, para evitar desidratação demasiada, ainda que, mesmo desidratados, não morressem, mas assumissem uma aparência horrível, transformando o corpo em um amontoado de pele e osso, como caveiras recobertas por couro. Era melhor hidratá-los, sem dúvida, pois seria mais fácil para a procissão de pessoas que tinham que caminhar entre eles, como ela fizera nas incontáveis visitas à sua filha adormecida, em uma vigília sem data para terminar.

Ela ia toda noite acariciar a face pálida e encovada de Eloísa e pedia permissão para sempre renovar o soro da menina, sentindo-se mais mãe quando podia cuidar da menina, sua pequena bela adormecida. Não eram poucas as lágrimas que desciam em algumas visitas, e muitas vezes a cabeça ficava bagunçada, enchendo-se de perguntas. Várias vezes Sabrina deixava os olhos vagarem pelas pilhas de corpos, e como era triste aquilo, Deus! Depois do desespero, levava horas para se acalmar, mas a pele negra e empalidecida porém viva da filha servia-lhe de conforto. Ainda que convivesse com outro homem, olhar para o rosto sereno de Eloísa trazia boas lembranças de seu antigo marido, Francisco, que tinha sido um deus negro, nascido e criado em Fortaleza, que a encontrara no Mato Grosso e fizera dela uma princesa. Era forte e inteligente, formado em educação física. Tinha prestado concurso e trabalhava como professor na Universidade Federal de Cuiabá. Sabrina era aluna dele e, naturalmente atraída por homens negros, não demorou para se apaixonar. Francisco, na posição de professor, resistiu o quanto pôde, mas Sabrina era aquele tipo de garota a que não se consegue resistir por muitas horas: encantadora, deliciosa e cheia de energia.

Naqueles momentos de vigília ao lado da filha adormecida, quando acariciava interminavelmente o rosto doce de Eloísa, tão cheio dos traços firme e belos do pai, Sabrina relembrava o início do romance, as duras discussões com a mãe racista que não cedia nem aos panos quentes que o pai colocava. O pai simpatizara de pronto com Francisco, mas a mãe... que dureza! Mal completara um ano de namoro, Sabrina já tinha fugido para a casa de Francisco. Casaram-se no civil, contando com os amigos de padrinhos e, da família, apenas a presença secreta de seu pai, a quem ela seria grata a vida toda por aquele gesto. Novas lágrimas brotavam sempre que vinha a lembrança do dia do casamento quando o pai, tão bacana, só tinha pedido para que Sabrina não contasse à mãe que ele estivera lá, para evitar mais atrito em casa. O pai sumira depois da Noite Maldita, e nunca mais teve notícias do velho querido. Depois da fuga de casa e do casamento secreto, a mãe aumentara o amargor, e seu coração duro e sem propósito a impelia a fazer coisas estúpidas, como mexer uns pauzinhos meses depois da união para que Francisco fosse demitido da faculdade federal, acusado de algum crime contra a moral, uma vez que tirara uma aluna de casa. Não adiantou advogado ocupando a reitoria, e, orgulhoso, Francisco arranjou-se com bons amigos, ex-alunos que moravam em São Paulo e haviam fundado uma importante empresa de segurança patrimonial. Francisco tornou-se preparador físico dos funcionários, na maioria vigias e seguranças, com um salário melhor que o de professor e rodeado de amigos. Meses mais tarde, Sabrina dava entrada no Hospital e Maternidade São Luiz, cujos funcionários eram muito simpáticos, tanto que, por alguma razão incompreensível, uma vez que Sabrina sentia contrações que davam a ela um novo significado para a palavra "dor", tinha gravado dois detalhes que, em situações normais, não seriam lembrados depois de tantos anos e de tantos fatos bizarros: o nome da mulher que digitava os dados dos novos pais no computador para preparar sua entrada, Sueli, e um atraente livro de capa negra sobre a mesa de trabalho dela... sobre vampiros... quando eram meramente ficção. Fez uma anotação mental de que no futuro iria comprar aquele livro e que iria mandar uma caixa de bombons para a agradável Sueli. Uma contração mais forte a fez soltar um forte gemido e a mão de Francisco apertou seu braço. Outra funcionária do hospital retirou sua cadeira de rodas do elevador, conduzindo Sabrina para o atendimento obstétrico. Jamais comprou o tal livro de vampiros, jamais enviou a caixa de bombons de agradecimento para a bendita Sueli.

Sabrina encontrou-se hipnotizada diante do fogão a lenha, com o creme alaranjado borbulhando e começando a queimar no fundo do tacho. Mexeu rápido com a colher de pau, secou as lágrimas em um pano de prato e tomou cuidado para que Eloísa não percebesse que tinha chorado. Era sempre triste lembrar-se de antes, sempre apertava o coração saber que o mundo tinha sido diferente daquilo, sem aquelas pestes noturnas rondando as casas. Existiam outros males, mas eram humanos. Agora o mal era um só, uma massa pálida de criaturas com dentes afiados e sedentas por sangue humano. Apertou os olhos antes que começasse a chorar novamente, forçou um sorriso e remexeu o tacho mais uma vez, vendo que o doce de abóbora estava demorando para dar ponto.

Às vezes, enquanto estava no depósito de adormecidos, acariciando a face de sua pequena Eloísa, chamada carinhosamente de "minha neguinha", desejava que ela não despertasse e ficasse para sempre com aquele rostinho infantil, com aquele jeito de criança, e que só abrisse os olhos quando os malditos tivessem sumido da face da Terra, mas sempre houve a esperança. Havia a profecia, a história espalhada pelo velho Bispo. Em certas ocasiões achava que aquilo era tudo invencionice do velho, mas seus ditos vinham e aconteciam, suas predições eram certeiras, e ele

Bento

tinha mesmo poder. Portanto, hoje era dia para se festejar, jogar todos os medos em um buraco e dar de ombros para as dificuldades. Um mensageiro havia trazido uma mensagem para bento Célio, que deveria seguir até Santa Maria, ao norte da velha Salvador, e juntar-se aos outros, porque o trigésimo bento havia despertado e os trinta deveriam se agrupar para que vencessem os vampiros. Se a profecia estivesse certa, como todas as previsões do velho Bispo, quando os trinta estivessem juntos, o mundo se livraria dos malditos. Sabrina afastou-se do fogão vendo que Eloísa desenhava com lápis coloridos em um pedaço de papel, apertou a bochecha da filha e afagou-lhe o cabelo. Logo os vizinhos chegariam e queria muito que Gustavo estivesse ali, reunido com eles...

* * *

Thais respirou fundo e raspou mais uma vez o canivete no toco, arrancando outro filete, sem esculpir uma obra de arte. Passava o fio afiado na madeira apenas para distrair-se. Aos poucos, ia surgindo uma ponta longa e uniforme. Gustavo espiou pela vigia, querendo mesmo estar em casa. Se as histórias fossem verdade, talvez aquele fosse o último "plantão" que daria em cima da torre de vigia. Atravessou o cômodo e espiou do outro lado, vendo o muro de Santa Rita aparentemente deserto. Será que os soldados tinham ido para casa para celebrar a notícia da chegada do trigésimo bento? Olhou demoradamente, preocupado. Estava escuro, e o muro distava mais de duzentos metros. Com certeza os soldados estavam lá, só longe demais para seus olhos negros alcançarem algum sinal na escuridão. Voltou para o outro lado e espiou mais uma vez a floresta negra e calma, como queria passar a noite. Sentou-se no chão de madeira, recostando nas tábuas da parede, e sentiu um vento mais forte balançar a torre. Fechou os olhos e percebeu que um pouco de garoa fria passava pela vigia aberta. Ergueu o braço e arrancou o graveto que sustentava a portinhola, que bateu com um som seco contra a parede, fechando a vigia. Bufou longamente e, quando olhou para o outro canto do cômodo, viu que Thais o encarava.

— Está de saco cheio, é? — perguntou a mulher.

— Queria estar em casa hoje.

— Por quê?

— Você não ouviu a história?

— Do trigésimo bento?

Flap, mais uma lasca de madeira escapuliu da escultura. Gustavo anuiu.

288

— Ouvi — disse, dando de ombros. — Mas, fazer o quê? Estamos na escala, no perigo.

Gustavo levantou-se e ergueu a portinhola de novo. Na floresta negra tudo estava calmo, e a garoa dançava no facho de luz projetado pelos holofotes no topo da vigia.

— Relaxa, cara. Parece que esses malditos se esqueceram dos adormecidos de Santa Rita. Há quanto tempo não atacam nossa cidade... dois meses?

— Acho que mais...

Thais passou a lâmina na madeira, tirando dessa vez uma pele bem fina que encaracolou enquanto desprendia-se do que fora um galho.

— ... E é isso que me preocupa. Se tivessem atacado Santa Rita ontem, duvidaria que aparecessem hoje.

— Por que apareceriam hoje?

Gustavo deu de ombros. Pela vigia não estava conseguindo ver a torre vizinha, onde estariam Élcio e Valdo, mas via o facho de luz que ela projetava batendo no areião molhado.

Baixou a portinhola mais uma vez e voltou a sentar-se.

— Sabe aquela história de que alegria de pobre dura pouco? Então, acho que é isso. Recebemos a notícia de que o trigésimo bento despertou, estamos felizes. As pessoas na vila, minha mulher, todo mundo vai comemorar. Vão fazer assado, dançar...

— Pare de falar de comida que eu estou com fome — reclamou a mulher.

Gustavo sorriu para Thais. Era uma garota bonita, com pouco mais de 22 anos, a única mulher de Santa Rita que participava da escala. Era voluntária, e voluntários não eram descartados, independentemente do gênero. Tinha os olhos amendoados, traços orientais ou índios, difícil dizer, com a pele morena e, putz, como cheirava gostoso! Pesava mais que uma modelo do tempo em que o mundo era mundo, tinha um pneuzinho aqui, uma gordurinha ali, mas ao inferno com as esqueléticas! Aquilo é que era mulher! Gustavo fechou os olhos, desviando do sorriso hipnótico que emanava da boca bem-feita da mulher. Diacho, era casado! Tinha a Sabrina, que era muito mais bonita que a Thais... mas olhar não era trair, e, fazendo justiça, Sabrina era só duas vezes mais bonita, o que fazia Thais a segunda colocada no Miss Universo Fodido. Riu sozinho e balançou a cabeça.

— O que foi?

— Nada.

Thais arqueou as sobrancelhas e abriu a boca.

Bento

— Você ri, olhando pra mim, e diz "nada"! Faz favor, Gustavo! Vai dizer o que pensou.

— Pensei que você é maluca. Poderia estar na vila, em um lugar quentinho e a salvo...

O sorriso sumiu do rosto da mulher.

— A salvo?

Foi a vez de Thais levantar e espiar pela vigia.

— Enquanto esses malditos existirem, meu amigo machista, ninguém vai estar a salvo.

— Machista?

— Machista, sim! Aposto que estava pensando que sou uma mulher bonitinha demais para estar encarrapitada aqui em cima com soldados, que sou maluca por ser uma voluntária.

Dessa vez foi Gustavo quem arqueou as sobrancelhas.

* * *

O galpão de festas estava fervendo em agitação. Uma banda tocava clássicos famosos do rock brasileiro, fazendo a massa juntar-se em coro, felizes. Os dias de medo estavam chegando ao fim. Negão, o líder dos soldados de Santa Rita, tinha organizado um bar e servia vinho em canecas sem cessar a todos os amigos reunidos. Alguém tinha sugerido preparem vinho quente com frutas, mas ninguém parecia querer perder tempo no refeitório fazendo a beberagem. Estavam todos contentes demais para se preocuparem com o frio repentino.

Dois casais de amigos tinham chegado à casa de Sabrina e a mesa estava cheia, contando com mais duas travessas de assado com legumes. Todos conversavam animados na sala, enquanto Eloísa, depois de muita insistência, já mastigava um pedacinho de bolo de cenoura com cobertura de chocolate falso. Todos lamentaram a falta do animado e engraçado Gustavo, que normalmente puxava as primeiras piadas e lembranças cômicas dos acontecidos. Luiz Antônio, marido de Fátima, comentava a respeito da fumaça que subia de uma boa quantidade de chaminés, mostrando que quem não havia atendido à celebração no galpão de festas estaria fazendo o mesmo que eles: um apetitoso banquete para marcar a chegada do trigésimo bento.

Uma batida na porta chamou a atenção dos adultos. Sabrina, como dona da casa, afastou-se do quarteto de amigos e foi atender. Uma adolescente aparentando não ter mais que dezoito anos estava parada do lado de fora, na garoa, e

Sabrina soergueu as sobrancelhas. A garota exibiu uma garrafa de vinho e abriu um sorriso. Fátima se aproximou e estendeu a mão para a garota.

— Oi, Maria Alice! Pode entrar, menina! — convidou Fátima, puxando a moça pela mão. Todos acenaram. Sabrina sorriu e abraçou-a, enquanto Luiz Antônio apanhava a garrafa de vinho.

— Esta aqui é Maria Alice, pessoal, é nova em nossa vila e namorada do Élcio, que vocês conhecem.

— Ah! O poste ambulante — brincou Luiz Antônio.

Depois das risadas, Fátima continuou:

— Como o Élcio também está de plantão nas torres avançadas...

— O Élcio é uma torre avançada... e ambulante!

Mais risadas pela insistente piada de Luiz Antônio. Maria Alice sorriu encabulada, ainda não tão à vontade.

— Pare de graça, Tonico. Deixe-me explicar antes que a menina fique roxa de vergonha. — Fátima fez uma pausa e apertou os ombros de Maria Alice. — Como ela ia ficar sozinha pela primeira noite aqui em Santa Rita, convidei para celebrar conosco a chegada do trigésimo bento.

— Seja bem-vinda à nossa vila e à minha casa, Maria Alice. Tudo o que precisar é só pedir ou apanhar — Sabrina estendeu a mão para um novo cumprimento.

— Vai, Sabrina, abre logo o vinho que estou morrendo de sede — queixou-se Mauro, marido de Betânia, o segundo casal que participava do jantar.

— Eu não sei cozinhar direito... então eu só trouxe vinho.

— Deixe disso — acalmou Fátima, conduzindo a menina atrás da anfitriã para a cozinha. — Se você aparecesse com outro assado com legumes, a Sabrina nem teria onde colocar mais uma travessa na mesa.

Assim que Maria Alice viu os três assados sobre a toalha, abriu um sorriso. Sabrina e Fátima riam enquanto a primeira buscava um saca-rolhas na gaveta para a garrafa de vinho industrializado. Aquilo mostrava quanto o pessoal estava dando importância ao mero boato, pois, apesar de o bento Célio ter partido para a tal missão de encontro, nenhum pronunciamento oficial fora feito até o anoitecer. Talvez Negão estivesse encarregando-se disso agora, lá no galpão de festas, mas, até agora, era um boato. No galpão, deveriam estar tomando vinho produzido na própria vila, o que fazia daquela rara garrafa de vinho industrializado um presente de elevada estima por ser uma das últimas restantes na face do planeta. Seria uma delícia saboreá-lo, caso encontrasse o bendito saca-rolhas.

Sabrina desistiu do utensílio e apanhou uma faca afiada para primeiro romper o lacre de alumínio. Fátima fez mais alguma piada e as três riram na cozinha,

Bento

então o lacre saltou da boca da garrafa, junto a um gemido de Sabrina. A faca havia vencido com facilidade o alumínio e também boa parte do dedo da mulher. Três gotas gordas de sangue pingaram no chão, abrindo estrelas escarlates no piso, enquanto Fátima e Maria Alice silenciaram as risadas e deram um passo para trás, surpresas e aflitas com o ferimento da amiga. Sabrina gemeu novamente levando o dedão à boca, como se aquele procedimento parecesse o mais correto no momento. Ainda matinha o ferimento junto à língua quando todos na casa silenciaram-se ao ouvirem o ecoar do disparo de um rojão de três tiros. Ficaram parados como estátuas, petrificados pelo medo. Antes, estavam felizes demais para acreditar que eles viriam, felizes demais para pensar em um combate. Era isso o que passava na cabeça de todos enquanto uma lágrima descia pelo rosto de Sabrina... e uma nova gota de sangue ia ao chão da cozinha.

* * *

Instantes antes, Valdo e Élcio riam alto, como se acabassem de escutar a piada mais engraçada do mundo.

— Escapou, Valdo. Foi mal!

— Há! Há! Há! Escapou?! Graças a Deus! Imagine como seria se você tivesse soltado um de propósito.

— Há! Há! Há! — ria Élcio.

— Porra, amigo, olha que fedentina. Deixe-me abrir essas vigias, senão você me mata asfixiado — brincou Valdo, abrindo a vigia que dava para a face do muro distante. Estava tão escuro que mal poderia divisá-lo se quisesse.

— Foi sem querer!

— Ainda bem que não foi motoquinha, pois foi tão alto que a vila teria confundido seus traques com um rojão de alerta ou invasão! Há! Há! Há!

Valdo abriu a porta dupla que dava para a estreita varanda exterior da torre. Revirou os olhos com o fedor invadindo as narinas.

— Credo, Élcio! Nunca fui vítima de um peido tão fedorento! Deus me livre!

Élcio ria, contorcendo-se, sem conseguir argumentar mais.

— Que horror! — continuou reclamando Valdo, indo para o exterior da torre de vigia em busca de ar fresco. — Parece até que você comeu pão com rato podre! Vai feder assim no inferno!

Estava ventando bastante, fazendo com que a garoa gelada apanhasse o vigilante. O frio, certamente, não traria um resfriado, pois desde a Noite Maldita ninguém ficava doente, mas a temperatura baixa incomodava o corpo. Por outro lado, qualquer incômodo relacionado ao tempo seria melhor do que suportar o fedor da bufa sonora de seu colega Élcio. Valdo encarou o muro escuro de Santa Rita por um instante, entrou novamente e cruzou o abrigo, dirigindo-se à vigia oposta, que dava para a floresta escura. Ergueu a portinhola na esperança de criar uma corrente de ar fresco que banisse de vez aquele cheiro, e ainda ria da situação inusitada quando fixou os olhos na floresta trezentos metros adiante. A garoa dançando sob o facho de luz dos holofotes atrapalhou em um primeiro momento, mas a floresta parecia arder em chamas aglomeradas. Valdo sabia que aquilo não era fogo. Não estavam caindo raios do céu para iniciar um incêndio florestal.

— Ai, meu Deus!

Élcio continuava rindo, achando que Valdo ainda fazia graça, dizendo que foi culpa do almoço preparado por Maria Alice, um refogado de repolhos acompanhado de salada de ovos cozidos.

— Ai, meu Deus do céu! — repetiu Valdo.

— Sei que o negócio está brabo, mas também não precisa exagerar. Se eu tiver que te levar para o pronto-socorro da vila, estarei perdido. Vão me gozar por dois anos seguidos.

Valdo olhou para Élcio, estendendo a mão trêmula.

— Me passa o rojão de três tiros, me passa o rojão...

Élcio ficou com os olhos paralisados nas mãos trêmulas do parceiro de vigília. Ele não estava brincando. Ninguém brincava com um treco daqueles.

— Me passa o rojão, pelo amor de Deus!

Um vento mais forte balançou a torre. Élcio, de joelhos (e já quase tocando o teto da guarnição), estendeu os braços apoiando-se nas paredes. Aquela rajada tinha sido das perigosas.

— Passa a porra do rojão, Élcio!

O semigigante abriu a caixa de ferro ao seu lado e retirou um rojão de três tiros, que tinha o anel verde.

— O verde?

— É, Élcio, o verde. Acende no braseiro!

Élcio tinha começado a tremer. Ainda não tinha olhado pela vigia, mas sabia que não podia ser brincadeira. Já tinha ouvido falar tantas vezes... O pavio amarronzado do rojão Caramuru tocava uma brasa, mas não acendia.

— Vai logo!

Élcio soprou o braseiro, enchendo o ar de cinzas. O som da pólvora queimando e correndo pelo pavio chegou aos ouvidos, e ele ergueu perigosamente o rojão apontado para a cabeça de Valdo. O homem apanhou o rojão e outra rajada de vento sacudiu a torre, fazendo bater as portas duplas e cortando a corrente de ar. Valdo teve que se segurar para não cair. O rojão dançou na mão, e o pavio foi sumindo dentro do cartucho de papelão. Ele o ergueu em direção ao buraco da vigia, mas o vento tinha balançado a torre, a portinhola tinha descido. Foi um espoco seco. Élcio gritou quando os três projéteis incandescentes voaram pela boca do papelão, ricocheteando no telhado simples da guarnição no topo da torre, mas Valdo tropeçou e caiu no outro canto. Os projéteis queimaram no chão de madeira e um rolou para perto da cabeça de Valdo.

— Levanta! — berrou Élcio, junto com a explosão.

* * *

Thais, com os braços cruzados e sentada no chão, ergueu a cabeça e encarou o olhar de Gustavo.

— Você ouviu isso? — perguntou o homem.

Ela levantou-se agilmente e foi até a porta dupla. Outra rajada de vento balançou a torre, e a porta soltou-se de sua mão e bateu contra o batente. Voltou a mão na maçaneta e puxou. Estavam longe da outra torre, que balançava de forma medonha, jogada pelo vento. Se não fossem os quatro cabos de aço tensos e fixos no chão, dificilmente as torres parariam em pé com aquela provação. A garoa estava se transformando em uma tempestade de vento. Gustavo surgiu às suas costas, o peito do homem contra sua nuca, tocando o corpo inteiro até a bunda. Um calafrio percorreu sua espinha.

— Olha! — disse Gustavo estendendo o braço.

Apesar da distância, graças aos holofotes providencialmente instalados no topo das torres, podiam ver uma porção de fumaça escapando do telhado da casa de vigia.

— Estão com problemas?

— Acho que foi um rojão. Será que foi um acidente?

Para responder a pergunta do parceiro de rodízio, Thais atravessou a guarnição e espiou pela vigia em direção à floresta. Gustavo engoliu em seco e olhou para a mulher, mas a cabeça de Thais tampava completamente o buraco de observação. Havia outras vigias daquele lado, mas esperou por uma resposta, e ela veio, segundos intermináveis depois, não em palavras, mas no som estarrecedor da tripla explosão de um rojão. Três tiros, sinal de perigo. A cabeça de Thais saiu da vigia, deixando livre um quadrado aberto diante de seus olhos, por onde Gustavo viu uma linha vermelha agrupada onde começava a floresta. Os malditos estavam lá!

O soldado ergueu os olhos, achando que seria só mais uma noite longa na beira do muro de Santa Rita. Merda de vampiros! Parecia que podiam ler pensamentos! Justo hoje que a vila estava em paz, vibrando com uma boa notícia, e na noite em que não contariam com a ajuda de bento Célio para defendê-los dos sugadores de sangue. Correu até o sino preso à torre e começou a fazê-lo badalar.

* * *

Luiz Antônio abriu a porta e puxou Fátima pelo braço. Do caminho de barro entre as casas da vila olhou para dentro da casa de Sabrina e partiu, e antes que a porta batesse contra o batente, foi a vez de Mauro puxá-la, trazendo consigo sua esposa, Betânia. Sabrina olhava aflita para o ferimento e tremia, pensando que tinha um corte sangrento bem agora! Maldição! Azar! Os malditos farejariam.

Eloísa, choramingando por reconhecer o perigo alardeado pelo sino insistente que badalava na torre não muito longe dali, talvez pela aflição da mãe tentando estancar o sangue com a mão boa ou ainda pelo medo estampado nos olhos dos homens que tinham arrastado e fugido com suas mulheres dali, correu para a mãe e tentou abraçá-la. Sabrina repeliu a menina com um empurrão, Eloísa desequilibrou-se e só não foi ao chão porque foi amparada por Maria Alice, a moça nova na vila. Sabrina vasculhou as gavetas da cozinha de móveis rústicos, mas por onde passava, gotas vivas de sangue deixavam uma trilha perigosa.

— Meu Deus! O que vou fazer?

O sino tocando, o barulho de mais gente correndo entre as casas, e certamente mais soldados acudindo ao chamado do badalo. Sabrina respirou fundo e olhou para cima, como que fazendo uma prece, e arrancou mais duas gavetas, pegando uma latinha vermelho-alaranjada de chá-mate Leão da última. Abriu-a com a mão boa, sacou montículos de gaze, apanhou quatro e começou o curativo.

— Mamãe... manheeê... — choramingava Eloísa.

— Não toque no sangue! Não toque! — berrou a mãe.

Sabrina enrolou a primeira gaze no dedo ferido e olhou para a filha agarrada à cintura de Maria Alice, a única que não a abandonara repentinamente... talvez porque estivesse apavorada demais ou porque nem soubesse o que fazer. Fátima tinha dito que ela era nova na vila. Possivelmente era uma recém-desperta e, se estivesse há menos de dois meses em Santa Rita, nunca tinha assistido a um ataque de vampiros.

— Há quanto tempo você está desperta, Maria Alice?

— Um ano, senhora.

Bento

— Vocês têm um abrigo em casa?

— Temos sim, senhora.

* * *

As faíscas desapareceram dentro do cilindro de papelão, e Valdo segurou firme o rojão. Em seguida, escutou o espoco surdo com o ouvido bom. Seis brasas riscaram o céu negro e explodiram, e Valdo virou-se, zonzo, batendo contra a parede. Élcio, assustado, pôde ver o ouvido direito do parceiro sangrando, pensando que provavelmente Valdo perderia a audição daquele lado.

Na torre vizinha, Thais puxou a correntinha de dentro da blusa vermelha por baixo do moletom que recobria os braços, beijou o crucifixo e recolocou-o no lugar. Gustavo abriu as vigias com o coração disparado. Pontos vermelhos desgarravam-se da escuridão da floresta e avançavam em alta velocidade pelo areião, vindo em grupos desiguais, correndo feito loucos.

— Somos a primeira defesa — murmurou a voz da mulher às suas costas.

Gustavo olhou para Thais, sua respiração soltando nuvens de vapor diante de seu rosto. O homem engoliu em seco, vendo que ela estava atabalhoada, sem se mexer. Ouviram um primeiro disparo.

— Santo Deus! Eu nunca encarei esses malditos aqui na torre — disse.

Thais olhou para Gustavo.

— Eu também não.

Gustavo estendeu o rifle para Thais.

— Sabe atirar com esse aqui?

— Também fui treinada, cara. Só estou congelada de medo, só isso.

Gustavo destravou o rifle e deslizou a trava, provocando um barulho característico.

— Deixe o medo para depois, somos a primeira defesa.

Thais meneou a cabeça concordando, e Gustavo abriu a porta dupla de face para a floresta. O número de pontos vermelhos vagando pelo areião tinha triplicado para centenas. O escalado fez mira e puxou o gatilho. O tiro único cruzou a distância e um dos malditos foi ao chão. Thais também começou a disparar. Sorte que os noturnos sempre atacavam daquela forma, com os olhos em brasa, tornando-se alvos visíveis na escuridão, mas a voluntária sabia que a vantagem evaporaria assim que os primeiros estivessem perto demais. Logo estariam rodeados por aqueles vampiros medonhos e seriam vítimas dos dentes e das garras afiadas dos assassinos da noite. De perto, os vampiros eram imbatíveis, e somente os bentos tinham coragem de enfrentá-los. Mas, naquela noite, Santa Rita não contava com nenhum protetor. Teriam de detê-los a bala.

* * *

Pouco antes de o rojão de seis tiros tonitruar no céu, a banda tocava alto dentro do galpão de festas. Soldados, horteiros, caçadores, todos festejavam a boa-nova. Nem Negão tinha escutado o primeiro rojão de alerta e, para eles, a noite ainda era de alegria e dança, de vinho e sorrisos. Até que a porta foi escancarada. Uma dúzia de pessoas notou o soldado empurrar a porta com muita energia, mas o resto do salão ria alto e era envolvido pelos instrumentos da banda. Essa dúzia de pessoas mais próxima da porta permaneceu estática, assim como o soldado com um pé dentro e outro fora do salão. Os mais próximos podiam ouvir o sino retinindo, um som tímido do badalo do muro, que evocava a atenção e as armas, engolido pelo ritmo musical que embalava a festa.

O rosto pálido e assustado do soldado na porta, sua forma estática, o rifle com a coronha apoiada na cintura e o cano de descarga para cima, os olhos aflitos, o sino lá longe... todas essas pistas formavam uma garra que apertava o coração daqueles que interpretavam corretamente os sinais. Sabiam que a festa tinha acabado e, pior que isso, não era hora de ajudar os convivas a varrer o galpão e apanhar as sobras de comida. Aqueles sinais diziam de pronto que precisavam apanhar as armas e correr para o muro, se esconder nos buracos, e os que fossem lutar deveriam munir-se e aguardar um par de olhos em brasas surgir à sua frente para queimar a testa do maldito com um disparo à queima-roupa. Teriam de lutar pela vida, e, naquela noite, a luta seria mais feroz. Santa Rita estava desprotegida, e os malditos iriam atrás dos adormecidos.

Finalmente, os olhos do soldado encontraram-se com os do líder. Negão havia negligenciado sua função, e feito isso de propósito. Puta merda, queria apenas uma única noite de paz e tranquilidade, sem pensar em visitar as sentinelas no muro ou se preocupar com os quatro cidadãos nas torres avançadas. Queria uma única noite para embebedar-se e simular prazer em viver atrás daqueles muros, quando na verdade cagava nas calças quando chegava a escuridão e aquele maldito sino rompia o silêncio. Tinha o direito a uma noite feliz no galpão de festas, mas aqueles olhos atormentados, estacados nos seus, diziam que ele havia cometido um pecado que poderia custar muitas vidas. Estavam despreparados, e os malditos viriam com força total, como nunca teriam vindo. Era sempre assim.

Bento

Depois de uma eternidade, o soldado à porta se mexeu, com um movimento que lhe pareceu em câmera lenta. A mão dele, quase em concha, balançou duas vezes pela porta, chamando-o para fora, indo e vindo vagarosamente. Não queria gritar que estava acontecendo uma puta de uma merda lá fora, não queria apavorar os festivos cidadãos dentro do galpão, mas isso não tinha mais importância. Um pouco de desespero e urgência seriam necessários. Negão cruzou o salão. Metade das pessoas não tinham caído em si e ainda gargalhavam. Um quarto delas começava um zum-zum-zum de preocupação, de temor, e o último quarto de gente esgueirava-se pela porta, ganhando a rua.

O líder dos soldados passou pela porta, chegando à calçada cimentada ao redor dos galpões. A garoa fria cobriu-lhe a cabeça, e o espaço sem banda tocando alto provocou-lhe uma sensação estranha nos ouvidos. Logo, o som do badalo chegou aos tímpanos, junto a uma rajada de vento, e nada de céu estrelado ou noite clara, apenas nuvens e garoa. Eles estavam vindo. Negão olhou para os galpões às suas costas, onde havia milhares de adormecidos aguardando o despertar, exatamente quem os malditos vinham buscar. O líder militar correu para dentro do galpão, cruzou o salão de novo, avançou para o palco e tomou o microfone da mão do vocalista bêbado, que protestou, brincando e tentando tomar de volta o aparelho. Negão deu a notícia desagradável e pediu o apoio dos homens para defenderem a cidade e os galpões dos adormecidos com unhas e balas. Entretanto, antes que o líder negro de Santa Rita terminasse suas orientações, o salão tornou-se deserto, com exceção dos músicos, que pareciam congelados ao seu lado. Os convivas tinham urgência em retornar às suas casas e tentar dar proteção às famílias. Não tinham tempo para os adormecidos, nem coragem para ficar fora de casa com Santa Rita sob ataque sem a proteção de bento Célio. Só pensavam em uma coisa: ficar vivos por mais uma noite.

* * *

Maria Alice apertava tanto a mão de Eloísa que poderia deixá-la roxa, e a garota chorava, não pelo aperto, mas pela mãe que ficara para trás. A jovem companheira de Élcio abriu a porta de casa, que estava destrancada, e entrou com a menina, sujando todo o piso com a lama que ficou grudada nos calçados. Apesar do trajeto curto, as roupas tinham molhado o suficiente para causar desconforto. Maria Alice afrouxou a mão da garota enquanto tateava próximo à janela em busca de uma vela para acender. Depois, foi até o quarto e acendeu outra, uma de sete dias, grossa e larga, cujo propósito era sempre manter uma chama acesa dentro de casa, coisa comum nas residências que não contavam com energia elétrica. A eletricidade em Santa Rita era reservada aos galpões de conservação dos adormecidos e ao aparato dos soldados defensores.

A chama bruxuleante espalhou luz no quarto. Maria Alice, enquanto roía a unha de nervoso, sentou a pequena Eloísa na cama de casal, pedindo que esperasse, e voltou para a sala, trancando a porta da casa e passando uma trave grossa de madeira que dificultava ainda mais a passagem. De volta ao quarto, deslizou três travas da porta no batente do cômodo, para mais bloqueio. Aquilo não deteria os malditos se eles quisessem mesmo entrar, mas ao menos lhes daria trabalho. Puxou a menina da cama e, com muito esforço, conseguiu erguer o móvel, que escondia uma tampa de madeira. Deixando a cama em um ângulo de noventa graus em relação ao chão, ocupou-se da tampa, suspendendo as pesadas tábuas pregadas nas duas vigas e revelando um buraco escavado no barro aberto.

— Pule aí, menina.

Eloísa espiou o buraco escuro.

— Tenho medo.

Maria Alice bufou. A tampa de madeira era pesada e não aguentaria mantê-la erguida muito mais.

— Pule logo, Eloísa, eu já vou atrás.

— É muito escuro.

— Vai logo, Eloísa! Se ficarmos para fora, vamos morrer.

— Eu quero a minha mãeeeee... — começou a choramingar a menina.

— Pule, Eloísa, a tia vai logo atrás.

— Estou com medo... — choramingou novamente a menina, abraçando a cintura da mulher. Maria Alice, não suportando mais o peso das tábuas, olhou para cima, fechando os olhos, parecendo fazer uma prece.

— Entre que eu contarei uma historinha.

Eloísa enxugou um olho e fungou.

— Que historinha?

— A de quando eu operei de apendicite, fiquei no hospital quinze dias e quase morri na mesa de cirurgia.

Eloísa ficou muda, encarando a mulher. Por fim, abriu um sorriso largo e abaixou-se na beira do buraco.

— Legal! — exclamou, antes de pular dentro do esconderijo.

— Louvado seja Deus! — respondeu Maria Alice, ouvindo o baque do corpo da criança caindo ao fundo do buraco.

A jovem já pensava em uma maneira de se jogar no fosso quando se lembrou de um detalhe, uma explicação do namorado. Se ela se jogasse agora, a tampa cairia sobre elas, selando-as no buraco. Normal. Mas e quanto à cama? Ela ficaria naquela posição, levantada ao lado da tampa de tábuas? Que raio de esconderijo seria aquele? Maria Alice deu uma gingada no corpo e deixou a tampa cair sobre o buraco. Eloísa gritou com medo.

— Tia!

Maria Alice acalmou a pequena, dizendo que seria rápida e já estava indo, enquanto, desesperada, vasculhava o estrado erguido da cama, como Élcio tinha mostrado. A mão tateou as ripas até que encontrou um emaranhado de barbante grosso, preso com um laço no meio e fixo na ponta superior do estrado. A garota desfez o laço e esticou o longo fio de barbante. Procurou um vão na tampa de tábuas e foi descendo o fio. Instruiu Eloísa a ficar longe daquele barbante. Quando já não havia mais o que jogar ao fundo, voltou a erguer a tampa de tábuas e esgueirou-se buraco adentro. O peso das tábuas machucou suas mãos, mas conseguiu pular até o fundo do esconderijo, que era um buraco profundo por culpa da estatura magnífica do namorado, ex-jogador de basquete. Tateou as paredes úmidas de barro e, em uma das extremidade, encontrou um caibro atravessado na diagonal. O artifício serviria para escalarem de volta à superfície. Ouvia a respiração de Eloísa e estendeu a mão para abraçar a menina. Agarrada a ela, voltou a esticar a mão diante da escuridão completa, tentando encontrar o barbante. Achou o fio grosso e soltou a garota, puxando com força. Três segundos depois, ouviu um sonoro blam acima de suas cabeças. A cama tinha vindo abaixo, escondendo sob sua forma a tampa do fosso. Maria Alice voltou a buscar Eloísa, abraçou-a forte e acocorou-se no chão.

— Pronto, querida. Pronto!

Seguiu-se um longo silêncio brutal enquanto as duas respiravam mais calmas. O fundo do esconderijo era frio, e eventualmente escutavam tiros disparados do muro de contenção.

O abraço demoraria a desfazer-se.

— Tia... — reverberou a voz melosa da menininha.

— O que foi, Eloísa?

— A senhora podia ter me dado a vela, não podia?

— Caralho!

— Credo, tia.

— Desculpe.

— Se a senhora falar palavrão de novo, o Papai do Céu manda um vampiro bem grandão morder sua língua.

— Fique quieta, Eloísa.

— Tinham duas velas lá em cima.

Maria Alice bufou enervada e abraçou mais a menina. A escuridão era assustadora e sentia-se uma cabeça de vento. Devia ter pegado a vela.

* * *

Laura saltou para o galho mais alto do jequitibá, mas a garoa fina amolecia a floresta. Ao seu lado, uma centena de irmãos da noite e, do outro, outra centena, com seus olhos em brasa, montando uma cena maravilhosa. Estavam prontos para atacar, formando uma coluna de fogo, um enxame de morte. A organização daquele ataque tinha vindo de forma diferente. Nunca haviam juntado tantos vampiros ou sentido tanta urgência em um ataque. Existia um boato de que um tal de Anaquias tinha vindo de um covil do interior das florestas e prometera uma retumbante vitória naquela noite, para provar aos anciãos que era a vez dos vampiros jogarem, obedecerem à voz, receberem o guerreiro, vencerem os muros da fortificação, alcançarem o depósito de adormecidos e trazê-los para o covil. De quebra, poderiam matar tudo o que entrassem no caminho.

Os olhos da vampira detiveram-se sobre as torres, dois espigões que riscavam o céu, com homens armados à sua espera. Sorriu, expondo a ponta dos caninos longos, e olhou para os dois lados. Os irmãos da escuridão eram tantos naquela noite que nem o bento protetor daria conta daquela invasão. Inquieta, a vampira de cabelos longos remexeu-se, vendo que as duas torres de colunas finas, feitas cada qual do tronco de uma árvore, balançavam ao sabor da ventania. Aguardavam o sinal da vampira Ludymila, responsável pelo ataque daquela noite, e podia vê-la vinte metros abaixo, com os pés na areia molhada, andando empertigada para lá e para cá, feito um general de infantaria, o que ela era naquele instante. Laura saltou para a árvore da frente, caindo mais de dez metros, ficando agora na última árvore antes da areia. Olhou para trás e para o alto, vendo o grande espetáculo: tudo envolto por brasas vermelhas que balançavam nos galhos das árvores, prontas para engoli-los, prontas para o ataque, um exército de vampiros feito urubus ariscos, empoleirados em galhos, aguardando a presa morrer para lançarem-se sobre a carniça. Ludymila ergueu os braços e urros ensurdecedores encheram a noite. Quando a vampira os baixou, semiflexionando as pernas, uma onda furiosa de assassinos sobrenaturais voou das árvores ao chão de areia e centenas de vampiros começaram a corrida, em um número de guerreiros malditos próximo de mil.

* * *

Negão chegou ao muro, e os homens com fuzis estavam prontos, com garrafas e garrafões cheios de água benta. Ah! Como queria que bento Célio estivesse com eles, pois nunca tinha visto tantos vampiros em um ataque só. A garoa insistente dificultava a visão, e o vento forte trazia gotículas aos olhos, forçando os homens a mantê-los semicerrados. A ventania também fazia o fogo nas tochas formarem ângulo nas hastes incandescentes, criando barulho. As torres balançavam perigosamente, tensionando os cabos de aço que as sustinham, para desespero dos pobres vigias. Não bastasse o terror de terem diante de si a floresta tomada pelos monstros horrendos da noite, tinham ainda que lidar com o temor dos troncos vergando-se a cada rajada de vento. Olhando para a floresta, Negão engoliu em seco, torcendo para que aqueles desgraçados permanecessem no limiar da mata, para que apenas quisessem apavorar o pessoal de Santa Rita, como já haviam feito tantas vezes, balançando-se nos galhos das árvores mais altas como macacos do inferno. Negão benzeu-se e, para reforçar, beijou o crucifixo de prata que vinha na corrente. Apertou firme a empunhadura do fuzil que trazia nas mãos e, nesse momento, escutou tudo o que não queria: seis tiros de rojão espocando no céu. Forçou a visão e viu pontinhos vermelhos dançando, deixando as árvores e ganhando o areião, parecendo brasas sopradas pela ventania que valsavam sobre a areia, vencendo a garoa insistente, vindas do inferno para incendiar Santa Rita. Olhou para os homens ao seu lado e viu todos quietos, com olhos fixos na mesma direção, capturados pelo medo.

— Protejam as torres! Protejam as torres! — gritou para os atiradores.

Não demorou muito para o primeiro tiro ecoar no muro de Santa Rita. Élcio fez mira, e o primeiro disparo triplo estourou o crânio de um vampiro. Eram treinados para dar tiros certeiros na cabeça, e, com balas de prata recheando a munição, a estratégia era fatal, derrubando os vampiros e cessando o ataque letal. Não houve comemoração, nem tempo ou pensamento concreto, só instinto. O cano do fuzil procurou o próximo alvo, blam-blam-blam, mais um vampiro fora do jogo. O cano correu para o seguinte, outra rajada tripla e outro vampiro tombado na areia.

Valdo, mais seguro, não usava o recurso de disparo triplo e dava um tiro de cada vez para economizar munição, pois eram vampiros demais. Sabia que as balas existentes eram poucas para aquela situação e logo terminariam as cargas dos fuzis mais eficientes. O jeito era contar com sua última defesa, a pistola presa ao coldre da cintura, com projéteis encapsulados em prata. Se tivesse de ir ao inferno, arrebentaria com um bom número daqueles desgraçados primeiro. Com um tiro, derrubou outro. Seus olhos concentravam-se no alvo, sua respiração parava por um segundo, seu dedo pressionava o gatilho e, pronto, mais um desgraçado fora do jogo, um a menos tentando trepar no muro de Santa Rita. Mesmo mantendo os olhos no alvo selecionado, a visão periférica via a enxurrada de malditos passando pela areia. Quantos deles já teriam passado? Sessenta? Setenta? Talvez mais... Uma vampira com cabelos cor de fogo e olhos em brasa corria em direção à torre e, blam!, não corria mais. Os disparos triplos do fuzil de Élcio ensurdeciam, e Valdo sentia sua arma vibrar a cada novo disparo, em um tranco seco. Os olhos buscavam a nova vítima, entravam em sintonia com o ritmo da criatura, calculavam a velocidade, mas desgraça! Tiro errado! Até que, plac! Fim da munição. Valdo recostou-se na madeira do abrigo, apanhou outro municiador do fuzil russo, descartou o vazio no chão e afundou o novo no orifício de alimentação. Destravou a arma e voltou à vigia aberta. Algo estalou, farpas de madeira voaram e alguma coisa entrou em seu olho, madeira... Sentiu outro estalo e mais farpas voaram.

— Abaixa! — gritou o parceiro.

Valdo foi ao chão com o empurrão de Élcio, porque os malditos estavam atirando. Filhos de uma puta! Valdo rastejou até um canto do abrigo, abriu um garrafão de cinco litros e despejou a água sobre a tampa do alçapão.

— Por aqui não vão entrar.

Os tiros inimigos tinham cessado. Élcio levantou-se e foi à vigia, enfiou o fuzil e retomou seus disparos.

* * *

Thais recarregava pela primeira vez sua arma. As torres estavam cercadas de vampiros, porém os malditos não pareciam se importar com as construções, mas ignorá-las. Passavam a toda velocidade, correndo feito loucos em direção ao muro. Normalmente (a mulher não sabia se era sorte ou azar), os malditos já estariam encarapitados nos degraus de acesso ao abrigo superior ou desfiando os cabos de aço com as unhas demoníacas.

Gustavo disparava repetidamente com a respiração curta. Acertava tudo que entrasse no rastro dos poderosos holofotes fixos no telhado do abrigo e ao largo do halo de luz podia ver um amontoado que talvez contasse com cerca de trinta vampiros abatidos. Os corpos tremelicavam, mas estavam fora do jogo.

A torre balançou perigosamente. Thais perdeu o equilíbrio e foi ao chão, e sua arma tombou de lado e disparou uma rajada acidental. Gustavo também foi ao chão. As tábuas molhadas tornavam-se cada vez mais escorregadias, e ele bateu forte contra alguma coisa, sentindo uma fisgada na costela. Farpas de madeira e estilhaços de telha encheram o abrigo após a rajada perigosa provocada pela parceira.

Fixaram os olhos um no outro por segundos longuíssimos, não pela trovoada provocada por Thais, nem pelas telhas que ainda caíam aqui e ali, mas por causa do novo balanço do abrigo e do som agudo e prolongado que escutaram, percebendo que algo passava pela janela. Thais arrepiou-se, enquanto Gustavo colocou-se em pé e foi até a vigia, vendo que não eram os vampiros, pois eles estavam ignorando a sua torre, mas um dos cabos de aço que havia cedido! Depois de ter sido estendido ao máximo, partiu-se e balançava no ar, voltando a cair e perder a vida efêmera que a física lhe emprestava. Gustavo ajeitou-se na vigia e voltou aos disparos. Olhando para a floresta, não avistou quase nada do incêndio encenado pelos olhos em brasa das feras da noite que restava nos galhos das árvores limítrofes. No areião, as bestas corriam como formigas ocupadas, passando direto pela torre. Retomou a carga de disparos.

Entre o intervalo de seus tiros e os do parceiro, Thais ouvia as armas da torre vizinha e as que deveriam ser inimigas próximas. Ouvia também, mais longe, os tiros das defesas dos muros de Santa Rita, o ronco potente da .50, que deveria estar deitando os cornos. Olhou para a floresta e viu um ou outro macaco do diabo pulando de cá para lá. A esteira feita de monstros passava, não se importando com os disparos vindos da torre. Arriscou colocar a cabeça pela vigia e olhar para a torre vizinha, mas viu um azar do caralho! Diferentemente deles, a torre vizinha lidava com um bom número de vampiros subindo os degraus, um bando deles investindo contra o telhado do abrigo e tentando varar as madeiras.

Percebendo a pausa na arma da parceira, Gustavo segurou o dedo, olhou para o lado e percebeu Thais estática, com a cabeça para fora da janela. Imaginou um quadro macabro, em que um maldito estava com as garras cravadas no rosto da amiga, mantendo-a com a cabeça para fora, fazendo-a sangrar até a morte... Gustavo foi até Thais, sentindo a dor na costela, e assustou-se quando a colega de vigília voltou com a cabeça intacta para dentro do abrigo.

— Eles estão com problemas!

Gustavo bambeou, enquanto Thais corria até a porta dupla de frente para o muro, alcançava a varanda externa e olhava para a torre vizinha, vendo mais vampiros subirem pela escada.

Levou a coronha metálica do fuzil ao encaixe do ombro e já fazia mira quando percebeu Gustavo lívido, com a pele negra empalidecida, parado no meio do abrigo. O homem mantinha a mão diante dos olhos e uma mancha tinha tomado os dedos, com gotas grossas indo ao chão. Thais olhou para a blusa do colega e viu um buraco na altura do peito, na parte mais externa, com muito sangue!

* * *

Valdo inspirou e expirou rapidamente três vezes seguidas, abriu o alçapão e enfiou o fuzil pelo buraco, puxando o gatilho e acertando dois à queima-roupa e um terceiro maldito cinco metros abaixo. Cravava as balas na testa. Vendo-os despencar, e continuava disparando contra aqueles que tentavam escalar os degraus, enquanto o palito humano gigante tomava conta do telhado. O som dos tiros entrava pelo ouvido direito, pois o esquerdo, ainda sangrando, parecia surdo. Ele sabia que os malditos estavam vindo atrás do sangue e tinha que dar um jeito de livrar a cara do garoto.

Élcio podia ouvi-los andando no telhado, descascando o abrigo com as unhas, e logo conseguiriam arrancar as telhas e invadir. Podia ouvi-los andando pela varanda, arranhando as paredes de madeira. Quantos seriam? A munição seria suficiente? Ouvia o colega gritar e atirar, tentando evitar a invasão pela escada de acesso, mas sabia que seria difícil escapar com vida.

* * *

Laura estava ao pé da torre e preparava-se para subir quando a boa garoa, junto ao vento, trouxe-lhe uma notícia. Ergueu os olhos não para a torre acima de sua cabeça, mas para a vizinha, afastada cerca de cem metros, percebendo que alguém também sangrava naquele lugar, pois o cheiro de sangue era forte. Estalou a língua, exibindo seus dentes pontiagudos, mas a missão era clara, e não deveriam perder tempo, nem mesmo com essas torres idiotas. Olhou para a muralha vencida, percebendo que os irmãos da noite saltavam para dentro de Santa Rita, tomando a cidade, e pensou que o tal Anaquias sabia das coisas. Olhou novamente para a torre vizinha, sabendo que deveria abandoná-las e completar sua parte na missão, indo direto ao Rio de Sangue para roubar os adormecidos e levá-los ao covil, garantindo o sustento de sangue por anos, mas o cheiro saboroso que vinha da torre era hipnótico e tirava-lhe a razão. Notou o silêncio acima de sua cabeça e que mais uns oito vampiros haviam recebido o recado, pois paravam a escalada e olhavam igualmente hipnotizados para a torre vizinha. Os que estavam mais no alto não tinham ganhado a lufada de vento com o cheiro agradável do alimento e continuavam investindo contra o abrigo dos miseráveis atiradores.

* * *

— Eu tenho que tirar você daqui!

Gustavo não ouviu Thais, ainda parado e perplexo.

— Você... você atirou em mim...

Thais apoiou o homem, não por achar que ele iria desabar, mas por não saber o que fazer. O disparo acidental fizera uma vítima mais importante que o telhado do abrigo.

— Você consegue descer?

Gustavo ergueu os olhos, livrando-se do feitiço do sangue, e só então mirou o muro de Santa Rita, por onde os vampiros pulavam livremente para dentro da cidade.

— Sabrina... — murmurou.

Thais viu Gustavo livrar-se de suas mãos, erguer o alçapão, atirar o corpo pelo buraco e começar a descer rapidamente. Ela ficou parada por um instante diante da abertura.

— Bem, isso responde minha pergunta.

Mais cautelosa, com um olho nos degraus e outro nos vampiros na torre vizinha, começou a descer atrás de Gustavo. A descida era longa e exigia esforço. Gustavo sentia fisgadas a cada degrau descido, mas continuava sem parar, pois tinha que chegar a Santa Rita e proteger Sabrina e Eloísa. O som dos tiros e do desespero na torre vizinha existia em seus ouvidos, contudo, diante da urgência de salvar sua família, a agonia dos colegas tinha virado ruído branco.

Negão tinha instituído um *modus operandi* que talvez salvasse o couro dos vigias em situações como aquela. Era obrigação do vigia escalado ser a primeira defesa da cidade, e esse pequeno contratempo na frente dos vampiros rendia minutos preciosos de preparação nos muros e na vila. Às vezes, os vigias venciam a batalha sozinhos, passando de contratempo a heróis, mas isso só acontecia quando o número de malditos era reduzido e faziam ataques suicidas. Não era o caso naquela noite, pois haviam perpetrado um ataque maciço como nunca visto, e quando a coisa degringolava assim e os vampiros alcançavam o muro, Negão deixava os vigias abandonarem as torres e tentarem a sorte no areião. Bastava distanciar-se das torres e dos muros, pois os vampiros raramente deixavam de seguir a trilha habitual em um momento de ataque organizado. Para a fuga, os vigias vinham em motos preparadas para as condições do terreno e as mantinham cobertas por lonas, escondidas na areia.

Thais descia esbaforida, pois Gustavo estava fora de controle e, julgava, próximo a um apagão geral. Tirou essa conclusão pela quantidade de sangue deixada nas ripas arredondadas que faziam os degraus daquela escada vertical, pregada ao tronco liso de um ipê-roxo, que teve os galhos da copa decepados para acomodar o posto de vigília. Ele já estava pálido quando se deram conta do ferimento, e agora, com aquele esforço, certamente ficaria bem mais fraco. Ela sentia-se culpada, afinal de contas, o disparo que acertara o amigo escapara da sua arma (involuntariamente, mas por culpa sua). Viu os primeiros vampiros abandonando a torre vizinha e, infelizmente, o vento e a garoa eram arrastados naquela direção. Os desgraçados já tinham farejado a generosa hemorragia e viriam como cães atrás de um gato...

Gustavo estava chegando ao chão quando interrompeu a descida. Ainda faltavam dez metros e ele não tinha coragem de pular, mas viu uma vampira chegando perto demais. Ergueu o rifle, porém, com uma mão apenas, era difícil firmá-lo e fazer mira. Prendeu-o como pôde e puxou o gatilho, mas errou! Não porque o disparo passou longe, mas porque a vampira desapareceu diante de seus olhos. Malditos demônios! Eles podiam fazer isso.

Gustavo colocou o pé no areião e sentiu-se tonto, ofegante, parecendo ter participado involuntariamente de uma maratona dupla. Girou, procurando pela lona da moto, porém mesmo com a claridade dada pelos holofotes, a garoa e o vento (e a porra da hemorragia!) deixavam mais difícil a procura. Sentiu um baque nas costas e bufou caindo no chão, enchendo a boca de areia. Era um deles, um vampiro.

Thais gritou desesperada, fez mira, mas não puxou o gatilho, porque não queria abrir outro rombo no amigo. Gritos de desespero vieram da torre vizinha, porém ela não poderia socorrer todos ao mesmo tempo, portanto iria priorizar seu colega de vigia. Tinha que levá-lo a um hospital, ele só precisava de uma atadura, cauterização. Não tinha problema areia entrar no buraco, não precisavam se preocupar com germes, porque não existiam mais doenças. Só que, graças aos idiotas, ainda existiam os acidentes, tiros de merda de acidentes. Ela soltou-se da escada para chegar mais rápido ao chão.

Gustavo gemeu ao sentir uma coisa gelada. A maldita vampira estava passando a língua em seu tórax, lambendo seu sangue. Por cima dela, viu o vulto de mais cinco ou seis malditos aproximando-se. Merda! Não podia morrer ali, na areia. Tinha que socorrer Sabrina, salvar a mulher amada. Olhou para o chão, e, sem forças, tentou alcançar o fuzil, que estava a dois palmos de distância. Não conseguia se arrastar, era muita dor, e a coisa fria e áspera roçava sua pele. A vampira estava sugando seu sangue pela ferida. Ergueu a maldita branquela dos infernos pelos cabelos e quase gritou de horror, pois ela tinha os dentes mais longos que já havia visto e seu rosto branco e raiado de veias verdes estava manchado de seu sangue! Desferiu um soco no nariz da criatura, mas o golpe pareceu atingi-la sem força, pois ela apenas agarrou seu punho, evitando uma segunda investida, e girou seu pulso, emitindo um rosnar ferino. A vampira moveu-se rápido e enterrou os dentes em seu braço, passando a sorver o sangue da artéria pulsante, e Gustavo tombou a cabeça, vencido. A luz dos holofotes foi apagando-se. Não havia dor no novo ferimento. Era como diziam: os malditos sabiam matar, e ele tinha sido vencido pela exaustão, pelo cansaço, e a última coisa que captou foi a sombra de um anjo descendo do céu.

* * *

Laura sentiu um baque nas costas e rolou, contorcendo-se, sem saber o que era aquilo que experimentava. Algo que não sentia havia anos... Seria dor? Thais ergueu o fuzil e disparou carga tripla, e a cabeça da vampira desfez-se e o corpo decapitado tombou. Deu mais três rajadas para a frente sem precisar fazer mira. Os outros estavam perto demais e cinco vampiros foram ao chão. Os disparos não tinham ido contra a cabeça, então Thais aproximou-se. No treinamento, repetiam até cansar que era preciso atirar com bala de prata na cabeça para interromper a ação. Foi até o meio do grupo de vampiros que se contorcia em razão das balas prateadas correndo o corpo, mudou a chave do fuzil para tiro único e um a um foi abatendo com um disparo na testa aquelas criaturas horríveis! Deteve-se um instante sobre o último, que tinha uma expressão familiar. Deus do céu! O vampiro tinha a cara do Oswaldo, o pastor batista da igreja que a mãe frequentava, e podia jurar que era ele. Thais benzeu-se, olhou para a torre vizinha e ouviu gritos e tiros vindos lá de cima. Os homens resistiam, e os vampiros saltitavam, agarravam-se aos degraus tentando vencer o alçapão e entrar por baixo no abrigo. Outros arrancavam telhas do teto, atirando lajotas ao chão. Ela ergueu o fuzil e fez mira, mas, plac!, estava sem munição. Bateu as mãos no bolso da calça e viu que não tinha nenhum municiador novo. Só restava dar o fora dali. Olhou para o muro de Santa Rita, onde só havia escuridão. Os vampiros tinham entrado e, há alguns minutos, a briga deixara de ser travada nos limites da cidade para ser dentro da vila, entre as casas. Por fim, pousou os olhos em Gustavo, que estava lívido, branco feito as criaturas da noite. Estaria morto? Aproximou-se. Neste momento, ele tossiu, e Thais sorriu por vislumbrar uma chance. Girou sobre os calcanhares, olhando para o chão, e encontrou a moto. Correu até o volume fora dos fachos de luz, puxou a lona e ergueu a motocicleta, sentando-se e tentando a partida elétrica, mas nada aconteceu. Olhou para trás e viu que os tiros na torre tinham parado. Uma dúzia de vampiros desceu pela escada pregada ao tronco de jequitibá e vinham rápido. Preparou o pedal para a partida mecânica, deu o primeiro tranco, mas nada aconteceu. No segundo, o motor girou, mas não pegou.

Os vampiros estavam na metade da descida e um deles saltou do topo da torre, vindo perigosamente ao chão. Ela bateu na partida de novo e mais uma vez ouviu o motor, mas nada de ele pegar. Olhou para Gustavo e percebeu que o amigo estava tentando levantar-se, sentando e bambeando o tronco, como um bêbado, enquanto buscava apoio no fuzil. Ela deu novo tranco no pedal de ignição, mas o motor não pegou, e lágrimas começaram a molhar seu rosto. O vampiro que tinha saltado corria em sua direção, e outra dúzia de vampiros saltava da escada a poucos metros do chão e começava a correr sobre o areião. Girou o pedal com um novo coice, com fúria e urgência, e o motor girou ameaçando pegar, mas morreu de novo. Pensou que morrer a dentadas não era seu destino.

— Não! — gritou Thais, de desespero e dor.

O primeiro vampiro chegava perto, e ela ouviu uma explosão, vendo que o fuzil de Gustavo abatera o monstro!

— Meu Deus, me ajuda! — suplicou a mulher batendo a no painel.

No último coice, seu pé havia escapado do pedal, fazendo-a raspar a canela no ferro e abrir um ferimento dolorido. Com a cabeça no painel, sentiu que doía também a testa, pois tinha atingido a fronte na extremidade da chave. Thais levantou a cabeça, ouvindo um segundo disparo. Logo estariam cercados e estariam perdidos pois sabia que a munição de Gustavo também chegaria ao fim. Não daria tempo de buscar munição extra.

Incomodando-se com a dor na testa, olhou para a chave e sua boca abriu-se. *Idiota!*, pensou dela mesma. No afã de empreender a escapada, não tinha virado a chave, e sem a parte elétrica ativada, o motor nunca iria ligar! Que burra! Girou a chave e voltou a bater no pedal. Burra! O motor roncou e funcionou perfeitamente. Ela soltou uma bufada, satisfeita e aliviada, ao menos por enquanto. Sorte saber pilotar a motocicleta. Sempre gostou de motos e não era uma das meninas relegadas à garupa. A gafe da chave devia-se aos vampiros correndo para sua garganta. Girou a manopla e disparou na direção de Gustavo, fazendo o pneu traseiro erguer um arco de areia. Derrapou ao lado do amigo e estendeu-lhe a mão para que se pusesse em pé.

Bento

— Você consegue...? — quis perguntar o homem.

— Eu é que pergunto. Você consegue subir e se segurar?

Gustavo ergueu a perna com dificuldade, estava cansado e com sede, lutando para manter-se consciente.

— Vambora... — murmurou o homem no ouvido da garota.

— E os dois lá em cima?

Gustavo lançou um olhar para a vigia silenciosa.

— Já eram.

Gustavo falou a verdade, pois minutos antes, o desfecho para a dupla Valdo e Élcio fora sombrio.

* * *

Élcio continuava disparando contra o telhado, confiando em sua audição. Ouvia os malditos puxando as telhas e mandava bala na direção do ruído. Segundos tensos passavam-se até a detecção de novos ruídos no telhado e um novo invasor. Valdo cuspiu fora o cartucho de munição vazio, rolou sobre as tábuas molhadas de garoa e água benta e apanhou mais dois municiadores cheios, fitando por um instante os últimos dois cartuchos que tinham. Quando entrara na vigia e inspecionara a munição, achou que tinham tantas balas que nunca acabariam. E agora achava-as tão poucas... Enfiou pelo encaixe e deixou a arma pronta para novos disparos, em uma operação que tinha lhe tomado poucos segundos, era rápido e gostava das armas. Rolou novamente e abriu o alçapão, mas os poucos segundos perdidos permitiram um avanço assustador dos atacantes.

Élcio, que era tão alto que bateria a cabeça no telhado, mantinha-se encurvado. Escutou pancadas na madeira e atirou contra a vigia fechada. A madeira estourou, abrindo uma fenda perigosa, o que lhe permitiu ver o vulto de três ou quatro deles. Puxou o gatilho mais uma vez, e mais uma vez surgiu um buraco na parede. Valdo disparava para baixo, e a pilha ao pé da torre aumentava, enquanto seu ouvido ferido continuava apitando. Um vento forte sacudiu o abrigo, e a garoa entrava em remoinhos, gelando o ar. Élcio viu dois vampiros despencando do abrigo com o empurrão do vento.

— Venta mais! Venta mais! — gritou.

Valdo ergueu a cabeça, vendo que o guri estava ficando doido. Uma garra de vampiro surgiu no teto, com suas unhas afiadas balançando de lá para cá. Élcio foi preciso daquela vez, fazendo pedaços de braços voarem para a parede. Enfiou o cano de descarga no buraco aberto pela fera e disparou, ouvindo um urro ferino

310

encher o abrigo. Contudo, novos braços vampiros surgiram pelas frestas abertas na parede pelo palito humano. Valdo também disparava sem cessar. Eram tantos!

Foi então que ouviu um grito nas suas costas e viu que os braços dos vampiros tinham feito Élcio de refém, cravando-lhe garras pontudas na carne e fazendo seu sangue escapar da pele. Valdo ergueu o cano de disparo. Poderia ferir o amigo ou, pior, abrir ainda mais os buracos feitos. Agarrou uma garrafa com água benta e arrebentou-a contra as tábuas. A água desceu pela madeira, e os braços malditos, fumegando em contato com o líquido abençoado, soltaram o grandão. Élcio foi ao chão, passando a mão em volta do pescoço, puxando o ar para o pulmão. Tinham lhe apertado o pescoço com tanta força que achou que aquela seria sua hora derradeira, mas agachou-se e retomou seu fuzil.

— Estou ficando sem balas.

Valdo arremessou um pente cheio.

— É o último, faça bom uso.

Voltou para o alçapão, mas, quando se preparava para erguê-lo, a tampa voou do encaixe, estourando as dobradiças e batendo contra as telhas do cômodo. Uma cabeça pálida e de olhos vermelhos como sangue vivo surgiu pelo buraco, e Valdo desferiu um chute poderoso, chegando a sentir os dedos doerem dentro da bota. O vampiro pendeu a cabeça e ficou imóvel por um instante, exibindo veias esverdeadas que subiam pelo pescoço e tomavam parte da face e da pele de aparência repugnante, depois grunhiu demoradamente e voltou a encarar sua vítima.

— Você está perdido, cara.

Valdo ignorou a ameaça do vampiro e baixou o fuzil, explodindo a cabeça da criatura. Um odor de podridão esparramou-se pelo abrigo, enquanto o corpo desmembrado do vampiro escorregava pela boca do alçapão e despencava para o areião vinte e cinco metros abaixo.

— Deus do céu! Que fedor! — exclamou Élcio.

— Fedor?! — espantou-se Valdo. — Isso aqui não chega nem aos pés daquele seu traque nojento!

Se não estivesse com a corda no pescoço, Élcio teria rido da graça do parceiro. O vento balançou o abrigo novamente, e eles ouviram um silvo distante, como o de uma corda de violão arrebentando. Mais um vampiro surgiu pelo buraco, e Valdo retomou os disparos pela abertura, tentando afastar o perigo. Recostou-se na parede e ergueu rapidamente a vigia de face ao muro de Santa Rita, vendo apenas escuridão, sem mais soldados defendendo o muro ou atiradores defendendo as torres.

— Estamos por nossa conta! — berrou, voltando o fuzil ao alçapão.

Élcio continuava atirando contra os barulhos no teto, onde quase não havia mais telhado, deixando a garoa entrar generosamente.

— O quê? — perguntou.

— Estamos sozinhos! Temos que descer e pegar a moto.

— Descer? Só se você conseguir limpar o caminho...

Valdo olhou para a escada e viu um amontoado de corpos. Será que serviriam para amortecer a queda caso pulassem? Descer pela escada não parecia boa ideia, pois eles subiam aos montes, obstinados para entrar. Queriam bebê-los a todo custo. Valdo derrubou mais dois, porém logo abaixo vinham mais, subindo feito formigas em um espeto, enquanto os vigias seriam o torrão de açúcar na ponta, o tufo de algodão-doce como prêmio. Fez mira e puxou o gatilho, mas nada de tranco, só o plac seco, sem disparo, indicando o fim das balas. Quando o vampiro alcançou a boca do alçapão, enfiando a mão para dentro do abrigo, Valdo girou o fuzil agilmente e agarrou o cano ainda quente. A coronha seria a arma agora, e começou a golpear a cabeça dos invasores, conseguindo bons resultados. Mas até quando aguentaria? Quando seus braços se extenuariam e parariam de colaborar? Faltavam mais de oito horas até o nascer do sol e eles não resistiriam tanto. Os braços das criaturas invadindo pelo teto e as pancadas na madeira ao redor da varanda aumentavam velozmente. Élcio não conseguiria dar conta de todos, não havia munição suficiente e não demorou muito até o placcomeçar no fuzil do jogador de basquete.

— Valdo! — berrou o rapaz.

O homem, lutando contra as cabeças vampíricas que assomavam pela entrada do alçapão, olhou para o parceiro. Élcio estava sendo envolvido por um emaranhado de braços, e sua cabeça e pescoço eram apertados pelas mãos que vinham do teto e procuravam içar a vítima, enquanto o peito era agarrado por tentáculos pálidos, que pareciam nascer da parede de tábuas.

Valdo sacou seu último recurso. A pistola com dezoito balas era tudo o que restava. Mesmo ouvindo os gritos e súplicas do amigo, primeiro cuidou dos que avançavam pelo alçapão. Ficou em pé, tomando cuidado com os braços que pareciam dezenas de lustres fantasmas, e atirou contra os vampiros nas escadas, gritando feito louco. As balas foram acabando, então ele recuou a pistola e deu dois passos para trás, ainda com Élcio gritando. As garras penetravam seu parceiro e logo viriam os dentes. Em seguida seria sua vez. Valdo aproximou-se de Élcio e procurou os olhos do vigia, sem perceber que uma sombra se esgueirava às suas costas, entrando pelo alçapão. Na verdade, não precisava ver. Sabia que eles entrariam e que estava tudo acabado. Nem bento, nem milagre. Mirou o peito de Élcio.

— Vai lá, amigão. Vai lá que eu já estou indo.

Puxou o gatilho, extinguindo com a vida do vigia. Fechou os olhos e, antes de ser abraçado pelos vampiros que tomavam o abrigo às suas costas, encostou o cano na própria cabeça e disparou. Valdo desmoronou sem perceber, sem sentir nem ouvir nada. Viu em um flash os vampiros aproximando-se, e, no flash seguinte, o abrigo desgraçado encher-se de bolinhas de luz cada vez mais, até um clarão total tomar conta de sua visão. Expirou, e foi como se toda sua existência escapasse pela boca, esgueirando-se para longe daquelas criaturas perturbadoras que agora bebiam seu sangue.

CAPÍTULO 35

Lúcio estava exausto, pois o caixão com o noturno ficava cada vez mais pesado e tinha voltado atrás. Primeiro, pensou em abandonar a missão dada pelo demônio. Morto daquele jeito, Cantarzo não poderia lhe causar mal algum e já era uma carta fora do baralho. Por outro lado, depois de refletir um pouco, viu-se novamente seduzido pela tentação da imortalidade. Por que tinha se arriscado em São Vítor? Por que tinha acabado com o velho Bispo? Para barganhar com o vampiro e ser também um imortal sanguessuga. Contudo, somente se Cantarzo fosse refeito isso seria possível. Antes de bater a caçoleta, o vampiro tinha falado alguma coisa sobre uma cura e uma bruxa. Se ele tinha dito, ela então haveria de curar, pois bruxas faziam essas coisas com maçãs envenenadas, aprisionamento de fidalgos e ressurreição de vampiros bestas. O lacaio de Cantarzo coçou a barba grossa, pensando que era pegar ou largar. Depois de decidir pegar, voltou ao esconderijo do caixão e, mais uma vez, viu-se arrastando aquele esquife provisório pela floresta. É verdade que já estava arrependido de ter tirado o caixão do esconderijo, ainda mais com as mãos em frangalhos por conta do peso que trazia consigo, mas tinha medo de jamais revê-lo e perder o tesouro da vida imortal. Era por conta desse pavor que estava novamente arrastando aquele peso morto. Lúcio riu da expressão literal. "Peso morto", disse sozinho em alto e bom som, que só não se sobrepunha ao barulho da chuva. Há um par de horas, a garoa tinha virado aquele aguaceiro, e ele não conseguia enxergar bem o caminho pela frente. Carregando aquele caixão, não conseguira manter sua tocha acesa, perdida havia uma hora e meia. Por conta disso, tinha avançado pouco e suas mãos estavam cheias de bolhas produzidas pela fricção da pele contra as cordas que rodeavam a caixa de madeira para o homem trazer consigo o fardo.

Lúcio agarrou o sisal e voltou a puxar depois de ter descansado um bocado no final da tarde, antes de escurecer. Tivera sorte ao apanhar um filhote de porco-do-mato e, mesmo sem sal, a carne rendera um jantar saboroso. No embornal, trazia um bom pedaço de caça para o café da manhã. Contudo, mesmo alimentado e com a chuva ajudando a manter o corpo resfriado e tornar o caminho enlameado e propício para deslizar mais facilmente o caixão, Lúcio sabia que o destino estava muito longe e não teria forças. Lutava contra o medo de perder o caixão e a incerteza. Tinha que encontrar um esconderijo seguro e seguir para o Norte sozinho, carregando somente seu próprio esqueleto, pois não conseguiria ir muito longe com aquele cadáver maldito. Trazendo Cantarzo nas costas, a missão poderia levar anos, porém, se o abandonasse para buscá-lo mais tarde, certamente encontraria mais rápido a tartaruga engolida pela serpente e a bruxa, que daria um jeito nas coisas. Ela tinha chamado Cantarzo, mas e se Lúcio esquecesse onde o tinha deixado? E quando encontrasse a bruxa... ela acreditaria em um homem de mãos feridas e vazias? Não acreditaria. Precisava manter o corpo de Cantarzo debaixo dos olhos, pois algum outro espertalhão poderia querê-lo para si, e ele não perderia o vampiro. Quando Cantarzo voltasse a abrir os olhos, seria eternamente grato a ele, fazendo dele um vampiro eterno, um imortal.

Lúcio soltou a corda novamente e ergueu os braços para o céu, festejando antecipadamente sua vitória, rodopiando sobre a lama. Estava tão feliz com suas conclusões que não percebia que se aproximava da beira de um barranco enlameado. Lúcio foi girando para a ponta, e a escuridão não deixou que percebesse a armadilha até seu pé dançante pisar em falso no barro, provocando o desequilíbrio, e seus braços girarem à procura de um ponto de apoio. Lúcio caiu de lado, sentindo uma pontada nas costelas. A chuva apertou, a água descendo vertiginosamente pela beira do barranco, e ele fechou a boca para não engolir barro. Seu pé tinha firmado-se em uma pedra, e ele gritou, aflito. Olhou para baixo, mas não podia ver quão alta seria a queda, caso o pé escapasse daquele apoio. Não conseguia também olhar para frente. A cabeça voltou-se para cima, e pensou que, se conseguisse alguma coisa para içar o corpo, escaparia daquela enrascada. Alcançou a corda do caixão e arranjou uma posição menos dolorida para agarrar-se a ela, mas as bolhas estavam deixando as palmas das suas mãos em carne viva. Cantarzo era muito pesado, o que agora o ajudaria. Olhou para o embornal, preso ao seu ombro, desejando que o pedaço de carne ainda estivesse ali, pois precisaria de um bom desjejum depois daquilo. Puxou o corpo para cima e estava quase conseguindo, quando a caixa começou a escorregar. Lúcio desceu tão repentinamente que o pé não encontrou a pedra que servira de apoio centímetros abaixo, e a ponta da caixa surgiu na beira do barranco. O peso de Lúcio escorregando puxou-a pela borda, e a gravidade se encarregou do resto.

O atrapalhado lacaio tinha perdido a pedra de apoio, mas seus pés fixaram-se em um caule de árvore nova. Já tinha aberto um sorriso agradecido ao acaso quando percebeu a caixa passando ao seu lado, deslizando barranco abaixo, empurrada pela lama e pela água da chuva, com a corda de tração ainda enrodilhada em suas mãos. Lúcio gritou palavrões e firmou os dedos no sisal, mas o tranco foi forte e os gritos de dor estouraram junto às bolhas doloridas na escuridão. A despeito da tortura, Lúcio manteve-se firme enquanto segurava o caixão. Perdeu o controle da respiração, inspirando e expirando alucinadamente, e seu corpo tremia todo. A dor nas mãos era gigantesca, mas ele não podia perder o vampiro. O que era a dor perante a chance da vida eterna? Segurou firme, daria um jeito.

* * *

Lucas e seus seguidores havia muito tinham deixado o pântano. Depois que a garoa virou um aguaceiro, uma tocha ou outra continuou acesa, e Elton prosseguiu na liderança dos soldados, tendo escapado com êxito da região pantanosa e conduzido com boa velocidade o grupo de cavaleiros pelos caminhos da mata. O conjunto, cansado, havia pedido descanso, e Francis pensou em organizar um acampamento quando alcançassem alguma proteção segura, mas, para sua surpresa, quando as queixas começaram, foi Lucas quem ergueu a voz e pediu que prosseguissem. Tivera um palpite e não fora à toa, precisaram ter deixado a velha São Paulo e vindo naquela direção por um propósito que não sabia explicar, algo que não deslindava aos seus olhos. Não era uma premonição, uma coisa clara, somente um sentimento de ansiedade, uma certeza de que não poderiam parar até aquele momento.

A luz lúgubre das tochas atingiu a clareira. Os que estavam mais perto das chamas viam os respingos da chuva contínua sobre as poças d'água. Lucas ergueu o braço e a comitiva parou. Ele inspecionou os arredores com os olhos que estavam cansados e pregando-se. Sabia que o esgotamento era geral, já que praticamente não tinham tido descanso desde que deixaram o acampamento onde haviam se deparado com a onça. Mal tinham respirado, e os problemas na jornada tinham começado. E agora aquela merda de terem seis bentos mortos!

Lucas viu que a escuridão e a chuva não deixavam a floresta mostrar muita coisa. A clareira terminava em um barranco à sua direita e o caminho cortado no meio das árvores seguia à frente. A angústia queimava no peito. Não sabia como, mas tinha certeza de que toda aquela pressa e aflição em deixar a velha São Paulo e recusar o caminho mais longo e seguro desembocava naquela clareira. Era como se soubesse que tinham que passar por ali. Bateu levemente com os calcanhares na barriga do tordilho, e o cavalo moveu-se com lentidão, pois também estava exausto. Enquanto Lucas teimava em examinar o entorno, o bicho abaixava a cabeça, tentando alcançar uma poça d'água mais profunda e tomar um pouco do líquido fresco vindo do céu. Lucas remoía seus pensamentos e seus instintos, pensando no porquê fora trazido até ali com tanta urgência e no que isso teria a ver com a profecia e com seu destino. Talvez tivesse que encontrar alguma coisa naquele pedaço do caminho, mas não havia nada diante de seus olhos, nada na clareira, só a chuva, a noite e o som da água descendo das árvores e de pequenas enxurradas formando-se, que desciam e escapavam da clareira para descer o morro. O trigésimo bento, altivo em cima de seu cavalo imponente, insistia em deixar os olhos vasculharem ao redor.

Os homens permaneceram em silêncio e mantiveram os cavalos imóveis, observando Lucas, sem entendem por que repentinamente paravam ali. Tinham passado por lugares tão melhores para aguardar a chuva parar, mas aquela clareira era desprovida de abrigo. Talvez até fosse agradável em dias de sol e estiagem, mas não ali, não naquele momento.

— Acho que esse cara pirou — comentou Joel para Adriano.

Os soldados de Nova Luz riram baixinho, sem perceber que bento Vicente estava nas suas costas. O bento avançou com o cavalo, parando entre Joel e Adriano. Os dois ainda riam, e Joel continuou, espirituoso:

— Acho que está sendo demais para o novato, Vicentão. O cara não está botando muita fé em si mesmo e pirando. Está parado aqui no meio da chuva, depois de fazer a gente correr feito cachorro, sem parar para dar um barro sequer... acho que ele está louquinho, cara.

Os soldados de Nova Luz voltaram às risadas, dessa vez um pouco mais alto, chamando a atenção do resto do grupo. Vicente fechou a expressão e, para surpresa dos soldados, tirou a espada da bainha em um movimento ágil.

— Opa! Espera aí, Vicente! — espantou-se Joel.

— Hoje você tirou a confiança de dois homens no trigésimo bento, e amanhã pode tirar a confiança do grupo inteiro. Precisamos de soldados, não de comediantes ou inimigos.

— Desculpa, Vicentão. Foi mal, cara, eu só estava brincando!

— Guarde suas brincadeiras para os seus amigos de estrada. Nunca mais faça pouco de nossa missão e não coloque em risco nosso trabalho!

— Pode guardar isso, Vicente, o moleque entendeu o recado — interferiu Adriano.

Vicente olhou para o líder de Nova Luz, embainhando a espada.

— Cuide de seus soldados, Adriano. Não quero ver o nome de Lucas diminuído por nenhum deles.

— Foi mal, Vicentão — repetiu Joel.

— "Bento Vicente" para você — retrucou o guerreiro, girando o cavalo e indo juntar-se a Lucas.

Os soldados trocaram olhares indignados e, por fim, olharam para bento Edgar, que estava ao lado e parecia ter assistido tudo, sorrindo e dando de ombros. Lucas permanecia andando em círculos pela clareira, enquanto a chuva parecia ter aumentado ainda mais de intensidade, acompanhada por relâmpagos e trovoadas, transformando-se em uma tempestade.

* * *

No barranco, ainda aferrado à corda que sustinha o caixão e com os pés apoiados nos caules das pequenas árvores, Lúcio vencia a dor. Com o barulho da água que descia pela encosta, da chuva que aumentava e das gotas arrebentado na folhagem das árvores, não escutou os cavalos e só foi se dar conta de que tinha gente na clareira por causa do clarão provocado pelas tochas.

Lúcio chegou a abrir um sorriso, pois poderia pedir ajuda e tirar seu rabo dali, junto as caixão, mas, quando pensou nisso, seu sorriso desapareceu. E se fizessem perguntas? Poderiam querer saber o que tinha no caixão ou tomar-lhe o tesouro. É certo que descobririam que era um vampiro e iriam roubá-lo. Talvez fosse melhor não clamar por socorro, pois não entenderiam sua relação com a caixa. Virou-se novamente, permanecendo recostado à lama, quando ouviu um crec. Seu pé deslizou, o caule não suportou mais o peso e cedeu, e o tranco machucou sua mão pela enésima vez. Finalmente, a corda escapou por entre os dedos e o caixão deslizou morro abaixo. O caule cedeu mais, e, no instante seguinte, Lúcio via-se perseguindo involuntariamente seu mestre morro abaixo. Bateu as costas em uma pedra, soltando um gemido de dor, e depois sentiu o corpo flutuando. Teve muito frio na barriga, pois o barranco tinha terminado, mas a queda continuava pelo ar livre. Ele iria esborrachar-se sobre rochas e seria o fim da aventura. Sentiu o golpe duro quando as costas bateram em uma superfície e, no segundo seguinte, estava envolto pela chuva, enquanto seu corpo afundava na escuridão. Estaria tendo alucinações após a morte? Não, não era isso. Seu peito doía e, quando abriu a boca, ela encheu-se de água, mas ele subiu à superfície e puxou o ar. A correnteza era poderosa e seu corpo foi carregado, batendo forte contra uma nova pedra. Agarrou-se, mas não era uma pedra, era o caixão! Deus! Tinha encontrado o caixão na escuridão! O destino queria que o esquife permanecesse em suas mãos! E o caixão flutuava! Não morreria afogado! Lúcio riu alto.

— Vão se foder! — berrou para a noite.

* * *

Lucas foi até a beira do barranco. Só conseguiu enxergar alguma coisa quando Edgar aproximou-se com a tocha flamejante e a luz alaranjada correu pelas árvores cinco metros morro abaixo, escurecendo rapidamente. Estava muito escuro. Se ao menos não estivesse chovendo, talvez visse... Baixou a cabeça, vencido, pois não havia nada naquela clareira que explicasse sua aflição. Estava cansado demais para continuar cavalgando e continuar acordado. Precisavam buscar um abrigo para descansar dois pares de hora e retomar à jornada. Juntaria o restante dos bentos, custasse o que custasse, e nada nem ninguém o faria mudar de ideia.

CAPÍTULO 36

Tinham acampado às seis da manhã, quando a chuva voltou a ser uma garoa fina e quase imperceptível. Estavam cansados demais para preparar uma refeição quente, então pães e bolachas foram divididos em pequenas cotas entre os viajantes. Alguns soldados foram para a mata apanhar frutas frescas, o que seria apenas uma distração para o estômago deixá-los em paz para um cochilo. Adriano e Paraná ficaram responsáveis pelo primeiro turno de vigília. Era manhã, e os vampiros não tinham conseguido encontrá-los depois do vitorioso resgate na Teodoro Sampaio, contudo, mesmo o sol tendo raiado timidamente, deixando uma suave luz passar por entre as grossas nuvens, tomar cuidado com eventuais mulos não seria precaução demais.

O grupo motorizado havia chegado por volta das dez horas ao ponto de encontro, precisando também de descanso e uma refeição. Às onze da manhã, as nuvens deram trégua e um sol generoso e revigorante deu vida ao céu, deixando-o azul e esplendoroso. Os pássaros resolveram dar o ar da graça, enchendo a mata de chilreados. Os soldados que já tinham despertado do descanso trataram de tirar as roupas molhadas, os cobertores e todo sortimento de coisa ensopada pela chuva insistente para botá-los sob os raios de sol.

Lucas caminhou até o meio da floresta, pois tinha a sensação de ter visto um reflexo ali. Olhou para trás e chamou bento Francis, mas não foi ouvido. Berrou por Vicente, que estava mexendo um caldeirão sobre as brasas. Paraná e Sinatra estavam preparando o rango do almoço, mas eles também não escutaram Lucas chamar. Olhou mais uma vez para a floresta e novamente viu o reflexo movendo-se. Entrou na mata e desembainhou sua espada prateada, pois sabia que tinha alguma coisa ali. A sensação de urgência foi crescendo. A luz do sol penetrava as copas das árvores. Lucas escutou um barulho nas folhas, olhou para cima e viu quatro macacos pequenos, saltitando nos galhos altos, que começaram a gritar, parecendo comunicarem-se. O bento voltou os olhos para a frente e novamente viu o reflexo, como se fosse alguém se afastando, e começou a correr. O terreno tornava-se inclinado na frente, obrigando Lucas a subir em troncos caídos e tomar cuidado onde pisava, evitando a lama para não escorregar.

Quando chegou ao topo do morro, descobriu que ainda estava envolto pela floresta e que ainda previsava descer. Saltou sobre um monte de folhas molhadas, mas, no segundo passo, desequilibrou-se e rolou morro abaixo. Assim que parou, sua cabeça estava latejando e, quando abriu os olhos, a luz do sol incidiu diretamente sobre seu rosto, dificultando a visão. Um brilho maior veio de cima das árvores e sentiu a luz do dia mudar. Apertou os olhos e levantou-se, pensando que devia ter batido a cabeça com muita força, pois um zumbido tinha tomado seus ouvidos e a floresta parecia estranha, em que o céu e as árvores tinham assumido uma coloração monocromática, acinzentada. De repente, viu mais uma vez o reflexo, que agora não se afastava, mas se aproximava, e ele apertou os olhos mais uma vez para tentar focar. A imagem ficou nitidamente visível quando estava a cerca de dez metros de distância. Lucas engoliu saliva, com a espada erguida, imóvel. Era um dos bentos mortos, aquele pelo qual arriscara o pescoço em uma das ruas transversais da Teodoro Sampaio, o Bento Murilo. O peito de metal do bento era o responsável pelos reflexos que o atraíram até ali.

Lucas ficou tenso, pois um segundo vulto estava chegando, outro homem com os trajes de bento, que tinha um rombo na cota de malha de ferro e revelava um ferimento no pescoço, Bento André. Lucas assustou-se e quase caiu quando outro espectro surgiu ao seu lado. A capa vermelha do novo bento agitou-se com o vento cortante que tomava aquela depressão no meio da floresta, e ele ficou de olhos arregalados ao ver que os seis bentos mortos estavam ali, acompanhando o bando. Estavam unidos em espírito e era isso o que significava aquela visão.

Bento Arthur continuou andando até parar a um passo de bento Lucas, que se manteve imóvel, com a espada abaixada, respirando com dificuldade e com coração disparado. Bento Arthur ergueu a mão em sua direção até tocar sua cabeça, e seus dedos espectrais envoltos na luva de couro perpassaram sua pele, afundando em sua cabeça. Lucas sentiu o corpo estremecer e apertou os olhos, soltando um grito quando caiu novamente. O trigésimo bento manteve os olhos fechados por um segundo e passou a escutar tiros de fuzil e pistola ao seu redor, como em uma guerra. Ele abriu os olhos, mas só viu escuridão, como noite, e não estava mais na mata. Via dois casebres à sua frente e ouvia gritos de gente, e aquele cheiro maldito de vampiros. Caminhou entre os casebres, e mais casas simples foram aparecendo pela sua frente. Avistou um homem acocorado, com o rosto abaixado escondido entre os braços, que tremia e parecia chorar. Lucas caminhou até ele, e agora era sua capa que balançava, jogada pelo vento. Flexionou o joelho da frente e tocou o ombro do estranho, e o homem agachado ergueu os olhos, fazendo o bento arrepiar-se dos pés à cabeça, pois conhecia aqueles olhos e aquele rosto. Deu um passo para trás, assustado, pois era o velho Bispo! O trigésimo levou a mão ao cabelo. Era e não era o velho! Era Bispo, mas com o rosto dezenas de anos mais moço.

— Lucas... — disse a voz chorosa do vidente.

O bento, refeito da surpresa, reaproximou-se de Bispo.

— Eu não quero mais ver, Lucas.

— Onde estamos?

— Mande Adriano voltar. Está vendo esse inferno? Eles virão para cá, Lucas. Esse é o futuro de Nova Luz.

O bento ergueu o Bispo.

— Nova Luz?

— Sim, Lucas, esse é o futuro, e eu vi mais coisas. Fogo e inferno. Você terá de ser forte. Eu não vou conseguir... mas você não pode titubear. Os demônios de bocas maiores virão... eu não posso evitar.

— Eu pressenti uma coisa, Bispo. Eu corri da velha São Paulo em busca de uma pista e sei que perdi. Não sei se conseguirei...

Bispo enxugou as lágrimas do rosto, envergonhado de ser visto naquela forma vulnerável.

— O vampiro está falando coisas para mim, Lucas. Está corroendo minha fé. Eu tentei mandar você para o túmulo do maldito, ele está em um caixão, enterrado. Mas eu não vejo tudo, Lucas, só o que ele deixa escapar. Ele está vendo as coisas também. Você tem que correr mais do nunca. Tem que juntar os trinta bentos.

— Seis morreram.

— Eu sei, bichim, mas não se incomode com a carne deles, pois, como viu lá no mato, eles seguirão seus homens.

Lucas reviu em um flash a face dos seis bentos espectrais ao seu redor, os espíritos.

— O próximo que encontrarão será bento Teodoro depois de dois dias de viagem. Vá para o litoral. Nas Minas, sua ajuda será clamada e sua espada não deve ser negada.

Lucas ouviu mais tiros e chegou a abaixar-se, temendo ser atingido.

— O mundo dos sonhos rege o mundo dos vivos, bichim. Não se esqueça.

Lucas tentava digerir as palavras quando se sentiu caindo e seu corpo estremeceu, procurando equilíbrio. Um clarão atingiu seus olhos e não era uma lanterna na noite trágica e barulhenta de Nova Luz, mas o sol a pino descendo do céu e penetrando suas pálpebras. Mais uma vez havia sido visitado por sonhos sobrenaturais. O som dos gritos e dos tiros foram substituídos pelo gorjear dos pássaros e pelo relinchar dos cavalos, acompanhados pela conversa animada dos soldados, refeitos pelo sono.

Lucas levantou-se e viu que estava seminu. Seu corpo fedia a suor e seu estômago roncava de fome. Passou a mão pelo rosto áspero, enegrecido por um pouco de barro e pela barba rala que cobria sua porção inferior. Francis aproximou-se sorridente.

— Revigorado, Lucas?

— Acho que sim.

— Quando partimos?

— Imediatamente.

— Um ou outro ainda está almoçando.

— Apresse-os.

Francis calou-se um instante e sentiu a voz do trigésimo alterada. Faltava aquele jeito curioso e surpreso do rapaz acordado havia poucos dias. Ele falava com pressa e autoridade, parecendo querer bancar o chefão de agora em diante.

— Tive outro daqueles sonhos estranhos.

— O quê?

— Adriano, chame Adriano. Ele e os seus soldados devem partir.

— O que diz? O grupo do cara é o melhor. Vamos precisar deles. Iremos para...

— O litoral.

— É. Elton achou que esse seria o melhor caminho para o Norte. Apesar de a região ainda ser uma das mais belas do Brasil Novo, após a Noite Maldita tornou-se quase desabitada, exceto por pequenas fortificações. Vamos para Angra.

Lucas passou os olhos pelo bando procurando Adriano enquanto Francis continuava:

— Em Angra encontraremos bento...

— Teodoro — completou Lucas.

Francis calou-se. Não se enganara. Aquele Lucas amedrontado e de habilidades duvidosas tinha desaparecido, e o que estava à sua frente era uma massa em constante transformação, sendo moldado hora após hora por forças mágicas.

— Chame Adriano e peça para Vicente e Edgar que levantem acampamento imediatamente. Apresse as coisas, não temos tempo a perder. Vou me lavar e colocar minha tralha, é só um minuto.

Bento

Lucas afastou-se, deixando o bento médico mudo e parado às suas costas. Francis levantou o dedo, fazendo menção de dizer alguma coisa, mas acabou desistindo. Foi Lucas quem se virou e acrescentou:

— Quanto aos bentos mortos, Francis, acalme os homens, porque tudo será arranjado. Ainda estamos no jogo.

CAPÍTULO 37

Lucas sentiu alívio quando os primeiros raios de luz chegaram ao céu naquele novo dia. Não aconteceram novos confrontos com vampiros, tinham tido sorte. Há pouco tinham deixado o estado de São Paulo e cruzavam agora o litoral sul do Rio de Janeiro, porque, segundo bentos Francis e Edgar, para continuar seguindo para o Norte, a melhor rota seria cruzar a Rio-Santos. Segundo os mais experientes, aquela rodovia registrava um baixo índice de atividade dos vampiros.

Lucas avistou alguns dos cavaleiros parados na subida, junto a uma curva. Havia uma construção pequena ali, onde balaústres de cimento formavam um mirante. Lá embaixo, envolta pelas brumas da manhã, descansava a antiga Paraty. Podia ver a espuma branca formada pelas ondas, avançando para a costa, mas estava longe demais para escutar a arrebentação.

Com a partida de Adriano e seus soldados, o grupo parecia incompleto, e a voz de Sinatra não acompanhava mais a comitiva, deixando a marcha um tanto mais triste. Lucas lembrou-se do rosto do homem experiente que não duvidara nem por um instante de suas palavras, e mesmo sabendo que os humanos não sonhavam mais, não perdeu tempo perguntando-se se o trigésimo era um charlatão ou coisa parecida. Adriano tinha lhe dado atenção quando disse que vira vampiros invadindo Nova Luz, promovendo terror e desgraça. Lucas falou que havia visto o futuro e que ainda haveria tempo de socorrer seus companheiros deixados na fortificação antes da tragédia. Adriano apanhou suas coisas e, junto a seus soldados, tomou o rumo de São Vítor, onde reaveriam suas motos velozes. Que Deus permitisse que chegassem antes dos vampiros!

Despertando das lembranças recentes, o trigésimo bento tornou ao cavalo, cavalgando lentamente em meio ao grupo. Os homens estavam abatidos física e psicologicamente, e Lucas sabia que a morte dos seis bentos tinha minado a confiança da maioria deles, além do fato de ter insistido para cruzarem o pântano perigoso nas cercanias da velha São Paulo sem que houvesse razão aparente. Dirigindo-se para esses pensamentos, Lucas voltou a sentir o peito se encher com aquele sentimento pujante. Naquela noite, na clareira sob a chuva, alguma coisa poderosa tinha escapado a seus olhos, algo importante tinha se escondido, e ele havia sido enviado até ali por um motivo, seguido seus instintos por uma razão, mas nada havia no barro

O dia passou rapidamente, e a comitiva tinha atravessado cerca de duzentos quilômetros de rodovia. Pararam por alguns minutos apenas em poucos momentos. O primeiro deles foi quando cruzaram antigas cabines de pedágio, o que fez cavalos e veículos passarem vagarosamente pelas cancelas e Lucas deter-se quando atravessou. Mais uma vez, um flash surgiu em sua cabeça, um *déjà-vu*. Sobre o caixa repousava um esqueleto humano, cujos dedos abraçavam a máquina de recolher dinheiro, em um amontoado de ossos escondendo-se por baixo do uniforme de uma empresa privada que cuidava da rodovia.

O bento parou novamente enquanto passavam em frente a um posto da Polícia Rodoviária Federal e viu que uma picape da corporação jazia à beira da pista, abandonada no tempo. Os pneus tinham se fundido ao asfalto e grossos ramos de trepadeira subiam pela lataria, invadindo o veículo e atravessando as janelas, que não contavam mais com os vidros, enquanto o para-brisa estava inteiro, porém coberto por uma camada grossa de poeira. Suspirou fundo e continuou cavalgando, pensando em quantas histórias curiosas não deveriam ter existido com a chegada da Noite Maldita.

Bento Edgar aproximou-se, avisando que descansariam um pouco e alimentariam os homens e os animais. Também exibiu preocupação acerca da minguante gasolina disponível, dizendo que, se no próximo ponto de parada não encontrassem reservas de combustível, previa a necessidade de alguns veículos terem de ser abandonados e a gasolina restante no tanque de cada um ser transportada para os carros que continuariam a viagem.

Lucas não objetou quanto ao descanso, pois sabia que os homens precisavam parar, mas sua vontade pessoal era de continuar ininterruptamente até juntarem os trinta bentos, sem dormir se fosse necessário. Isso imprimia urgência em seu coração. Depois de meia hora de cavalgada e bastante conversa com bento Edgar, chegaram ao ponto onde fariam acampamento. Lucas admirou a construção costeira: um complexo encravado na rocha que chegava ao mar. Atravessaram uma espécie de alameda, tomada por vegetação rasteira que cobria todo o chão pavimentado.

— Que lugar é este? — perguntou o trigésimo, curioso.

— Aqui é onde funcionava a Usina Nuclear de Angra dos Reis.

— Hum — resmungou Lucas.

Chegaram até um prédio baixo e redondo, onde os cavaleiros pararam e desmontaram. Tinham reabastecido os cantis e dado de beber aos cavalos em uma mina d'água quilômetros atrás.

— O povoado de bento Teodoro fica a quatro horas daqui, em Angra dos Reis. Chegaremos lá com a noite avançada — explicou Edgar.

— Não é melhor esperarmos amanhecer? — perguntou o jovem soldado Matias, aproximando-se.

— Não — respondeu Lucas. — Vamos descansar e continuar viagem. Temos que alcançar Teodoro e seguir. Faltam muitos irmãos para a primeira parte da profecia ser concluída.

Vicente aproximou-se de Lucas sem nada dizer, apenas juntou-se ao grupo que conversava. Os soldados acenderam fogo para preparar a comida. Uma dúzia procurou um canto para descansar à sombra. Francis juntou seis soldados e aproximou-se de Lucas.

— Aguarde aqui com os demais, Lucas. Vou com esses soldados procurar um depósito de gasolina, porque a coisa está feia.

CAPÍTULO 38

Anaquias despertou do sono vampírico, durante o qual sua mente havia sido transportada novamente para o mundo do vampiro-rei adormecido. Não via o ser mágico, apenas ouvia a voz em sua cabeça, que dizia para ele juntar seguidores e preparar o caminho para sua chegada e que a vitória sobre os humanos seria retumbante. O vampiro-rei via o futuro, mas reclamava que era como o futuro não era um quebra-cabeça, que alguma coisa lhe soprava as coisas, dava-lhe peças que compunham uma figura... mas algumas não se encaixavam e outras não eram fornecidas, deixando o quadro cheio de buracos, apesar de as visões darem uma boa ideia do que iria acontecer. O que quer que estivesse ajudando o vampiro-rei mostrava coisas, mas não tudo, como em um jogo. Entretanto, o fiel da balança pendia para a escuridão, e o vampiro-rei tinha chamado a atenção dos regentes do destino, com Anaquias participando dessa trama. De alguma forma desconhecida, Anaquias tinha sido arremessado para o olho do furacão, onde a calmaria permitia que assistisse de camarote à desgraça, e o vento havia soprado uma peça enorme daquele quebra-cabeça para os olhos dele na forma de um pedaço de um mapa com o norte apontado.

O líder do novo exército andava entre os vampiros que despertavam aos poucos. Havia organizado cem deles ao seu redor, que propagavam a notícia da chegada do vampiro-rei. Os olhos de Anaquias acenderam-se e seus dentes tornaram-se ainda mais proeminentes, já que estava faminto por não caçar sangue fresco há dias. Caminhou até a sacada do salão, que fora o escritório central de uma multinacional, e pisou sobre a folhagem da vegetação irritante que insistia em vencer o concreto e devorar os prédios da velha São Paulo de céu limpo e nuvens rarefeitas sob o halo da luz rebatida da lua. Anaquias olhou para trás.

— Vamos ao Norte acabar com os bentos.

Um vampiro com o pescoço tatuado aproximou-se.

— E o exército, senhor?

Anaquias sorriu.

— Tudo será arranjado na sua hora, Daniel. Todo vampiro que cruzar nosso caminho será recrutado.

Raquel, no meio dos vampiros enlouquecidos que pareciam hipnotizados pela presença do novo Anaquias, permaneceu calada. Disse a Gerson que acompanharia Anaquias, mas que abandonaria aqueles malucos na hora propícia e tomaria o estranho levante a seu favor. A caçada interrompida a Cantarzo seria retomada, mas por enquanto queria ver e entender o que o sonso do Anaquias pretendia, pois, fosse o que fosse, estava ganhando adeptos, seguidores fiéis e fanáticos, com aquela lenga-lenga de vampiro-rei que estava dando certo.

CAPÍTULO 39

Como previsto, a noite ia alta quando se aproximaram do centro da cidade litorânea de Angra dos Reis, que Lucas ainda não conhecia. Por culpa da noite avançada e da escuridão, não pôde contemplar a beleza daquela região do litoral brasileiro, nem estava com espírito para isso. Queria encontrar logo bento Teodoro e juntá-lo ao bando. Contando com o novo e com bento Duque, que ia à frente, já somavam seis. O valoroso Duque, agora distante, cumpria a missão sabiamente pensada por Francis. Lucas também considerou a baixa dos seis bentos precipitados, e teriam já alcançado doze, quase a metade do número exigido pela profecia para o desenlace dos quatro milagres.

Cavalgaram mais cinco minutos até escutarem um espoco seco e virem uma brasa serpenteante que subiu cerca de trinta metros, riscando o negro do céu. Um rojão de tiro único estourou na noite. Lucas percebeu tochas sendo acesas aos poucos no alto de alguns prédios antigos, já velhos mesmo para quem estivesse ali trinta anos antes, quando seus olhos se fecharam na Noite Maldita. Outras luzes acenderam-se à sua direita, de onde vinha o barulho calmo do mar, no cais. Pôde ver mais de um barco balançando sobre a água, presos às docas graças a amarras grossas, o que ele estranhou, olhando ao redor e parando o cavalo. Já estavam no meio da comunidade remanescente e via soldados balançando as mãos, cumprimentando os que adentravam a cidade. Depois de poucos minutos, um ou outro cidadão aventurou-se no meio da rua, no meio da noite. Lucas olhou para Vicente que vinha ao seu lado.

— Vicente... a cidade... não tem muros?

O bento grandalhão aquiesceu.

— Angra é assim. Aqui tem poucos ataques de vampiros.

— E por que o bento Teodoro fica aqui e não em uma cidade onde tenha mais chances de defender o povo?

— Ele quis ficar aqui, era sua casa. Quando despertou como bento, lá em São Vítor, quis voltar para cá, disse que era a terra dele. Vamos fazer o que com o cara? Dar porrada e obrigá-lo a ficar onde queremos?

Lucas balançou a cabeça negativamente.

— Não. Mas ele deveria saber que foi abençoado por um motivo, e não foi para ficar escondido onde não há perigo.

— Diz isso para ele — respondeu Vicente, com um sorriso no canto da boca. — O cara é o bento mais xarope que eu conheço, não sai daqui nem a pau, sem chance.

Lucas olhou para os prédios velhos, e mais e mais tochas acendiam-se para clarear a chegada dos inesperados visitantes. Olhando em direção ao mar, via agora mais de dez barcos presos ao atracadouro, cada qual com um jogo de chamas a iluminar o convés e tingir de reflexos laranjas a água.

— Quantos barcos!

Vicente acompanhou o olhar de Lucas.

— O grosso do pessoal da vila fica lá — disse o gigante, apontando para o mar, além dos barcos.

— O que tem lá?

— A uma hora da costa fica Ilha Grande, onde pessoal da vila se protege. Os vampiros não gostam muito de água do mar e não se aventuram além das ondas.

— Água corrente...

— Mais ou menos. Deve ter mais a ver com o sal da água.

Lucas soergueu as sobrancelhas.

— É que no pântano, para você ter uma noção, esses dentuços folgados entram de boa. Ficam debaixo da água esperando um trouxa passar perto e, zás! Já era o pescoço. Mas rio fundo, correnteza e mar aberto, os noturnos não encaram, não.

— Ainda bem que eles não gostam de sangue de bento também. Senão a gente estava frito.

— Não gostam? Quem disse que não?

— Em São Vítor, me disseram que nosso sangue é ácido para eles.

— Ah! Os malditos noturnos não gostam de tomar nosso sangue, mas gostam de vê-lo esparramado por aí. Não botam uma gota na boca, começam a se contorcer feito minhoca... mas gostam, sim, de abrir nossas jugulares — comentou Vicente, mantendo um sorriso sarcástico na boca. — Quando a gente está em bando, eles perdem os culhões, não encaram nem a pau. Agora, se topam com um dos nossos sozinho, se enchem de coragem, um é mais fácil que dois.

Lucas sorriu ao ver Vicente tagarelar ao seu lado, vencendo aos poucos a casca-dura do antissocial de São Vítor. O soldado Elton e o bento Edgar voltaram de uma das casas, e os cascos dos seus cavalos ressoavam longe quando batiam no chão de paralelepípedos. Bento Teodoro estava na ilha, portanto teriam que esperar até o amanhecer para cruzar o mar.

— Não — discordou Lucas. — Vejo doze barcos daqui, e um deles deve ser capaz de chegar à ilha.

— Os marujos não gostam de cruzar o mar de Angra durante a noite, bento, mas vão nos levar com o maior prazer assim que o sol nascer.

Lucas girou no cavalo, contrafeito com a negativa, e seu nervosismo foi transmitido ao animal, que ficou arisco e inquieto. Puxou a rédea para imobilizar a montaria, e o cavalo empinou uma vez. Lucas, agarrado às correias de couro, não se assustou. Sua capa revoou com o movimento brusco do equino e sua cota de ferro tilintou ao redor do seu pescoço. O homem puxou com mais firmeza e o cavalo parou.

— Não vou esperar o sol nascer, não tenho esse tempo. Devemos pegar Teodoro e partir antes do amanhecer, porque precisamos comer estrada ainda hoje.

Os soldados e os bentos entreolharam-se. Mal tinham chegado e precisavam dar descanso aos cavalos e ao próprio esqueleto, além de quererem uma noite dormida em um colchão.

Lucas estava louco.

— Não vou ficar em Angra, não vim aqui a passeio, nem estamos em uma excursão de veraneio. Me arranje um marujo que me leve até a ilha.

— Teodoro não vai querer sair no meio da noite. Ele não gosta de ser incomodado, senhor — disse Bernardo, um soldado local.

Lucas olhou para o homem barbudo que, pelas feições, chegava aos cinquenta anos.

— Ah, ele vai vir comigo, sim, senhor.

— Ele não gosta de levantar no meio da noite, fica com um mau humor terrível.

— Sorridente ou grunhindo, esse Teodoro vem comigo.

Bernardo ergueu os ombros.

— Então 'tá. O senhor é nosso salvador, discussão com o senhor é o que não quero. Vou arranjar um barco para os bentos, e os soldados ficam aguardando em terra.

— Como quiser, senhor — respondeu Lucas, desmontando o cavalo.

Francis e Vicente trocaram um sorriso. Lucas não conhecia a rabugice de Teodoro.

* * *

O motor a diesel do pequeno pesqueiro com quinze metros de comprimento batia cadenciado. Vicente e Edgar iam na cabine do capitão, enquanto Lucas e Francis iam no convés, olhando para o mar escuro à frente. As tochas flamejantes tremulavam ao sabor do vento.

Lucas recostou-se no mastro e fechou os olhos. Não sabia bem por quê, mas não se sentia bem dentro daquele barco, e outra vez seu peito era assaltado por sentimentos encobertos por lembranças perdidas no passado. Procurava manter os olhos fechados, pois quando estavam abertos buscavam por fantasmas na água e por alguém que não sabia quem poderia ser, que gostava do mar e aguardava ser buscado.

— Você não gosta de barco? — perguntou Francis.

Lucas olhou novamente para o mar negro.

— Não, não é isso.

— Você está com uma cara...

— Se eu conseguisse me lembrar das coisas da minha vida passada, ajudaria. Corretor de seguros de automóvel não tem muito a ver com mar... mas não é medo. É que o balanço do barco não me é estranho, parece que fiz muito isso na minha vida.

— Isso o quê?

— Navegar em barcos, e à noite.

Francis fez uma cara de estranheza e Lucas olhou para o alto. A lua derramava um pouco de luz sobre suas cabeças e o espetáculo de estrelas era de tirar o fôlego. Às vezes, queria ter tido uns dias de folga para conhecer o novo mundo melhor antes de enfiarem aquela espada em sua cintura e revelarem que era ele o tal salvador. As coisas estavam tão bonitas à sua volta! Mas por conta daquela aflição diuturna queimando seu peito e sua mente e por causa daqueles pesadelos desgraçadamente premonitórios, não conseguia apreciar quase nada, nem teria descanso enquanto não fizesse o que havia sido proposto e o que tinha que fazer. Francis continuava absorto em seus próprios pensamentos quando Lucas interveio:

— Você tem certeza de que quer que isso aconteça?

Francis soltou um suspiro, enquanto a embarcação chacoalhava, agitada por uma marola.

Tentava decifrar a pergunta do parceiro de jornada.

— Você está falando dos milagres?

— Estou falando disso tudo, dos milagres, das mudanças. Segundo Bispo, muita coisa vai acontecer depois dos milagres. Se lutarmos firmes e tudo se encaixar, vamos derrotar os vampiros, acabar com essa raça de sanguessugas.

— Se você está falando disso, sim, quero que isso aconteça.

Foi a vez de Lucas manter-se calado por um instante, olhando para a tocha que iluminava a proa. Eventualmente, entre um crepitar e outro, uma fagulha desprendia-se e vinha morrer no convés, aos seus pés.

— Estava me perguntando o que vai acontecer depois de acabarmos com essas criaturas — expôs o trigésimo.

— Acho que a vida vai voltar ao normal — murmurou o bento médico.

Lucas suspirou.

— É isso que eu estou tentando montar aqui, mas é como um quebra-cabeça, onde faltam algumas peças ou sobram outras, que não encaixam ou que não quero encaixar.

Vicente riu em baixo volume, deixando o ar escapar mais pelo nariz que pela boca.

— Essa conversa está ficando filosófica demais, Lucas. Você está aqui pra lutar e colocar os músculos para trabalhar, não por causa de sua cabeça.

— Eu pareço uma marionete empurrada para a boca de um dragão e sinto o hálito do bicho na minha cara. Às vezes, quero recuar, mas esses fios não me deixam ir para trás — falou, passando as mãos pelos cotovelos, fingindo encontrar ali fios que subiam e desapareciam no céu negro. — Um fantoche que vai levar todos até os quatro milagres, só não sei se é isso que quero. Tenho medo do que vai acontecer.

— Libertação, Lucas, é isso o que vai acontecer. Se acabar com os vampiros do mundo, poderemos voltar a viver em paz.

— Viver em paz é uma bênção. O que temo é voltarmos a viver como antes.

— Aonde você quer chegar com essa conversa? — perguntou Francis, colocando-se em pé para esticar as pernas e olhar Lucas nos olhos.

— Aqui dentro deste barco... olhando para esta água escura e procurando no mar alguma coisa do meu passado, por alguma razão, a porta do medo foi aberta no meu coração. Medo do passado, de tudo ser como era antes.

— Sei.

— Quando acordei aqui, neste novo mundo, Deus do céu! Parecia um pesadelo! Não sabia quem eu era, e ainda não sei direito como foi minha vida, mas eu me lembro do sentimento do velho mundo, do medo do próximo, de andar na rua à noite por causa do semelhante, da maldade que tomava o coração de todos. Éramos muito egoístas, e o terror instaurado pela violência nos moldava assim, infelizes e assustados.

— Qual é a grande diferença hoje, Lucas?

— A grande diferença é que em cada vila que chegamos, percebo o povo unido, um cuidando do outro. Tem gente que vela o sono dos que dormem. De dia, vocês se organizaram de uma forma impressionante, todos trabalham para o bem comum e não existe aquele medo entre os iguais, só dos noturnos.

— Aí é que você se engana — Francis exclamou. — Também temos problemas com os que não se ajustam, com os malditos mulos que preferem viver entre os vampiros e servirem de escravos a viver em comunidade.

— Mas esses são poucos, e talvez seja esse tipo de pessoa que irá reacender os vícios do passado.

— Qual é o ponto, exatamente?

— Acho que depois que nos vermos livres do mal dos vampiros, vamos relaxar e nos voltar para os próprios umbigos, ver o que temos ao nosso redor e pensar em como tirar o melhor proveito disso em causa própria. Vamos esquecer que estivemos juntos, atrás de muros, cuidando uns dos outros, e estaremos livres para começar mais uma vez a corrida do progresso, restabelecer os confortos e tecnologias. Vamos esquecer a igualdade, e será aí, meu amigo, que o caldo vai entornar: quando voltarmos a achar que uns são mais que outros, quando começarmos a nos achar diferentes e separarmos os que merecem mais dos que merecem menos. Então o verdadeiro medo vai voltar.

— Acho que eu preciso de um trago. — Foi a vez de Lucas rir baixinho. — Porra! Você vai longe, hein, cara? Acho que vou pular do barco e me afogar por aqui, assim economizo tempo — brincou Francis.

— Só estava pensando, cara...

Uma hora e meia depois de deixar o porto de Angra dos Reis, o pequeno pesqueiro aproximou-se do cais da praia do Abraão. Lucas percebeu o barco alinhando-se a uma fileira de tochas que foram acesas uma a uma. O motor continuou com o toc-toc grave e aproximou-se vagarosamente, juntando-se ao murmúrio das águas, até bater com suavidade na praia. Um rojão de explosão única espocou no céu, avisando os habitantes de Ilha Grande que amigos chegavam ao porto.

O capitão, um senhor com mais de sessenta anos, encostou a embarcação junto à doca. O pesqueiro tocou o concreto do atracadouro, batendo levemente nas fileiras de pneus que serviam de amortecedores para a amurada. Bernardo já estava a postos e, quando o pesqueiro se juntou ao cais, arremessou uma corda a uma estaca de madeira, prendendo o barco à ilha. Depois, puxou uma tábua estreita, com uma dúzia de ripas horizontais pregadas que fariam as vezes de degraus. Ajudou Vicente a firmar-se na tábua, e ele foi o primeiro bento a desembarcar. Lucas foi o próximo, seguido por Francis e, por fim, Bernardo também chegou ao cais. As primeiras pessoas começavam a aparecer.

— O capitão não vem? — perguntou Francis.

— Não, ele não gosta de deixar o barco. Vai cuidar dele para nós — respondeu o acompanhante barbudo.

Alguns dos moradores da ilha chegaram ao cais, rindo e conversando alto.

— Bento Vicente! Que bons ventos o trazem para este canto esquecido?

A entusiasmada cidadã era Joana, líder dos soldados de Ilha Grande. Tinha um metro e setenta, corpo magro e pele morena queimada de sol, como a grande maioria dos cidadãos daquela região. Os olhos cor de mel foram mostrados pela luz do lampião a querosene que vinha em sua mão. Lucas sentiu um frio na barriga. Como era bonita!

— Viemos atrás de bento Teodoro, Joana.

— Para que a pressa? — perguntou a mulher, franzindo a testa. — Os marinheiros não gostam de cruzar o mar a essa hora.

— Está vendo aquele magrelo ali? — perguntou, apontando para Lucas.

A mulher pousou os olhos no bento.

— Ele é o trigésimo, Joana. Foi ele que o destino nos deu para a libertação.

— Ele? — perguntou a mulher, ainda com as sobrancelhas erguidas.

— Ele mesmo.

Lucas aproximou-se, vindo para a luz do lampião.

— Seja bem-vindo, bento. Qual é sua graça? — perguntou a mulher, educadamente, abrindo um sorriso.

— Lucas.

A mulher sorriu ainda mais.

— Bonito nome para um salvador.

Lucas retribuiu o sorriso.

— Espero que, além de predestinado, você seja sortudo e paciente.

Bernardo riu do comentário da mulher.

— Paciente principalmente — completou o morador de Angra.

Lucas buscou os olhos de Francis e de Vicente, que sorriam e trocavam gracejos entre si.

— Me levem até bento Teodoro, porque eu preciso continuar meu caminho.

Joana guiou os visitantes, deixando o cais, e a luz do lampião juntou-se a outras que iluminavam um pátio de chão batido em frente a uma pequena igreja. Atravessaram o lugar enquanto Bernardo deixou o grupo e foi falar com os soldados da vila. Logo, todos souberam quem era Lucas e o que fazia ali. O comum burburinho começou, e muitos soldados correram pelas vielas atrás da igreja para dar as boas-novas aos moradores da vila.

Joana parou em frente à igreja e bateu na grossa porta de madeira, mas nenhum barulho veio de dentro. Lucas começou a ser rodeado por pessoas sorridentes que lhe estendiam a mão, querendo cumprimentá-lo e tocá-lo. O festejado trigésimo bento tentava agradar aos impressionados e felizes moradores da ilha, retornando sorrisos e apertos de mão. Vicente empertigou-se ao perceber o guerreiro incomodado e acuado, encostado contra a parede externa da igreja. Joana insistiu, batendo com mais violência contra a entrada da igreja, até que a porta rangeu e abriu. Uma garota aparentando menos de vinte anos surgiu no estreito vão, esfregou os olhos vermelhos e pesados de sono e encarou Joana.

— Cadê Teodoro, garota?

A menina loira coçou a cabeça.

— Acho que ele está dormindo. Que horas são, delegada?

Joana não respondeu e empurrou a porta. Surpresa, a garota cambaleou para trás. Lucas e Francis entraram atrás da líder dos soldados, enquanto Vicente ficou na porta, impedindo que os curiosos entrassem e se esfregassem no trigésimo bento. Lucas olhou para a garota que se recostara em um velho e inutilizável banco de igreja. Tinha o corpo magro e seios pequenos, cobertos por um tecido leve e translúcido. Não sabia dizer que espécie de roupa era aquela, se uma camisola ou algo imitando uma batina. Joana caminhou até o meio do salão da igreja que, por não ser grande, conseguia ser iluminado pela luz da lamparina. Lucas inspirou fundo a fumaça que inundava a nave, e pensou que alguém deveria estar queimando um incenso... mas aquele cheiro adocicado... aquilo não era incenso.

— Maconha — sussurrou Francis em seu ouvido.

Lucas levantou um sorriso de canto de boca. Joana caminhou até o altar, onde, na parede dos fundos do salão, existia meia dúzia de velas de sete dias acesas. Uma grande cruz de madeira com Cristo crucificado estava fixada no alto, no chão, de onde o padre haveria de ter rezado suas missas enquanto a igreja funcionou. Não existia mais oratório, nem balcão, nem nada, apenas um grande colchão jogado no chão onde repousava um homem.

— Teodoro! — chamou Joana. Nenhuma resposta. — Teodoro!! — chamou mais alto. O homem apenas resmungou, e Lucas aproximou-se. O cheiro da erva ficou mais forte, e a luz da lamparina revelou uma série de pontas de cigarro no chão, além do que parecia um resto de fumaça que pairava no ar, formando uma nuvem rala. Duas garrafas de bebida estavam ao lado da cama e um cheiro azedo vinha do colchão. Sobre ele e cobertores surpreendentemente limpos, havia um corpo encaracolado.

Para surpresa dos três visitantes, que julgavam que Teodoro estivesse adormecido, o homem de repente desencaracolou-se e colocou-se de joelhos. Abriu a boca e deixou uma grossa cortina de fumaça escapar, que atingiu Lucas e Francis em cheio. Lucas abanou a mão livrando o rosto daquela nuvem. Não era adepto da erva, mas gostava daquele cheiro, só não da situação. O bento que viera buscar lhe parecia um viciado.

— Que zona é essa na minha casa? — perguntou o bento após exalar a tragada.

Teodoro colocou-se em pé. Era um homem magro, com feições de quem já passava dos quarenta anos, e alto, com cerca de um metro e noventa, parecendo maior ainda por estar na parte elevada do salão, três degraus acima de Lucas e Francis. Tinha os cabelos vermelhos trançados ao estilo rastafári e uma barba cheia e ruiva, com pontas desiguais. Do indumento dos bentos, trajava apenas a calça negra e o saiote verde-escuro. O peito nu revelava uma série de curtas cicatrizes, e, na mão esquerda, em vez da espada, segurava um bastão pardo. Encarou os visitantes mais um segundo e, em seguida, levou o bastão até a boca. A ponta tornou-se incandescente enquanto o bento puxava o ar daquele baseado gigante!

— Pare de fumar essa merda, Teodoro. Eles vieram buscar você.

O bento segurou a fumaça no peito um instante e seus olhos, tomados por um vermelho sanguíneo, saíram de Joana e fitaram os guerreiros por um momento. Soltou mais uma vez a coluna de fumaça na direção do rosto dos dois.

— O que vocês estão fazendo aqui? — perguntou.

— Ponha seus trajes, Teodoro. Vamos partir.

Teodoro encarou Francis um instante.

— Partir para onde? Eu fumo e é você que fica maluco?

— Este aqui ao meu lado é bento Lucas, o trigésimo.

Os olhos de Teodoro ficaram estáticos por um segundo, depois arregalaram-se aos poucos.

— Caralho! — exclamou por fim, levando o baseado mais uma vez à boca.

— Precisamos de você no nosso grupo. Um barco espera para sermos levados de volta a Angra e partimos antes do amanhecer.

— Para que a pressa? Este barato me dá uma fome do cão.

Lucas olhou impaciente para Francis. Tinham que voltar logo.

— Vivi! — berrou o bento.

A garota loura aproximou-se.

— Vá até o cozinheiro e peça que me faça um bife a cavalo.

A loura ficou imóvel, olhando abobada para o bento.

— Sabe que horas são? — perguntou Joana.

— Estou me lixando para a hora, mulher. Vai, Vivi, mande fazer meu bife.

— Não temos tempo para o bife — falou Lucas.

Teodoro tirou os olhos do rebolado de Vivi, que saía da igreja, e encarou Lucas, descendo os três degraus que os separavam.

— *Você* não tem tempo, bicho. Eu tenho todo o tempo do mundo.

— Vamos juntar os trinta bentos, Teodoro, e precisamos que colabore — acrescentou Francis.

Teodoro girou lentamente sobre o próprio corpo.

— Aqui tem espaço mais que suficiente para juntar trinta bentos. Há! Há! Há! — riu o bento ruivo.

Lucas mais uma vez olhou para Francis.

— Pode trazer o resto para cá, eu espero enquanto como meu bife a cavalo e fumo meu bagulho. Há! Há! — Bento Teodoro deu outra tragada no baseado, sentando-se esparramado nos degraus da escada para o altar — Não saio daqui nem a pau.

— Vai sair — disse secamente Lucas.

— Nã-não — grunhiu o bento, balançando negativamente a cabeça.

— Tenho 23 soldados famintos e cansados esperando em Angra para continuarmos viagem. Não vou te dar o luxo de fazê-los esperar por seu bife a cavalo. Você vai comigo e vai agora.

Teodoro começou a gargalhar, deitando-se nos degraus. Lucas desembainhou a espada sob os olhares nervosos de Joana e Francis. Teodoro continuou rindo e sentou-se olhando para o trigésimo bento. Ergueu a mão para outra tragada, mas antes que chegasse à boca, a lâmina da espada de Lucas cruzou o ar e atingiu o cigarro em sua mão. O bento viu sobrar um naco do que fora seu baseado e olhou seriamente para Lucas.

— Encarnado ou desencarnado, você vem comigo. Isso não é uma opção.

— Posso levar bagagem? — perguntou Teodoro, com a voz assustada.

— Pode.

— Joana?

A soldada de Ilha Grande saiu detrás de Francis, colocando-se no campo de visão do bento ruivo.

— Pede para cancelar meu bife — Teodoro inspirou fundo, jogando as tranças vermelhas para trás dos ombros, e tornou a olhar para Lucas. — Quantas mochilas posso levar?

— Uma.

Teodoro andou até o altar, em direção a uma porta que levaria ao que teria sido a sacristia e voltou com uma mochila velha de lona. Sem cerimônia alguma, abriu a boca da mochila e despejou seu conteúdo empoeirado no chão. Os bentos acompanharam a atitude sem exclamar uma palavra. Teodoro encarou a todos por um instante e depois caminhou até um caixote de tábuas pregadas. Ergueu a tampa presa com dobradiças e do interior começou a retirar tufos e tufos de erva emaranhada, acondicionando-as na mochila de lona. Repetiu as mãozadas até que a mochila estivesse estufada, cheia até a boca. Prensou o quanto pôde o conteúdo, a fim de fazer caber ainda mais alguns punhados e, no fim, puxou um cordão de lona, espremendo a boca da mochila para que nada caísse para fora. Prendeu o fecho de lona com uma fivela e jogou a mochila nas costas diante dos estupefatos visitantes.

— Tô pronto, mané, vambora.

CAPÍTULO 40

Elton foi o primeiro a notar a coluna de fumaça subindo no meio da floresta e conduziu seu cavalo até bento Edgar, apontando para o sinal, um ponto distante mata adentro. Teodoro, emburrado, notou o dedo do soldado e colocou a mão em concha sobre os olhos protegendo a visão do sol. O sinal de fumaça negra indicava um incêndio. Lucas olhou para a coluna empurrada suavemente pelo vento, formando um ângulo de 50 graus da linha do horizonte, e parou, fazendo com que toda a comitiva também parasse na estrada.

Teodoro abriu a mochila presa do lado direito da cela, de dentro da qual escapou um tufo de erva. Apanhou um pequeno punhado e voltou a fechar a mochila. Com a mão direita, tirou de dentro do forro da luva esquerda um pedaço de papel, onde acomodou a erva e passou a enrolar um cigarro.

Lucas voltou a cavalgar lentamente, pois o grupo estava cansado. Havia quatro dias tinham deixado Angra dos Reis, rumando para o Norte, em busca de mais irmãos bentos. O próximo da lista era Dimas, guerreiro que guardava uma fortificação a dois dias ao norte de Belo Horizonte. Depois de apanhar o malcriado e metido a besta Teodoro "Bob Marley Fuma Tudo", tinham desviado da capital do estado. O Rio de Janeiro não era mais lindo, nem cheio de graça. O Cristo Redentor abria os braços sobre outra metrópole-túmulo, abandonada pelos mortais depois da grande mudança. Também não se aproximariam muito da velha Belo Horizonte. A Afonso Pena não contava mais com a noite borbulhante e cheia de agito dos bares e das casas noturnas e agora era abrigo de malditos que buscavam humanos para tomarem-lhes o sangue. Lucas já tinha percorrido cerca de cem metros, absorto nesses pensamentos, quando ouviu um chamado e voltou os olhos para os homens do bando. Continuavam marchando, e os veículos motorizados ganhavam velocidade. Lucas ouviu novamente, mas não era a voz de nenhum deles, e sim uma mulher. Na segunda vez, era a voz de uma garotinha. Os homens avançavam. Lucas foi ficando para trás, e ao seu lado, bento Vicente, guardando-o. Foi ele quem reparou primeiro na nova parada de Lucas, que o encarou.

— Vicente, você ouviu essa voz? — perguntou o guerreiro.

Bento

— O quê?

— Uma voz, de menina... — murmurou Lucas, puxando suavemente a rédea do cavalo e fazendo o animal girar no mesmo lugar.

Alertados, logo à frente, os homens pararam mais uma vez para aguardar Lucas, que sentiu os pelos se arrepiarem da cabeça aos pés. Olhou para a coluna de fumaça negra, ouvindo o pedido de socorro mais uma vez.

— Você ouviu agora?

Vicente ergueu os ombros, declarando que não tinha ouvido nada.

— Lá, de onde vem a fumaça, tem alguém em perigo.

— Nesta terra, velho, qualquer um que estiver pra fora dos muros está em perigo.

— Ouvi alguém, Vicente, estão me chamando!

— Corta essa! Estamos rumando para a próxima cidade, sem descanso, sem parar nem para comer. É por isso que você está ouvindo vozes na sua cabeça.

Lucas agitou-se sobre o cavalo, desmontou, colocando a mão em concha sobre os olhos, tentando enxergar para dentro da floresta que cercava a rodovia.

— Vamos até lá, Vicente, tem alguém em perigo, sim.

O ruivo Teodoro juntou-se à dupla, ouvindo a última frase do trigésimo bento.

— Você está maluco, achando que vamos entrar nessa mata? — exclamou, dando uma tragada no cigarro de palha.

Lucas nada disse e olhou para Francis, que se aproximava com os olhos fundos devido à marcha incessante, bem cansado.

— Ouvi alguém chamando e vem da direção daquele incêndio. Lá tem alguém precisando de ajuda.

— Esqueça, ô salvador. Desencana desse negócio de salvar tudo toda hora.

Lucas olhou para Teodoro, que continuou falando alto:

— Não vou deixar ninguém entrar atrás de você nesse pedaço. Aqui é território dos kongs.

— Kongs? — repetiu Lucas, confuso.

— É, tem uma faixa de três quilômetros de mata até chegarmos a uma campina vasta, deve ter sido uma floresta ou sei lá o que no passado. Depois volta a ser mata novamente, bem perto de onde você vê aquela fumaça subindo, e tem uma cidade lá, não lembro o nome. Aquele pedaço é tomado pelos kongs.

Lucas continuou olhando para Teodoro, sem entender o que ele queria dizer com aquela palavra.

— Deus do céu! Ninguém falou para esse otário o que os kongs são?

— Não — interferiu Francis. — Ninguém falou para o otário, porque ninguém é otário para entrar no território desses bichos. E dobre a língua para falar do trigésimo.

Vicente também mantinha os olhos sobre Teodoro. O jeito assoberbado daquele ruivo esculachado de falar com Lucas lhe fervia o sangue.

— Kongs, salvador, é o jeito que chamamos os bandos de gorilas assassinos que vivem nas matas.

— Gorilas?

— É.

— De onde surgiu isso? — insistiu Lucas, confuso.

— Dos zoológicos, cabeção. Quando o negócio despirocou de vez, uns malucos foram até os zoológicos libertar a bicharada que estava morrendo enjaulada. Graças a Deus, um par de espécies acabou se fodendo mesmo fora do xadrez, mas outros, feitos os kongs, se deram bem nas matas e se espalharam feito praga.

Lucas olhou para a fumaça e mais uma vez ouviu uma voz chorosa. Desembainhou a espada e Teodoro deu dois passos para trás.

— Agora não adianta essa sua tática psicopata, não, meu irmão, porque nem desencarnado eu entro nessa porra de mata cheia de kong.

Lucas não deu ouvidos a Teodoro. Os soldados tinham se amontoado na beira da estrada, esperando alguma decisão do trigésimo, e o viram descer o acostamento para dentro da floresta. Teodoro ergueu os olhos para o céu.

— Quem foi que botou esse maluco no comando? — perguntou aos berros.

Vicente aproximou-se para tentar fazer aquele insolente parar. O bento grandalhão agarrou a garganta do ruivo e apertou-a, fazendo o baseado cair da boca do agredido. Teodoro gemeu, tentou desvencilhar-se do aperto de Vicente, mas perdeu as forças com a falta de ar.

— Escuta aqui, ô maconheiro de uma figa. Até juntarmos o resto dos bentos, quero que você fique com a boca limpa e sem chupar mais dessas merdas. Se eu pegar você bem louco mais uma vez ou com falta de respeito com o bento Lucas, arranco seu saco fora a marteladas! Entendeu?

Teodoro, pálido, fez que sim com um rápido movimento de cabeça. Vicente soltou o bento ruivo, que foi ao chão, tossindo em busca de ar para o pulmão, e desceu atrás dos demais, sem olhar para Teodoro, pouco se importando se o tinha machucado seriamente ou não. Os soldados que haviam assistido à cena desceram o barranco do acostamento em direção à floresta, não conseguindo conter uma série de risadas e comentários engraçados. Alicate, passando ao lado de Teodoro,

Bento

que se sentava colocando a mão no pescoço para aliviar a dor na pele esmagada, não conseguiu conter o comentário:

— Está vendo? Minha mãe sempre dizia que fumar essas porcarias faz um mal danado para a saúde.

Os soldados que tinham escutado o gracejo riram alto. Teodoro ruminou uma série de impropérios, ficando em pé. Bateu as mãos enluvadas na capa vermelha, tirando as folhas secas que tinham se agarrado ao tecido. Era o último da fila, mas, resistente, desceu o morro juntando-se à marcha mata adentro.

* * *

Lucas e seus homens transpuseram a extensa faixa de árvores, chegando a uma imensa campina. O terreno era curvo e contava com uma pastagem verde e exuberante, rasteira, lembrando uma fazenda de pasto bem tratado. A coluna de fumaça negra, subindo inclinada e girando com o vento, ia tornando-se mais larga à medida que se aproximavam, mas a caminhada ainda seria longa.

Os soldados tinham deixado as armas a postos. Carlos e Alicate, caminhando junto do soldado Elton, traziam seus fuzis prontos para disparar. Nunca tinham visto os gorilas que assombravam aquelas matas na porção sudeste de Minas Gerais, mas as histórias que tinham ouvido eram de arrepiar. Não bastava o medo das criaturas da escuridão, quando cruzavam aquela região tinham de temer também os kongs soltos na mata. Diziam que eles se reuniam em bandos numerosos e defendiam o território atacando os visitantes incautos. Por ora, Alicate estava satisfeito, pois não tinha visto nem ouvido nada de diferente. O tapete verde estendia-se centenas de metros à frente, depois, bem mais perto da assombrosa coluna de fumaça, a floresta recomeçava. De onde estavam, caso avistassem qualquer gorila, teriam tempo de abatê-lo ou, o que seria melhor, voltar e não xeretar no terreno daqueles bichos.

Lucas estava intrigado por não ouvir mais a voz da mulher. Mordiscou o lábio. Mulher? Parecia uma criança também, em vozes vindas no ar, surgidas em sua cabeça. Olhou para trás e viu os soldados e os bentos acompanhando sua marcha atrás de algo desconhecido. Estava desviando aqueles 49 homens do caminho. Contudo, carregando sua espada na mão, lembrava-se da voz do Bispo em um sonho que agora lhe parecia distante, apesar de ter certeza de que havia sonhado poucos dias atrás, ressonando debaixo de uma árvore. O Bispo, com o rosto jovem, tinha falado alguma coisa sobre sua espada não negar ajuda. Raios! Desgraça de mundo maldito! Por que tinha que existir aquilo e ser pego por aquelas vozes na cabeça, feito um maluco? Tinha escutado alguma mulher ou criança pedindo ajuda, vindo como um sopro, da direção da fumaça. O guerreiro ergueu os olhos para o céu, onde a coluna negra parecia tombar sobre suas cabeças e eclipsar uma porção do sol, formando uma sombra fresca sobre o caminho. Lucas olhou para trás mais uma vez. Os soldados caminhavam atentos, com as armas erguidas para o caso de avistarem kongs.

O soldado Gabriel andava com firmeza, fazendo as botas afundarem no pasto, e olhava atentamente para o caminho. Detestava aquele tipo de vegetação, que era o esconderijo perfeito para cobras rasteiras espreitarem o próximo passo, por isso fazia questão de usar aquelas botas altas. A maioria das picadas ofídicas ocorriam abaixo do joelho, na canela, na panturrilha, portanto tinha também uma faca na cintura. Se alguma peçonhenta pensasse em qualquer gracinha, terminaria sem cabeça. Gabriel ergueu os olhos e viu as capas vermelhas dos quatro bentos tremularem, empurradas pelo vento. O quinto deles, bento Francis, não trazia capa na sua indumentária, mas seu peito de prata refletindo a luz do sol era igualmente hipnotizante. Suspirou, lembrando-se dos bentos derrubados na emboscada da Teodoro Sampaio.

Levaram vinte minutos para reentrar na floresta, onde, debaixo das árvores, a temperatura estava bem mais baixa e o ar, mais úmido. O sol não ardia sobre suas cabeças, mas talvez preferissem permanecer com o astro dourado queimando o coco a ficar com a visibilidade tão reduzida. Lucas guiava-se corretamente olhando para cima, para as copas das árvores, e seguindo o trilho cada vez mais grosso de fumaça. Os 49 homens provocavam barulho com o avanço, fazendo com que os pássaros se agitassem e piassem, e amassavam folhas sob os pés a cada passo à frente. Qualquer barulho mais suspeito levava os olhos arregalados dos soldados para o meio das árvores. Poderiam topar com tudo, só não queriam bater os olhos em um amontoado de pelos negros, de braços longos e fortes, chateados com a invasão de seu território.

Perseguindo o trilho negro de fumaça, Lucas acabou dando em uma estrada de terra, tomada nas beiradas pelo mato alto, que deveria servir de ligação do povoado mencionado por Teodoro com a grande rodovia deixada para trás. O trigésimo guerreiro enxugou o suor da testa, pois o mormaço fazia o corpo cozinhar dentro daquela armadura.

Se soubesse daquela estrada de terra teria vindo com o cavalo, fora precipitado, e nem ouvia mais a voz. O cheiro de queimado entrava pelas narinas. A largura da coluna de fumaça era surpreendente, alguma coisa grande tinha se incendiado. Olhou para trás, encarando os homens que se enfileiravam no estreito leito do

Bento

caminho. O mato passava folgado acima da cabeça de Vicente, funcionando quase como um túnel verde. A crista da vegetação balançava suavemente, empurrada pelo vento leve. Lucas olhou para a frente e prosseguiu com a marcha, encabeçando o grupo, abrindo espaço no mato com sua espada.

Oswaldo, um soldado baixo e encorpado, era o último da fila. Não se questionava por que diacho estava ali, no meio do mato, seguindo Lucas, mas seguia impressionado com aquela coluna de fumaça girando lentamente no ar, sendo carregada por cima de suas cabeças. O que teria acontecido? Essa região era abandonada, mas talvez alguém cruzando de uma fortificação para outra tivesse se perdido e dado ali. Virou-se para trás abruptamente, empunhando uma espingarda calibre 12, e perscrutou o mato, mantendo o cano da espingarda apontado para onde olhava, pois tinha tido a impressão de ouvir passos atrás. O falatório dos soldados caminhando à frente era intenso, cheio de cochichos para espantar o nervosismo, mas era baixo o suficiente para não chamar a atenção, pois ninguém queria topar com gorila a essa altura do campeonato. Ideia besta de terem soltado esses bichos do zoológico. Tiveram piedade dos animais encarcerados e esquecidos nas jaulas, mas agora os escrotos não pareciam estar afim de retribuir a gentileza, pois já tinha escutado mais de uma história de soldados apanhados pelas feras.

Tinha ouvido Jorge contar a história em uma festa de São João, sobre dois soldados sobreviventes a um desses *rendez-vouz* que aconteceram em sua cidade. Armaram logo uma equipe de resgate, mas, quando chegaram, pouco tinha sobrado para resgatar. Jorge disse que os pedaços dos soldados foram encontrados espalhados por mais de três quilômetros, a coisa mais feia. Um braço aqui, uma cabeça ali, e talvez um corpo tivesse sido achado naquela estrada de terra. Oswaldo estacou e arrepiou-se da cabeça aos pés, olhando para trás mais uma vez. Os soldados estavam ganhando distância. Oswaldo não se lembrava direito, mas Jorge tinha dito alguma coisa sobre aquela estrada de terra, algo ruim, e tinham que avisar bento Vicente. A estrada de terra não era o melhor lugar para estar.

Lucas cortou mais um tufo de mato à sua frente e os filetes verdes caíram no chão, dando visão do caminho. O mato abrandou e a estrada acabou em um descampado de terra vermelha, um largo poeirento que lembrava um imenso campo de futebol de várzea. Depois desse descampado, surgiam as primeiras construções abandonadas do que fora uma pequena cidade do interior da zona da mata de Minas Gerais. Lucas avançou para o descampado, com Vicente estava bem às suas costas, pronto para defendê-lo. Os soldados foram saindo da trilha, deixando os olhos pousarem na cidadezinha, procurando saber de onde vinha tanta fumaça. Nas ruas do vilarejo, a fumaça cruzava no nível do chão, atrapalhando cada vez mais a visão conforme iam adentrando o território. Lucas procurava o foco do incêndio, quando ouviu outra vez uma voz feminina gritando, pedindo socorro. Olhou surpreso para Vicente, que também tinha os olhos arregalados.

— Desta vez eu ouvi, Lucas!

O trigésimo guerreiro apurou os ouvidos e mais uma vez ouviu a voz feminina. Correu na direção do chamado e os soldados agitaram-se, apertando o passo para seguir de perto o guerreiro. Lucas cruzou duas ruas de terra em direção à base da coluna de fumaça, apressado, agarrado por aquele pedido de socorro desesperado. Chegou à igreja matriz da cidade, um prédio grande demais para um vilarejo daquele tamanho. Em frente à igreja, havia uma grande praça e, depois dela, o local do incêndio: três galpões imensos, desproporcionais se comparados ao que seriam prédios comerciais que um dia funcionaram naquele lugar desabitado. Dos três gigantes, só havia sobrado o imponente esqueleto de concreto e, sob ele, o resto negro e incinerado de um canavial. Cinzas revoavam pelo céu, atravessando a praça e enegrecendo o chão, e um cheiro peculiar de melado tomava toda a área. A fumaça escura não saía do canavial, e Lucas andou mais para a frente, vendo que algum material estranho ardia junto à cana-de-açúcar, parecendo antigas embalagens de plásticos e lixo.

Os soldados agruparam-se, formando uma linha nas laterais do trigésimo bento. A coluna de fumaça, assim, tão de perto, era impressionante, e as cinzas caíam sobre suas cabeças feito flocos de neve. O último a entrar na praça foi Matias, o rapaz que trabalhava no Time da Memória e trocara um dedo de prosa com Lucas, revelando sua veneração pelo bento. Matias também estava impressionado com a quantidade e com o cheiro da fumaça e virou-se para comentar com Oswaldo, que deveria fechar a fila do pelotão. Franziu a testa, porque desde a estrada de terra cercada de mato não via o colega de jornada. Percorreu os outros com os olhos e viu que Oswaldo estava faltando. Olhou para trás, para a rua por onde vieram.

Lucas ouviu mais uma vez a voz que vinha do meio da fumaça. Avançou em direção aos galpões incinerados, e entre o primeiro e o segundo, em um dos rebuliços da fumaça, viu alguma coisa. Caminhou determinado para a beira da cana negra esturricada e avistou uma torre atrás dos galpões, com uma caixa-d'água. Era de lá que vinha o chamado de socorro. Lucas começou a correr para contornar o imenso galpão, pois deveria haver uma forma de chegar à caixa-d'água evitando as brasas e o fogo.

Matias voltou alguns passos pela rua lateral à igreja e nem tinha visto Lucas se afastar, levando os soldados consigo. Estava com a pulga atrás da orelha, pois

Bento

se Oswaldo não estava logo atrás, deveria estar vindo, talvez tivesse torcido o pé. Subiu de volta até o fim da rua, e, tirando o barulho dos soldados e dos bentos correndo pela praça e o crepitar distante das brasas e do fogo, não ouvia nada de anormal. O vento soprou de cima para baixo, jogando fumaça negra pela praça, encobrindo a igreja e as casas. Matias virou-se para olhar para os colegas e viu que a nuvem escura diminuiu sua visibilidade a pouco mais de cinco metros. Os amigos eram espectros distantes, desaparecendo no nevoeiro. Voltou-se no sentido da estrada de terra e não via Oswaldo, mas algo gordo e forte se mexendo, o vulto de um homem que não era seu amigo pequeno e magro. O vento voltou ao curso normal, a fumaça foi sendo arrastada para o céu, desfazendo a cortina diante de seus olhos, e ele pôde ver com clareza. Recuou dois passos e seu coração acelerou, porque a coisa corria em sua direção. Não era um homem, era um gorila!

* * *

Lucas chegou aos fundos do primeiro galpão. Tossia, incomodado com a fumaça, e os olhos começavam a arder. Bento Francis aproximou-se.

— O que você quer aqui, Lucas? Não tem nada no meio dessa brasa toda.

— Você não ouviu a voz?

Francis fez que não com a cabeça e curvou-se em um acesso de tosse.

— Vamos sair daqui antes que acabemos sufocados.

Lucas olhou de novo para a torre da caixa-d'água. A estrutura era feita de cimento e uma escada de metal subia pela lateral. A cisterna também parecia feita de ferro e, no topo, subia a haste longa de um para-raios, ligado ao solo por um cabo de aço. O grosso da fumaça vinha de trás da caixa-d'água, afastada uns vinte metros. Quando o vento soprava mais forte ou de cima para baixo, como fizera há pouco, a fumaceira encobria a torre e os homens, fazendo a comitiva entrar em acessos de tosse e falta de ar. Lucas embainhou a espada e esperou a fumaça ser arrastada para cima novamente, então disparou a correr em direção à torre. A sola dos pés esmagava as brasas e, na metade do caminho, sentiu a sola da bota esquentar. Alcançou uma passarela de concreto, livre do lixo e dos restos queimados de cana-de-açúcar, e aproximou-se da base da torre. Não ouvia mais voz alguma, mas sabia que o chamado tinha vindo de lá. Os bentos Vicente e Francis corriam logo atrás, e Lucas chegou ao pé da escada de ferro, que estava quente. Começava a subi-la quando ouviu a gritaria.

* * *

Matias correu de volta à praça da igreja. Caralho! Era um kong dos grandes! O animal começou a emitir guinchos nas suas costas, e ele não parou para olhar para trás e ver quão perto o bicho estava, queria era sumir dali o mais rápido possível. Chegou ao meio da praça e já podia ver os companheiros quando, do meio de uma lufada de fumaça, outro gorila surgiu no seu campo de visão, vindo do seu lado direito. Matias ergueu o fuzil e deu um disparo único, mirando o ombro da fera para tirá-la do caminho. Ouviu um urro de dor quando o macaco tombou. Os últimos soldados pararam e olharam para trás, surpresos com os disparos, e viram Matias saltando sobre o braço peludo de um gorila.

— Kongs! — gritou Alicate.

Os soldados empunharam suas armas, na intenção de proteger Matias. Do meio da fumaça, que lambia o chão da praça, foram surgindo cada vez mais silhuetas escuras, gingando o corpo e avançando com velocidade.

— Não atirem! Corram! — gritava Matias, aproximando-se do grupo.

Os soldados, que esperaram o rapaz em apuros, correram na direção pela qual os bentos tinham ido, juntando-se aos demais. Ouviam os urros das feras vindo rapidamente logo atrás. Quando contornaram o primeiro esqueleto de galpão, viram a capa vermelha de Lucas tremulando, jogada de lado pelo vento. Estava na metade da escada, com Vicente logo atrás. Alguns soldados subiam, enquanto Francis e Teodoro ajudavam os que ainda estavam no chão a alcançar a escada de ferro.

— Os gorilas estão vindo! — gritou Matias.

Os soldados e os bentos olharam para trás, para a rua de terra. Assim que Matias e os homens restantes alcançaram o trilho de concreto, viram surgir na rua um bando de macacos, que pararam quando se depararam com os homens. Formaram um semicírculo junto ao trilho de concreto e começaram a bater com os punhos nos peitos, urrando nervosos.

— Não atirem! — gritou mais uma vez Matias, ouvindo os homens engatilhando as armas. — São só macacos!

Teodoro tirou sua espada da bainha.

— Só macacos assassinos, só isso... — murmurou.

Matias alcançou o pé da escada, e os gorilas não subiram nas brasas, mantiveram-se na rua de terra. A cada instante, chegavam mais. Os soldados foram subindo a escada de ferro, que era estreita, talvez o suficiente para que os gorilas não trepassem atrás deles. Teodoro viu o número de feras crescer. Já devia passar de trinta gorilas, batendo no peito e andando nervosamente na beira da estrada de terra. Mordeu a unha do dedo mindinho, nervoso.

Bento

* * *

Lucas tinha alcançado o final da primeira escada, que dava em um cercado que corria ao redor da caixa-d'água. Na face oposta de onde saiu, o bento encontrou outra escada, que subia até o topo do reservatório. Apesar de ter escutado os disparos lá de baixo, tinha que chegar ao topo da caixa-d'água o mais rápido possível, guiado por uma urgência sobre-humana. Subiu a nova escada e, ali, o vento soprava com mais força, produzindo um zumbido em seus ouvidos. A fumaça veio em sua direção, fazendo os olhos arderem novamente, mas mesmo com fumaça, vento e barulho de tiros, Lucas não perdeu um segundo. Suas mãos agarravam cada novo degrau, colocando-o mais próximo de onde acreditava ter ouvido aqueles chamados de socorro. Olhou para o horizonte, tentando enxergar a rodovia onde haviam deixado os veículos, mas estavam muito longe... Mesmo que houvesse alguém gritando ali de cima, teria conseguido ouvir? Com certeza, não. Chegou ao teto de zinco da caixa-d'água. A escada terminava em um tipo de portinhola, semelhante a uma escotilha.

* * *

Matias e os demais estavam ao pé da torre, e os gorilas continuavam juntando-se na beira da rua de terra, já devendo somar oitenta. Bento Francis percebeu que um deles possuía peitos proeminentes, mamas redondas, só podia ser uma fêmea. Assim que ela passou e virou-se, confirmou sua suspeita ao ver um filhote agarrado às costas da mãe. A maioria absoluta era de machos que, hora ou outra, erguiam o dorso, deixando de apoiar as mãos no chão para bater com os punhos fechados no peito largo, e urravam, deixando ver dentes e presas pontiagudas, adotando uma postura intimidadora.

— Eles só querem dizer que mandam no pedaço — disse Matias.

Teodoro jogou os cachos ruivos para trás da cabeça e manteve a espada erguida.

— Não estou nem azul no barato desses kongs, velho. Podem mandar no pedaço que quiserem, só não quero ver esses doidos tirando pedaço do meu couro — resmungou o bento de cabelos vermelhos.

— Se acalme, Teodoro. Abaixe essa espada ou eles vão achar que você está chamando para abriga.

— Estou precisando fumar mais um bagulho, cara. Só assim para me acalmar.

350

*   *   *

Lucas ergueu a portinhola, deixando um facho de sol invadir a imensa cisterna. A luz do dia projetou um círculo de claridade no fundo seco da caixa-d'água, que parecia vazia. Teria fechado a escotilha, se não tivesse visto um pé de criança quase engolido pela escuridão. No halo de luz, aparecia um pedaço do cadarço do tênis calçado pela menina.

— Espera aqui — disse Lucas a Vicente, antes de pendurar-se na lateralde dentro da caixa-d'água.

Vicente não teve tempo de advertir o protegido e, antes que chegasse à borda do buraco aberto, ouviu o grito de Lucas, depois o som de um estrondoso impacto no fundo da cisterna. Vicente colocou a cabeça pela abertura e viu o bento caído na parte inferior do reservatório, iluminado pelo halo de sol.

— Lucas! — bradou o guerreiro.

Ele abriu os olhos e ergueu as mãos para se proteger dos raios que vinham direto em seu rosto. Levantou-se, sentindo uma fisgada no joelho.

— Estou bem! — gritou de volta.

O trigésimo olhou ao redor. Estava escuro e procurou pela garota que tinha visto. A verdade é que não tinha visto uma garota por inteiro. Podia ter sido só um pé de tênis velho, mas agora não via tênis nem cadarço.

— Você está maluco? O que está procurando aí? — perguntou Vicente aos berros.

— Eu vi o pé de uma menina aqui embaixo, mas está escuro! Não estou vendo nada! — berrou de volta.

Lucas girou sobre o próprio corpo e viu a caixa-d'água seca em todos os pontos. Sua capa raspou no chão de ferro, recoberto por algum tipo de tinta especial, toda lascada e descarnada. Lucas imobilizou-se e pensou ter captado um barulho. Desembainhou a espada rapidamente, ficou em silêncio e escutou um crepitar, como em pés pisando sobre folhas secas... ou daquela tinta cheia de bolhas... E mais vozes...

— Eu sabia, tia.

Lucas virou-se e ouviu a voz de uma menina.

— Ele é um bento?

— É, tia.

Mesmo debaixo do halo de luz, seus olhos foram se acostumando com a escuridão e pareciam captar duas sombras ao fundo.

— Você é um bento?

Lucas forçou a visão.

— Sou... — afirmou, inseguro.

Ouviu aquele crepitar de folhas ressequidas, eram passos sobre a tinta seca. Uma mulher alta e uma garotinha caminhavam em sua direção.

— O que aconteceu com vocês? — perguntou Lucas, colocando a espada na bainha.

A garotinha e a mulher entraram no facho de luz.

— Eu fugi de Santa Rita com ela — disse a mulher, trazendo a garotinha pela mão. — Os vampiros acabaram com nossa cidade.

— Céus... — balbuciou Lucas.

— Viemos dar aqui. Percebi esse povoado e achei que ia achar gente e comida pra Eloísa, mas só encontramos cana.

Lucas notou que a mais velha também era uma garota, parecia não ter mais que 18 anos.

— Mas aí aqueles macacos apareceram, queriam nos matar. No desespero, eu ateei fogo nas canas para afastá-los, mas só juntava mais macacos.

— São gorilas, tio.

Lucas passou a mão na cabeça da menininha.

— Está tudo bem aí? — perguntou a voz poderosa de Vicente.

Lucas acenou para o amigo. A garota mais velha continuou:

— Daí eu trouxe ela cá para cima, mas eles vieram atrás. Só quando a fumaça tomou tudo eles começaram a ir embora. Eu tive a péssima ideia de entrar aqui, usando aquela corrente... — disse, apontando para um amontoado de metais. — ...mas ela arrebentou quando eu estava descendo. Achei que íamos morrer de fome aqui dentro — revelou seu azar a garota, enfiando o rosto no peito metálico de Lucas, começando a chorar.

— Calma, calma. Vamos dar um jeito de sair daqui. Tem uma porção de amigos meus lá fora.

A garotinha abraçou a protetora que, por sua vez, continuou abraçada a Lucas.

— Como é seu nome? — a garota perguntou.

— Lucas. Bento Lucas é como me chamam.

A garota abriu um sorriso.

— E você? Como se chama?

— Maria Alice.

Lucas passou a mão na cabeça da moça mais uma vez, lançando um olhar para a corrente amontoada.

***

— Não vai dar para ficar olhando para eles sem fazer nada, Matias. Sei que é um bando de macacos selvagens, mas eles vão acabar com nossa raça — reclamou Edgar.

— Só estão defendendo o território deles, bento. Se passarmos fogo, vai ser um massacre.

— Massacre? Jesus Cristo, homem! Olhe para os dentes deles! De que lado você está? — perguntou Teodoro, indignado.

— Estou do nosso lado, senhor, mas não acho certo dispararmos contra esses gorilas indefesos. Estão agindo por instinto, não é maldade.

— Eles estão esperando as brasas esfriarem para poder nos apanhar, acender o fogo de novo e fazer o maior churrasco de bento da Terra!

— Eu tenho uma ideia — disse Carlos.

— Qual?

O soldado tirou um amontoado de tubos de papelão atados por um elástico de sua mochila.

— Sempre trago para as emergências.

— Pode crer. A gente nunca sabe quando vai se deparar com uma turba enfurecida de gorilas soltos de zoológicos.

Carlos riu da graça de Teodoro, enquanto soltava os rojões.

— Agora pergunte aí para o dono do Greenpeace se poderemos afugentar essa turba enfurecida com os rojões.

Os soldados, rindo, olharam para Matias.

— Manda ver. Só tenta não acertar nenhum deles.

***

Depois da oitava tentativa, Vicente conseguiu apanhar a ponta da corrente arremessada por Lucas. A portinhola estava a seis metros de altura e a distância tinha dado trabalho ao bento no fundo do reservatório. Vicente trouxe a pequena Eloísa com facilidade, e depois veio Maria Alice. Pediu para que ambas aguardassem no teto do reservatório e começou a descer a corrente quando ouviu o primeiro rojão de três tiros. Vampiros! Olhou para trás. Não podia ser, o sol estava alto no céu ainda. Voltou-se para a boca da escotilha e, providencialmente, chegaram dois soldados que ajudaram a içar Lucas do fundo da caixa-d'água. Também serviram para dar explicações a respeito dos disparos feitos há pouco e dos rojões que espocavam ao pé da torre.

— Lá embaixo a saída está cercada pelos gorilas que o Teodoro falou — disse o soldado. Lucas surgiu na abertura e foi puxado pelo braço pelo segundo soldado. Desceram as escadas, trazendo com cuidado a garota mais velha e a criança. Estavam fracas e assustadas e, quando viram os gorilas na beira da estrada de terra, entraram em uma crise de choro e gritos. Os três primeiros rojões disparados serviram para espalhar os gorilas. No entanto, as feras não foram embora, apenas afastaram-se alguns metros e aumentaram a quantidade de gritos e batuques no peito. Matias viu duas fêmeas correrem com as crias encarapitadas nas costas em direção às árvores que invadiam a cidade. Lucas sentia o joelho queimando, dolorido. A queda não tinha sido tão grande assim, mas tinha dado mau jeito na junta da perna.

— Precisamos passar — disse Vicente, trazendo Maria Alice nos braços.

Carlos distribuiu os rojões entre os companheiros. Tentariam dispersar os gorilas. Tentariam. Carlos sabia que nenhum deles colocaria a vida dos bentos e os próprios pescoços em risco por causa do coração mole de Matias, o recente fundador da infame ONG "Salvem os Gorilas Loucos da Zona da Mata".

— Com licença — pediu Teodoro, abrindo caminho.

O bento de barbas e cabelos vermelhos andou até a ponta da passarela de concreto, aproximando-se perigosamente da rua de terra. Tragou profundamente o cigarro de palha pendurado nos lábios e levou o pavio marrom do rojão até a brasa viva. Chispas começaram a cair do pavio incandescente, e Teodoro apontou o tubo de papelão para o maior gorila do grupo. Os símios aumentaram os urros e começaram a pular, afastando-se do rojão. Mais um segundo para o disparo. Três cartuchos recheados de pólvora voaram para cima do gorila maior. O macaco fugiu assustado quando os projéteis explodiram nas suas costas.

Carlos já tinha acendido o seu, para garantir que teria espaço para correr na rua de terra. Os soldados começaram a avançar, com os bentos vindo em seu encalço. Alicate tinha orientado para que abrissem fogo caso o plano de distração desse errado. Correram rua acima, em direção à praça central e à igreja abandonada. A impressionante coluna de fumaça negra continuava subindo ao céu, girando ao sabor do vento. Se não chovesse, era possível que aquela queimada no canavial se prolongasse por dias e, caso a estiagem durasse, provavelmente se tornaria um incêndio de proporções dantescas assim que atingisse a floresta.

Entraram na estrada de terra, formando uma coluna. Os soldados atentos olhavam ao redor, mas o mato alto beirando a estrada gerava insegurança. Tinha sobrado meia dúzia de rojões. Depois desses, caso os gorilas se animassem a persegui-los pelo longo caminho de volta à rodovia, teriam que apelar para as balas. Só assim se manteriam inteiros e viveriam para contar aquela passagem surreal dentro dos muros das fortificações.

Quando finalmente alcançaram a estrada, retomaram os cavalos e acomodaram as resgatadas em um dos veículos. Serviram as garotas com água, pães e um resto de assado. Eloísa devorava a refeição improvisada como se não comesse há dias. Maria Alice tinha a pele do rosto arranhada e um rasgo na calça jeans na altura do joelho. Era muito branca e parecia extremamente magra, o que aumentava sua aparência abatida. Apesar dos chamados e da espera, Oswaldo jamais apareceu. Matias tinha sido o último a vê-lo com vida e relatara ao grupo que se deparara com o primeiro gorila justamente quando voltou alguns metros do caminho em busca do amigo. Oswaldo era mais um nome que entrava para a lista de baixas durante a jornada.

CAPÍTULO 41

Bento Duque vinha ladeado por mais quatro bentos e dirigia-se para Nova Natal, onde se encontrariam com o último bento de sua lista de cinco nomes. Justamente esse último era o que ele nunca tinha visto antes, mas já o conhecia por sua bravura e desprendimento. Bento Augusto era um guerreiro genuíno, e achavam até que, mesmo que não tivesse acordado bento, seria um soldado destacado e que suas histórias e casos rodariam de povoado em povoado, recheando a imaginação da soldadesca e das crianças. Duque sabia que Augusto já passara por maus bocados, mas sem nunca maldizer sua sina. Era temido pelos vampiros, fazendo da fortificação de Nova Natal uma das mais bem guardadas do Brasil Novo.

Os bentos Ulisses e Célio cavalgavam à sua direita. Ulisses era pardo, com olhos cor de mel adornando a face longa e bem-feita. Agradava qualquer mulher com aqueles olhos serenos e sua fala macia. Era carioca, mas por conta do desenrolar dos fatos após a Noite Maldita, passou a viver nas cercanias de Palmas, em Tocantins. Ulisses era um homem inteligente e relacionava-se bem com todos à sua volta. Prestativo dentro da fortificação, não se refestelava na condição de bento, só botando seus músculos para trabalhar quando os malditos noturnos batiam à porta.

Do lado esquerdo, Duque era guarnecido pelos bentos Amintas e Justo. Amintas era um senhor aparentando cerca de sessenta anos, com cabelos grisalhos longos caídos nos ombros. Era dado a boa conversa, contador de causos, e, quando se juntou ao grupo galopante de Duque, veio animar as horas de descanso com suas histórias pitorescas e lembranças anteriores à Noite Maldita.

O quinteto tinha galopado desde a manhã, sem descanso, em direção a Natal. Queriam alcançar a fortificação no alvorecer do dia seguinte, mas com a aproximação do sol no horizonte, Duque via-se forçado a interromper o progresso daquele dia e a buscar abrigo para a noite. Pediu informações a Amintas, bento defensor da região de Belém do Pará, que entre o grupo supostamente era aquele que conhecia melhor a região. Amintas argumentou que já tinham entrado no Rio Grande de Norte, portanto estava longe demais de Belém para ser um guia cem por cento confiável. Disse que teriam que confiar em seu faro para descobrir uma boa pousada.

Esse lugar de descanso foi avistado por Amintas uma hora e meia mais tarde. Ao que parecia, haviam encontrado um pequeno centro comercial abandonado na beira da estrada. O lugar, como tantos outros, foi devorado pelo tempo e pela mata e agora nada mais era do que uma rua com cerca de quatrocentos metros tomada por mato alto, trepadeiras de ramos grossos e nostalgia. Começava imediatamente colada à velha rodovia, formando um ângulo de noventa graus em relação ao asfalto, e reunia uma dúzia de prédios comerciais. Na esquina da entrada estavam os restos de um posto de combustível com um restaurante amplo anexo. Do outro lado da rua, bem colada à rodovia, uma fachada amarela com letras em azul-marinho identificava o que fora uma agência de correios. Os cinco cavalos adentraram a rua lentamente, fazendo os cascos baterem no pavimento de paralelepípedos que compunham aquela rua singular no meio do nada do Rio Grande do Norte.

— Hum. Até aqui — balbuciou bento Duque, parando o cavalo e apontando aos amigos um estabelecimento.

Os bentos sorriram ao ver o garoto-propaganda-logotipo da rede de lojas, trajando seu característico short azul, camiseta branca e chapéu de couro típico dos vaqueiros nordestinos.

— Casas Bahia é igual a Bradesco, tem em toda esquina — comentou bento Justo com sua voz estridente.

Duque sorriu, olhando para o outro lado da rua, vendo uma agência bancária adornada pelas letras vermelhas garrafais e o logotipo estilizado que lembrava uma árvore. Bateu com a rédea suavemente no pescoço do cavalo e seguiu adiante, examinando os estabelecimentos seguintes para depois decidir qual seria usado para o repouso nas horas escuras. O fim da rua encontrava-se belamente adornado por abricós-de-macaco em flor, descendo em um tapete branco de pequeníssimas pétalas brancas caídas das árvores. Ao fundo, atrás dos abricós, antes da mata fechada começar, Duque contou cerca de vinte pés de jenipapo, todos com cerca de dez metros de altura e carregados do fruto de odor forte e característico. Se tivesse tempo e disposição, apanharia um bom punhado para fazer licor quando retornasse a Esperança.

Amintas também sorriu enquanto passava em frente ao banco, porém o sorriso do bento mais velho fechou-se no instante em que lembrou que no último dia da vida convencional tinha estado em uma agência daquelas. Tinha vibrado e festejado, com direito a um beijo estalado no rosto da gerente da agência, quando soubera que seu financiamento para a casa própria fora aprovado pelo banco. Chamou a atenção de todo mundo dentro do estabelecimento, tamanha a euforia e alegria exalada com a notícia. Amintas pegou-se sorrindo novamente, contagiado por emoções sentidas trinta anos atrás. Tocou a barriga do cavalo com os calcanhares enquanto apagava o sorriso pela segunda vez, seguindo de cabeça baixa e calado por um momento. Nunca teve tempo de comprar sua casa, de fato. Naquela época, trabalhava de madrugada e, na noite fatídica, não teve um segundo de sossego na porta da Coração, uma disputada boate de Belém, onde homens caçavam mulheres de corpo benfeito e mulheres davam bola para caras com bastante dinheiro no bolso. Quando largou seu posto de leão de chácara, passando das cinco da manhã, foi direto para o apartamento alugado onde vivia com Graça, sua adorada segunda esposa, e com sua mãe.

Voltou correndo para casa no seu Chevette marrom, tão entusiasmado com a história do financiamento aprovado, que só pensava em chegar ao apartamento, tomar um banho e seguir com Graça até o banco para assinar toda a papelada. A felicidade que inundava sua cabeça era tamanha que não deixava os olhos estranharem a fila imensa na frente do pronto-socorro municipal ou perder mais de dois segundos de atenção com o caminhão de bombeiros passando à toda e tirando uma fina do Chevettinho. Não percebia a aflição estampada no rosto da maioria das pessoas que estacionavam ao seu lado no sinal vermelho. Não via que os carros levavam gente parecendo morta aos hospitais. Estava feliz demais para tudo isso. Estava feliz demais para notar os problemas dos outros e queria chegar ao apartamento, fazer amor com a esposa, correr para o banco e depois correr para a imobiliária. No entanto, naquela manhã, não havia ninguém na imobiliária, nem na agência bancária, nem nas Casas Bahia.

Naquela manhã de terror, metade da população do mundo estava sendo arrastada sob o caos para pronto-socorros, hospitais eram tomados por filas imensas e corredores ficavam abarrotados de corpos adormecidos, choro e incompreensão. Amintas não acreditava no que via. Nem os médicos sabiam o que fazer e quando essa raça de branco que se julga superior a todo ser que rasteja sobre a Terra não sabe o que dizer, isso assusta. Amintas lembrava-se de como sua velha mãe ficara apavorada com tudo aquilo. A velha falava na casa perdida sem parar. Não entrava na cabeça que o mundo tinha mudado. Mesmo para ele era difícil crer que o velho mundo tinha acabado da noite para o dia. Sua esposa estava longe de aceitar aquela nova realidade, mas, ao menos, havia mantido a sanidade e a capacidade de ajudá-lo. Tiveram que abandonar Belém. Durante a noite, incêndios tinham estourado e consumiam prédios residenciais e comerciais inteiros. O que restava do Corpo de Bombeiros não fora o suficiente para controlar o colapso. Lembrava-se de terem pegado a estrada, dentro de seu velho Chevette, vendo pelo retrovisor gigantescas colunas de fumaça escura cobrindo o céu de Belém, feito as asas negras do anjo da morte.

Mal sabiam eles naquele instante que o inferno e o pior pesadelo de suas vidas estavam apenas começando. Na noite seguinte, sem que tivesse pregado os olhos, Amintas, sua esposa e a mãe tiveram o primeiro encontro com um dos vampiros. Nem imaginavam que tais criaturas pudessem existir, vampiros eram coisa do cinema e da ficção, não perambulavam pelas ruas atrás de gente para beber o sangue. As mulheres estavam no Chevette, em um posto à beira da estrada, bem parecido com aquele abandonado. Ele conversava na porta de um bar com um grupo de oito ou nove homens, mas era o mais calado, talvez por causa do sono avassalador que crescia em seu corpo. Os olhos pareciam cheios de areia e começava a não achar má ideia voltar para o carro e juntar-se ao cochilo das mulheres. Prestava atenção na ideia de um dos retirantes quando de dentro do carro de um deles desceu uma mulher. Era a esposa de um dos rapazes, não lembrava o nome dele agora... Agenor, Alfredo... não lembrava... era alguma coisa com "a"...

A mulher veio cambaleando, pálida feito papel e, como muitas pessoas, a moça tinha contraído a chamada doença. O tal do A-alguma-coisa berrou com a mulher, ordenando que ela voltasse ao carro. A mulher escorou-se em uma coluna, parecendo cansada demais para prosseguir ou voltar ao carro. O marido soltou algumas palavras, lamentando o estado da esposa e maldizendo a terrível situação em que todos se encontravam. Um segundo homem apontou para o seu veículo, debaixo de um ponto de luz. Todos viram o que suas palavras explicavam. Sua esposa adormecida presa pelo cinto de segurança no banco da frente do veículo e uma criança de dois anos inconsciente ajustada no cadeirão no banco de trás. Cada um deles trazia uma história para contar. A de Amintas era a infelicidade de aquilo tudo acontecer bem no dia em que iria pôr as mãos na chave de sua tão sonhada casa própria, abandonando de vez o aluguel. Ia começar a falar quando os homens atropelaram a conversa para voltar ao que discutiam antes, sobre que destino tomar, pois haviam concordado em formar um comboio e seguir para o sul. Dadas as circunstâncias, viajar em grupo seria mais seguro. Tinham assistido a muitos saques e tiroteios nas ruas de Belém e ouvido histórias horrendas de gente que enlouquecera durante a noite e partira com faca para cima de parentes. O mundo todo tinha pirado. Bem, Amintas lembrou-se de que tinham esperança de fugir daquela loucura simplesmente indo para outro estado. Lembrou-se da tristeza no coração ao constatarem, cidade após cidade, que a desgraça estava instalada por todo canto que iam. Ali no posto de combustível, junto àqueles homens, esperava fugir de tudo aquilo, pois não sabia que o mundo todo tinha pirado, apenas o Pará.

Tudo parecia ter parado. Desde a noite anterior, as emissoras de TV estavam fora do ar. Criam que a programação fora suspensa por falta de funcionários, pois era certo que ao menos uma parcela deles teria também sucumbido àquele estranho sono e àquela estranha doença. As emissoras AM e FM também estavam fora do ar. O telefone celular não funcionava e as companhias telefônicas tinham entrado em sobrecarga. Já tinha encostado o Chevette atrás de caminhoneiros pedindo informações de lugares distantes, mas nem o rádio PX, companheiro inseparável desses profissionais do asfalto, dava sinal de vida, deixando-os cegos e mudos.

Na sua memória, foi somente quando os homens discutiam acaloradamente qual seria a melhor rota para o sul que ele bateu os olhos na mulher esquecida, escorada na coluna. Apesar de a pele negra estar sendo consumida pela palidez assombrosa, a mulher tinha um ar sensual, de curvas cheias e bem-feitas. Parecia um pouco melhor, pois olhava para ele, em pé, firme e livre da coluna. A mulher pálida andou uns quatro passos, então parou de novo e levou as mãos à ponta da blusinha vermelha que trajava. Puxou a peça para cima, passando-a pela cabeça e ficando nua da cintura para cima. Amintas abriu a boca e olhou para o lado. Os homens tinham virado nesse instante e ficaram calados, surpresos com a situação. O marido da perturbada correu até a esposa, agarrando-a pelo braço e abaixando-se ao mesmo tempo, para apanhar a blusinha do chão. Foi quando Amintas viu aquelas sinistras brasas vermelhas queimando os olhos de um vampiro pela primeira vez. Assim que o homem se abaixou, a mulher soltou um rosnado, como um bicho, e pulou em cima do marido. No primeiro instante, os demais permaneceram imóveis, pensando que fosse uma briga de casal na lama. Amintas sabia que eles não tinham visto os olhos vermelhos e satânicos daquela mulher. Só foram escapar da imobilidade quando perceberam o sangue escapando do ombro mordido do rapaz. A moça tinha dentes ferinos. Mesmo com cinco caras dos fortes agarrando seus braços, ela debatia-se feito louca. Foi preciso amarrá-la para que fosse recolocada dentro do carro. Amintas tentava imaginar qual fora a sorte daquele pobre coitado. Envergonhado, o rapaz havia se separado do grupo, dizendo que ia esperar a mulher, que xingava e se debatia no banco da picape, acalmar-se para desamarrá-la e procurar um hospital que não estivesse entupido para socorrê-la, livrá-la daquela doença. Provavelmente tinha morrido, com o sangue drenado do corpo antes que pudesse curar a esposa.

A doença era maldita e não existia cura na face da Terra. Amintas relembrou que também tinha passado aquela noite em claro. O amanhecer do segundo dia chegou com eles na estrada, e foi ainda pior. A cada hora passada, a população descontrolava-se mais, correndo para todos os cantos com os corpos inanimados dos entes queridos, recusando-se a deixá-los à própria sorte. Foi naquele dia que ouviram as primeiras histórias de gente que desenvolvera um tipo de loucura, que pulava no pescoço das outras querendo sangue. Outros casos falavam de pessoas alérgicas ao sol, que sentiam a pele queimar e os olhos pegarem fogo ao sair sob sua luz. Com a chegada da noite, vencido pelo sono e cansaço, Amintas estacionou o carro em um galpão afastado e parou para dormir. Suspirou fundo, lembrando que, depois de fechar os olhos, só tornou a abri-los dez anos mais tarde.

O bento mais velho do grupo bateu com os calcanhares na barriga do animal. O cavalo avançou e Amintas retornou ao presente. Os demais estavam no final da rua comercial. Voltavam vagarosos, dando uma segunda olhada pelo local.

— Será que é seguro? — perguntou em voz alta bento Célio.

Duque apeou do cavalo e andou até a porta de um estabelecimento sem placa alguma. Não pôde determinar que tipo de negócio aquilo tinha sido no passado.

— Aqui parece tudo abandonado, não tem gente, nem vampiro. Acho que aguenta por uma noitada.

Justo segurou a rédea do cavalo do bento negro.

— Vou levar os bichos para beberem água. Devem estar morrendo de sede.

— Eu ajudo — acrescentou bento Célio.

— A gente vê se está tudo limpo por aqui.

Ulisses apeou ao terminar a frase e juntou-se a Duque.

— Está escurecendo rápido. Vamos dar uma olhada na redondeza logo, não quero ter nenhuma surpresa depois que o sol se for.

Justo e Célio desapareciam na estrada, levando os animais, enquanto o trio Amintas, Ulisses e Duque permaneceu parado no meio da rua de terra, olhando para os prédios vazios para tentar justificar qual seria o melhor abrigo.

A noite já vinha entrando quando Justo e Célio voltaram com os cavalos. A luminosidade minguava rapidamente, e quando Justo levou o último cavalo para dentro do salão da agência dos correios, já tinha escurecido. O salão era amplo e serviria perfeitamente como uma cocheira. Usaram tábuas encontradas nos restos de uma obra inacabada para estreitar a passagem e impedir que escapassem durante a noite.

Amintas e Duque escolheram um salão que estava vazio desde a Noite Maldita. Amintas supunha tal coisa pelo fato de ainda existir uma faixa plástica presa na marquise, por baixo de trepadeiras, trazendo um anúncio de "Aluga-se". O calor que avançava noite adentro permitiu que Duque acendesse uma fogueira pequena em frente ao salão, apenas para o preparo do alimento, e preparou uma lamparina para o interior do imóvel.

Célio tinha improvisado um vassourão com ramos e galhos secos e estava dando um trato no canto onde repousariam quando Duque pediu silêncio do lado de fora. Tinha escutado barulhos entre o Bradesco e a loja das Casas Bahia. Ficaram mudos. Depois de um instante, viram surgir do meio dos imóveis uma grande e bela loba-guará, acompanhada de dois filhotes. Os animais ficaram parados, encarando os três bentos que estavam do lado de fora do salão por um tempo que pareceu enorme.

— Que coisa linda! — disse Justo, rompendo o silêncio.

— É, maneiro... — balbuciou Ulisses.

A loba, alta e esguia, baixou a cabeça e farejou o chão. Depois partiu, desaparecendo entre os prédios do outro lado da rua, seguida por seu par de filhotes.

— Deve ter ido beber água no ribeirão e agora está voltando para mata.

Duque agachou-se junto ao fogo. Cravou uma forquilha no chão, junto às chamas, e rodeou a fogueira com um punhado de pedras. Abriu o bornal que trazia na viagem e tirou dele um pedaço de carne salgada. Pegou uma toalha surrada e estendeu ao lado da fogueira. Logo depois, duas broas de milho cobertas com fubá.

— Espere um pouco para queimar essa carne, Duque. Se o cheirinho do assado subir e o vento soprar pra cima, não demora nada para aquela guará voltar.

Duque sorriu.

— Volta nada. Quando esta carne queimar um pouquinho, do jeito que minha barriga está roncando, não vai dar tempo nem de sobrar cheiro para o vento levar.

Foi a vez de Ulisses dar risada.

* * *

O vampiro viu o trilho de fumaça subindo ao céu. A noite sem nuvens, com um banho de estrelas brilhantes brindando o manto negro do firmamento, deixava o trilho delator ainda mais nítido. Alex ergueu as narinas procurando um rastro para farejar. Nada de sangue. Ao menos estava certo de que, ao redor da fogueira, encontraria humanos. Tolos desavisados que se arriscavam em seu terreno de caça. Fez um sinal para os companheiros que iam pelo chão. Logo algumas das criaturas também saltaram para os galhos das árvores e alcançaram o líder. Alex apontou para o trilho de fumaça, e não precisou dizer mais nada. Avançaram, saltando de árvore em árvore, perigosamente velozes, na direção do sinal.

* * *

Duque virou-se de lado. Seus olhos estavam pesados e pareciam cheios de areia. Despertou do sono, sentindo frio nos braços. Estava tão quente antes de deitar-se... Talvez não tivesse necessariamente esfriado, poderia ter sido uma lufada de vento. Apanhou sua malha branca e cobriu o tronco. Justo e Ulisses dormiam com os trajes completos. Olhou para a frente, vendo Amintas sentado no calçamento tomado por mato, em frente à pequena fogueira. Fechou os olhos mais uma vez, tomado pelo sono.

* * *

Alex parou no topo da árvore de jenipapo. Gesticulou para que os demais se aproximassem em silêncio. Seus olhos estavam ariscos e acompanhando o caminhar do homem no meio da rua. A capa vermelha não deixava margem para dúvida: o maldito bento tinha entrado na arapuca, como chamavam aquela rua. Muitos viajantes em busca de abrigo para a travessia pensavam na boa ideia de pernoitar naqueles galpões, mas seu bando contava com cinquenta vampiros. Trocou olhares com os mais próximos, pedindo que se agrupassem logo abaixo. Viu o bento voltando para perto do fogo e sentando-se no calçamento. Alex saltou para o chão, sem provocar barulho. Fez mais sinais para os vampiros que vinham atrás.

— Somos cinquenta contra um. Vamos atacar de uma vez só. Com certeza o maluco filho de uma puta vai reagir. Não estou vendo sua espada, acho que a deixou dentro de um dos salões.

Os vampiros ouviram atentamente o líder do bando.

— Não deixem que ele entre em nenhum dos prédios. Vamos acabar com a raça desse desgraçado. Vamos desfiá-lo à unha — fez uma pausa olhando para um novato. — Não coloque uma gota do sangue desse maldito na sua boca. O sangue deles é que nem ácido. Vai te comer por dentro e acabar com você.

O vampiro aquiesceu.

— Depois de voltarmos com esse troféu para a toca, sairemos de novo em busca de sangue. Vamos precisar... essa luta vai abrir nosso apetite.

* * *

Amintas paralisou diante da fogueira, aspirou o ar mais profundamente e sua pele arrepiou-se. Conhecia aquele cheiro forte, aquele fedor horrível. Eram vampiros!

Levou a mão à cintura, mas tinha deixado a droga da espada dentro do salão! Levantou-se e virou-se, porém era tarde demais. O bando vinha voando pelos telhados dos dois lados da rua. Quando ficou de frente para o salão, sentiu o golpe pesado do corpo de uma das criaturas. Amintas engalfinhou-se com o noturno, sendo levado de costas ao chão e dando duas cambalhotas, agarrado ao corpo do monstro. Um segundo vampiro aproximou-se pela direita. Amintas conseguiu desferir uma boa cotovelada na fuça do novo agressor, fazendo-o afastar-se por um instante. A loucura consumia sua mente. Agarrou o pescoço daquele que o levara ao chão e afastou-o de seu corpo. No entanto, o vampiro era mais forte e não sofria com a falta de ar. Manteve-se agarrado ao bento, lançando um sorriso ferino para o guerreiro. Dentro do salão, incomodado, Duque virou-se de lado, voltando ao sono mais uma vez.

Amintas sentiu a garra da fera apertando sua traqueia. O ar começava a faltar, e lágrimas involuntárias surgiam em seus olhos. Soltou o pescoço do maldito e foi erguido pelos braços fortes da fera. Recuou a mão esquerda e lançou um soco na face do vampiro. O agressor o libertou. Amintas recuou dois passos, sendo agarrado pela direita e pela esquerda, tendo os braços imobilizados. Ulisses levou a mão no nariz, inspirando e expirando rapidamente, incomodado, sem despertar do sono.

Amintas recebeu um chute no estômago, fazendo com que perdesse as forças nas pernas por um instante. Os joelhos dobraram enquanto gemia de dor. Abaixou a cabeça. Um terceiro vampiro agarrou seus cabelos grisalhos e longos pelas costas, puxando-o com violência, fazendo o guerreiro erguer a cabeça. Amintas respirou fundo duas vezes e recuperou a força. Foi o bastante para obedecer a loucura, para querer esfolar aqueles malditos contra o chão.

O vampiro Alex ordenou que mais vampiros agarrassem o velho bento. Um deles puxou sua capa vermelha, jogando-a sobre os próprios ombros. Mais quatro agarraram as pernas do bento, mantendo-o em pé, mas completamente dominado. Outros dois ajudaram aqueles que já prendiam os braços do guerreiro. Alex parou na frente de Amintas. O vampiro que segurava os cabelos do guerreiro deu novo puxão. Amintas emitiu um sonoro grito de dor.

— Vamos ver como vou dar cabo de você, bento idiota — disse o líder das criaturas, tirando um facão da cintura e passando o fio na cruz do peito de prata do guerreiro. Era aquilo que Amintas queria ver, uma arma de corte. Assim que Alex afastou a lâmina, o bento juntou uma quantidade de saliva na boca, fez uma breve reza e cuspiu no rosto do vampiro que segurava seu braço direito. O líquido acertou em cheio a bochecha e a pele da criatura começou a fumegar. O vampiro novato soltou o braço do guerreiro e rolou no chão, emitindo gritos de dor. Bastou os gritos e a baderna para que se distraíssem um segundo e Amintas conseguisse livrar braços e pernas em um esforço sobre-humano.

Alex avançou com o facão na direção do bento. O golpe acertou seu braço em cheio, mas Amintas absorveu a dor e concentrou-se no mais importante. Agarrou o punho do vampiro e torceu seu braço, escutando um crec quando o osso se deslocou na junta do cotovelo. O bento agarrou o facão e firmou a mão na empunhadura. Quando o vampiro ergueu a cabeça novamente para encarar o guerreiro, sentiu o fio afiado da própria arma atravessando-lhe o pescoço. Amintas afundou o facão na garganta da criatura.

Sua primeira vítima ainda rolava e fumegava no chão. A experiência de quase trinta anos como guerreiro bento lhe ensinara um ou dois truques para a hora do aperto. Retirou o facão da garganta do vampiro e passou a arma de lado dessa vez, fazendo a cabeça do bicho cair no chão de terra. Amintas percebeu que, nesse instante, os vampiros começavam a se refazer da surpresa e a fechar um círculo perigoso ao seu redor. Contou mais de trinta. Amintas inspirava e expirava rapidamente, girando o facão no punho enluvado. Até que a arma do vampiro era boa, pois tinha passado pelo pescoço como se a carne do bicho fosse de manteiga. Gostava do fio daquele jeito, bem afiado. Justo sentou-se sobressaltado. Olhou para o salão e viu que os companheiros dormiam, mas não avistou Amintas na frente da fogueira.

O primeiro vampiro destacou-se do grupo. Amintas soltou um urro mais ferino que o do demônio. Passou o facão no ar, de encontro à fera. Cruzou o caminho do atacante e parou. O monstro interrompeu o ataque. Sentiu uma ardência no peito, levou a mão à pele e descobriu um corte imenso do lado esquerdo. Os vampiros tomaram coragem e saltaram, todos ao mesmo tempo, para cima do guerreiro. Amintas voltou aos berros e ao combate furioso, esmurrando os que se aproximavam e abrindo tantos cortes quantos fossem possíveis nos inimigos que entrassem no alcance do facão.

Tomava golpes duros, sentindo o sangue brotar no nariz e na boca, mas não parava de contra-atacar. Se iria morrer no meio daquela avalanche de vampiros, iria morrer feito um gato no saco, louco e esbaforido, debatendo-se até o último suspiro.

Finalmente, uma das criaturas conseguiu arrancar o facão da mão do guerreiro. Amintas foi jogado ao chão e recebeu uma saraivada de chutes, a maioria bem absorvidos pela couraça prateada. Foi mais uma vez erguido e agarrado firmemente por braços e pernas. Seu rosto estava roxo e o olho direito inchado, quase fechado. O vampiro que gostara de suas mechas grisalhas voltou a agarrá-lo pelos cabelos, puxando sua cabeça para trás. Amintas juntou mais uma porção de saliva na boca, dessa vez misturada com seu sangue de bento. O vampiro, ferido da primeira vez, lançou um violento soco no rosto do guerreiro, esvaziando a boca de Amintas.

— Dessa vez não, seu filho da puta. Não vai ter sorte duas vezes esta noite.

Amintas abriu o olho bom, vendo um revoar de capas vermelhas nas costas das criaturas.

— Acho que vou, sim — murmurou o bento ferido.

Os vampiros mal tiveram tempo de olhar para trás. Ouviram gritos furiosos e o som de espadas rilhando ao serem desembainhadas. Eram mais bentos!

Ulisses procurou o par de brasas vermelhas mais próxima. A espada zuniu ligeira, separando a cabeça do tronco, e o segundo golpe enterrou a lâmina na barriga do vampiro. A prata queimou a pele da criatura, que tombou logo que o bento removeu a espada. Justo aproveitou que o vampiro tinha caído e pisou nas costas do demônio, tomando impulso para saltar no meio do bolo de criaturas que cercavam bento Amintas. Os vampiros, acuados pelo quinteto de bentos enlouquecidos com sua presença, tentavam fugir das espadas.

Duque arremessou a espada de Amintas. O guerreiro apanhou-a no ar e girou o corpo, rasgando três vampiros de uma vez. O abdômen aberto das criaturas verteu as entranhas negras e fedorentas. Nenhum deles suportou o golpe, indo ao chão, fora de combate. Amintas, com agilidade impressionante para um homem com mais de sessenta anos, virou uma estrela, apanhando o facão caído no chão. Passou a combater os inimigos com as duas lâminas.

Célio correu no encalço de três vampiros, que deixavam o cerco, acovardados. Os vampiros, desesperados, adentraram a agência bancária, imersa na mais negra escuridão. Célio, tomado pela loucura, sequer pensou na desvantagem. Dentro do banco, guiava-se pelos olhos vermelhos flutuantes das criaturas, perseguindo-as sem descanso. Dentro do salão escuro, os vampiros demonstraram uma súbita retomada de coragem. Separaram-se e prepararam um ataque covarde ao bento. Célio foi atingido por dois pés em suas costas, cambaleou para a frente e a espada escapou-lhe da mão. Um dos vampiros, dotado de excelente visão mesmo no absoluto breu, avançou para a arma do guerreiro. Só não contava que Célio também tinha seus truques. Sempre antes de iniciar um combate contra os noturnos, o bento atava o cabo da espada por um cordão de couro a uma tira também de couro que vinha em seu punho. Bastou um puxão do braço para que o cabo da espada voltasse para perto de sua mão e um segundo movimento para que o par de brasas escarlate apagasse.

Célio levantou-se quando o segundo demônio pulou em suas costas e cravou um par de dentes em seu pescoço. A providencial cota de malha de ferro e a gola alta do colete de couro impediram que os dentes chegassem à sua carne. Célio agarrou o vampiro pelos cabelos e arrancou-o em um golpe só de suas costas. Agarrou o vampiro pela nuca e pela calça, arremessando-o para a frente. Correu atrás do maldito e, com um segundo empurrão, jogou-o para dentro do cofre escancarado da agência bancária. O terceiro e último vampiro iniciou um ataque vacilante, mas tentando desviar-se do bento que, inesperadamente, vinha em sua direção. Célio varreu a escuridão com a espada. Não conseguia ver as brasas do agressor, contudo, ouviu um baque surdo e o som de alguma coisa arrastando-se. Os olhos vermelhos vivos do demônio ressurgiram no meio do salão junto a gritos de dor.

— Meu braço! Meu braço! — gritava a fera.

Um companheiro bento assomou à porta do banco, trazendo uma tocha acesa. Com a luz, Célio pôde ver onde o maldito tentava se esconder. Agarrou-o pelo pé e arrastou-o para dentro do cofre, onde o outro monstro levantava-se, cambaleante. O vampiro, refeito do golpe duro da cabeça contra o fundo do cofre, ergueu os olhos para os dois bentos no meio do salão. Arreganhou a boca e exibiu as presas afiadas. Já se preparava para saltar para cima de Célio e retornar à contenda quando ouviu a pesada porta de aço recheada de travas deslizar sobre as imensas dobradiças. Alguém estava fechando a porta do cofre!

Ulisses bateu a porta pesada e girou a grande trava, parecida com as de escotilhas. Um sonoro clanc estalou na sala. Os vampiros estavam trancados para sempre. Dentro do cofre, o demônio de dentes pontiagudos bateu contra a porta. Não acreditava no que acontecia, estava selado dentro da merda da arapuca. Olhou para o parceiro de braço decepado e baixou a cabeça tomado por um ódio avassalador. Eles eram tantos e os bentos tão poucos! Como conseguiram fazer aquilo? Novamente olhou para o colega machucado.

— Estamos trancados?

Sem responder ao parceiro, virou-se novamente para a porta e desferiu um chute potente.

— Estamos fodidos — murmurou o ferido.

Do lado de fora, contemplando a imensa porta, Ulisses suspirou fundo e deu um tapinha nas costas de Célio.

— Vamos dormir que eu ainda estou cansado — disse o mulato.

Célio sorriu e meneou a cabeça. Voltaram para a rua de terra. Os corpos dos malditos estavam espalhados por todos os lados, com pedaços retalhados dos corpos caídos por toda parte. Amintas embainhou a espada e foi até o meio da rua, parando em frente à fogueira.

— Pô, Amintas! Você queria todos para você?! — exclamou Justo, com sua voz estridente.

Amintas riu antes de responder.

— Eu já estava quase virando o jogo quando vocês chegaram.

— Eu vi. Só se você fosse virar o jogo no além — retrucou Duque, aproximando-se e batendo nas costas do parceiro. Ulisses olhou para o céu estrelado.

— Acho que amanhã vai chover. O céu está muito limpo.

Duque chutou a cabeça de um vampiro, tirando-a de seu caminho. Olhou para o final da rua. Do meio dos jenipapos, surgiu novamente a mãe loba-guará. O animal esguio e de andar elegante veio ligeiro para perto dos bentos. Célio, por segurança, colocou a mão na empunhadura da espada. A loba se aproximou da fogueira e, sob a luz do fogo, abocanhou o braço decepado de uma das criaturas batidas no combate. Apertou a mandíbula com força e voltou rapidamente para o fim da rua. Os bentos foram voltando em silêncio para dentro do galpão.

— Cuidado para não ter dor de barriga, dona — murmurou Amintas, abaixando-se junto ao corpo de um vampiro e retirando dele sua capa vermelha tomada no meio da batalha.

— Vou dar uma olhada nos cavalos. Vocês podem dormir, eu vigio daqui para frente — disse Justo.

— Valeu — retrucou Ulisses.

CAPÍTULO 42

O líder Elton entrou na enfermaria para assistir os soldados feridos no inesperado evento que sucedera na noite anterior. A surpresa desagradável aconteceu horas mais tarde, depois de terem deixado Maria Alice e Eloísa a salvo nos muros de uma fortificação. Quando toda a tropa imaginava que pernoitaria para um merecido descanso, após dias de jornada ininterrupta, Lucas foi mais uma vez acometido por sua aflição em prosseguir. Bastou um cochilo para que o bento tivesse outro daqueles pesadelos recheados de presságios sombrios.

O bento confessou a Francis (que tentou inutilmente dissuadi-lo da tresloucada e insalubre ideia de continuar a marcha sem algumas horas de sono para todos) que a visão durante o sonho não foi clara. Balbuciou algo sobre um deus índio, tupi, vendo fogo e fumaça, mas não havia clareza dessa vez. Ainda assim, a voz que soprava urgência em seu ouvido tinha estado lá em sonho e Bispo ordenava a partida. Tinham que confiar no profeta morto e deixar a vila imediatamente, portanto, mesmo sob protestos furiosos por parte de bento Teodoro, que parecia ter se juntado ao grupo para discordar o tempo todo de tudo o que Lucas falava, os soldados e os bentos voltaram aos cavalos. Bento Vicente, com olheiras profundas e cansaço visível, seguia na frente, ao lado de Lucas, e foi o único a não expelir um murmúrio de protesto sequer. Cavalgava calado e determinado a não deixar o trigésimo dar um passo sozinho. Infelizmente, naquela noite, não passaram incógnitos aos vampiros, pois, graças à teimosia do bento, deram no meio de um numeroso grupo de demônios noturnos. Elton olhou para os soldados finalmente repousando nas camas da enfermaria, e três de seus homens estavam se recuperando. Ironicamente, graças a Lucas, nada grave aconteceu, apenas alguns pontos para fechar os cortes e pronto, mas a maioria precisava mais de repouso do que de qualquer outra coisa. O líder dos soldados sentou-se em uma poltrona confortável ao lado da cama de Alicate. O homem de braços fortes e um hematoma no olho esquerdo estava dormindo profundamente, melhor que qualquer química que pudesse entrar em seu corpo por uma agulha. Do outro lado, também dormindo de roncar, estava o soldado Carlos, parceiro de Alicate em São Vítor, e Elton, com uma caneca cheia de chá quente, bebericava, olhando para o companheiro de jornada. Carlos era o que parecia mais machucado, com um inchaço importante no rosto e dois cortes extensos, sendo um nas costas e outro na barriga. Talvez não se restabelecesse até a hora da partida, mas provavelmente fosse melhor, pois o rosto inchado e roxo desencorajava uma nova cruzada. Cansado, baixou a cabeça.

— Me conta que aconteceu lá? — perguntou a voz sussurrada de Carlos que havia despertado repentinamente.

Elton olhou para Carlos, que parecia estar lendo seus pensamentos.

— O que aconteceu comigo? — tornou Carlos.

Alicate tossiu na cama ao lado, fazendo Elton voltar-se um segundo. O valente se mexeu no leito, mas não acordou, e o líder de São Pedro soprou a caneca com o líquido fumegante antes de voltar a encarar Carlos.

— Você foi golpeado na cabeça e apagou logo no começo. Do que você se lembra?

Foi a vez de Carlos tossir. Levou a mão ao inchaço do rosto, emendando um gemido de dor.

— Da porrada eu me lembro e não vou esquecer tão cedo. Como deixei me pegarem?

— Estranho seria você sair sem nenhum arranhão.

Carlos suspirou fundo. As imagens estavam voltando. Cavalgavam na noite, depois de deixarem as garotas na fortificação ao nordeste de Belo Horizonte, e saíram da vila resmungado por conta do cansaço. Tinham entrado em outra região pantanosa, muito parecida com a que cruzaram escapando da velha São Paulo. Durante a madrugada, mortos de sono e andando ao que parecia ser em círculos, sentiam-se perdidos quando, das sombras, os malditos surgiram. Foram cercados e estrangulados, mas os desgraçados eram muitos, em número que jamais se viu.

— Quantos morreram?

— Ninguém.

Carlos pigarreou, franzindo a testa, pois tinha algo errado naquela declaração. Se o ferimento não tivesse tomado sua memória, podia jurar que foram emboscados de forma tão violenta e imprevisível que era quase impossível acreditar na resposta de Elton.

— Perdão? Você... pulou alguma parte? Será que meu cérebro ainda está aqui?

Elton sorriu.

— É isso mesmo, ninguém morreu, graças a Deus. Estão todos costurados e sedados, só esperando o corte fechar e a dor passar.

— Sem infecção?

— Sem.

— Sem gripe?

— Nada.

— Mas... Deus, como estou cansado...

— Durma, Carlos. Vamos precisar de você bom e pronto para outra o mais rápido possível. Só acho que você deveria ter tirado uma foto daquilo.

— No escuro eu não fotografo nada, meu equipamento não é bom.

— Lucas segue ao amanhecer — tornou Elton.

— Pode apostar que vou dormir mais oito horas seguidas, mas não prego os olhos enquanto você não me disser como escapamos todos vivos.

— Nem eu... ai... — gemeu Alicate, na cama ao lado, despertando do sono para acompanhar a conversa.

— Bom, já que eu tenho uma plateia, vou começar.

Mais dois soldados, José Roberto e Eric, sentaram-se nas camas ao redor. Um era de São Joaquim e outro, de São Pedro, sua cidade. Ajeitaram-se para escutar a narrativa. Elton fechou os olhos por um segundo, querendo evocar as sensações daquela madrugada, reavivando a memória. Não precisou esforçar-se demais, pois logo voltou a sentir seu corpo balançando sobre o torso do cavalo, a garoa fria sendo jogada pelo vento contra seu rosto e acumulando em seu queixo, onde a barba descuidada teimava em crescer. O peso do rifle preso às suas costas, o barulho dos outros cavalos vencendo o lamaçal, tudo isso vinha vivo à memória, recolocando-o lá, no mesmo tempo e espaço.

Elton pigarreou e, depois de um suspiro, começou:

— Estava frio e a água da garoa descia pelo meu rosto, mas o que eu lembro primeiro são os olhos das grandes corujas, brilhantes, que estavam lá, nas árvores ao nosso lado. Meu cavalo ia devagar, o céu estava aquele breu fechado, cheio de nuvens rodando com o vento por cima das nossas cabeças, o lugar perfeito para ser morto por aqueles demônios do mundo.

Elton passou a mão na panturrilha peluda cruzada sobre o joelho, em uma cadência que a maioria deles reconhecia. Os bons cavaleiros afagavam assim o dorso das montarias para acalmá-las e dizer que estava tudo bem.

— Quem anda comigo sabe que eu odeio história de pântano, porque uma pá de amigos meus já caíram nesses lugares. Eu estava quase tendo um troço em cima do meu cavalo. Coitado do bichinho, estava mais nervoso que eu. Só que, mais que as histórias, eu odiava estar ali, mas estávamos seguindo o "escolhido", colados no rabo do trigésimo bento. — Elton fez uma pausa, soprou e depois sorveu mais um pouco do chá, aumentando a expectativa de quem o escutava. — Ele não parece um bento, bento mesmo, parece um frango magricela perdido, com medo da cauda do cavalo, um sem-sal. Impossível acreditar que aquele cara, com jeito de banana, ia virar o que virou. É um herói, né? Ele é um herói, líder, mas eu comecei a prestar atenção nele, eu estava cansado, com sono e irritado. A água fria na minha cara... eu já falei das corujas?

— Já... brilhantes — respondeu Eric.

— Meu pai dizia que é mau-agouro. Meu tio, que morava com ele, dizia que era sabedoria. — Soprou a caneca. — Herói pode ser um cara dentro de uma única situação que, de repente, queima em um ímpeto impensado de coragem, burrice e reflexo e, *shazam*, salva uma velhinha, a garota do sexto andar, o menino na frente do carro e a bosta do gatinho na merda da árvore. Pronto, ele é o herói, um momento de herói, um dia de herói. Mas eu estava sacando ele. Não era uma banana, não. Tinha uma aura, e ele manteve a gente em frente o tempo todo. Todo mundo cansado, querendo desistir, e ele não deixava, porque não ia desistir do Bispo e nem da gente e a gente sabia disso, lá no fundo. É disso que são feitos os líderes, não é? Fazem a gente acreditar. Não disse como ressuscitaria os mortos, mas que conseguiria cumprir o pedido, traria os milagres. Eu não sei quando senti o arrepio, mas senti. Ele estava falando a verdade.

O narrador soprou mais uma vez a caneca, agora agarrada em concha para esquentar as palmas das mãos. Sua pausa foi maior dessa vez, a mente afundando em suas memórias. Enquanto recordava cada detalhe, falava tentando transmitir da forma mais honesta e imediata tudo o que viu e sentiu enquanto cavalgava no pântano, acompanhando o trigésimo guerreiro. Foi um instante mágico dentro daquela enfermaria e todos foram transportados para o pântano. Agora estavam lá, mais uma vez, carregados pela voz da testemunha que remontou tudo o que viu e ouviu, fazendo as vozes e imitando os trejeitos dos personagens que encarnaram aquele pedaço da jornada. Elton abriu a boca novamente:

— A marcha avançava, os homens seguiam Lucas, e Vicente, todo marrudo, parecia enfeitiçado. Justo ele, que antes parecia claramente desapontado com o trigésimo, muito antipático. Ele era naquele momento sua sombra, seu cão de guarda, todo valente, e cavalgava ao lado de Lucas. Os homens acreditavam nele e estavam dispostos a cruzar outro pântano durante a noite pela segunda vez, arriscando, literalmente, seus pescoços, porque tinham fé no fim do medo. Esse era o prêmio de ouro por guardar a trilha de Lucas e garantir que o magricela transformado realizasse seu intento. E todos iam pensando na recompensa dos milagres, imaginando o que eles seriam, quais as quatro armas que acabariam com o medo, com os vampiros, com as sombras... fazendo voltar só os medos bobos da vida, da infância, como do bicho-papão, do homem do saco, do papa-figo, medos de crianças, que não tinham a boca arreganhada, cheias de agulhas pontiagudas, como aqueles noturnos horríveis.

Foi assim que o líder dos soldados de São Pedro começou o relato. Mesmo sabendo que não era necessário, lembrou aos ouvintes os detalhes da garoa, dos cavalos afundando na lama e na água, deixando os cavaleiros ora com a água roçando os pés, ora chegando a passar das canelas. Como crianças ao redor do vovô, os homens não deram um pio, acompanhando o causo.

— Os cavalos tinham alcançado um platô mais duro, feito um banco de areia, e a maioria dos cavaleiros estava lá quando se deram conta da aproximação das criaturas de olhos vermelhos dançando nos galhos, balançando. Eu até me arrepio lembrando disso, de vários vampiros surgindo da água, como cadáveres voltando à vida, sombras negras emergindo e cercando a gente em um instante. Os bentos foram tomados pela loucura, não pensaram duas vezes e foram atacar, sem poupar suas espadas, e a tensão foi aumentando como o número de sombras ao redor. Logo não existia mais pântano à vista, nem mais árvores vazias, só centenas de noturnos vindos de um túnel com ligação direta com o inferno, que grunhiam e praguejavam, juntavam-se mais e mais em um ataque perigoso, como ninguém tinha visto. Aí Lucas saltou do cavalo, com sua armadura encoberta pela manta marrom e a cabeça pelo capuz. Os bentos sentiram o suor descendo pela testa. Seis deles já estavam mortos e enterrados, e agora os vampiros pareciam prestes a aumentar esse placar. Pedras começaram a ser lançadas contra os soldados e até aí todos lembravam, mas foi nesse momento, enquanto Lucas gritava as primeiras e impressionantes ordens, que Carlos tombou, vítima de uma pedrada na cabeça. Em seguida, lanças zuniram, fazendo novas vítimas, e Lucas gritava com os bentos, mandando ficarem imóveis e não atacar. A loucura daqueles homens valentes parecia diminuir com os gritos dele, mas a liderança de Lucas parecia mais poderosa do que nunca. Seguindo seu comando, espantosamente os bentos abandonaram a loucura e não se atiraram contra o exército de bestas no primeiro instante. Lucas, usando os cavalos, providenciou um círculo, formando uma proteção precária, mas estávamos cercados pelas brasas rubras que valsavam ao redor. Os malditos gritavam enquanto mais pedras choviam, pareciam farejar no ar a presença dos bentos e, por essa razão, devem ter hesitado um instante para caírem de uma vez em cima dos soldados.

Outro arrepio percorreu o corpo de Elton quando se lembrou dos olhos de Lucas, como duas bolas amarelas acesas na noite.

— Era estranho, diferente e mágico. Lucas, sozinho, tinha rompido o círculo, atraindo a atenção dos vampiros, e algum dos malditos deve ter dado a ordem quando todos cessaram o ataque. Um silêncio medonho cresceu e, dentro do círculo de cavalos, os soldados ajudavam os desacordados, vítimas das pedradas na cabeça e das lanças, a se manterem temporariamente a salvo. O medo exalava do grupo, alimentando a massa inimiga, e o sangue, que pingava no banco de areia, devia atiçar ainda mais a gana por morte. *Entreguem os bentos, soldados!*, berrou uma voz rouca, do meio dos vampiros. Lucas procurou o interlocutor e caminhou lentamente, deixando o banco de areia, até que a água chegasse aos seus joelhos. Aí ele gritou de novo, desembainhando a espada e fazendo o metal prateado retinir: *Entreguem os bentos e serão libertados!* O círculo de vampiros, cada vez mais numeroso, fechou-se ao redor de Lucas e urros nervosos cessaram o silêncio. *Há! Há! Há! Ah! Cuidado, irmãos, o soldado tem uma espada*, eles berraram. Ele abaixou o capuz, revelando a cota de malha prateada e o par de olhos amarelos lampejantes, e puxou o cordão que prendia a manta, fazendo-a cair na água. Os vampiros retrocederam um passo. O vampiro líder surgiu somente nesse momento na beira do círculo, abrindo passagem, e gritou: *Então é um abençoado!* Lucas encarou o demônio, algo que deveria ter sido um homem de sessenta e poucos anos quando se tornou vampiro. O bento berrou: *Desembainhar espadas!* Os quatro bentos, obedientes feito cães treinados, deixaram o cerco de cavalos e foram para o meio do banco de areia, formando um círculo externo. Imitando Lucas, desembainharam as espadas enquanto tiravam as capas marrons, e suas armaduras prateadas refletiam a luz das tochas carregadas pelos soldados, com espadas em riste, prontas para o ataque.

O rapaz parecia não perder o fôlego em seu relato e todos prestavam atenção praticamente sem piscar.

— Enquanto isso, dentro do cerco, rodeado pelos soldados, eu comecei a sentir aquela estranha comichão pelo corpo todo, como uma brasa queimando minhas entranhas, como se eu estivesse sendo possuído por algo ruim, com um calor infernal percorrendo minhas veias. Cheguei a pensar em um ataque cardíaco e amaldiçoei o destino por isso. Eu me lembro de ser tomado, subtraído daquele lugar, como se tivesse sido transportado. Era como se meu espírito flutuasse, levando minha consciência para fora do corpo, e eu via agora a cena do pântano como se eu estivesse de cima, a dez metros de altura. Eu estava me vendo no chão e só agora estou entendendo, meus amigos! Nesse instante, assisti meu corpo, e era como se ele fosse controlado por um mestre de marionetes, levantando e tirando da sela a capa vermelha que enrolava a espada de bento André e, sem titubear, desenrolei e tomei a espada nas mãos. Atravessei o cerco de cavalos e fiquei ao lado de bento Francis, com a lâmina erguida, segurando o cabo com as duas mãos, e então, desse instante em diante, eu passei a ver bento André, com um ferimento aberto no pescoço, em pé na areia, ao lado dos outros. Era como se meu corpo tivesse se tornado um mero vasilhame preenchido pelo espírito dele! Um segundo depois, eu vi, companheiros, com estes olhos, mais cinco novos soldados desembrulharem as espadas do meio das capas vermelhas e, quando atravessaram o cerco de cavalos, deixarem de ser soldados, e a figura dos outros bentos mortos chegaram a seus olhos de espírito flutuante. A partir daquele instante místico, passamos a ser dez bentos no círculo externo do banco de areia, e, mesmo assim, o número era insuficiente para fazer frente àquela descomunal quantidade de vampiros em um ataque na floresta. Estávamos habituados a ver tantos somente quando os malditos se organizavam de tempos em tempos para tentar ir contra os muros das fortificações. Nas florestas, o mais comum eram os bandos menores, em ataques rápidos e letais, afinal, ali era seu hábitat, seu território. O vampiro líder deixou os olhos correrem sobre o grupo, confiante, e não mandou atacarem imediatamente. Queria absorver mais daquele medo que emanava do grupo cercado pelos cavalos, pois aquilo era uma delícia para ele, parecia. O medo humano era um subalimento, algo tão inebriante quanto o sangue para aqueles malditos. O que poderiam aqueles dez bentos contra suas centenas de vampiros, lutando na mata, na escuridão, bem distantes das cidades? Logo que ordenasse o ataque, os vampiros voariam feito zangões para cima das tochas, e, sem luz, no breu e na garoa, a gente estaria liquidado em questão de segundos.

"Aí ouvimos eles falarem: *Dez bentos, irmãos! Essa é nossa noite de sorte!* Os vampiros dobraram os urros, mas Lucas avançou mais cinco passos, aproximando-se perigosamente da linha de frente dos vampiros. O vampiro líder exigiu imobilidade de seu bando, e Lucas gritou de volta: *Hoje é a nossa noite de sorte!* Os soldados, no cerco de cavalos, ficaram olhando curiosos, levantando-se aos poucos. Os vampiros, se sentiram insultados pela petulância do bento, voltaram aos urros e o vampiro líder ergueu os braços exigindo silêncio. Abriu caminho entre o bando até estar cara a cara com Lucas. A voz rouca e sussurrada do vampiro perguntou: *O que você está dizendo, rapaz? Que tem sorte de estar aqui?* E Lucas olhou por um instante o líder dos vampiros, que tinha baixa estatura, mas compleição forte, era careca e pálido, vestia roupas esfarrapadas e escuras. Que bicho estranho, rapazes! Parecia que Lucas tinha vontade de lançar sua espada à frente e aparar a cabeça dele. Os vampiros aglomeraram-se mais, formando um cerco cada vez mais denso, e talvez era isso mesmo que o bento queria. Ele respondeu: *Digo que hoje é sua noite de azar, vampiro do inferno.*

"Calmo, dono da situação, o vampiro líder abriu os braços e falou: *Você é cego, bento de uma figa?! Não vê que não há chance de escapar?* E Lucas: *Escapar? Quem quer escapar aqui, vampiro do inferno?* O vampiro líder riu, mas alguma coisa de nervosismo saiu de sua garganta, tão sutil que acho que só eu e o trigésimo percebemos, enquanto ele mirava a besta nos olhos. Nesse segundo de distração, Lucas usou de sua velocidade e deixou a espada cruzar o ar, produzido um silvo ligeiro, e a cabeça do vampiro líder rodopiou, levando com ele os olhos vermelhos das outras criaturas para o alto. Lucas girou a lâmina, fazendo ela descer e cortar ao meio, dividindo em duas bandas praticamente iguais, o corpo decapitado do vampiro."

— UAU! — exclamaram os ouvintes.

O narrador continuou contando que os outros vampiros, pegos de surpresa, ficaram estáticos, assistindo ao corpo do líder abrir-se lentamente em dois, caindo um pedaço de cada lado de seu cavalo. Lucas deu dois passos para a frente, girou a espada e cravou-a no barro embaixo da água, enquanto colocava-se de joelhos diante das centenas de vampiros boquiabertos. Levaria mais um segundo para que recobrassem a atenção e finalmente fechassem o ataque sobre o insuficiente grupo de soldados e bentos, mas esse segundo precioso era o que eles não tinham. Uma vez de joelhos, Lucas estendeu o indicador e o dedo médio da mão direita ao encontro da testa. Depois os dedos foram ao peito, depois ao ombro esquerdo e finalmente ao encontro do ombro direito, enquanto Lucas começava uma reza ligeira, descrevendo com os dedos o sinal da cruz. Em seguida, dentro desse segundo precioso, os dedos mergulharam na água do pântano, enquanto Lucas balbuciava o final da prece, deixando escapar, quase inaudível, um "em nome do Pai, amém", transformando, imediatamente, toda aquela água lamacenta em água benta.

— Mas... sabemos que um bento... um bento só faz uns poucos litros de água benta por dia! — interrompeu, Carlos, procurando entender a narrativa.

— Mas não o trigésimo bento, meu amigo, não o bento Lucas!

— Conte a ele o que aconteceu! — pediu, empolgado, José Roberto, o soldado de São Joaquim.

Elton estava tão emocionado com a própria narrativa que provavelmente nem tivesse percebido seus olhos marejados. Continuou o impressionante relato, revelando que assim que Lucas tocou a água do pântano, transformando toda a água ao redor em água benta, o pântano começou a borbulhar. Os malditos vampiros não tiveram tempo de perceber o que estava acontecendo e foram sendo dragados pela água abençoada, derretendo e queimando, transformando-se em tochas ambulantes. Um ou outro conseguiu saltar para as árvores adjacentes, e os que nelas já se encontravam trataram de fugir em retirada, sem sequer lançar um olhar para trás, abandonando os soldados e bentos, agora rodeados pelos gritos e pelo odor de morte causado pelos corpos que ardiam em contato com a água benta.

Incrédulos, os soldados foram deixando o cerco de cavalos tordilhos, com os olhos vagando pela água ao redor. Alguns deles chegaram à beira do banco de areia, erguendo as tochas para a luz ir mais longe e ter certeza de que os demônios tinham ido embora. Em questão de instantes, os corpos foram sumindo no pântano, deixando para trás somente aquele odor acre pútrido no ar. Olharam para Lucas, ainda com um joelho afundado n'água e os dedos tocando a superfície líquida.

Alicate interferiu na narrativa emocionada de Elton, relembrando que, nesse instante, destacou-se do grupo, olhando boquiaberto para os bentos rodeando os cavalos e para as figuras de Elton e dos cinco "possuídos" por sabe-se lá o que, erguendo as espadas de prata feito bentos legítimos.

— Fui um bento naquele instante — soltou Elton.

— Acho que não precisamos juntar os trinta bentos para começar a ver milagres — repetiu Alicate, exatamente como disse no banco de areia naquela madrugada, mas agora com a voz um pouco mais cansada.

O grupo ficou em silêncio por quase um minuto.

— Quando foi que apaguei? — perguntou Carlos.

— Logo no começo, na pedrada.

— Droga.

CAPÍTULO 43

Os dias se passaram nos lombos dos cavalos, com Lucas conduzindo a crescente comitiva pelas florestas e rodovias do caminho. Agora, depois de tantos dias à frente daquele destacamento, era como se sempre tivesse pertencido àquele tempo, como se fosse um guerreiro abençoado há mais de trinta anos e não há trinta dias. Os soldados, feridos na batalha do pântano, já demonstravam ótima melhora e a maioria não trazia mais hematomas aparentes, apenas tinham o semblante cansado em virtude da marcha sem trégua. Bento Vicente ia sempre ao lado de Lucas, tomando para si o posto de guarda-costas empertigado e conselheiro estratégico do trigésimo guerreiro no que cabia à escolha das melhores rotas a seguir. Bento Francis, sempre ponderado e divertido, cuidava dos feridos que insistiam em acompanhar o séquito, sendo também o principal consultado pelo bento salvador no que cabia à estratégia e à comunicação com as vilas.

Adriano e seus soldados de Nova Luz não retornaram ao grupo nem em sonhos sinistros com notícias da fortificação distante, nem por algum mensageiro. A voz de Sinatra, ora entoando um Tim Maia dos bons, ora puxando um Los Hermanos, fazia falta na comitiva, pois ninguém cantava como o soldado, nem tinha graça tentar.

Os soldados ainda sentiam arrepios quando se lembravam dos olhos amarelos de Lucas e de seus pesadelos, empurrando-os de frente ao perigo, de encontro ao desconhecido. Os soldados não diziam, mas, depois do episódio dos gorilas, eles passaram a ter medo das visões do trigésimo bento. O sono do abençoado começou a ser velado em um misto de receio e curiosidade. Por sua vez, sempre acordava com revelações nem sempre agradáveis, visões do mal, da noite, como se uma sombra rondasse as horas de sono do iluminado.

Estavam agora ao norte de Salvador, na fortificação de Santa Maria, no estado da Bahia. Tinham chegado tomados pelo cansaço da viagem sem trégua imposta pelo desejo de Lucas. A maioria entendia sua razão de insistir em seguir, mas não entendia o porquê de ele negar descanso até nas horas da noite, impondo a marcha sem parada. Bradava, comandava, ordenava que continuassem, nem sempre os conduzindo a um porto seguro. Dizia que os dias e as horas estavam contados e que só teriam descanso em Santa Maria. Por isso, a comitiva tinha chegado com sorrisos àquelas terras, pois sabiam que era ali que o trigésimo bento daria folga certa aos cavalos e cavaleiros e que ali teriam alívio, repouso e se preparariam para o encontro com os cinco bentos trazidos do norte por bento Duque. Logo, eles estariam por perto, e o plano bem pensado por bento Francis, lançado semanas antes, havia surtido efeito positivo. Sabiam que bento Duque estava adiantado e já cavalgava rumo a Santa Maria, facilitando a união dos irmãos mais distantes da comitiva de Lucas que, agora, sabia faltar pouco para a junção das trinta espadas, como o escolhido costumava referir-se ao famigerado e esperado encontro.

Via de regra, a comitiva era recebida com grande festa nas fortificações, enquanto na partida velas eram acesas, grupos de orações organizavam-se, pedindo do fundo da alma que os bentos tivessem sucesso na missão e que, após a união dos trinta, a profecia revelada pelo finado Bispo se concretizasse, desencadeando os quatro milagres e libertando os humanos das presas das trevas. Já passava do meio-dia quando, no dormitório onde repousavam os soldados cansados, bento Vicente acordou com os murmúrios de Lucas. O grandalhão parou um instante, olhando detidamente para o rosto do amigo, que apertava as pálpebras, como se lutasse contra algo em seus sonhos. Vicente descobriu-se e aproximou-se. Lucas agora balançava a cabeça, e gotículas de suor começaram a brotar na testa.

O bento adormecido começou a tremer e ranger os dentes, e Vicente, preocupado, pois nunca tinha visto aquilo. Parecia acometido de uma doença! Pensou em chacoalhar o rapaz até que acordasse, mas temeu desencadear alguma reação ruim, por isso conteve o impulso de sacudi-lo e disparou pela porta do dormitório quando Lucas começou a gemer e a debater-se. Vicente sabia o que fazer e correu pelo corredor de madeira até chegar ao salão. Não estava apropriadamente trajado para andar entre os moradores da pacata vila, não tinha sequer colocado sua malha, vestindo apenas a calça escura colada aos músculos de sua perna, mas não se preocupou com isso, pois Lucas estava em apuros, e ele não tinha tempo para colocar as vestes. Precisava chamar Francis, que tinha conhecimentos o bastante para lidar com essa nova crise do líder.

Nunca tinha visto nada tão forte. Ao atravessar o salão, viu que Francis estava no meio do pátio, conversando com alegres moradores daquela fortificação. Ele cortou o sorriso quando viu Vicente chegando tão depressa, com o peito nu. O bento grandalhão, ao ser visto, interrompeu a corrida e fez um sinal para que Francis o acompanhasse.

— O que acontece, irmão? — perguntou Francis, começando a correr atrás de Vicente.

— Lucas... ele não está legal, venha ver.

Francis não perdeu tempo com mais indagações e seguiu Vicente até o alojamento. Antes de chegar ao quarto, já ouvia a voz de Lucas ecoando pelo corredor, que gritava coisas desconexas, assombrosas.

— Inferno! — gritou o bento adormecido.

Bento Francis debruçou-se sobre o homem e levou a mão à testa.

— O que você está fazendo? — perguntou bento Vicente.

Francis sorriu, balançando a cabeça e bufando.

— Foi só um reflexo, diacho! Queria tomar a temperatura dele, ver se estava com febre! Meus instintos médicos falam mais alto que a razão, às vezes. — Francis forçou a pálpebra esquerda de Lucas, olhando suas pupilas. — Ninguém mais fica doente... — balbuciou o bento médico.

— Está delirando...

— ... Inferno... precisamos ir, a Barreira do Inferno...

Francis e Vicente trocaram um olhar. O que era aquilo? Lucas voltou a tremer.

— Convulsões? O que está acontecendo? — Francis assustou-se.

— Ele está tendo um daqueles sonhos de novo, e é um ruim desta vez, pode apostar. Está até suando.

Francis passou a mão pelo cavanhaque.

— O que vamos fazer? Acordá-lo?

— Não, senta aí.

Sentaram-se ao lado de Lucas, que apertou os maxilares e soltou um grito.

— Barreira do Inferno! Temos que ir. Fogo! Fogo e fumaça! Temos que ir ao inferno! Eles estão lá! Eles estão lá!

Os dois olharam-se mais uma vez.

— Do que ele está falando, Francis? O que é isso, cacete?

— Eu sei lá, Vicente. Você que virou o cão de guarda dele é quem deveria ter alguma pista.

— Eu não sei o que é isso... eu nunca ouvi um bento falar do inferno, credo em cruz, velho — benzeu-se Vicente.

— Nós temos que ir para lá! — gritou Lucas novamente. — Temos que ir para lá!

O bento, delirante, ergueu os braços, tentando lutar contra algo invisível.

— Vamos abraçá-lo ele, Vicente! Vamos segurá-lo, antes que se machuque ou machuque alguém.

Os bentos abraçaram Lucas, mantendo seus braços abaixados e centrando seu corpo na cama para que não fossem ao chão.

— Inferno! Fogo! Fogo! Vamos queimar! — gritava Lucas.

— Santo Deus...

— Pai Nosso que estais no céu. Santificado seja o Vosso nome... — começou a rezar bento Vicente.

Francis apertou os lábios por um instante, sem saber o que fazer. Apesar de ele ser o médico, Vicente é que parecia estar empregando o remédio certo.

— O pão nosso de cada dia... — juntou Francis a oração.

Lucas continuou rangendo os dentes e gritando coisas estranhas até o final da oração. Era como se tivesse possuído por alguma entidade, por algo ruim.

Ele só foi despertar do misterioso sono horas mais tarde. Quando abriu os olhos, encontrou bento Vicente cochilando na cadeira do seu lado direito, e bento Francis olhando-o do lado esquerdo.

— Temos que ir à Barreira do Inferno.

Francis sorriu.

— Eu sei. Você berrou isso para todo mundo a tarde toda.

Lucas sentia a garganta seca e dolorida. Tentou salivar, mas parecia sem líquidos no corpo.

— Preciso de água.

Francis apanhou a jarra de barro na mesa de cabeceira e serviu o homem desperto, enchendo um copo com o líquido cristalino.

— O que é isso?

— É água.

— Não... estou falando desse negócio de Barreira do Inferno. O que significa isso?

— Estávamos esperando você acordar para nos explicar.

Lucas respirou fundo e colocou-se em pé. Aproximou-se de uma mesa onde estavam seus pertences e colocou a cota de malha de prata sobre a blusa de mangas longas. Francis aproximou-se para ajudá-lo com a couraça de prata, e Lucas apanhou a capa vermelha não mais imaculada, mas sim já batida pela viagem incessante, prendendo-a aos dragonetes. Fechou os olhos, que, apesar de ter dormido bastante, ainda pareciam cansados. Francis observou-o calado.

— Temos que ir à Barreira do Inferno.

— Do que você está falando, irmão? Que lugar é esse?

— Fogo e fumaça.

Francis sentiu a pele arrepiando.

— Eu vi fogo e fumaça, Francis, vi a Barreira do Inferno. Temos que ir, todos.

Francis olhou para Vicente, que continuava cochilando. Lucas desembainhou a espada e examinou o fio detidamente. O som do metal correndo para a bainha encheu o quarto.

— Temos que ir.

Assim que Lucas passou pela porta, Francis chutou a cadeira onde repousava o brutamontes Vicente. O bento colocou-se em pé às pressas.

— Onde está Lucas?

— Seu protegido acaba de sair. Vamos.

Encontraram Lucas no pátio, sendo rodeado pelos rapazes e pelas crianças que faziam festa com a passagem do trigésimo bento. Quando o grupo de cidadãos começou a engrossar, logo um destacamento de soldados circundou o bento, protegendo-o do alvoroço. Depois de tantos dias em companhia do legendário "prometido", estavam acostumados à aglomeração de curiosos. Bento Teodoro foi o primeiro a aproximar-se de Lucas, logo percebendo o rosto pálido e transtornado do jovem colega.

— O que acontece, Lucas?

— Um pesadelo... precisamos partir.

— Para onde?

Lucas piscou várias vezes, com a cabeça baixa.

— Eu vi fogo e fumaça, Teodoro.

— De fumaça eu entendo, Lucas — comentou o bento ruivo com um sorriso irônico. Os soldados olhavam de Teodoro a Lucas, tentando acompanhar a conversa, enquanto mantinham os curiosos longe da couraça do bento, que queriam tocar.

— Teodoro... temos de ir ao inferno.

O bento estancou, olhando para o trigésimo, boquiaberto. O que era aquilo agora, a provação final? Tinham acompanhado aquele homem nos rincões mais perigosos do Brasil Novo, passado por florestas e pântanos durante a noite, juntado tantos bentos quantos foram possíveis e ouvido da boca de Lucas a promessa de aguardar ali, em Santa Maria, ao norte de Salvador, a chegada de bento Duque com os bentos do Norte e Nordeste. Que papo era aquele de nova jornada ao inferno?

— Inferno! — exclamou, incrédulo, querendo confirmar o que temia.

— Eu vi, vamos encontrar fogo e fumaça. Precisamos salvar os bentos do Norte.

— Mas você disse que esperaríamos aqui, bento Lucas. Aqui em Santa Maria. Você me arrancou de Ilha Grande, do paraíso, para ir ao inferno? Essa eu passo.

— Se ficarmos, perderemos a batalha e seremos engolidos. A profecia nunca se realizará.

— Mas para onde vamos? O que esses sonhos desgraçados sopraram no seu ouvido desta vez?

— Desgraçados?!

— Ah, desgraçados, sim! Por culpa desse seu ouvido do além, fomos parar no meio de um monte de gorilas, já esqueceu?

Desta vez o trigésimo bento não respondeu ao ruivo, emudecendo mais uma vez. Estava tonto e, novamente, sentia a boca seca. Reconhecia-se um louco bradando: "Inferno! Inferno!". Era natural que não quisessem escutar, nem crer. Como ir ao inferno? Como aquilo poderia ser verdade? Mas ele tinha visto fogo e fumaça e escutado a ordem. Tinha visto a criatura no meio das labaredas, um monstro terrível, de pescoço longo e escamoso, com dentes vinte vezes maiores e mais numerosos que os dos vampiros. Os bentos do Norte agora estavam em perigo, por isso não poderiam cumprir a promessa e ficar lá desfrutando da beleza de Santa Maria, tinham de partir.

Bento Francis e Vicente atravessavam o pátio, enquanto o sol descia e a sombra do muro da fortificação começava a cobrir as plantações internas e um gramado verde que servia de campo de futebol. As casas mais ao centro gozavam da luz amarelada do poente. O grupo de gente ao redor de Lucas aumentava, dificultando a aproximação da dupla.

— Ele está perdendo o juízo? — perguntou Vicente, atormentado.

— Não, é só um mal-estar, um pesadelo, daqueles bem ruins. Está estafado, cansado... o organismo prega peças. Há quantas noites nenhum de nós tem um sono decente?

— Ele falou em inferno... será "inferno" mesmo? — insistiu Vicente.

O líder Elton aproximava-se a tempo de ouvir a resposta de Francis.

— Ele falou em fogo e fumaça, em inferno, na Barreira do Inferno.

Mais soldados juntavam-se aos bentos, indo em direção a Lucas, percebendo que algo acontecia.

— Barreira do Inferno? — questionou Elton.

— Sim, é para lá que Lucas quer nos levar.

— Eu sei o que é — Elton afirmou, na maior naturalidade.

Francis e Vicente pararam e encararam o líder dos soldados, espantados.

— Sim, existe um lugar aqui no Brasil com esse nome, Barreira do Inferno.

— É um lugar místico? — interrompeu Francis.

— Não, pelo contrário. É um lugar científico, uma base de lançamento.

— Lançamento?

Vicente não conseguia ver ligação no que Elton dizia com o pesadelo de Lucas.

— É, a Barreira do Inferno fez parte do programa aeroespacial brasileiro. Servia para o lançamento de foguetes que levavam satélites.

— Onde ficava isso?

— Não lembro. Lia muito revistas científicas, via sites, participava de grupos. Sempre fui curioso com o espaço... mas não lembro dessa informação agora.

— Você consegue essa informação? — Francis perguntou a Elton, que ergueu os ombros e olhou para os soldados ao seu redor.

— Ah, como a internet faz falta! A gente descobriria em um minuto! — Elton exclamou. O alvoroço ao redor de Lucas aumentava, e os brados dos cidadãos subiam de volume. Os poucos soldados ao redor do trigésimo demonstravam dificuldade em conter a multidão.

— Tem alguma biblioteca aqui em Santa Maria? Ou algum astrônomo que vive aqui?

Diego, soldado local, respondeu:

— Tem a casa da dona Fátima, lá é um tipo de biblioteca. Ela era professora e continua ensinando uma porção de coisas para a população que frequenta as aulas e para as crianças despertas que ainda não foram alfabetizadas.

— Leve-o até essa casa — pediu Francis. — Veja se descobre alguma coisa, Elton. Voando! Já me acostumei com Lucas, acho que vamos levantar acampamento esta noite mesmo.

Elton disparou com Diego, enquanto Francis tentava vencer a multidão e aproximar-se de Lucas. Cerca de uma hora mais tarde, com o boato de que bento Lucas não passava bem correndo de boca em boca, a população resolveu dar trégua ao trigésimo. Os líderes e os bentos voltaram ao alojamento dos soldados e reuniram-se em uma ampla mesa, formada por diversas tábuas sobrepostas em cavaletes de ferro soldado. O grande salão, igual a tantos outros nas fortificações, servia de garagem, oficina e arsenal à milícia local. Santa Maria não era um centro pequeno e boa parte dos sobreviventes de Salvador havia migrado para aquela localidade, mas o grosso dos ex-moradores da capital baiana tinha se dividido, fugindo das cercanias do velho centro, indo esconder no interior, em fortificações mais distantes. Salvador havia sido palco de grande desgraça, e centenas de histórias de famílias inteiras devastadas pelas nefastas criaturas circulavam pelos lares dos sobreviventes. Os vampiros tinham dominado Salvador, fazendo do centro um covil gigante, como em tantos outros grandes centros urbanos.

Quando os bentos presentes começaram a conversar com Lucas sobre sua inesperada decisão de abandonar Santa Maria, Elton surgiu. Voltava ofegante, como se tivesse acabado de disputar os cem metros rasos. Veio até junto da mesa, sob o olhar de todos.

— Eu descobri onde fica a Barreira do Inferno!

O grupo permaneceu em silêncio.

— Fica ao sul de Natal.

Elton puxou uma caixa de madeira e sentou-se para recuperar o fôlego.

— Então esse lugar existe mesmo... — balbuciou Lucas.

— Não sabemos se ainda existe, Lucas — interrompeu bento Teodoro. — Esse lugar, como tantos outros, é um nome do passado, foi um lugar... que pode estar infestado de vampiros agora.

Lucas levantou-se.

— É para lá que vamos.

— Não podemos, Lucas, precisamos descansar, estamos exaustos. São dez dias de viagem até Natal. E estamos a cavalo, porque os veículos a motor estão sem combustível.

— Quanto mais demorarmos para sair, mais vamos demorar para chegar.

— Você não ouviu, Teodoro? — insistiu bento Francis. — Aquele lugar pode estar infestado de vampiros.

— Eu vi fogo e fumaça, Francis, o inferno, mas não vi vampiros. Temos que ir. Eu tive esse sonho por alguma razão e, se não nos movermos agora, colocaremos a profecia em risco.

— Colocaremos em risco se sairmos daqui sem uma boa razão. Faltam apenas seis de nós para juntarmos todos os bentos, Lucas. Por que mudar as coisas agora?

— Por quê? Não sei por quê, merda! — irritou-se Lucas, batendo no tampo da mesa e colocando-se em pé. — Só sei que tenho esses sonhos... que tenho que ir, que nosso futuro está em jogo!

— E os últimos dois nos colocaram com a faca no pescoço. Quase perdemos tudo por causa desses sonhos.

Lucas estava nervoso. Seu tórax de prata subia e descia rapidamente. Sua barba crescida deixava o rosto enegrecido e acentuava o ar de cansado. Andou até Francis e apontou-lhe o dedo. — Eu segui a voz...

Bento

— Quase nos matou... — balbuciou bento Pedro, o último guerreiro reco-lhido pela comitiva.

Bento Vicente deixou a mesa e postou-se ao lado de Lucas, encarando Pedro. Lucas também olhou para o outro bento, sustentando seu olhar acusador.

— Eu matei mais vampiros que qualquer um de vocês. Sei que precisamos estar lá, na Barreira do Inferno. Os malditos estão no nosso caminho, mas não fui eu quem os colocou aí. Quando abri os olhos nesta minha terra, ela já estava assim, infestada de demônios que perambulam à noite.

Pedro não respondeu.

— Acalme-se, Lucas, somos todos irmãos. Todos nós combatemos os maldi-tos e ninguém é melhor que ninguém. Temos todos a mesma missão e a mesma vontade — disse Francis, em tom conciliatório.

— O problema, Lucas, é que, de algum jeito, os desgraçados estão fechando o cerco. Para onde essa voz na sua cabeça nos manda, encontramos desgraça. Assim não dá, rapaz — interveio Teodoro. — A gasolina acabou, meu bagulho acabou... Para continuar essa andança, eu preciso de um aditivo, ouvir um Bob Marley, o bi-cho está pegando. Vamos sentar o rabo em Santa Maria e, quando Duque chegar com o resto dos caras, a gente vai para esse quinto dos infernos.

— E se eles nunca chegarem? E se Duque e os outros forem mortos por um bando de vampiros? O que você vai falar para mim, bento Teodoro?

Teodoro ficou mudo, incapaz de responder.

— Ninguém foi escolhido bento para viver um mar de rosas — continuou Lucas. — Muito menos para ficar com a bunda no chão, esperando um baseado. — Desta vez seus olhos ficaram em bento Teodoro, que abriu um sorriso malicio-so seguido de uma expressão de desconforto quando percebeu o olhar dos demais.

— Cada um tem que puxar a sua sentença. Se a nossa pena é seguir Lucas até o inferno, é até o inferno que iremos segui-lo.

Os olhares convergiram para Vicente, que estava com expressão séria. O grandalhão quase não falava nos últimos dias, mas quando abria a boca costumava ser escutado. Lucas andou pelo salão com sua capa surrada balançando nas suas costas, e olhou nos olhos daqueles homens.

— Eu parto esta noite, com ou sem vocês. Ouvirei meus instintos até o fim dos meus dias, vou seguir meu destino. Minha missão é estar onde devo estar, não é perder tempo com incertezas, nem com um bando de descrentes. Estamos aqui, reunidos em Santa Maria, por uma razão. Ficar aqui dormindo enquanto Duque e os outros entram na boca do diabo não é nem de perto nosso objetivo.

— Lucas...

— Não gaste argumentos, Francis, a decisão está tomada. Precisarei de vocês ao meu lado... Não só dos bentos, dos soldados também.

Os soldados que se mantinham ao redor dos bentos, mudos e atentos, trocaram olhares rapidamente.

— Não fui escolhido como o trigésimo bento à toa. Isso aconteceu por um bom motivo, e a razão é que eu não pestanejo, não paro para pensar. Vou e faço o que tem que ser feito.

Bento Francis inspirou fundo.

— Santos Deus do céu! Que o Senhor nos proteja, pois esse maluco vai acabar com a gente!

Lucas sorriu olhando para Francis e depois tornou para Vicente.

— Pegue um mapa, veja com Elton o melhor trajeto até essa Barreira do Inferno. Partiremos assim que a tropa for reabastecida.

CAPÍTULO 44

Anaquias abriu os olhos ao ouvir um eco em seus ouvidos na caverna escura e úmida que abrigava centenas dos seus. A criatura soltou-se da parede de rocha, tocando o chão com suavidade, e, com rapidez, transpôs os poucos túneis que davam para fora do covil. O ar ainda quente revelava que o astro rei havia se deitado há poucos minutos. A claridade residual fazia arder os olhos, mas não impedia o início da caçada. Não queria sangue de adormecidos naquela noite, mas sangue vivo e o prazer da emboscada.

Anaquias correu alguns passos e arremessou-se em direção ao frondoso tronco de um jequitibá, escalando vinte metros e ampliando o horizonte. Tinha seguido para o norte, como lhe pedira o vampiro-rei. Ali os cheiros da mata eram diferentes, assim como as árvores, mas o cheiro da caça era o mesmo: de sangue. Saltou para os galhos mais altos, iniciando o voo de árvore em árvore, e o odor da caça desprevenida era forte. Agarrou-se ao galho da árvore seguinte, balançou o corpo e seguiu a trilha do cheiro de vampiros, os caçadores no caminho, descendo mais. Seus olhos espectrais varreram a floresta e ouviu vozes de criaturas da noite ávidas em saciar a fome. A seus olhos, eram novos seguidores, prontos para ser agregados ao novo exército, bastando para isso contar a boa-nova: que estava em conexão com o espírito da noite, do vampiro-rei, o único com alma, o fantasma.

Anaquias fechou os olhos, inebriando-se com a presença de seu deus noturno, que tocava sua mente despejando suas vontades. Precisava de mais vampiros, de um exército glorioso para preparar sua chegada, e também de informação. O vampiro-rei projetou uma imagem em sua mente, que no grupo adiante teriam que lhe dizer uma coisa importante. Abriu os olhos vermelhos como brasas, parecendo despertar pela segunda vez do transe de repouso. Esqueceu-se do cheiro da caça e passou a farejar os vampiros. Estava faminto e perigoso, mas precisava cumprir a vontade do vampiro-rei, o desejo do deus da noite. Antes dos humanos, encontrou o grupo de caçadores e, estranhamente, reconheceu a vampira de pele negra. O vampiro-rei soprou-lhe um nome, dizendo que a maldita atendia por Santana.

Anaquias expôs seus dentes longos e desceu de encontro ao grupo, saltando do galho e caindo no centro do círculo formado pelos vampiros. Os confrades ergueram os olhos para o forasteiro, também exibindo seus dentes pontiagudos, mas Santana foi a única que se esquivou. Aquele rosto... de alguma forma lhe parecia familiar.

O primeiro e mais arisco dos vampiros atirou-se sobre Anaquias, mas o mensageiro cravou as garras na face do atacante, fazendo brotar da pele dilacerada gotas negras de sangue viscoso. Saltou para o ar, desviando-se do segundo atacante, e agarrou a mão do terceiro, produzindo um estrondoso creck ao esmagar os ossos do punho do agressor.

— Parem! — bradou a vampira líder.

A risada de Anaquias alastrou-se pela noite.

— Sábia, Santana!

— O que veio buscar, vampiro?

— Briga, certamente, não foi — respondeu Anaquias.

Santana expôs seus dentes ferinos, e Anaquias deixou os olhos brilharem em um vermelho intenso, cobrindo o espaço ao redor com um espectro rubro.

— Vim atrás de informação importante, vampira.

— O que quer saber?

— O que é a Barreira do Inferno?

A vampira permaneceu calada por um instante e depois seu rosto abriu-se em um sorriso maligno, exibindo as presas mais uma vez.

CAPÍTULO 45

Lucas caminhou entre os homens, agarrados ao seu tanto de suprimento e à sua arma. Apesar do espaço vasto sobre o convés do cargueiro, os bentos haviam se juntado em um canto, formando um aglomerado de couraças prateadas, tilintar de cotas de malha e capas vermelhas surradas. A maioria dos soldados dormia, e Vicente havia convencido Lucas de que descansar seria o melhor antes da partida, pois o caminho mais adequado cruzava com a velha Salvador e não seria nada inteligente querer incentivar os homens a uma viagem à Barreira do Inferno começando com o inferno propriamente dito. Esperariam a luz do sol e cruzariam a velha capital durante a luz do dia. Os mulos seriam obstáculos menos comprometedores que a legião de vampiros soteropolitanos. Junto a Elton e dona Fátima, Vicente havia descoberto que o caminho mais rápido e seguro seria pelo mar. De navio, subiriam a costa brasileira, mantendo-se afastados dos malditos mesmo durante a noite, e desembarcariam ao sul de Natal, razoavelmente próximos à base da Barreira do Inferno. Decididamente, a sensação era nova, pois Lucas não se lembrava de ter feito um cruzeiro em sua vida pré-adormecida, mas, apesar das lembranças reais serem negadas, tinha a nítida sensação de já ter passado por ali, por aquelas águas. Algo dizia que havia estado em um barco menor, em uma embarcação ligeira... Nessa ocasião, obscura em seu cérebro, só sabia que, como agora, tinha navegado sobre o mar seguindo alguma coisa, um instinto... Baixou os olhos para a água sem saber o que procurava, só que nunca havia estado em um navio daquele tamanho. Lembrou-se do capitão dizendo diante de seu queixo caído que aquela fragata era uma das pequenas. Debruçou-se sobre a amurada vasculhando as águas cortadas pelo casco, mas não havia nada ali na água, e desviou os olhos do oceano. Mirar aquele mundão de água só lhe trazia tristeza e aperto, e decididamente o mar não era seu lugar. Olhando para o convés do navio, pegou-se, mais uma vez, impressionado com as dimensões da embarcação, mesmo sendo uma das menores. Não que aquilo fosse um pacote de alguma agência de cruzeiros, com direito a uma viagem em um *Queen Isso ou Aquilo*, mas até que era interessante estar em um navio. Foi muita sorte ter encontrado dois navios em condições de prosseguir jornada, coisa rara naqueles dias, não só pela manutenção do equipamento, mas pela disponibilidade de combustível a bordo. Caso tivessem que procurar pelo diesel, o plano jamais teria dado certo e levariam dias para juntar tanto óleo. O segundo navio era mais parrudo e lento, deixando aumentar gradativamente a distância entre os dois. A superfície do mar brilhava com o sol forte, as vozes das conversas iam e vinham em seu ouvido, enquanto sentia o vento cruzar o convés e balançar seus cabelos. O avanço do navio era ligeiro, bem apropriado para a emergência, e o casco rasgando a água provocava um barulho ritmado e gostoso. Pelos cálculos de Elton, de Vicente e de mais dois soldados que haviam sido marujos no passado, a embarcação atracaria no Rio Grande de Norte dentro de um dia e meio, certamente mais rápido do que cruzar ao menos dois estados do Nordeste nos lombos dos cavalos. Indo pelo mar também evitariam novo confronto com os malditos sugadores de sangue, mas, mesmo tendo encontrado aquela rota mais segura, os bentos e boa parte dos soldados formavam oposição, seguindo contra a vontade para o norte da região Nordeste. O que fariam lá? Lucas havia prometido uma pausa, um descanso. Os mensageiros haviam partido há vários dias e os bentos viriam a Santa Maria para a junção das trinta espadas, para o ponto de encontro, portanto não entendiam a mudança repentina nos planos. Aos olhos da intriga que brotava, Lucas agora parecia afastá-los do motivo principal da jornada, expondo o grupo a um perigo desnecessário. As últimas excursões tinham sido atrapalhadas, perigosas, e o respeito e admiração dos homens havia se convertido em medo, mesmo Lucas tendo prestado tão maravilhosa demonstração de poder místico, transformando a água de um pântano todo em água benta, e mesmo correndo de boca em boca que o líder Elton tinha visto o espírito dos seis bentos no banco de areia, o medo germinava e ganhava raízes nos corações acuados da soldadesca.

Com medo, começavam a destruir o mito, esquecer as verdades ao redor do trigésimo e colocar em xeque suas virtudes, sua guia e sua liderança, a afundar em um poço de lamúrias, escusas e acusações. Queriam a segurança do muro, descanso, e não os rincões à noite, à mercê das criaturas das trevas. Se poderiam esperar em Santa Maria, por que não o faziam? Seria mais difícil ser morto em uma fortificação preparada para a defesa do que morrer no sertão. Tinham medo, e ele construía todo tipo de história.

Por sua vez, Lucas tinha certeza do que fazia, só não tinha certeza do que encontraria. Sabia que precisava ir à Barreira do Inferno, que lá encontraria os bentos restantes e deveria defendê-los dos malditos. Tinham medo, e aquele incêndio

Bento

cego de fé e devoção que ardia na alma de seus seguidores arrefecia, bombardeado pelas tempestades dos últimos acontecimentos. O desgaste físico dos últimos dias havia corroído, além das fibras de seus seguidores, também suas convicções. Durante as horas sem sono e o avanço sem trégua, haviam se distraído e engolido a semente da dúvida, e em suas entranhas essa merda germinava. Os cochichos funcionavam como esterco, que alimenta a raiz, que sustenta a erva daninha, mas o bento estava determinado a não dar ouvidos às conversas ou chance aos argumentos. Até mesmo àqueles que, quando bem calçados, eram capazes de balançar qualquer fundamentalista e suas certezas. Entretanto, Lucas não queria dar essa chance e tapava os ouvidos, mantinha sua força de líder, seu olhar. Tinha que ir e levar seus homens à Barreira do Inferno, era isso que a voz transformada do Bispo lhe soprara no pesadelo, e era o que importava. Levar os homens de encontro ao destino, sem vacilo, sem chance para o erro, sem chance para os vampiros, porque tinha que estar lá quando acontecesse. Lucas inspirou fundo e abaixou a cabeça. Mas acontecesse o quê? Isso ainda não sabia, o danado do Bispo não conseguira revelar nem dar resposta. Era como ele havia dito em outra ocasião: uma peça de quebra-cabeça. Cabia a eles, os escolhidos abençoados naquele navio, sacar as espadas e juntar as peças.

CAPÍTULO 46

Anaquias subiu no galho mais alto e abriu um sorriso largo quando viu as colunas vermelhas caminhando no solo, entre as árvores, vindo em sua direção. Em razão de seus últimos sucessos e conquistas, nenhum conselho de vampiros ousava dizer-lhe não. A notícia de que o vampiro reunia soldados para uma organização suprema do exército da noite corria de boca em boca, seduzindo cada vez mais seres das trevas, e ele executava diante de seus olhos algo tão mágico quanto seus corpos mortos e ambulantes. Anaquias *sabia*, *via* e *vencia*. Os líderes vampiros estavam rendidos aos pedidos do profeta, por isso ele contemplava abaixo dos seus pés o numeroso exército marchando a caminho do leste, para a Barreira do Inferno. O vampiro havia visto o espectro maldito, os bentos unindo-se ao sul de Natal, e deveria estar lá para impedir, pois essa era a ordem do vampiro-rei desaparecido. Precisava organizar um número de criaturas da noite e fazer delas um bloco unido, com propósito de organizar o ataque, como o vampiro-rei lhe soprara ao ouvido. Tinham que vencer, eram maioria, ou, do contrário, seriam esmagados pela energia apontada aos humanos. A energia tomava partido e se tornava desigual, mas eles tinham que tirar vantagem da ignorância humana. Os olhos humanos não tinham sido abertos nem pelo mais sábio e receptivo deles, pelo homem chamado Bispo, que via com a energia, mas não lia nas entrelinhas. O velho aguardara mansamente, olhando as 32 pecinhas se mexendo no tabuleiro, preparando-se para o turno de jogo... Ah! Os vampiros aproveitaram a piscadela e tramaram contra o sangue de Bispo! Mas agora aquele bendito trigésimo ainda engatinhava na energia. Era um cego com um maravilhoso cão guia, mas ainda um cego.

O trigésimo ouvia os sussurros agonizantes da energia soprando em seus ouvidos por meio das migalhas de Bispo, que se mantinham conscientes no estômago do vampiro líder, mas o vampiro-rei era o oposto de cego, levado por um cachorro pincher guia, que não era um cego! O vampiro-rei via tudo e lhe dizia tudo, e era o verdadeiro portador da libertação, que jazia com o sangue escolhido nas veias, que tomou para si o destino e passou a ser o escolhido, feito lobo sob a pele de cordeiro. Enganou o Universo, as energias, e fez com que ela lhe soprasse as boas-novas e por qual passagem diante da bifurcação os vampiros deviam tomar. Unia-se com o mundo místico e trazia receitas do espaço oculto, como um vampiro bruxo, e era isso o que era: um vampiro bruxo, o vampiro-rei.

Anaquias não podia parar de recrutar, preparar um exército para a chegada do mestre de todos os vampiros. Teria de liderá-los, tal qual fazia o maldito trigésimo guerreiro dos humanos. E lá estava, passando abaixo dos seus pés, um rio de brasas, marchando, ordinários, silenciosos, em busca do confronto, no fito de liquidar com a estratégia dos bentos e acabar com a esperança dos humanos, para dizimar, em um só ataque, a maioria dos guerreiros místicos da luz que defendiam os muros das fortificações contra os guerreiros místicos das trevas. Era a chave para alcançar sem grande perda todos os Rios de Sangue do Brasil Novo, para alcançar a vitória, e tinham que acabar com os bentos antes que se unissem, devorá-los feito dragões famintos diante de carne sangrenta.

Ele saltou veloz entre os galhos, fazendo o cume das árvores oscilar com suavidade. Abriu mais uma vez seu sorriso maléfico, saltando ao ar e descendo até seu cavalo, carregado pela rédea por outro vampiro. Anaquias tomou as rédeas para si e bateu com os calcanhares na montaria que disparou. Pouco mais à frente, virou-se para contemplar, mais uma vez, seu maravilhoso exército de trinta mil vampiros, marchando silencioso, assustador, magnífico. A superioridade daria cabo do destino.

CAPÍTULO 47

Duque e seus guerreiros chegaram à Nova Natal por volta do meio-dia e, logo que adentraram, notaram uma agitação tremenda dentro dos portões. Viram uma fila interminável de caminhões estacionados no meio da rodovia que cruzava a fortificação de fora a fora. A brisa marinha invadia os muros do forte, trazendo um cheiro agradável. Amintas apontou para os amigos e viram homens carregando macas que traziam adormecidos e os conduziam para os caminhões, em um entra e sai sem fim de um complexo com cerca de dez galpões altos. Bento Justo deixava o dedo dançar no ar, apontando para cada caminhão para não perder a conta.

— Quarenta caminhões. Nossa! O que estão fazendo?

Duque e os demais sabiam que Nova Natal possuía um gigantesco depósito de adormecidos e, ao que parecia, os corpos em suspensão estavam de mudança. Alguns moradores aproximaram-se da comitiva de guerreiros abençoados para tocar suas capas e pedir proteção. Amintas foi o primeiro a desmontar e pousar a mão enluvada na cabeça de uma garotinha que aparentava seis anos.

Célio viu um rapaz de capa deixando um dos galpões, era bento Augusto. Sinalizou para bento Duque, que ergueu o braço e acenou. Andaram de encontro ao sexto e último bento, e Duque abriu um sorriso largo, não contendo a satisfação. Finalmente havia concluído sua parte e agora conduziria todos a Santa Maria, para o encontro final.

Augusto caminhava rapidamente, com a capa vermelha esvoaçando para trás junto a seus longuíssimos cabelos negros e lisos. Duque notou uma extensa cicatriz no lado esquerdo do rosto pálido do bento. Nunca tinha visto Augusto, talvez por isso tivesse se impressionado tanto com a vivacidade dos olhos azul-escuros do guerreiro, feito duas bolas de gude.

— Satisfação em vê-los, irmãos! — disse Augusto, aproximando-se e estendendo a mão. — Seu mensageiro chegou há poucos dias me avisando do encontro. Não imaginam minha alegria ao saber que viriam, e mais, que o trigésimo bento estava desperto.

Bento

Os guerreiros trocaram abraços fraternos fazendo as couraças repicarem ao contato.

Augusto olhou para os caminhões e de volta para os amigos.

— Bem... acreditava que vocês chegariam dias mais tarde, mas vieram rápido.

— Sim, tenho urgência em entregar vocês a bento Lucas. Os vampiros estão mais perigosos a cada lua, e o desfecho da profecia chega em boa hora.

— Sigo com vocês, como é sua vontade, mas antes tenho que terminar o que comecei.

Os bentos olharam para Duque, pois esperavam que Augusto partisse prontamente.

— O que o prende aqui, irmão? São os caminhões?

— Exatamente, irmão. Concordei com o líder de Nova Natal em trasladar boa parte dos adormecidos desta fortificação para uma nova.

— Nova?

— Sim, nossos grupos de busca têm encontrado muitos adormecidos recentemente. Estamos voltando das cidades mais distantes cheios de pessoas com sono e tivemos também sucesso na destruição de um covil de vampiros que mantinha um Rio de Sangue. Estamos ficando sem espaço por aqui.

Começaram a andar em direção aos caminhões.

— Esse comboio irá levar os adormecidos para nossa nova fortificação — continuou Augusto. — Esse lugar teve uma imensa instalação adequada às necessidades dos médicos para manter os adormecidos em condições minimamente humanas. As preparações terminam hoje, e esta noite partiremos com o comboio para a nova casa.

— Onde fica esse lugar?

— Barreira do Inferno, já ouviram falar?

— A base de lançamento de foguetes perto de Natal?

— Sim. Só faltam os foguete para lançar. Até tem um lá, abandonado pós--Noite Maldita, mas depois de trinta anos é um monte de ferro velho. Agora, a base, meus amigos, parece que foi construída ontem.

Chegaram ao fim do primeiro caminhão, e Duque achou impressionante a quantidade de adormecidos que passavam nas macas e eram levados às carrocerias dos veículos. Olhou para um dos compartimentos e viu que seu interior havia sido tomado por estruturas de madeira em formato hexagonal, lembrando colmeias. Os corpos eram empilhados em grande quantidade, formando corredores por onde os homens andavam. Cada adormecido era separado por uma distância mínima do corpo seguinte, e seguramente contariam com ventiladores ou algo

396

similar para garantir ar suficiente para os corpos. De ouvir os médicos em outras ocasiões, sabia que aqueles corpos consumiam uma taxa de energia muito diferente, queimando o mínimo de energia e exigindo pouco oxigênio no organismo para se manterem vivos, mas, mesmo assim, precisavam de ar circulando nos pulmões. Olhando novamente para as estruturas onde eram empilhados, Duque chegava a sentir ansiedade, pois provavelmente sofria de claustrofobia.

— Como a base pode estar tão conservada assim? — perguntou Célio.

— Vive lá um carinha singular, vocês verão que figura. Apelidamos o sujeito de Franjinha. Parece um cientista, vive inventando coisas, e montou sozinho um gerador de energia elétrica para abastecer o centro. Tudo funciona na Barreira do Inferno, os computadores, as fiações, até a conservação dos jardins e as pinturas dos edifícios são mantidas em dia pelo Franjinha.

— O que você quer dizer com "verão"? Nosso destino é Santa Maria, bento, ao norte de Salvador.

Augusto encarou Duque.

— Não vou abandonar meus homens na reta final. Desculpe, Duque.

— Temos que nos juntar a Lucas — insistiu.

— Veja, os caminhões estão quase cheios, e só não partiremos em uma hora por causa do sol. Se fecharmos essas carrocerias com toda essa gente aí dentro, será um massacre. Seremos piores que os vampiros, e a temperatura vai subir tanto que eles morrerão no meio do caminho. Só poderemos viajar quando anoitecer.

— Justo ao anoitecer? Por que não vamos de madrugada, faltando pouco para o amanhecer?

— O caminho está limpo, Duque. Temos monitorado a estrada há semanas, e faz meses que nenhum ataque acontece por estas bandas, nem aqui, nem em povoado nenhum ao redor. E tem outra coisa...

— O quê?

— Segundo Franjinha, a Barreira do Inferno nunca foi atacada. O cara nunca viu um vampiro na vida dele, e se cruzar com um na mata, é capaz de dar boa-noite e passar batido.

— Não sei — refletia Duque, passando a mão na cabeça. — Acho arriscado.

— É seguro! Os soldados vão fortemente armados nos caminhões, carregados em excesso. A viagem dura cerca de quatro horas, no máximo, e nós partiremos agora. Tem um veículo à minha disposição, eu partirei agora mesmo, pois sou o responsável pela segurança na Barreira do Inferno.

— Partimos agora? — quis confirmar Duque.

Bento

— Agora. Nossos cavalos serão levados em um dos caminhões, vamos em um carro rápido. Chegamos na metade do tempo do comboio, faremos o percurso em duas horas, no máximo. Amanhã pela manhã, como é seu desejo, partiremos para Santa Maria.

Duque estendeu a mão para o bento de olhos azuis.

— Fechado.

CAPÍTULO 48

Lucas segurava firme a amurada do navio, enquanto os motores potentes faziam a embarcação singrar o mar, cortando velozmente as águas. O sol descia ao encontro do horizonte, tirando da Terra a luz protetora que manteria os homens livres das bestas. O turno do jogo mudava de lado, e seria a vez dos vampiros moverem-se no tabuleiro. Ao adentrarem o estado do Rio Grande do Norte, o mar mostrava-se mais bravio, jogando o barco para cima e para baixo, em um sobe e desce incessante que custava as tripas de muitos dos soldados. Elton alcançou Lucas e parou ao seu lado.

— Está vendo aquelas falésias? — perguntou, apontando o continente.

Lucas mirou na direção apontada e viu uma extensa faixa branca, como uma muralha de areia.

— De acordo com o que eu li na biblioteca da Fátima, o apelido de "Barreira do Inferno" vem dessa listra de areia branca que reflete com intensidade a luz do sol nascente, enganando os olhos dos marinheiros, que imaginam ver um muro de fogo, não de areia.

— Barreira do Inferno... — Lucas sorriu, o nome fazia sentido.

— Devemos estar perto do destino — emendou o soldado.

Lucas sentiu um arrepio percorrendo sua espinha. Chegava a hora de descobrir o significado de tão estranho pesadelo e por que tinham sido carregados para lá. Por que os sonhos lhe imbuíam de tanta urgência e faziam com que arrastassem aqueles homens ao extremo da capacidade, ao extremo da fé no invisível? Os milagres estavam em xeque, e, caso algo saísse errado, sabia que muitas vidas seriam perdidas. Por onde passavam, recebiam notícias de ataques de vampiros, que pareciam mais e mais organizados e fatais a cada noite. Alguma coisa estava acontecendo, podia sentir o cheiro de algo mudando, favorecendo as criaturas. Era como se eles, os bentos, estivessem perdendo a força. Bento Vicente aproximou-se.

— Lucas, estamos a quarenta minutos da costa. O segundo barco levará mais de seis horas até aqui. Pensamos em ancorar e repousar em alto-mar, porque já está escurecendo. Será mais seguro para o descanso dos soldados.

O trigésimo aquiesceu em silêncio e soltou-se da amurada caminhando para o meio do convés, e observando por um longo instante a tripulação composta, na grande maioria, por soldados que faziam sua escolta. Passou a mão pela barba cheia e fitou mais uma vez o céu rubro. A visão de fogo e fumaça tomou-lhe os olhos.

— Assim pode ser, bento Vicente. Deixe os homens descansarem. Quanto a nós, os dezoito bentos, devemos continuar nossa jornada. O destino nos reserva um episódio inadiável nas terras do Rio Grande do Norte esta noite.

Os homens mantiveram o silêncio, mirando a figura incansável de bento Lucas. Depois de quase um minuto, foi a voz de bento Teodoro que ergueu protesto.

— Está louco, homem? A noite está chegando e não sabemos o que nos aguarda no litoral. Não podemos ir.

Lucas encarou Teodoro, depois os outros ao redor.

— Nada tema, bento Teodoro. Você foi escolhido por alguma razão, do contrário não portaria esse peito de prata, bravura e uma espada afiada na cintura. Fui feito um bento por algum motivo, certamente não para ficar neste barco enquanto os outros vão de encontro ao destino, ao que foi visto pelo velho Bispo. Faça parte do meu grupo, por favor, bento Teodoro. Nada tema, mas, se meu pedido é demais, não desperte o temor nos restantes.

— Não é medo, Lucas, não estou com medo — respondeu Teodoro, erguendo os braços. — É só a razão, a lógica. Você já nos arrastou até este fim de mundo, às cegas, e agora quer nos tirar do barco com a noite entrando. Deixe-nos descansar. Esta correria de nego na larica não faz sentido.

— Não, não faz, nem mesmo acordar preso a uma maca, com um tubo de soro hidratante na veia me fez sentido, nem mesmo arrancar a espada da bainha e destroçar trezentos e sessenta vampiros no meu primeiro combate fez sentido. Muito menos sonhar com o nome e com um lugar que eu nunca vi e agora estar diante dele.

Os homens mantiveram silêncio.

— Estou em um barco, cercado por irmãos apresentados pouco mais de um mês atrás. Quando o velho Bispo me disse que eu guiaria essa gente até o desenlace dos prometidos milagres, não busquei sentido, Teodoro, só a estrada. Alguma coisa me diz que tenho que chegar lá o quanto antes, e por isso não ficarei aqui mais nenhum instante. Deixe os soldados aguardarem pela luz do dia, pela segurança do sol, mas nós, os escolhidos para o combate, devemos avançar... Agora.

Teodoro emudeceu, sem poder argumentar contra o líder. Lucas era o trigésimo bento, firme e resoluto, uma chama que ardia diante de seus olhos. Engoliu a saliva que se juntava na boca, ajeitou seu cabelo vermelho rastafári e viu que tinha medo sim, pois nos últimos dias havia visto mais coisas estranhas acontecendo do que em toda a sua vida. Lucas agia estranhamente, colocava a todos em perigo e em situações que pareciam desnecessárias, uma atrás da outra. Primeiro o tirou da ilha no meio da noite, depois aquele encontro com os gorilas, quando ele havia prevenido sobre o perigo. Teve também a travessia do rio, onde dois soldados foram devorados pela correnteza, e tudo por culpa de uma marcha sem paradas. Parecia mais um ditador do que um salvador e perdeu o ar inocente e a leveza. Estava duro e inconsequente, e ele tinha medo e razões para tanto, mas cabia-lhe obedecer, não seria um covarde. Se o grupo marchava com Lucas, assim marcharia. Não lhe cabia duvidar da escolha, nem do destino.

— Bento Vicente, providencie nosso transporte — ordenou o trigésimo, diante do mutismo do bento discordante.

Vicente foi até a ponte de comando, retornando instantes depois com soldados que tinham experiência náutica de antes da Noite Maldita. Sob orientação destes, conseguiu colocar os dezoito bentos em uma embarcação menor, contando com um possante motor. A lancha verde-oliva, feita de borracha inflada, passou a descer lentamente, atada a cabos de aço, atrelados a um mecanismo controlado do convés. Com o sol baixando do outro lado da embarcação, os bentos afundaram precocemente na escuridão, que apanharia a todos em menos de meia hora.

Vicente soltou os cabos, que foram recolhidos mecanicamente, serpenteando em direção ao convés. A embarcação menor ondulava ao lado do casco do grande navio, dando a impressão de que seria engolida para baixo da água, caso uma daquelas marolas fosse mais violenta. O bento apanhou um remo e afastou a lancha do velho casco manchado e tomado por crustáceos que havia muito aderiram ao metal, fazendo do navio sua moradia. Assim que conseguiram afastar-se cerca de cinco metros, Vicente atravessou com dificuldade o bote cheio e chegou ao motor de popa. Tinha escutado atentamente os ex-marujos e não teve dificuldade para encontrar a partida. Acionou a bateria e injetou gasolina para, em seguida, puxar o cordão que girava o motor de arranque. Na terceira puxada, ele roncou e impulsionou a lancha em um coice inesperado. Os bentos agarraram-se às cordas que rodeavam a lancha de borracha, buscando firmeza, e deram espaço para que Vicente sentasse junto ao motor e, por meio da manopla atada ao leme e ao acelerador, guiasse a embarcação inflável até o litoral.

Bento

Os primeiros quinze minutos correram bem, e os bentos iam calados, com o vento farfalhando seus cabelos e capas. Os semblantes estavam longe de mostrar paz de espírito. Contemplavam a bela paisagem que cada vez crescia mais no litoral, imersos em seus pensamentos, criando coragem para seguir Lucas cada vez mais cegamente, como seguidores fanáticos de um deus que caminhava na Terra, submetendo-os às mais duras provações de fé. Lucas tinha dito bem, não cabia a eles julgar a urgência do trigésimo bento. Se todo bento agisse igual, com total senso, razão e previsibilidade, qualquer um deles poderia ser o eleito. Mas Lucas era diferente, ia ao encontro dos milagres, ouvia coisas, sonhava coisas, recebia comandos, e alguns chegavam a achar que Lucas, de alguma forma, ainda tinha contato com o falecido Bispo. Só assim para explicar as visões e os pesadelos premonitórios, situação bem semelhante à das predições do velho. Temiam o caminho e a direção, pois não eram meros expectadores que ouviriam esses causos da boca de outrem, mas eles, aquele conjunto de quase vinte cabeças, eram os peões que desenhariam aquela aventura e que dariam nome e forma às fábulas vindouras que seriam eternizadas pelos letrados da ocasião. Suas vitórias e vidas seriam contadas às gerações vindouras, mas suas mortes (pois sabiam que parte deles morreria), a grandiosidade da missão e a preocupação demonstrada por Lucas em alcançar o quanto antes os bentos na Barreira do Inferno davam uma dimensão do perigo pela frente.

As próximas gerações honrariam seus nomes, leriam em um grande livro seus feitos e sua luta contra os demônios das trevas, haveriam de depositar oferendas e graças pelo sangue dado na luta pelos quatro milagres. Muitos deles ali no bote entreolhavam-se, tentando adivinhar qual deles cairia. Não há grande vitória sem grandes heróis, nem há grande história sem mártires. Não se juntam heróis sem um punhado de cadáveres. Lucas era poderoso, uma fera no combate aos vampiros, mas, apesar de tudo, não era um deus na Terra, não cobriria as costas de todo mundo. E, ao contrário disso, cada homem ali sabia qual era o seu papel, que não era aguardar que Lucas surgisse gloriosamente e salvasse seu couro. Estavam ali justamente para salvar o couro do trigésimo bento. Era ele a chave para a salvação do novo mundo, o escolhido para banir os sugadores de sangue da face da Terra, e assim ele faria, custasse o sangue de quem custasse.

Depois desses momentos iniciais e do total silêncio da tripulação, o mar começou a ficar mais revolto com a aproximação quase completa do litoral. Além das imensas falésias diante de seus olhos, viam agora, em diversos pontos, estreitas faixas de areia em praias. Vicente escolheria uma onde aportariam, e o ronco do motor começou a ser engolido pelo ronco dos vagalhões estourando na praia. O mar agitava-se mais a cada dezena de metros avançada.

— Olhem! — gritou bento Dimas, o protetor de Santa Maria.

Os bentos fizeram mira na praia e mais um chacoalhar perigoso da embarcação foi sentido, com todos aferrarando-se às amarras para não serem atirados na água.

— Olhem! Aqui! Na água! — repetiu o bento assustado.

Os olhos correram agora na direção correta, na razão de tanto espanto. O bote motorizado estava cercado por centenas de barbatanas.

— Tubarões! — gritou Teodoro.

— Deus... — murmurou bento Francis, retirando a espada da bainha.

— Vejam! — repetiu Dimas, apontando agora para baixo do bote.

Vicente, diante do espanto, reduziu a aceleração, fazendo o bote deslizar mais devagar. Os olhos dos bentos encontraram uma imensa sombra movendo-se logo abaixo da embarcação. O sol minguava, levando a claridade embora, e em questão de instantes a mancha negra foi se tornando mais e mais difícil de detectar por conta do déficit luminoso. Outra marola apanhou o bote motorizado, e a mancha negra moveu-se rapidamente, facilitando sua percepção por parte dos homens.

— Uma baleia! — berrou Vicente.

Os bentos pendiam o corpo de um lado para o outro, tornando por vezes perigosa a distribuição de peso do bote, facilitando que adernasse.

— É um cachalote, só pode ser!

— É imensa... — disse Lucas, quase inaudível.

— É linda! Deus do céu! — exclamou bento Ramiro, abrindo um sorriso e colocando metade do corpo para fora do bote.

Teodoro segurou o bento pelo ombro, mantendo-o na embarcação.

— Calma lá, ô entusiasmado! Está parecendo o molenga do Matias "Greenpeace". Ninguém vai pescar seu bichinho, não — brincou o ruivo.

— Nossa... — balbuciou Dimas.

Teodoro perdeu o sorriso enquanto olhava nos olhos do colega, novamente acometido por espanto. Virou a cabeça para a esquerda e viu barbatanas de tubarões. Podia contar pelo menos vinte deles aproximando-se do bote. Lucas ergueu o dorso tentando olhar mais longe, e a lancha oscilou com o movimento dos homens somado ao balanço do oceano.

— Calma! Calma! — berrou Francis.

Os tubarões aproximaram-se da lancha e tinham aumentado de número. Agora centenas de barbatanas cortavam a superfície em movimentos circulares.

— Rápido com isso, Vicente, não viemos aqui para virar comida de peixe. Afastem-se da borda do barco, preciso de todo mundo inteiro na praia.

Os bentos obedeceram, tomando cuidado. Fingiram calma, mantendo-se sentados.

— Não estão atrás da gente — disse bento Ramiro, observando detidamente a água. — Acho que estão atrás daquilo — disse, apontando mais uma vez para a água.

Para surpresa dos bentos, um filhote de baleia surgiu à tona, logo voltando a afundar. Atrás do filhote formou-se um trilho de sangue, pois estava ferido. Os tubarões, ágeis caçadores do mar, aproximaram-se em alta velocidade. Vicente voltou a girar a toda a manopla, retomando a rapidez da embarcaçã. Em seguida, os bentos deixaram o queixo cair. A sombra abaixo do bote moveu-se para a direita e começou a ganhar volume. Em questão de segundos, o gigante do mar atirou-se ao ar, magnífica e assustadora, voltando à água com estardalhaço indescritível, na tentativa vã de salvar sua cria dos caçadores. A baleia cachalote provocou uma onda imensa que atingiu o bote dos bentos a bombordo. O grupo de homens gritou em uníssono, temerosos de serem atirados ao mar e terem a missão encerrada antes de começar. Por sorte, o pior não aconteceu e apenas gotículas lançadas ao ar molharam a face dos homens feito chuva.

Vicente manteve-se aferrado ao leme e, em mais alguns minutos, chegaram à arrebentação. O som das ondas era furioso, tal e qual o mar. Dessa vez, Vicente não contou tanto com a sorte, pois nunca havia conduzido um barco e não fazia ideia de como vencer a arrebentação sem colocar todos em perigo. Ao entrar na primeira onda, o barco afundou o bico, erguendo a popa ao céu, quase a noventa graus. Os que puderam agarraram-se ainda mais forte às cordas laterais, mas parte dos mantimentos trazidos foi à água. No instante seguinte, o barco consertou a inclinação, sendo pego pela segunda onda. Dessa vez, mais mantimentos foram para a água e os primeiros gritos começaram.

Lucas engoliu água salina, e seu peito de metal pesava demais para ele conseguir boiar. Sentiu a água salgada arder nas narinas quando engoliu mais, pelo nariz dessa vez. Sua mão ainda estava agarrada à corda do bote, totalmente tombado, mas ainda flutuando. Sentiu um empuxo quando a força e o som de outra onda imensa atingiu o bote inflável. A água já estava escura pela falta do sol, e ele divisava apenas sombras ao redor. A capa de um bento ao seu lado enrolou em seu rosto, aumentando ainda mais a aflição. Sem ar, soltou-se do bote de borracha e bateu as pernas, buscando a superfície. Sua cabeça subiu à tona por dois segundos, puxando, nesse tempo curto, todo o ar que pôde. Não conseguiu muito, posto que ainda estava engasgado, e afundou com o peso da armadura. Bateu braços e pernas, mas parecia não parar de afundar, e foi jogado pelo mar para cima. Quando abriu a boca para buscar mais ar, foi surpreendido por uma nova onda, e pensou que morreria naquele instante. O joelho dolorido desde a queda na caixa-d'água foi machucado outra vez quando bateu na areia do fundo, mas impulsionou-se para cima, quando ele puxou mais uma lufada de ar para os pulmões castigados pela água salgada. Uma nova onda na cabeça jogou-o ao fundo e fez seu corpo rolar. Ele bateu as mãos na areia, depois o rosto raspou no fundo. Estava de costas na areia, portanto virou-se e ficou em pé. A água agora vinha pouco acima dos joelhos. Os olhos ardiam pela água do mar e pela areia e ele deu quatro passos para a frente. Tossiu, sofreu novo tombo com uma onda ainda forte, rastejou para fora da água, tossindo, sentindo a garganta doer, e, quando voltou a si, só ouvia a tosse em coro dos demais. Colocou-se em pé em um instante, firmou a visão, contou dez bentos na areia e viu que os demais ainda lutavam na água.

— Vamos salvá-los! — gritou aos demais enquanto desatava o peito de prata.

A noite ganhava o céu e a última luminescência do poente desaparecia. Tinham acima a abençoada luz da lua cheia, que permitia enxergar metros adiante. Lucas tirava os coturnos, que pesavam uma tonelada cheios de água, enquanto bento Dimas e bento Edgar já voltavam para a água. O bote, de ponta-cabeça, deslizava rente à areia, só se movendo quando atingido pela água. Ouviam gritos desesperados na arrebentação, enquanto o mar bravio estava puxando muito, com a maré alterada, provavelmente pela lua. Vicente chegou arrastado por uma onda, o corpo imóvel prenunciando a desgraça, mas assim que Dimas aproximou-se, ouviu a tosse misturada aos palavrões que o bento começou a proferir.

Uma nova onda trouxe mais homens de capa vermelha para a praia, como se estivesse carregando um cardume desorientado, deixando-os encalhados na areia. Para a sorte de Lucas e de seu desejo, os dezoito bentos estavam vivos, mas longe de estarem bem. Boa parte dos homens ficou prostrada na areia, sem condições de se levantar e ajudar a recompor o grupo. Vicente ficou em pé, caminhando vacilante, vomitando pequenas quantidades de água salgada, com as pernas bambas.

Dimas, Edgar e Teodoro ocupavam-se recolhendo os sacos de lona que vinham com as ondas, trazendo para a terra os pertences de alguns deles, mas sabiam que boa parte das provisões desembarcadas estavam perdidas. Dimas correu até o bote que ameaçava voltar ao mar. Aproveitando o empurrão de uma nova onda rasteira, puxou a embarcação o máximo que pôde, fazendo-a prender-se à areia, e, junto ao motor tombado, com as hélices para o ar, encontrou um galão vermelho atado por um grosso barbante. Correu até sua espada, deixada na areia, e voltou com o fio afiado para o empecilho. O barbante soltou-se e Dimas apanhou o galão. Lucas ajudou Edgar e Teodoro a juntar as coisas que vinham com as ondas. Agora somente os objetos mais leves, que boiavam, apareciam. provavelmente parte das mochilas de lona havia aberto no fundo do mar revolto soltando seus pertences, que surgiam como presentes de Iemanjá.

O sol já tinha descido e o vento do litoral açoitava os homens molhados, que começavam a tremer de frio. Dimas, que tinha corrido até a vegetação rasteira, voltava com cascas secas de palmeiras e galhos encontrados no chão. Juntou-os perto do grupo maior que ainda tossia e tiritava com a baixa temperatura. Abriu o galão vermelho e despejou parte do conteúdo. Correu até Teodoro e pediu-lhe o isqueiro de metal ladeado por bandeiras da antiga Jamaica. Instantes depois, labaredas firmes e a madeira crepitante ofereciam calor aos náufragos.

Vendo que todos pareciam remediados, Lucas aproximou-se da fogueira e parou um instante. O frio incrustava em sua carne, agarrando-se aos ossos, mas, aos poucos, o calor foi confortando os músculos e aliviando o castigo. Sentia dores pelo corpo, especialmente no joelho, e o rosto que havia sido arranhado pela areia latejava, pois talvez tivesse batido contra uma pedra. Passou a mão pelo joelho direito e sentiu-o inchado e bastante dolorido. Olhou para os dedos da luva e aproximou-se da luz do fogo. Não tinha dúvida que seu joelho estava sangrando. Respirou fundo ao sentar-se ao lado de Teodoro, e seus braços também doíam. Todos haviam sofrido um bocado e, para aumentar ainda mais sua preocupação, Lucas notou que o sangramento não era um privilégio seu. Bento Ramiro sangrava na testa, enquanto bento Edgar punha um filete de sangue pelo nariz. O mar era daquele jeito, imenso e poderoso, mas para os animais terrestres, um devorador de vidas.

Lucas deitou-se na areia e fitou o céu prolongadamente. Era certo que queria levantar-se dali, daquele jeito, e continuar rumo à Barreira do Inferno, mas os outros não poderiam, estavam todos cansados e muito provavelmente não só fisicamente, mas também de segui-lo e de ter o pescoço colocado em risco. Quando se batiam contra as criaturas das trevas, faziam isso sem pensar, era um ato involuntário, um reflexo, instintivo, mas agora, seguir atrás de um trigésimo maluco, alguém que os colocava à prova a cada dia... isso cansava e dava medo. Lucas arfou ao mexer o joelho machucado, porém o sofrimento físico não era o que mais o incomodava, e sim recordar o desconforto ao embarcar no bote e que permeou todos os minutos infinitos em que ficou a bordo daquela pequena lancha. Não entendia por que não gostava de pequenos barcos. Seu olhar sobre as águas, buscando algo que não sabia o que era e que nunca encontrara o fazia sentir desespero, não por estar na água, porque o mar não lhe dava medo. O mar lhe dava raiva, e sentia urgência. Não queria encontrar o que procurava, mas nunca parava de procurar. Sentia desespero, perda, falta, e era só isso que as águas lhe transmitiam, em um sentimento que só fazia crescer ao olhar para seus homens estirados, cansados, quase afogados. Eles tinham escapado do oceano, de alguma coisa, de algo do passado, mas de quê?

Lucas fechou os olhos e apertou as pálpebras. Sentiu mais uma fisgada no joelho, inspirou fundo e relaxou os músculos mais uma vez. Daria um descanso de vinte minutos para que os bentos recuperassem o fôlego. A areia corria pela ampulheta e tinham que alcançar a Barreira do Inferno o quanto antes.

CAPÍTULO 49

Anaquias saltou para a janela do apartamento, e suas garras pontiagudas deram firmeza quando inclinou o corpo para a frente, mantendo-o fixo ao batente. Nenhum sinal deles, mas sabia que estavam lá. O vampiro-rei havia estado em seu transe e o impulsionava para o sul. Eles estavam lá, ele via fogo e fumaça e tinha que impedir o incêndio. Era isso que o espectro que perambulava ao seu redor lhe soprava, sem ser visto, mas sendo ouvido, como uma assombração. Ele saltou do décimo andar, amparando-se na sacada do sexto, enquanto seu exército buscava abrigo na velha Natal. A cidade havia sido tomada pelos vampiros, e os mulos e exilados que perambulavam pelas ruas foram feitos prisioneiros e tomados como alimento. Os que ainda estavam presos, semimortos, seriam devorados com o anoitecer, mas mesmo assim não bastavam. Apenas isso tirava a concentração: a fome, o desejo de sangue. Era isso que trazia instabilidade ao seu comando.

As feras estavam famintas, queriam sangue, uma boa refeição. Os comandantes pediam um Rio de Sangue para saciar os vinte mil enlouquecidos. Anaquias farejou o ar. Juntaria caçadores e iriam em busca de Rios de Sangue. Estava sentado em um barril de pólvora, mas nem um pouco a fim de ver seu rabo de vampiro ir pelos ares, agora que a jornada se estreitava e a visão alcançava a reta final. Iriam vencer e subjugar os seres humanos para sempre, dariam fim à resistência agonizante daquela raça menor para sempre. Tomariam de vez seu lugar no topo da cadeia alimentar e fariam dos humanos seus escravos. Cada um deles seria como uma fazenda, como gado, que cultivariam e engordariam seus corpos para tomar deles o sangue. O vampiro-rei havia visto isso e dito que seriam vitoriosos e os donos da Terra, mas, por ora, para ver concretizada a visão do espectro, teria de controlar o exército da noite. Precisava alimentá-los.

CAPÍTULO 50

Bento Duque apanhou a luneta e vasculhou ao redor. A noite avançava com a lua cheia brilhando alto no céu, e, graças à claridade refletida pelo satélite natural e a altura da torre de vigia, conseguia enxergar longe. A Barreira do Inferno estava calma, situada em região belíssima, mantendo um vasto campo aberto e conservado, como se a base de lançamento estivesse sempre pronta para a subida de um foguete ou a chegada de um major ou brigadeiro para inspeção. Esse cenário inusitado devia-se à peculiar e incansável mania de Franjinha de manter tudo em perfeita ordem, como se de um dia para o outro todos os seus ex-colegas aeronautas e astrônomos fossem voltar ao trabalho. Mesmo com aviso de bento Augusto, Duque havia ficado impressionado ao adentrar a Barreira do Inferno, chegar à sala de controle e encontrar computadores funcionando naquele lugar que julgava deserto.

Ele e seus companheiros de jornada souberam que estavam enganados assim que chegaram aos limites da base e notaram a grama aparada e as árvores cuidadas. Boa parte dos prédios contava com pintura recente e impecável, como se a obra acabasse de ser entregue. O chafariz funcionando no pátio de entrada do prédio da administração dava o toque final. Todo aquele zelo nada tinha a ver com os soldados de Nova Natal, mas era o resultado de uma devoção inexplicável de Franjinha. E aquele zelador? O que era aquilo? Uma figura que honrava o apelido. O nome Marco, de nascença, ia sendo esquecido com o passar dos dias. Metido no meio daqueles fios, fazendo soldas, consertando as coisas, mantendo a fiação elétrica e os computadores da sala de controle em ordem, e somado à quele rosto de expressões jovens e ao cabelo loiro e escorrido caindo pela testa, realmente não havia alcunha melhor que a do pequeno cientista das histórias de Maurício de Sousa.

O queixo de Duque caiu de novo quando viu com os próprios olhos o sofisticado sistema de geração de energia elétrica desenvolvido pelo cientista maluco. O destino não poderia ter reservado zelador melhor para o Centro de Lançamento da Barreira do Inferno, o CLBI. Que estranha paixão aquela! Por que um homem que poderia ser de utilidade gigante em qualquer uma das fortificações espalhadas

Bento

pelo Brasil Novo ficava ali? Sozinho, cuidando de uma unidade militar desativada, em um lugar cheio de computadores inúteis e prédios vazios, distante dos humanos. Sem dúvida, Marco Franjinha era um maluco excêntrico, mas graças à sua extravagante fixação pela Barreira do Inferno, aquela base militar se tornaria uma fortificação importante no jogo, um ponto crucial na luta contra os noturnos. Logo, um grandioso contingente de adormecidos chegaria, se abrigando dentro dos muros recém-erguidos ao redor do terreno. Franjinha disse aos líderes de Nova Natal como adaptar um dos silos de foguetes inativos para adaptá-lo em um reservatório de adormecidos. Também disse que o CLBI nunca tinha sido visitado pelas criaturas da noite, o que tornava o local altamente qualificado para esconder dos vampiros um Rio de Sangue.

Duque ergueu a luneta e ajustou para a distância desejada. Os novos muros, em sua maior parte ainda formados por tábuas e troncos de árvores e em fase inicial de construção, cercavam totalmente a base. Via pouca gente se movimentando do prédio da administração até um canteiro de obras iluminado por energia elétrica, e observou a mata além do muro com a luneta. A floresta estava tranquila, e o zelador havia dito algo sobre isso quando o soldado Cássio perguntou. Na Barreira do Inferno, a noite era sempre serena, transbordante de calma e marasmo, e nos anos que habitava aquele centro inativo jamais topara com um vampiro durante a madrugada. Era um terreno que até então tinha sido desprezado por homens e demônios. Franjinha chegou a dizer que não raro caminhava pelos arredores, mesmo durante a noite, e, nas poucas vezes em que decidiu visitar sua praia favorita dos tempos pré-Noite Maldita, percorrendo o trajeto de trinta quilômetros a pé, chegou a pernoitar na areia, à beira das ondas, sem jamais ser incomodado por criatura alguma. O pior percalço encontrado nos anos de convivência harmônica com o CLBI e os seres viventes ao redor foi uma picada de cobra, pois, sem soro antiofídico disponível, amargou sete dias de febres e alucinações, ficando manco por mais de um ano. Agora, tanto tempo depois, as únicas coisas que sobraram do infeliz evento eram a pele marcada por uma crosta grossa que brotava ao redor da picada e uma natural e sadia paúra a cobra. Duque sorriu, lembrando-se do jeito de Franjinha ao contar o caso. Gente boa, aquele rapaz.

O bento limpou a lente da luneta com a beira de sua capa surrada, levou a imagem de São Jorge até a boca e deu-lhe um beijo. Desejou que o padroeiro dos cavaleiros olhasse por ele e que aquele paraíso de nome tão antagônico continuasse assim por muitos e muitos anos. Sentia uma urgência queimando no peito, desejando que os caminhões com os adormecidos cruzassem logo o portão, pois assim que os quarenta veículos estivessem dentro dos limites do CLBI, reuniria seus cinco bentos e partiriam imediatamente para Santa Maria, o prometido ponto de encontro. Então provocariam o desenlace da profecia, trazendo para a Terra e para os homens os quatro milagres da libertação.

Duque moveu o instrumento de observação para a esquerda. A poderosa luneta estava fixa em um tripé alto, o que facilitava sua operação. Divertia-se com o grande alcance que as lentes de aumento proporcionavam quando sentiu a pele dos braços arrepiar-se, tomado pela surpresa, ao ver que pontos de luz moviam-se na mata.

Eram vampiros, com olhos queimando no meio das árvores! Duque aproximou vagarosamente a imagem, girando o controle da luneta, melhorou o foco e sentiu alívio por um instante, mas continuou a investigação. Não eram vampiros, mas fogo vermelho que vinha na ponta de tochas em marcha. Contou cinco hastes flamejantes movendo-se em um caminho da floresta. Olhando melhor, percebeu que marchavam pelo veio de asfalto que vinha em direção ao CLBI. Ajustou a luneta e conseguiu contar cerca de quinze homens... usando capas vermelhas e couraças de prata! Eram os bentos!

Saltou da torre da vigia, descendo perigosamente a velha escada de ferro tamanha excitação, e correu até o canteiro de obras. Escolheria um dos soldados para apanhar os companheiros e trazê-los o mais rápido possível para a Barreira do Inferno, poupando uma caminhada e tanto aos parceiros. Certamente Lucas vinha com eles, e assim que os demais bentos voltassem de Nova Natal, escoltando o carregamento de adormecidos, estariam finalmente reunidos. Chegavam ao fim da jornada para iniciar uma nova página na história da humanidade.

CAPÍTULO 51

Anaquias observou o Centro de Lançamento da Barreira do Inferno, para onde o vampiro-rei conduziria seu exército. As coisas importantes aconteceriam lá, naquele cenário, onde uma imensa muralha cercava o centro de lançamento. O que queriam os homens ali? Não cabia a ele entender, sua missão era destruir a Barreira do Inferno e os trinta bentos, liquidar com a esperança humana por uma resistência superior. Já era a hora. Retornou com seu cavalo até a concentração do exército numeroso. Marchariam até o CLBI, destroçariam a muralha e liquidariam com todos naquele lugar. Não importava se encontrariam um ou cem bentos, Anaquias confiava na superioridade numérica e no desejo de morte que reinava entre os seus. E, além disso, contava com a surpresa... A nova arma que o vampiro-rei mostrou seria colocada em uso naquela noite.

* * *

Lucas e o seu grupo de bentos exaustos continuaram a jornada em busca da Barreira do Inferno, mas achava que Vicente deveria ter errado nos cálculos, deixando-os longe demais da base de lançamento. Suas tochas ajudavam a lua a clarear o caminho, e intuíam que estavam na direção certa. Cerca de uma hora antes encontraram uma placa na estrada indicando a direção para Natal, a cidade do sol, que dizia qual o sentido para chegarem ao CLBI, mas a marcha prosseguia e o cansaço aumentava sem que tivessem novas pistas. Iam em silêncio, atentos aos barulhos na floresta e ao caminho, cada qual carregando sua dor, adquirida no recente acidente ao chegarem à praia, mas ao menos, com a caminhada, o vento frio deixava de ser um problema e servia para refrescar. Depois de mais de três horas de caminhada sobre o asfalto, um barulho alcançou os ouvidos dos bentos. Parecia um motor.

— O que será? — perguntou Vicente, pondo a mão no cabo da espada e afastando Lucas do meio da via, colocando o corpo do protegido atrás do seu.

— Um caminhão... parece um caminhão — murmurou bento Francis.

— Será amigo ou um mulo? — perguntou Teodoro.

— Para a floresta, todos vocês, vou descobrir quem é — comandou Vicente, tomando para si o encargo.

— Acho difícil ser amigo, ninguém estava sabendo que estaríamos neste fim de mundo. Preparem as espadas que o bicho vai pegar — atiçou bento Teodoro.

— Se forem mulos armados... não podem estar só — preocupou-se o trigésimo, vendo Vicente sozinho no meio da estrada.

— Vá, Lucas, eu me garanto.

Os bentos deixaram o leito de asfalto, apagando as tochas e procurando extinguir até mesmo as brasas na ponta dos paus, escondendo-se na margem da estrada.

— Se forem mulos, eu os distraio e vocês caem em cima dos caras. Com um caminhão, chegaremos mais rápido lá, não quero passar a noite toda na mata.

Lucas acabou concordando com Vicente e distanciou-se do grupo, escondendo-se mais à frente. Abaixou-se, cobrindo-se com a vegetação, e observou a bela fotografia proporcionada pela luz alaranjada vinda da tocha de Vicente banhando tudo ao redor, o que destacava ainda mais a figura imponente do guerreiro ex-presidiário. Talvez um pouco de ação em terra firme recuperasse o moral dos homens.

Lucas, como todos, estava tenso e com os ouvidos atentos. O ronco vinha de longe e aumentava, mas naqueles dias em que ele tinha acabado de absorver o código, entendendo como as coisas funcionavam, sabia que seja lá o que viesse de encontro a seu grupo podia estar muito longe. As noites vazias dos barulhos da cidade deixavam os sons viajarem por quilômetros. Teriam que esperar o ronco aumentar e aumentar até que tivessem certeza de que o veículo chegaria. Parecia um caminhão. Lucas fechou os olhos e imaginou a fumaça negra saindo dos escapes. Um caminhão. A luz da tocha de Vicente bruxuleava, amarela, viva. Diziam que seus olhos ficavam amarelos, mas ele mesmo, Lucas, nunca tinha se visto assim. Ele era algo diferente de tudo o que eles já tinham visto e tinha tomado para si aquela missão... A missão de salvar aquela gente, aquelas almas que tinha encontrado pelo caminho. Uma em especial fazia sua barriga gelar e o fazia esquecer, por um momento, que havia uma profecia em jogo, que tinha o destino soprando em seus ouvidos, que tinha ouvido da boca do velho Bispo que ele havia sido escolhido para mudar o placar. Uma alma em especial abria o caminho nostálgico para o passado, o desejo de que nada daquilo tivesse acontecido e que estivessem sentados, de alguma forma, lado a lado em um ônibus rodando pelo interior de São Paulo ou que seus olhos tivessem se cruzado na saída de uma sala de cinema. Ele

Bento

não era exatamente tímido, mas teria tido coragem de falar com ela? A primeira pessoa com quem tinha conversado, de verdade, depois de abrir os olhos capturados por aquela lacuna de trinta anos. Ela que tinha os olhos cinzas e o sorriso mais cativante que já tinha colocado os olhos em sua longa vida de sessenta anos, ainda que tivesse passado metade dela em uma maca, no quinto subsolo do HGSV. Ela, que ele nunca vira antes, mas que parecia tão unida a si. Lutava por todos, mas lutava por ela. Até aquele momento, não tinha se dado conta de que queria, sim, voltar para São Vítor, mas não para ser aclamado e aplaudido caso conseguissem vencer o desafio que se aproximava. Queria voltar para São Vítor porque agora aquela cidade era o que mais se aproximava de um lar, e Ana era o que tinha de mais certo de uma paixão. Sentia saudades dela, queria estar com ela mesmo que ela nem mesmo estivesse pensando nele agora.

Lucas foi extraído de seus pensamentos e de sua saudade quando os faróis do caminhão surgiram ao longe, jogando luz no chão negro. Bento Vicente postou-se no meio da pista, lançando a capa para o lado e deixando o cabo da espada livre para ser desembainhada com rapidez. Apesar da luminosidade poderosa vinda dos faróis, apenas inclinou um pouco a cabeça para baixo e continuou encarando o veículo, vendo surgir e crescer na sua frente um grande caminhão Mercedes-Benz verde-oliva, com camuflagem típica do Exército. O caminhão freou, com o motor batendo cadente, junto ao vento passando pelas árvores, e isso era tudo o que se ouvia na estrada. Vicente levou a mão ao cabo da espada e um estalido acompanhou o ranger da porta do veículo.

Vicente apertou a empunhadura da arma.

— Bento! — berrou uma voz.

Vicente viu um rapaz com roupa de sargento do Exército brasileiro descer ao asfalto.

— Bento!

— Bento Vicente. E você, quem é?

— Sou Odair. Soldado de Nova Natal, senhor — identificou-se o rapaz prestando continência ao guerreiro.

Os bentos começaram a sair do mato, diante de um soldado atônito.

— São todos bentos, filho. Nova Natal está longe daqui?

— Bem longe, senhor Vicente. Na verdade, não estou mais em Nova Natal. Estamos montando uma nova base aqui no Centro de Lançamento da Barreira do Inferno. Acabamos de fortificar a base e estamos trazendo adormecidos para cá.

— Rios de Sangue... — murmurou Lucas.

Os bentos cercaram o jovem Odair, que sorria, olhando para cada rosto.

— O líder Mariano me mandou até aqui. Viram um clarão na estrada e, pela velocidade de deslocamento, ele deduziu que eram pessoas marchando. Vampiros não precisam de luz pra andar.

— Nossas tochas! Agora, com os holofotes desse Mercedão, ninguém precisa mais delas — comentou bento Francis.

— Os outros bentos estão lá... — continuou Odair. — Só estão aguardando os caminhões que vêm do Oeste para partir. Vão deixar a Barreira do Inferno ao amanhecer.

— Os outros bentos?! — exclamou Teodoro.

Lucas sorriu para Francis. O bento médico não aguentou a emoção e abraçou o colega.

As armaduras encontraram-se, dificultando o abraço.

— Eles estão aqui! — gritou bento Edgar.

— Leve-nos até eles! — ordenou Lucas.

Odair foi para a traseira do caminhão, desceu a porta horizontal, e os bentos subiram apressados, loucos por descanso para as pernas. Percorrer os quilômetros finais daquela jornada a bordo de um veículo motorizado valeria mais que um bom prato de comida àquela altura. Francis e Vicente foram na frente, junto de Odair, enquanto Lucas foi atrás, junto aos demais colegas, fazendo festa com (finalmente!) uma boa-nova ao final de uma jornada iniciada com um daqueles rompantes pós-pesadelo do trigésimo bento.

* * *

Anaquias postou-se adiante do grupo. À sua frente tinha o comandante das 120 unidades que compunham seu exército de vinte mil vampiros.

— Vamos atacar em sincronia! Não quero nenhum vampiro agindo isoladamente! Temos que ser um bloco, duros feito rocha e afiados como uma navalha. Vamos destruir essa fortificação, cercá-los e liquidá-los. Contamos quatro bentos dentro dos muros, mas devem existir mais.

Os vampiros ouviam o líder Anaquias, a figura assemelhada à de um general, que pedia deles obediência. E se os vampiros anciãos queriam obediência, era porque Anaquias tinha razão. A lenda do vampiro-rei ganhava os covis, as cavernas, alastrava-se entre as criaturas da noite. O vampiro-rei não tinha rosto, era um deus da noite que soprava, aos ouvidos de Anaquias, que deveria ser ouvido se quisessem vencer os humanos.

Bento

— Vamos cercar a Barreira do Inferno e lançar sobre eles fogo e fumaça. Assim eu vi a vitória e quero o grupo de arqueiros à frente. Os demais soldados saltarão os muros. Quero que matem a todos e capturem apenas os bentos. O sangue desses assassinos será guardado para o vampiro-rei. É o troféu de batalha exigido pelo mestre dos vampiros.

Os noturnos, empolgados com a proximidade da grande batalha, começaram a gritar.

— Cada um de vocês conhece seu papel neste jogo. Vamos destruí-los! Agora! — tornou Anaquias.

Os vampiros começaram a se dispersar, cada um indo em direção à sua unidade.

— Ao ataque!

* * *

O caminhão aproximava-se em alta velocidade, e os vidros abertos da cabine permitiam que o vento da noite entrasse. Vicente e Francis não continham a satisfação em saber que trigésimo, mais uma vez, estava certo. Os bentos estavam na Barreira do Inferno, e o destino punha Lucas no caminho correto, que, como um cão perdigueiro, não importando o obstáculo, seguia a trilha. Levava os bentos ao encontro da consumação da profecia, não se abatia, não se importava com o preço, nem que o chamassem de louco. Não se importava com gorilas, não temia a noite, nem a desvantagem. Era obstinado, beirando a inconsequência, a loucura, mas não dava tempo para dúvida e corpo mole. Ele era o escolhido.

Se fosse outro, jamais teriam chegado ali. Francis pensava demais em prós e contras, mas Lucas não pensava em contras, enaltecia "prós" e apenas escutava a voz da energia, que lhe soprava aos ouvidos. A energia corria em suas veias... não sabia por quanto tempo, mas corria. Era como se ainda estivesse em contato com Bispo, como se tivesse os sonhos do velho, e graças à sua cegueira e surdez para as outras vozes, estavam lá os dezoito bentos, além das seis espadas enroladas nas capas dos bentos mortos na emboscada, dentro de um caminhão verde-oliva, que os conduzia para o esperado encontro, para a união dos trinta bentos, das trinta espadas, e para o desencadeamento da profecia e dos quatro milagres.

* * *

Bento Duque ergueu a luneta, pois Odair estava demorando a regressar. Talvez não tivesse sido uma boa ideia Mariano ter enviado o rapaz sozinho. Era bom no gatilho, mas sozinho... e se tivesse topado com algum imprevisto? Duque vasculhou a estrada à frente com a luneta, mas nada viu. Correu com o instrumento para a direita, buscando no outro extremo da fortificação, onde continuava a estrada, um sinal do comboio que vinha de Nova Natal com os caminhões repletos de adormecidos, mas nada.

No entanto, um pouco mais à direita, viu algo que fez seu sangue gelar nas veias: brasas queimando na floresta. Via vampiros, milhares deles! Tantos como nunca havia visto! Era um exército de vampiros marchando de encontro aos muros da Barreira do Inferno.

* * *

Mariano conversava com Franjinha na sala de comando do CLBI e levava uma xícara de café quente e forte à boca quando ouviu três tiros de rojão espocando no céu.

Franjinha, que nunca havia morado em uma fortificação, franziu a testa.

— O que é isso, Mariano?

Mariano, branco feito papel, levantou e apanhou o rifle que descansava sobre um balcão nas suas costas.

— Vampiros!

* * *

O sorriso de Francis foi se apagando gradualmente e Vicente aproximou-se do parabrisa para tentar enxergar melhor.

— Vocês ouviram isso? — perguntou o bento.

Odair assentiu. Tinha ouvido um disparo triplo de rojão, que indicava vampiros à vista.

— Pisa fundo, rapaz! Temos que chegar antes do ataque — pediu bento Vicente. Odair não pensou duas vezes e desceu o pé no acelerador, tirando do motor o máximo de velocidade. Atrás, talvez por causa da conversa, os bentos não haviam escutado os estouros, mas quando a velocidade aumentou inesperadamente, entreolharam-se com expressões de estranhamento. Na primeira curva, Odair deu um toque no freio antes de entrar, descendo para a quarta marcha e ouvindo o ronco do Mercedes. Quando estava no meio da curva, voltou à carga no acelerador, sentindo a traseira do caminhão jogar.

— Segura! — gritou Teodoro lá atrás.

Lucas levantou-se, agarrando as madeiras que passavam na lateral do compartimento. A lona verde-oliva que recobria toda a traseira impedia que pudessem ver o que se passava.

— Uooou! — gritou bento Justo.

— Cuidado com essa merda aí, ô rapá! A gente tem que chegar inteiro! — gritou novamente bento Teodoro.

No meio da indignação geral, uma portinhola abriu-se na frente, dando acesso à cabine do caminhão. Viram o rosto de Francis assomar e dar o alerta:

— Vampiros!

* * *

Bento Duque assumiu o muro oeste, por onde chegaria o comboio com os adormecidos, enquanto bento Ulisses foi dar cobertura ao muro sul, mas não poderiam assumir o papel de sempre e fazer as vezes de última defesa, entrando em ação somente quando os vampiros ganhassem os muros. Duque sentiu um arrepio percorrer o corpo, pois sabia que aquela batalha não seria das corriqueiras. O que o intrigava era o número de brasas juntando-se nas árvores, de criaturas malditas que não parava de crescer, aumentando perigosamente o cerco à semideserta Barreira do Inferno.

O que queriam tantos vampiros naquele lugar? Era uma bizarra coincidência estar ali no único ataque maciço de vampiros ao CLBI? Provavelmente não. Segundo Marco "Maluco" Franjinha, que disse ter vivido ali desde que despertara dez anos antes em Nova Natal, nunca tinha visto um só vampiro dentro do Centro de Lançamento da Barreira do Inferno. Era um péssimo momento para estar ali.

Lucas contava com a união dos bentos em Santa Maria, ao norte da velha Salvador. Tiveram baixas pesadíssimas na batalha da Teodoro Sampaio... e agora aquele novo episódio. O cenário que se montava ao redor da muralha sugeria um prognóstico sombrio, nada de vitórias e viagens ao amanhecer. Caso aquele oceano de olhos vermelhos viesse contra os muros, as pedras se romperiam e ele cederia, tal qual um rio maldito estourando uma barragem. Bento Duque começou suas preces, rezando para que aqueles demônios ficassem na floresta e que o espocar do rojão de seis tiros jamais soasse em seus ouvidos. Rezou para que os companheiros chegassem antes da maré de demônios. Com os milagres, talvez tivessem uma chance. Segurou com cuidado a imagem de São Jorge e beijou-a esperançosamente.

— Conto contigo, amigão — balbuciou.

André Vianco

* * *

No centro da base de lançamento, bento Augusto mantinha a mão no cabo da espada. Seus cabelos longos, lisos e negros balançavam ao sabor do vento, e seus olhos azuis miravam a lua. Que noite gloriosa aquela! Sabia que o destino os colocava no meio da contenda das contendas e que aquilo não era o acaso. O trigésimo bento despertara e não seria estranho que as criaturas das trevas tramassem para impedir o desencadear dos quatro milagres. Teria que lutar como nunca para que esse dia chegasse e o faria até o fim, sem medo, nem soberba. Seria um peão de batalha, um robô destruidor de vampiros, certeiro e letal.

A maioria dos soldados, que deveria estar cobrindo aquele novo centro de adormecidos, estava fora, vindo nos comboios que trariam as pessoas para seu novo lar subterrâneo. Torcia para que os adormecidos não chegassem em má hora, mas, pelo que sabia, talvez já estivessem com mais de meio caminho andado, portanto aquele bando de vampiros estaria ali por isso... pelos adormecidos. Talvez algum fofoqueiro tivesse dado com a língua nos dentes, alguma pessoa banida de Nova Natal poderia conhecer o plano e ter soprado o segredo nos ouvidos dos vampiros antes de morrer com o sangue completamente drenado das veias. Talvez os malditos não estivessem atrás de seu couro e o de seus colegas bentos. Respirou fundo e apertou mais o cabo da espada, torcendo para que os seis tiros não ecoassem naquela noite.

* * *

Cássio e Frederico, soldados de Nova Natal, permaneciam sempre juntos, nas boas e nas más horas, e postavam-se agora ao lado de bento Duque por ordem do líder Mariano. Traziam os olhos esbugalhados e colados no crescente clarão rubro que rodeava a fortificação. A eles parecia que a Barreira do Inferno tinha sido transferida de dentro dos muros para a floresta duzentos metros adiante. Aquele muro flamejante... aquilo sim era uma Barreira do Inferno. Viu que os vampiros moviam-se ágeis, tomando as árvores, como chamas vindas da casa de Satã, varrendo os arredores, em uma visão tão impressionante que chegavam a sentir o calor, como se estivessem de frente a um incêndio real.

Cássio baixou os olhos até a caixa de munição aos seus pés, repleta até a boca com remuniciadores de fuzil. Não sabia quantos deles traziam projéteis revestidos em prata, mas sabia que nem se houvesse duas mil caixas conseguiriam deter aquele oceano de vampiros. Torcia para que os malditos permanecessem onde

Bento

estavam, apenas observando, como já fizeram dezenas de vezes, apenas mostrando-se para intimidar, coisa que tinham conseguido com eficiência brutal naquele momento. Torcia para que logo dessem as costas e sumissem da mesma forma como apareceram, como mágica. Empunhou o fuzil, fazendo mira na muralha em brasa, mas rezou para que os seis tiros de rojão não ecoassem naquela noite.

* * *

Débora sentou atrás da deita-corno e destravou a arma, cuja cinta de munição .50 saía da lateral e estendia-se pelo chão. A mancha de vampiros terminava de contornar a floresta na face norte da fortificação. A soldada era uma amante do bom combate, mas ele envolvia equilíbrio, o que não se via ali. Quantos vampiros estariam envolvidos no cerco? Como acordaram da noite para o dia, organizando-se de uma forma nunca antes foi vista? Formaram um verdadeiro exército e, de forma assustadoramente ordenada, fechavam a Barreira do Inferno. Os malditos pareciam ter acordado de um sono letárgico, e não haveria como escapar caso viessem de encontro ao muro de uma vez só.

Escapar... desejo primitivo e automático em uma contenda perdida, mas não haveria escapatória, e Débora estava decidida a acabar com a raça dos malditos que cruzassem seu caminho. Até o último sopro de vida, seria um espinho na sola do pé daqueles putos sanguessugas. Provavelmente a avalanche não encontraria resistência perceptível no conjunto, mas a soldada, certamente, deixaria perceptível para as unidades que entrassem na frente da sua metralhadora buracos enormes e fragmentos de crânio. Era esse mantra que repetia em sua cabeça ao mesmo tempo em que seu inconsciente orava para que os seis rojões não fossem ouvidos naquela noite.

* * *

Bento Amintas, postado no topo da vigia de observação, o ponto mais alto da fortificação, varreu com a luneta ao redor, e seus pensamentos afundavam em suposições nebulosas, perdendo praticamente o foco. Estava impressionado demais para ordenar os pensamentos, quando o som da buzina veio ao seu ouvido. Voltou a luneta para o sul, longe, na tripa de asfalto, e viu brotar os fachos de luz do caminhão do Exército. O rapaz estava voltando, voando como bala, e provavelmente tinha escutado o rojão de instantes antes, comendo o asfalto com medo de estar na mata escura quando o combate começasse. Talvez permanecer lá fora fosse o melhor no momento.

Ao mesmo tempo, os bentos Justo e Célio ouviram as buzinas do caminhão, e os soldados olharam com expressão de indagação. O muro sul guardava um dos portões, mas de um lado da estrada a mata via-se tomada por brasas vermelhas movendo-se lentamente, chegando mais e mais perto da estrada. Em questão de minutos bloqueariam o asfalto e completariam definitivamente o cerco à fortificação. Os soldados sustentaram os olhares sobre os bentos, pensando se deveriam dar passagem ao caminhão. Em resposta, ouviram o brado enérgico de bento Célio.

— Abram os portões! Abram os portões! O soldado está voltando com nossos companheiros!

* * *

Bento Francis e bento Vicente debruçaram-se sobre o painel do caminhão, já divisando os contornos da Barreira do Inferno. Também enxergaram a gigantesca massa de pares de olhos em brasa que tomava o chão e os galhos na porção direita da floresta. A quantidade de vampiros era impressionante. Os bentos ainda não tinham saído da razão, já que os vampiros não tinham aberto um ataque franco contra nenhum dos seus.

Inesperadamente, Lucas desembainhou a espada e rompeu a lona que envolvia a traseira do caminhão. Assim que deu a segunda passada com o fio da espada, o tecido rasgou com a força do vento que invadiu o compartimento, deixando uma boa porção do céu à mostra. A luz da lua invadiu o interior e, quando o vento se encarregou de rasgar a lona à direita, um espectro de luz rubra iluminou os olhos dos bentos: vampiros, tantos que nem poderiam imaginar, tomavam a mata.

Lucas, com os olhos arregalados e a capa farfalhando por conta da ventania, chegou a abaixar-se no momento em que uma boa quantidade daquelas brasas passou a riscar o céu. Os vampiros estavam saltando da margem esquerda para a direita da estrada. A operação, que começou com uma quantidade impressionante, elevou-se de forma inenarrável, a tal ponto que, em certo momento, os bentos tiveram a lua cheia eclipsada pelos corpos voadores das criaturas, que formaram um sombrio e monstruoso túnel rubro-negro.

— Deus nos proteja... — murmurou bento Ramiro, tomando nos dedos a imagem de São Jorge e beijando a figura.

Bento

Uma das criaturas agarrou-se à estrutura metálica da traseira do caminhão, seus olhos vermelhos cintilantes fitaram os bentos no compartimento semicoberto e sua boca escancarada emitiu um rugido, exibindo dentes afiados e pontiagudos. O caminhão cruzou os portões da Barreira do Inferno em alta velocidade, levantando uma nuvem de poeira ao passar por um trecho de terra.

— Sangue! — berrou a criatura aferrada ao topo do caminhão, emendando um grunhido selvagem.

O som metálico das espadas desembainhando-se foi uníssono. Antes que a fera terminasse o grunhido, cerca de seis lâminas fatiaram seu corpo morto animado pelo espírito do demônio. A cabeça do vampiro, arremessada ao ar, caiu a metros de distância, quicando e rolando pelo chão de terra.

Odair, ainda com o pé no acelerador, procurando afastar-se o máximo possível do muro, não teve tempo de desviar do canteiro com o chafariz e puxou todo o volante para a direita, mas a roda dianteira bateu na guia, fazendo o rapaz perder o controle da direção. Os bentos agarraram-se na traseira, e gritos e medo fizeram os corações dos guerreiros disparar. Não podiam perecer agora que tantas vidas dependiam das suas. Odair puxou mais uma vez o volante e enfiou o pé no freio. A parte direita da frente do caminhão bateu contra um amontoado de tonéis de água que estavam no meio do pátio de frente para a administração, e parte do líquido entrou pelo para-brisa esmigalhado, deixando o motorista e os bentos Vicente e Francis ainda mais atordoados com o acidente.

Os bentos no compartimento de cargas foram jogados para a frente, aglomerando-se perigosamente com as espadas desembainhadas. Lucas sentiu a pressão da lâmina em seu braço direito, e só não ganhou um extenso corte graças à sua cota de malha. Bento Teodoro, girando sua capa vermelha, adiantou-se e chutou a porta horizontal que caiu, batendo no para-choque do caminhão. O ruivo foi o primeiro a saltar.

Duque sentiu pela enésima vez um arrepio percorrer o corpo naquela noite, pois, diante de seus olhos, ao menos uma dúzia de bentos saltou da traseira do caminhão de Odair. Então era verdade! Eles tinham conseguido! Era bento Lucas! A surpresa repetiu-se nos quatro muros. Bento Ulisses não acreditava no que via, os bentos estavam lá reunidos! Não eram cinco, eram dezenove. Eram todos eles!

Amintas desceu velozmente a escadaria da vigia, arfando. Estava cansado, mas não parava de correr. O futuro do mundo dependia daquela corrida. Seus sessenta anos não impediriam suas pernas, e ele deveria se unir ao grupo. Bendito Lucas! A profecia estava certa. Lucas conseguiu reunir os trinta bentos!

Não houve tempo de graças nem de vivas. Enquanto Dimas e Célio corriam em direção a Augusto e os demais bentos, ouviram o som tonitruante e surdo de instrumentos de sopro, mas não pararam de correr. Não sabiam o que aquilo era, mas sabiam o que significava. Dimas ouvia a respiração difícil de Célio, que ouvia os pedriscos sob seus pés. O som das cotas de prata tilintavam. Então veio o som cadenciado, o alerta maldito: um rojão de seis tiros rasgou o céu da Barreira do Inferno. Agora, junto à respiração difícil, aos pedriscos e ao tilintar das cotas de prata, os bentos Dimas e Célio tinham o som dos disparos de metralhadoras acompanhando a corrida. Bento Augusto e os demais ficavam cada vez mais próximos.

Lucas percebeu a noite clarear em um lampejo e seus olhos foram tomados pela cor amarela, preenchendo toda a órbita do globo ocular. Iniciou os brados e o comando:

— Contenham-se! Contenham-se! Todos aqui! Todos aqui! Agora!

* * *

Débora estava com o coração disparado, pois nunca tinha assistido nada igual. Tal qual um dique rompido, ao soar daquela cornucópia fantasmagórica, a enxurrada de brasas de vampiro desprendeu-se da floresta, inundando o espaço entre a mata e o muro. Avançavam em velocidade vertiginosa, e o ra-tá-tá da deita-corno começou junto ao disparo de rojão. Ela tinha certeza de que seus tiros eram precisos, varrendo a cabeça dos malditos vampiros a cerca de duzentos metros de distância, mas quando os corpos caíam, eram engolidos pela onda vermelha e aterrorizante do que vinham atrás. Estavam perdidos e sabia que aquela noite seria dos vampiros.

Os soldados cumpriram seu papel, e os dedos não pouparam os gatilhos. Contudo, por melhor que atirassem, pareciam incompetentes diante de tamanha grandiosidade do ataque. Os tiros pareciam furar apenas o ar, pois eles continuavam avançando, na mesma velocidade, com a mesma superioridade. Os soldados da face norte visualizaram um espetáculo mais tenebroso, e assim que o som surdo do instrumento de sopro ganhou a noite, um bloco assimétrico e coordenado deixou a floresta. Incontáveis vampiros, formando brasas triplas, adiantaram-se alguns metros. O que estavam fazendo?

* * *

Bento

Os bentos reuniram-se junto ao caminhão, e estavam atônitos, surpresos, pois nunca tinha visto tantos vampiros. Precisavam se organizar. Duque olhou aflito para os lados. Onde estava bento Ulisses?

— Você nos trouxe para a morte! — berrou bento Teodoro, histérico.

— Contenham-se! Não partam para o confronto! Temos que cumprir nosso destino, mesmo que custe nossas vidas!

Bento Francis uniu-se a Lucas. Vicente já tinha assumido seu posto de guarda-costas, com olhar de perdigueiro varrendo os arredores. A voz de Lucas bradando que se mantivessem calmos parecia um elixir contra a loucura, impedindo que suas consciências os abandonassem em um momento tão crucial. Ainda estavam embaralhados, quando alguém gritou e apontou, e Lucas identificou pela indumentária mais dois bentos aproximando-se.

O gigante negro, bento Duque, estava quase junto ao caminhão, e os dois que acabou de ver vinham do Norte, correndo desenfreadamente. Soldados empunhando fuzis se adiantavam em direção aos muros, e ele viu um terceiro bento surgir na porta de um prédio, que deveria ser o último que faltava para o encontro. Bento Ulisses olhou para o caminhão e para os bentos sobre o chão enlameado, tomado pela água que vertia dos tonéis esmagados pela frente do veículo verde-oliva. Ele tinha estado com Franjinha no centro de controle e pediu que o rapaz permanecesse escondido até o último minuto.

— Corre! — bradou bento Duque para Ulisses.

O colega obedeceu, começando a corrida até o ponto de encontro, mas repentinamente, para desespero de todos, o céu foi tomado por chamas vermelhas e uma nuvem assustadora cobriu o muro norte, vindo em direção aos bentos e enchendo a noite com um silvo agudo e crescente.

— Protejam-se! — gritou bento Vicente, atirando seu protegido para baixo do caminhão. Lucas foi empurrado para o chão e seu corpo foi coberto por outros bentos, de forma que ele não conseguia ver nada, mas começou a ouvir estalos. Em um instante, começaram os gritos, e bento Vicente aliviou-se quando os silvos cessaram. Lucas arrastou-se para fora e viu flechas incandescentes, que os vampiros estavam atirando. Levantou-se e, no tempo em que olhou em direção dos bentos, ouviu um novo silvo crescer. O céu cobriu-se de vermelho novamente. Bento Ulisses, desviando-se das flechas flamejantes cravadas no chão, continuava a corrida, faltando poucos passos para chegar ao caminhão, quando uma nova nuvem de flechas começou a descer.

— Agora vem para cima de nós! — bradou, voltando a se jogar debaixo do veículo.

Uma nova série de baques surdos e estalos aconteceu, e as chamas foram muito mais próximas dessa vez. Se os malditos estavam atirando aleatoriamente, estavam com uma sorte dos diabos! Lucas e mais um bom número de bentos deixaram o abrigo após a saraivada, sabendo que teriam apenas alguns segundos para observação antes da próxima avalanche. O barulho nas muralhas era ensurdecedor, e as armas disparavam incessantemente. Lucas deu a mão para Duque, ajudando o gigante a se levantar, e buscou com os olhos os três bentos que se aproximavam. Seu coração quase parou quando viu a cena: o bento maior arrastava o menor, tentando apagar a flecha flamejante que atravessara sua couraça. O bento menor gritava de dor, e, mesmo ouvindo o silvo da próxima leva de flechas, Lucas correu na direção dos irmãos, pois tinha que socorrê-los.

Bento Ulisses alcançou Dimas primeiro e ajudou o companheiro a carregar Célio. O bento ferido tinha lágrimas nos olhos e urrava de dor. Vicente disparou atrás de Lucas, mas o céu foi coberto mais uma vez por chamas voadoras. Por sorte, o grupo de flechas teve outro destino dessa vez. As hastes incendiárias se fincaram em um imenso cilindro colado ao muro oeste. Lucas passou o braço esquerdo de bento Célio sobre seu ombro, e Dimas fez o mesmo com o braço direito. Continuaram correndo em direção ao caminhão, e Ulisses colocou-se à frente de Célio, passando as pernas do bento uma para cada lado de sua cintura. O som assustador da nuvem de flechas chegou aos ouvidos.

— Malditos! — bradou Dimas.

Vicente os alcançou, ajudando a carregar bento Célio, que gritava de dor. A flecha havia entrado por cima da couraça, provavelmente atravessando a clavícula direita, com a ponta flamejante surgindo em seu peito e o sangue descendo pela couraça de prata, fazendo subir um terrível odor de carne queimada. Chegaram ao caminhão, formando um círculo.

— Estamos todos aqui! — berrou Ramiro — O que fazemos agora?

Os olhares converteram-se para bento Lucas que, por sua vez, olhou para bento Elias.

— As espadas, Elias, me dê!

Elias e Edgar desenrolaram cada um seu volume, nas capas vermelhas, onde repousavam as espadas dos bentos mortos na batalha da Teodoro Sampaio.

— Bispo disse que bastaria unirmos as trinta espadas, unir os trinta bentos.

Uma explosão feroz iluminou todo o Centro de Lançamento, obrigando os bentos a deitarem-se mais uma vez, quebrando a concentração momentaneamente. Labaredas monumentais subiram do que restava de um imenso cilindro negro, atingido pelas flechas de fogo. Lucas deixou os olhos sobre o imenso incêndio, como que hipnotizado.

— Fogo e fumaça...

— O que fazemos, Lucas? — insistiu Francis.

Lucas voltou os olhos sobre os bentos e se levantou.

— Devemos juntar as trinta espadas! Devemos juntar nossa fé!

Os bentos levantaram-se, com exceção do ferido. Lucas ergueu sua espada acima da cabeça, depois desceu com a ponta em direção ao chão, fincando sua arma na terra. A lâmina trepidou, balançando e vibrando, e os bentos repetiram o gesto. Lucas encarregou-se das seis espadas dos bentos mortos, fechando uma figura oval. Cada bento ficou de frente para sua espada.

— E agora? — perguntou Edgar, olhando para os espaços vazios.

Lucas sentiu uma pressão nos olhos, e, diante dos 24 presentes em corpo, seus olhos brilharam em amarelo vivo. Ele pôde ver, nesse instante, os espectros dos bentos Arthur, André, Murilo, Eliseu, Tarso e Cosme. Os trinta bentos formavam uma figura oval. Ao mesmo tempo, o tiroteio nos muros era intenso, e mais uma chuva de flechas incandescentes cruzou o ar, caindo a poucos metros de distância do grupo, sem que um guerreiro olhasse para o lado ou se preocupasse com a segurança.

Lucas sentiu um frio sobrenatural cruzar o corpo e sua pele toda eriçou-se. Um zumbido poderoso principiou em seu ouvido, agudo e incômodo, e ele percebeu que o mesmo ocorria com todos os outros guerreiros, até mesmo os fantasmas dos bentos desencarnados moviam as cabeças e levavam as mãos às orelhas. Os encarnados pareciam sofrer muito mais com o incômodo e repentino zumbido. Duque caiu de joelhos, junto ao bento Edgar e bento Elias. Amintas aproximou-se de Lucas com olhos arregalados. Mas tão repentino quanto começou, o zumbido simplesmente desapareceu, e os trinta bentos ficaram livres do estranho fenômeno.

— O que foi isso? — perguntou Francis.

— Você que é médico, rapá, é que devia explicar para a gente — rebateu Teodoro, agitando o dedo indicador no orifício auricular direito.

— E agora? — perguntou Dimas.

— Agora... — murmurou Lucas. — Agora esperamos pelos milagres.

Ao mesmo tempo em que o bento pronunciava sua frase, a onda de vampiros venceu simultaneamente os quatro muros da Barreira do Inferno. Não demorou um minuto para que os bentos se vissem cercados pelo implacável exército de noturnos. A loucura invadiu o grupo de bentos mais uma vez, porém antes que entrassem em combate, Lucas conclamou a todos:

— Não toquem nas espadas! Não toquem!

— Vamos pegá-los! — urrou Augusto, já levando a mão na luva de couro ao cabo da arma afiada.

— Não toquem nas espadas! — tornou Lucas.

A intensidade dos tiros foi se reduzindo gradativamente até se extinguir completamente. Cerca de vinte soldados que escaparam ao primeiro instante da invasão corriam em direção aos bentos unidos, na esperança de serem salvos. Contudo, diante dos olhos dos bentos, os homens foram engolidos pela onda de vampiros, e pedaços de carne humana voaram pelo ar junto a intensos borrifos de sangue. Os soldados foram estraçalhados em poucos segundos. Bento Teodoro lançou a mão ao cabo da espada, mas bento Vicente agarrou-o pelo pescoço, tirando-o do chão.

— Não toque na espada! — disse, entre dentes, queimando o irmão com os olhos.

— São... são... tantos... — balbuciou Ramiro.

A avalanche de vampiros, vinda de todos os lados, parecia já ter detectado a presença dos bentos inertes e avançava a toda, fechando o cerco perigosamente.

— Os milagres, Lucas... onde estão os milagres? — questionou bento Célio entre gemidos de dor.

Francis, abaixado ao lado do companheiro ferido, passou a mão em sua testa.

— Eles virão, bentos, confiem, virão! Mesmo que não estejamos mais na Terra para assisti-los, os quatro milagres salvarão a humanidade.

Vicente já tinha baixado bento Teodoro e avançou até Lucas, postando o trigésimo nas suas costas. Assim repetiu bento Duque, deixando Lucas guarnecido pelos dois maiores homens do grupo. Entretanto, Lucas afastou os grandalhões, movendo-os suavemente com a mão espalmada.

— Agora somos todos iguais, irmãos. Servi ao meu propósito, juntei as espadas. Agora somos todos iguais e teremos todos o mesmo destino.

— *Ainda que caminhe no vale da sombra e da morte, não temerei mal algum...* — começou a recitar bento Elias, ajoelhando-se sobre o chão enlameado, tocando a testa no fio de sua espada encravada. Os demais uniram-se à oração do irmão, ajoelhando-se também. Lucas foi o último a abaixar-se.

— *Pai nosso que estais no céu, santificado seja o Vosso nome...* — começaram em coro.

Bento

Os vampiros já rodeavam completamente os trinta bentos e vinham aproximando-se, gritando palavrões e sentenças de morte. Iriam capturar os bentos, como ordenado por Anaquias. O sangue dos malditos guerreiros do sol seria ofertado ao vampiro-rei para selar e eternizar a grande vitória. Lucas, ouvindo a prece conjunta, olhava fixamente para o chão. Da sua mão afundada na lama, quase não via os dedos, cobertos pela água e pelo barro, e uma gota de suor desprendeu-se de sua testa, respingando sobre a terra. Lucas respirou fundo, e uma ideia ocorreu-lhe. Poderia ganhar tempo e repetir o feito. O bento fez um sinal da cruz com a mão direita e desceu-a até a água enlameada.

— Te abençoo... — disse baixo.

Um brilho amarelo cintilante percorreu a água rapidamente. Depois, esse mesmo brilho tomou com intensidade as espadas prateadas, refletindo raios amarelados que acertaram cada um dos bentos, e a maioria dos homens gritou ao sentir espasmos elétricos repuxarem os músculos.

Os vampiros que iam na frente do cerco e que já se encontravam sobre a lama benta incineraram imediatamente, forçando um recuo na leva de trás. Os vampiros não sabiam o que acontecia, pois cada um que tocava a terra misturada com a água abençoada, circundando os 24 bentos, inflamava imediatamente, iniciando uma série de gritos de dor e carbonizando em questão de segundos. Levaram um tempo para conter os empurrões, e cerca de duas centenas deles foram cremados instantaneamente, até que controlassem o cerco, ficando à margem do terreno bento.

Lucas permaneceu ajoelhado, fitando a cerca-viva composta de demônios pálidos, trajando roupas esfarrapadas e negras, de olhos vermelhos cintilantes, com caninos terrivelmente afiados extravasando seus lábios. Era como observar animais carniceiros, selvagens, sem consciência, nem alma.

— Vocês viram isso? — murmurou bento Francis.

Os bentos mudos, respirando com dificuldade, faziam as armaduras prateadas subirem e descerem no peito e pareceram não escutar a pergunta do bento médico. Os olhos colados nas feras queimavam igual aos dos monstros, e o desejo do grupo era arrancar a espada do chão para atacar aquela parede, mas a voz de Lucas tinha o dom de amansá-los e fazer com que aguardassem pela hora certa... mas a pergunta que habitava a cabeça de muitos deles era se tal hora existiria naquela noite.

Os corpos carbonizados dos vampiros tinham comido uma fatia de barro santo, e suas cinzas e ossos esturricados passaram a formar uma espécie de tapete que anulava naqueles centímetros o efeito da água benta. Um círculo de fumaça subia ao céu e perigosamente notaram que, caso fosse o desejo dos vampiros comandantes, bastava empurrar centenas deles próprios sobre o barro envenenado para que as cinzas cuidassem de estreitar o caminho. Depois de alguns instantes, os guerreiros juntaram-se ainda mais ao centro. Sabiam que, enquanto a água benta se mantivesse sobre o solo, os malditos não conseguiriam deitar as garras sobre eles, e que qualquer minuto a mais fazia diferença.

— Os milagres, Lucas... traga os milagres... — balbuciou bento Teodoro.

Lucas continuava encarando as criaturas, mas estavam encurralados, à mercê do destino. Se fosse a vontade de Deus que saíssem livres daquela enrascada, veriam o sol nascer mais um dia.

De repente, os vampiros abriram um corredor naquele mar vermelho e, no leito aberto, surgiu a figura de uma das criaturas. Um vampiro montado em um cavalo negro aproximou-se da borda do campo enlameado, e parecia ser alguma espécie de líder, pois sua simples passagem fez a massa de criaturas se calar.

Anaquias olhou para os bentos ajoelhados, cercados e subjugados.

— Acabaram seus truques, guerreiros?

Vicente colocou-se em pé, protegendo Lucas. Anaquias bateu com os calcanhares na barriga do cavalo, fazendo-o dar alguns passos para a frente. Os bentos assistiram o guerreiro vampiro avançar triunfante pelo campo abençoado.

— Estão vendo? Meu cavalo não é vampiro, ele caminha por onde quiser.

Vicente levou a mão à espada, mas Lucas conteve o guerreiro, segurando o braço do gigante. Uma flecha zuniu, fincando-se no peito de Vicente e fazendo-o ir ao chão.

— Não! — gritou Lucas.

Anaquias virou o tronco sobre o cavalo, olhando para os vampiros atrás de si. Seu olhar queimou sobre o arqueiro impertinente, e ele fez um sinal com a cabeça, o que bastou para que um de seus comandantes arremessasse o arqueiro ao campo bento. Assim que o vampiro bateu na água, a parte molhada de seu peito e rosto pegaram fogo. A criatura tentou levantar-se, mas foi inútil, pois no segundo seguinte todo o seu corpo entrou em combustão, tornando o ser animado em um monte de cinzas. Os bentos silenciaram, voltando os olhos para Anaquias que, por sua vez, os encarou de volta. Seus olhos pararam sobre Lucas, e o vampiro sentiu algo queimar em seu interior, algo bem ruim, e soltou um gemido.

Lucas manteve-se em pé, enquanto Francis e os demais buscavam assistir Vicente. Anaquias lutava para manter-se ali, enquanto o vampiro-rei soprava em seu ouvido, dizendo que havia sentido algo ao ver aquele homem e que o queria vivo. Lucas era seu nome.

— Lucas! — disse Anaquias.

Bento

O bento levou os olhos para o vampiro montado.

— Você será o mais precioso troféu. Esse é o desejo do vampiro-rei. Será aprisionado e levado ao seu encontro.

Os olhos dos bentos convergiram para Lucas, que disse:

— Se você quer sangue, direi onde encontrar. Poupe meus homens que lhe darei um Rio de Sangue.

— Do que está falando?

— Há um Rio de Sangue próximo daqui e sei onde encontrá-lo. Poupe meus homens que lhe darei o que mais desejam.

Anaquias sorriu e fez o cavalo rodar, voltando-se ao exército vampiro. Seus olhos viram a imensidão de seu poderio, pois os vampiros ocupavam totalmente o território interno da Barreira do Inferno. Depois de alguns instantes, voltou-se para o bento.

— Vê o que vejo, humano? Vê? Acho que você não está em condição de barganhar. Faço o que quero.

— Se tocar em qualquer um de meus homens, não direi onde encontrar o Rio de Sangue.

Os bentos trocaram olhares aflitos. O que dizia Lucas?

— Digo que o sangue de seus preciosos guerreiros vale mais que dez Rios de Sangue.

— Nosso sangue não presta aos da sua raça, vampiro.

Anaquias primeiro sorriu, encarando a face de Lucas, e começou uma risada, estendendo-a até uma gargalhada.

— Poupe-os, vampiro, e eu lhe darei sangue suficiente para alimentar seu bando.

— Não faça isso, Lucas — pediu bento Augusto.

Lucas nada respondeu.

Anaquias interrompeu a gargalhada e debruçou-se sobre o dorso nu do cavalo. Falou diretamente para Lucas, em voz baixa, como se confidenciasse um segredo:

— Se fala do grupo que vem do Norte, acredito que nem precisarei procurar. Logo eles estarão aqui.

— Não estarão. Enviamos um soldado para que não chegassem aqui, para que fugissem.

— Mesmo se o que diz for verdade, bento, ao norte daqui só encontraremos Nova Natal, e é para lá que marcharemos, prosseguindo com nossa conquista.

Os bentos engoliram em seco. Não haveria barganha, nem tempo extra. Estavam perdidos.

— Tragam os corpos! — bradou Anaquias.

Um segundo corredor abriu-se, e um número impressionante de vampiros surgiu atrás dele, trazendo no topo da cabeça os corpos dos soldados mortos nos muros e no território da fortificação. Quando pararam à margem da lama abençoada, aguardaram instrução.

— Arremessem!

Os vampiros atiraram os corpos sobre a lama, criando um tapete de cadáveres.

— Vê? Não há razão para barganha, o destino de seu grupo está selado.

— Não! — bradou Lucas, possesso.

As órbitas dos olhos do trigésimo guerreiro voltaram a se transformar em brasas amarelas vivas. Anaquias, surpreso por singular reação, puxou a rédea e fez o cavalo recuar alguns passos. Lucas baixou os olhos amarelos para o rosto dos soldados mortos, para tantas vidas tiradas por aqueles bárbaros da noite. Levantou-se enfurecido e apontou o dedo para Anaquias.

— Você vai morrer!

Imediatamente após o brado do guerreiro, um tremor de solo tomou de assalto todos os presentes na Barreira do Inferno. A intensidade do tremor aumentou junto aos gritos dos vampiros, e parte dos bentos foi ao chão. Diante de seus olhos incrédulos, bento Vicente via parte dos demônios ser engolida pelo chão. Era como se o diabo abrisse a boca embaixo dos pés dos milhares de vampiros e se alimentasse de suas crias.

O inesperado fenômeno desconcentrou os vampiros que, tomados pelo terror por causa do terremoto inesperado e ainda mais por assistir parte do exército desaparecer engolido pela terra, começaram a afastar-se, debandando em direção aos muros. Os gritos de Anaquias nada adiantaram para conter seus homens, e um novo estrondo intenso ecoou na Barreira do Inferno. Lucas e os demais trocaram olhares assustados, abaixando-se e tapando os ouvidos. O que acontecia fugia da compreensão dos bentos e dos vampiros, e, como mágica, o chão se encheu de fogo. Uma massa de criaturas da noite consumiu-se no meio das chamas vermelho-amareladas, aumentando o pavor geral.

— O primeiro milagre! — bradou Ramiro, esboçando um sorriso, apontado para a gigante língua de fogo que se esparramava pelo chão.

Lucas caminhou até sua espada. Se aquilo era um milagre, e era justamente o que parecia, a profecia havia se consumado e as espadas estariam livres para a batalha. Lucas arrancou sua arma do solo, erguendo-a para o ar. Os bentos restantes repetiram o ato, tomando as espadas na mão.

Bento

Marco Franjinha, encolhido embaixo de uma das mesas do escritório para manter-se escondido das criaturas que tinham invadido a sala de controle, tirou a cabeça do meio dos joelhos e ergueu os olhos ao ouvir os diversos bipes de alarme dos computadores de monitoramento de missão que, inexplicavelmente, ligaram--se de forma automática.

— Mas que diacho é isso?

Do lado de fora, os bentos ajudavam Vicente e Célio a se colocarem em pé. Ulisses avançou dois passos junto a bento Augusto, assistindo aos vampiros debandarem apavorados, com grande quantidade deles correndo com o corpo em chamas, perdendo-se no meio de fogo e da fumaça. O grupo de Lucas subiu no compartimento traseiro do caminhão, dando proteção aos dois feridos.

* * *

Anaquias, recuperando-se da surpresa e tirando os olhos da bola de fogo que consumia cada vez mais vampiros, tornou a olhar para o grupo de bentos, e teve nova surpresa ao notar que o grupo havia escapado do cerco e desaparecia na traseira do caminhão. Voltou os olhos para a bola de fogo e viu que o calor e o clarão aumentavam cada vez mais de intensidade, junto a um rugido de mil onças, fazendo o terror aumentar proporcionalmente no meio dos seus. O vampiro-rei havia calado em sua mente, sem soprar mais nada depois de deitar os olhos no bento que atendia pelo nome de Lucas. O vampiro-rei não estava mais ao seu lado, nem mesmo o havia alertado para aquele perigo da bola de fogo, do sol na Terra.

Os vampiros debandavam desordenadamente, afastando-se cada vez mais daquele ponto luminoso da Barreira do Inferno. Seus olhos aterrorizados haviam perdido o brilho vermelho e maligno, dando vez ao medo e ao desespero, e aqueles que encaravam o clarão tornavam-se cegos e corriam desorientados. O fogo aumentou, e uma cortina de fumaça começou a tomar o chão. Os que não eram incinerados ficaram loucos, buscando o muro mais próximo para voltar ao abrigo da floresta escura. O desejo de fuga foi tomando a mente de cada um dos milhares de soldados que bateram em retirada, pulando os muros da Barreira do Inferno, retornando para as trevas da mata fechada. Anaquias chamou os que estavam ao seu redor e, com brados ensandecidos, conseguiu juntar pouco mais que uma centena de vampiros ainda lúcidos e fiéis. Encaminhava-se para a traseira do caminhão quando a fumaça começou a cobrir todo o terreno. Graças aos demônios, não precisavam mais de oxigênio, do contrário estariam asfixiando e tossindo. Avançavam decididos a liquidar com a vida daqueles miseráveis, mantendo vivo apenas Lucas, como pediu o espectro, mas era vontade de Anaquias preservar o sangue de todos eles.

O vampiro-rei havia lhe mostrado algo, uma bruxa, uma serpente engolindo uma tartaruga, entretanto, sabia que deveria agir com rapidez. Aqueles malditos eram perigosos demais para ser aprisionados com vida por míseros cem vampiros. Precisaria do seu exército todo para tarefa tão grandiosa. Quando ainda avançavam em direção ao caminhão, Anaquias sentiu o medo aflorar em seu ser ao notar um brilho amarelo intenso aumentar no meio da fumaça e aproximar-se da saída do compartimento traseiro do veículo. Era o brilho dos olhos do terrível guerreiro, e o vampiro-rei tinha-o alertado sobre aquele perigo. Deveria afastar-se daquele maldito brilho.

— Atacar! — ordenou Anaquias.

Lucas saltou da traseira do caminhão. Muita fumaça juntava-se na região, no entanto, seus olhos iluminados permitiam que visse os vampiros. Não enxergava bem o terreno, mas sabia onde os desgraçados estavam. Atrás do trigésimo, surgiram os demais, como que formando uma guarda de salvação. Os vampiros pararam estáticos, pois os guerreiros estavam diferentes. Era como se uma energia vinda de outro plano inflasse seus corpos, transformando-os em espectros amarelados. Anaquias girou o cavalo e bateu com os calcanhares na barriga do animal, disparando rumo aos portões norte da Barreira do Inferno, enquanto aquele sol invocado pela magia dos bentos subia ao céu, derramando luz e medo sobre o exército da escuridão. Lucas voou para cima do primeiro adversário, e sua espada afiada silvou, cruzando o ar, encontrando pouca resistência ao partir o pescoço do demônio. Antes que a cabeça do vampiro voltasse ao chão, Lucas descreveu outro arco, enterrando a prata no olho de uma segunda vítima. Retirou a espada do crânio do vampiro atingido e cortou o pescoço da criatura, e garras afiadas penetraram sua carne. Saltou sobre o corpo do segundo vampiro destruído e desvencilhou-se do terceiro. Sua bota cravou no chão, e ele foi capaz de sorrir ao erguer a espada mais uma vez. Avançou e, quando se imobilizou, o corpo do terceiro vampiro ia ao chão.

Ramiro também tinha acabado com três criaturas e sentia o corpo ágil e leve enquanto a espada cortava o ar sem que fosse preciso muito esforço. Os vampiros pareciam mais lentos que o normal e sua fúria contra as criaturas parecia lhe dar mais e mais poder. Enxergava os malditos através da fumaça e, antes que conseguisse apanhar a quinta vítima, metade do grupo de vampiros que ousaram atacar os bentos havia sido reduzida a pedaços, enquanto a outra metade fugia correndo pelo campo da fortificação, seguindo o líder covarde que os abandonara à própria sorte. Os bentos olharam para o céu e viram que o ponto de luz distanciava-se, ganhando altura com velocidade impressionante.

— O que foi aquilo? — perguntou bento Ulisses.

A fumaça começava a se reduzir, dissipando-se e deixando que um bento pudesse enxergar o outro.

— Isso aqui é uma base de lançamentos, não é?

— É — tornou Ulisses.

— Aquilo só pode ser um foguete — supôs Lucas.

Os bentos olharam para o trigésimo.

— Um foguete? Como isso pode ser um foguete, Lucas? Esta base está desativada há milênios, ninguém consegue lançar foguetes hoje em dia.

— Isso só pode ter sido o primeiro milagre.

A resposta de Lucas calou o grupo, e eles permaneceram em silêncio por um instante, fitando o céu e vendo o trilho de fumaça e fogo ganhar mais e mais as alturas com o ronco surdo do foguete diminuindo gradativamente até desaparecer. A luminosidade expelida pelo veículo espacial transformar-se em um brilho que se assemelhava a uma grande estrela. Lucas estava certo. Aquilo só poderia ser o primeiro milagre. O milagre que os havia salvado da morte certa, para continuarem a luta e destruírem os malditos.

CAPÍTULO 52

Bento Duque olhou ao redor e viu que o que sobrara da Barreira do Inferno não era nem a sombra do bem cuidado Centro de Lançamento, local que Marco Franjinha zelava de forma obsessiva. Viu dois prédios em chamas e três muros destruídos pelas criaturas da noite e baixou a cabeça. Apesar de os amigos ao redor estarem ainda soltando brados de vitória e abraços entusiasmados, sabia que aquele exército noturno estava lá fora... praticamente intacto. Quantos vampiros haviam morrido no fogo milagroso? Dois mil? Três mil no máximo? Bento Duque havia visto os malditos... eram muitos mais que isso. Talvez tivessem perdido dez por cento do poderio, uma grande baixa para um comandante, mas ainda sobravam cabeças demais para guerrear. O exército havia se assustado naquele dia, mas se assustaria na próxima noite? Para onde estariam indo agora? Reorganizar-se? Fariam um novo ataque ainda na madrugada?

Eles já sabiam dos adormecidos vindo na estrada. Talvez...

— Vou para a vigia! — bradou Duque.

Bento Amintas e bento

Célio olharam para o companheiro, que correu em direção ao posto de observação. Francis, Ramiro e Augusto estavam rasgando a lona da traseira do caminhão para providenciar macas a fim de transportar o gigante Vicente e o pequeno Célio para um lugar coberto. Francis havia estancado a hemorragia de Vicente, que poderia recuperar-se mais rapidamente. Já bento Célio apresentava um quadro mais grave, com queimaduras profundas na região do ombro e pescoço, e o bento médico temia pela vida do amigo.

Teodoro e os demais começaram uma corrida, entrando nos prédios incendiados e nos escombros encontrados no caminho, procurando por sobreviventes, mas, horrendamente, tudo o que encontravam eram corpos drenados, sem uma gota de sangue, sem a mínima chance de sustentar vida. Estavam secos e mortos, pálidos como as criaturas das trevas.

Bento Ulisses apontou para o prédio do controle, ainda em pé, e sem sinal de incêndio. Lucas acompanhou o guerreiro moreno e entraram no prédio da sala de controle, um pavimento de três andares, cercado de janelas e com o chão coberto por lajotas vermelhas. Lucas notou que o interior do prédio era estreito, mas muito comprido, e que os móveis estavam fora do lugar e algumas lâmpadas não funcionavam bem, piscando constantemente e atrapalhando a visão. Apesar de terem visto o exército negro evadir, fugindo para a mata, mantinham-se alertas. As sombras e o piscar das lâmpadas frias aumentavam a tensão, e Lucas caminhava vagarosamente, segurando a espada.

— A sala de controle fica por ali — indicou Ulisses.

Lucas dirigiu-se para a área apontada, e do corredor do teto pendia uma placa indicando a sala. Caminharam mais alguns metros, mas Lucas virou a cabeça para trás quando ouviu um estalo às costas. Faíscas caíam do teto junto a uma das luminárias onde um curto-circuito acabava de ocorrer. Lucas continuou em frente e chegou à porta dupla da sala de controle, acima da qual havia outra placa em que se lia: "Entrada restrita. Apenas pessoal autorizado". À direita da porta estava um aparato eletrônico com um teclado, onde provavelmente, no passado, as pessoas deveriam digitar alguma senha para conseguir seguir adiante. Lucas girou a maçaneta, escutando outro estalo, empurrou a porta e entrou.

Bento Ulisses e Lucas ficaram imóveis por cerca de meio minuto, pasmos. O centro de controle era impressionante. Ulisses tinha estado ali horas antes, durante a tarde, e aquela sala ampla não lhe parecia tão maravilhosa, mas sim, como muitos prédios, apenas um museu, cheia de equipamentos e propósitos que só serviam ao passado. Agora tinham diante deles uma sala, com cerca de quatro metros de altura por oito de largura, iluminada por telas de computadores em perfeito funcionamento, com um monitor mestre imenso forrando quase totalmente a parede principal. Sua atividade provocava um brilho que iluminava a face de Lucas e Ulisses.

Lucas deu três passos adentro, e seus olhos refletiram os gráficos exibidos na tela principal. De joelhos, em frente a ela, um homem permanecia admirando o estranho acontecimento. Ulisses reconheceu a figura de Franjinha aproximando-se, em busca de explicações.

— O que aconteceu aqui, cara?

Franjinha demorou uns segundos para desviar os olhos da tela imensa e, depois de uns instantes, fitou o bento com um sorriso. Levantou-se e apontou para uma das mesas, onde havia um número enorme de fios conectados ao notebook do engenheiro maluco.

— Um milagre, bento Ulisses. Um milagre! — os olhos do obstinado zelador da Barreira do Inferno encheram-se de lágrimas.

— Calma, homem!

Bento Lucas aproximou-se, ainda hipnotizado pela sala de controle em funcionamento, quase podendo ver o espectro dos técnicos atrás de cada uma das telas de computador, sentados em suas cadeiras de couro negro, monitorando o progresso de uma missão.

— Agora sei por que fiquei aqui na Barreira do Inferno, agora sei. Chegaria este dia, e ela precisaria de mim.

— O que foi aquela bola de fogo lá fora?

— Vocês viram? Não foi lindo?

Ulisses riu longamente, olhando para Lucas ainda boquiaberto, agora olhando com atenção para a tela principal.

— Você foi lindo, Franjinha! Foi maravilhoso! Eu não sei o que você fez daqui, mas aquela bola de fogo salvou nossos pescoços lá fora.

— Eu não fiz nada, bento, é o que estou dizendo. Eu não pus um dedo nisso aqui. Eu estava escondido debaixo da minha mesa, cagando nas calças de medo, enquanto aqueles filhos de uma puta estavam pulando em cima das mesas do controle de missão, destruindo tudo... De repente as luzes se acenderam e pimba!

— Pimba!?

— É! Os computadores ligaram sozinhos, a tela principal acendeu e o programa de lançamento começou sozinho, como se a sala de comando ganhasse vida. Acho que, por causa da claridade da tela, os vampiros fugiram daqui e me deixaram em paz, assistindo a essa maravilha.

Ulisses olhou sério para Lucas, que se aproximou dos dois.

— O que significam aquelas coisas? — perguntou a Franjinha, apontando para a tela.

Franjinha levantou-se de trás da tela do notebook e olhou para a tela principal.

— Aquele traço vermelho, deslocando-se continuamente, é o foguete ARIANE-108.

— ARIANE?! Você está dizendo *o ARIANE*?! — repetiu Lucas.

— Isso mesmo.

— Santo Deus! — balbuciou Lucas, estupefato.

— Ele está carregando a peça fundamental do último projeto em curso do CLBI antes da Noite Maldita, a célula de energia matriz do projeto TUPÃ, tecnologia de ponta naquela época.

— Projeto TUPÃ? O que isso? — interrogou Ulisses.

Bento

— Seria um verdadeiro milagre se o robô conseguisse conectar a célula matriz, e que ela ainda funcionasse, mas já seria impossível imaginar o ARIANE decolando depois de trinta anos de abandono. O combustível não funcionaria, os motores nem seriam carregados. Há ainda a questão da janela, procedimentos e manutenção mecânica... é impossível isso estar acontecendo. Acho que estou sonhando!

— É por isso que é chamado de milagre — completou Lucas.

Franjinha parou e fitou o bento.

— "É por isso que é chamado de milagre" — repetiu o engenheiro, arrumando os óculos em um movimento ligeiro. — Desculpe, senhor, ainda não fomos apresentados...

— Bento Lucas.

Franjinha fez uma cara de espanto.

— Você quer dizer *o bento Lucas*?!

O trigésimo sorriu.

— Isso mesmo.

Franjinha caiu sentado na cadeira de couro e bufou. Era sua vez de se espantar.

— Agora está explicado, já sei. Você chegou aqui com os seus outros bentos, não foi isso?

— Isso, a profecia dos trinta bentos se cumpriu.

— Estááá explicado!!! — vibrou o engenheiro.

Ulisses afastou-se e foi sua vez de voltar a examinar a tela principal.

— E o que vai acontecer quando o foguete chegar ao seu destino?

— O foguete vai colocar o robô com a célula matriz em órbita, que por sua vez vai voar até TUPÃ e vai se conectar à célula matriz. Se a célula matriz funcionar, o projeto TUPÃ entra em funcionamento.

— E para que ele serve?

— Esse projeto foi desenhado com alguns parceiros sul-americanos e europeus como uma ferramenta para a agricultura, mas não sei para que vai servir agora.

— E isto aqui? O que é?

Franjinha fitou a tela principal. Pequenos quadros subdivididos apareciam na parte inferior.

— Meus Deus!

O engenheiro olhou para o notebook.

438

— Estava tão embasbacado com o lançamento do foguete que nem notei isso. Como é possível? Tudo bem que é um milagre, mas isso...

— O que é?

— Estamos recebendo imagens de dois satélites de observação — disse, enquanto digitava rapidamente no teclado. Apontou na tela do computador uma janela onde se via uma figura marrom à esquerda e uma porção de um azul-escuro, quase negro, à direita.

— O que é isso? — perguntou o trigésimo.

— Vocês estão vendo a esquina do continente? Esse é o litoral do Nordeste. À esquerda, marrom-escuro, é o continente, a parte azul-escura é água, o Atlântico.

— Nossa! — exclamou Ulisses — O resto do pessoal tem que ver isso.

— Olha, dá para aproximar mais. Esses satélites integram o projeto TUPÃ e serviam para mapeamento agrícola, para que fosse feito um monitoramento preciso depois que começasse a intervenção do TUPÃ.

Lucas e Ulisses viram admirados Franjinha operar o notebook, fazendo com que a janela exibisse bem de perto o solo do planeta.

— Esse é o nosso glorioso estado do Rio Grande do Norte, encravado entre o Ceará e a Paraíba. Outro toque aqui, e poderão ver mais próximo ainda e em tempo real.

— Até onde isso vai?

— Eu só estudei nos sistemas, nos livros do controle, nunca usei de fato, porque o projeto nunca decolou. Fiquei adormecido por vinte anos, mas acho que dá para ver em...

— Em o quê? Não faz suspense.

— Peraí, eu vou mostrar.

Franjinha moveu o mouse novamente e depois de alguns cliques, os observadores passaram a ver a costa com maior clareza, como se estivesse sendo filmada.

— Olha só, dá para selecionar o contraste de temperatura.

Dito isso, Ulisses e Lucas viram minúsculos pontos vermelhos surgirem agrupados em um determinado território, relativamente próximo ao litoral.

— Olha só, esses são os incêndios aí fora.

— UAU! Estamos vendo a Barreira do Inferno em tempo real...

— É isso mesmo, Ulisses. Em tempo real! E podemos ver mais.

Mais alguns cliques e uma nova aproximação, e podiam discernir imagens nítidas que compunham o que havia sobrado das edificações. A maioria deles com boa parte tomada pela cor vermelha, indicando que o fogo avançava.

— Consegue trazer a câmera mais para a esquerda?

Franjinha obedeceu.

— Está vendo? Isso aqui é o caminhão em que vocês chegaram!

— Nossa, não acredito! — espantou-se Lucas.

— E esses pontos rosa-amarelados, zanzando próximos aos focos de incêndio, o que são?

— Esses são os homens lá fora. Mas que estranho... — murmurou o engenheiro.

— O quê?

— Tem pouca gente. Cadê os soldados dos muros e o pessoal que estava trabalhando?

Ulisses e Lucas trocaram um olhar rápido. A resposta veio seca.

— Estão mortos, Franjinha. Os vampiros destruíram os muros e devastaram todos. Estamos aqui falando com você só por causa do primeiro milagre.

Franjinha calou-se um momento.

— A profecia dizia que, ao nos reunirmos, teríamos quatro milagres concedidos que nos salvariam da maldição dos vampiros. Ao menos já vimos um deles concretizado. — Ulisses aquiesceu, balançando a cabeça.

— Dois...

Lucas olhou para o engenheiro.

— Temos dois milagres acontecidos.

— Como assim?

Franjinha arrumou-se na cadeira para explicar aos bentos.

— O ARIANE-108 ter decolado depois de tanto tempo de inatividade, sem que fosse feito nenhum preparo, nenhum aquecimento... pode acreditar em mim, bento Lucas, isso é um milagre, dos grandes.

— Continue.

— Segundo, se estamos vendo essas imagens, vindas de dois satélites que fazem parte do programa TUPÃ, temos um segundo milagre acontecendo.

— Esses satélites deveriam estar desativados também? — arriscou Ulisses.

— Não, vamos incluir isso no primeiro milagre e considerar o projeto TUPÃ em atividade como um milagre único, um pacote. Mas as imagens, bento... as imagens são transmitidas via rádio, só que desde a Noite Maldita, as ondas de rádio foram deletadas das regras da física. Nenhum rádio funcionava, nem TV, nem tecnologia *wireless*, nada que tivesse transmissão à distância envolvida. Se estamos recebendo ondas de rádio aqui, acho que elas voltaram a funcionar.

— Ufa! — bufou Ulisses. — Preciso tomar um ar, isso é demais para mim.

— Podemos fazer um teste?

— Como assim? Que teste?

— Esse negócio que você falou, das ondas de rádio, faz sentido, mas e se somente o rádio ligado ao projeto TUPÃ estiver funcionando? Talvez isso seja parte do primeiro milagre, do primeiro pacote, como você mesmo disse.

O engenheiro levantou-se e atravessou apressado a sala de controle, abrindo uma sala anexa. Lucas e Ulisses ouviram o barulho de coisas sendo reviradas e de objetos indo ao chão. Repetiram o caminho feito por Franjinha e adentraram a sala seguinte. O rapaz abria armários de madeira, buscando alguma coisa.

Quando Lucas abriu a boca para perguntar, Franjinha ergueu uma caixa, com um sorriso vitorioso, como se tivesse recebido um troféu. O engenheiro colocou a caixa no chão e rompeu o lacre, tirando dela dois walkie-talkies sem uso, "novos". Rasgou a embalagem plástica e examinou o primeiro deles.

— Graças a Deus!

— O quê?

— As baterias destas belezinhas são as mesmas que uso no aparelho de som, recarregáveis.

O rapaz desapareceu da sala, voltando à sala de controle seguido pelos bentos. O aparelho de som estava na mesa ao lado do notebook. Franjinha tirou o eletrodoméstico do lugar e removeu uma tampinha traseira. A bateria foi cuspida para fora e serviu para ligar o primeiro walkie-talkie. O carregador de baterias estava embaixo da mesa, e em menos de um minuto a segunda bateria entrava no outro aparelho.

Franjinha, cerimonioso, olhou sério para os bentos parados na sua frente antes de ligar os aparelhos, levou o botão dos aparelhos para a posição "on" e casou os canais.

Inspirou fundo e colocou um deles na mão de Ulisses. Atravessou a sala novamente, indo para o corredor. Franjinha recostou-se na parede e faíscas desprenderam-se de uma luminária à meia distância. As luzes piscavam alternadamente, e apenas a sala de controle parecia funcionar em perfeito estado. Pressionou o botão de falar e fez sua tentativa.

— Um, dois, três, teste. Responda se estiver me ouvindo.

Franjinha soltou o botão de falar e levou o aparelho ao ouvido. Aguardou segundos intermináveis, ansioso pela resposta no rádio, mordeu o lábio e... nada. Baixou o aparelho e bateu a cabeça repetidas vezes contra a parede.

— Alto e claro, Franja. O rádio está funcionando! — explodiu, eufórica, a voz de bento Ulisses.

Os bentos ouviram a porta abrir com estardalhaço, e o engenheiro voltou sorridente.

— Puta merda! Não dá para acreditar!

Lucas concordou com o rapaz, meneando a cabeça e sorrindo também. Depois de um breve momento de alegria, voltou a olhar para a tela do notebook. Os pontos róseo-amarelados pareciam ter aumentado em uma dúzia, e lembrou-se dos vampiros que haviam fugido da luz intensa proporcionada pelo lançamento do foguete.

— E os vampiros? Eles fugiram daqui, mas não sabemos onde estão. Pode mostrá-los? — quis saber Lucas.

Franjinha voltou para a frente do computador, sentou-se na cadeira preta e tornou a clicar. Afastou um pouco o zoom, aumentando o campo observado. Os focos de incêndio diminuíram sensivelmente e os contornos da base de lançamento foram se perdendo.

— Se fosse dia... talvez pudéssemos ver alguma coisa com isso... mas está tudo escuro.

— Se fosse dia, eles estariam liquidados.

Franjinha riu, percebendo a bobeira que tinha acabado de dizer. Os bentos continuavam a observar enquanto o cientista voltava ao teclado.

— Acho que consigo melhorar o contraste. Os vampiros não produzem calor corporal, mas estão em movimento, e um exército grande talvez possa ser visto. Tenho que melhorar os parâmetros para o programa filtrar as imagens que está recebendo — tentou explicar. — A temperatura corporal desses assassinos selvagens é menor que nossa, devem apresentar algo próximo da temperatura ambiente. Vamos descartar o movimento captado de todo corpo que apresente massa com peso inferior a sessenta quilos... então, acho que teremos nosso exército — disse Franjinha, dando um toque final na tecla *enter*.

Em seguida, a janela de exibição se refez e milhares de pontos azuis surgiram na tela, deslocando-se vagarosamente, mas reagrupando-se perigosamente.

— Para onde estão indo?

Franjinha moveu o mouse e reduziu o nível de zoom, abrindo mais campo na tela.

— Estão indo para o Norte — disse Lucas.

— Nova Natal.

— Estão indo para a estrada, Lucas — disse o engenheiro, apreensivo. — Vão interceptar o comboio — tornou, apontando para um grupo de pontos vermelhos que se deslocavam em alta velocidade, movendo-se para o sudeste.

— Temos que impedir — murmurou o trigésimo.

— Não há como!

Franjinha recuou a cadeira e passou a olhar para a tela principal do controle. Dentro de poucos minutos, o robô se desconectaria do foguete ARIANE-108 e navegaria até o soberbo e engenhoso TUPÃ. O engenheiro enfiou os dedos na franja loira.

— Como fui tão burro?! — explodiu, ficando em pé.

— O que foi?

O engenheiro olhou para bento Ulisses.

— Há um jeito, bento!

— Do que você está falando?

— Se o robô se conectar ao TUPÃ, teremos uma chance de salvar o comboio!

CAPÍTULO 53

O soldado Nivaldo checou o retrovisor. Liderava o comboio saído de Nova Natal com destino à Barreira do Inferno. A dupla de faróis do segundo caminhão surgiu assim que terminou a curva e ele manteve a aceleração, indo a oitenta quilômetros por hora, pois se aumentasse talvez o resto do comboio não acompanhasse. Seu caminhão estava cheio de carga viva, pessoas adormecidas presas em armações de madeira para o transporte. Nos alto-falantes rolava o som dos Ramones, e a energia de *Palasides Park* explodia na boleia do caminhão, dando ritmo à viagem.

* * *

Anaquias, montado no cavalo, via a estrada centenas de metros abaixo a partir do topo do morro onde estava, e quando visualizou os faróis brilhando no asfalto, ergueu um dos braços. A cornucópia foi soprada mais uma vez, repetindo o som grave que tinha assombrado os ouvidos dos soldados da Barreira do Inferno. Mais uma vez, os vampiros tinham ordem para atacar, e agora, mais que uma vitória, segundo o que tinham ouvido dos comandantes, os caminhões na estrada traziam adormecidos, um Rio de Sangue ambulante, pronto para descer goela abaixo e satisfazer a sede maldita que guiava a mente dos vampiros.

Os bentos tinham logrado vitória no último embate, mas depois que seus milhares de soldados reabastecessem os corpos sobrenaturais com o sangue humano, teriam a força e a disposição dobrada para voltar aos muros da Barreira do Inferno e terminar o que tinham começado.

* * *

Nivaldo aumentou o som quando *Poison Heart* começou a tocar, adorava aquela música. As faixas amarelas na pista passavam velozmente, sendo engolidas por seu caminhão. Estava distraído... o que era aquilo na floresta? Um incêndio? Sentiu um arrepio eriçar os pelos dos braços quando viu brasas voadoras cruzarem o céu, saltando de um lado da floresta para o outro. Mas não eram brasas, eram vampiros, e estavam por toda volta. Não teria tempo de frear e voltar, não dava tempo de avisar os outros, tinha que guiar o comboio e escapar daquele cerco. Pisou mais fundo no acelerador, e seus olhos encontraram algo na pista, um único vampiro, branco como a lua cheia, parado no meio do asfalto com a mão estendida espalmada, ordenando que parasse. Nivaldo chegou a tirar o pé do acelerador como reflexo, no entanto, manteve-se firme. Não ia parar por causa de um merda de vampiro.

— Vai para o inferno, capeta! — berrou, aferrando as mãos no volante.

O vampiro viu o monstro de metal crescer diante de seus olhos e imaginou que o maldito se intimidaria, vendo-se totalmente cercado. Grande erro. O caminhão acertou a criatura em cheio, e o corpo esguio e pálido voou metros à frente, voltando a cair na estrada e a ser apanhado uma segunda vez pelo caminhão. Dessa vez, todos os pneus passaram sobre a criatura, arrebentando o vampiro em cinco pedaços, moendo seus ossos e seus órgãos mortos e podres.

Nivaldo soltou um berro de alegria ao ver o primeiro inimigo vencido. Ainda com o grito escapando pela garganta, veio a retaliação, e flechas flamejantes cortaram a escuridão rumo aos pneus dianteiros do caminhão. Ele tornou a agarrar o volante e um barulho rouco começou assim que o pneu dianteiro direito estourou. O caminhão guinou brutalmente para a direita, obrigando Nivaldo a puxar o volante totalmente para a esquerda, e ele prendeu a respiração, pois estava perdendo o controle do veículo. Voltou com o volante para a direita, enfiando o pé no freio, e mais flechas flamejantes cruzaram o céu, talvez mirando nos pneus posteriores, ou indo em direção aos que vinham atrás. Nivaldo puxou ar mais uma vez, enquanto a faixa dos Ramones já ia chegando ao fim. Vampiros filhos de uma puta! Torceu a direção mais uma vez e conseguiu estabilizar, mas não tinha condições de continuar. Com a velocidade reduzida, seria presa fácil. Tentava avaliar a condição de prosseguir à toda velocidade, mas levando os olhos para a estrada, mesmo que quisesse, não seria possível. Uma maré de olhos vermelhos em brasa tomou o leito do asfalto, impedindo que continuasse. Olhou pelo retrovisor e viu que, um a um, os caminhões iam sendo rendidos e cercados por uma avalanche de vampiros. Era o fim.

* * *

— Quando falei aquela hora, se fosse dia seria perfeito...

— O que tem?

— Se fosse dia seria perfeito, porque a luz do sol acabaria com os desgraçados, certo?

— Certo, Franja, mas o que isso tem a ver com o seu plano? Vai fazer a Terra girar mais rápido? — perguntou Ulisses.

— Não! O projeto TUPÃ era um consórcio intercontinental de estudo e apoio ao desenvolvimento agrícola. Com a intervenção humana e a degradação do meio ambiente, o clima global estava fugindo do controle, e logo, até mesmo países gigantes e ricos como o nosso começariam a sofrer com a escassez de produtos cultivados. O projeto TUPÃ procurava minimizar os problemas climáticos, neutralizando os efeitos das geadas fora de hora, da falta de chuva, entre outros tantos truques possíveis com os recursos lançados ao espaço para que fosse otimizada a produção agrícola em todo o Brasil Novo e América Latina.

— Do que você está falando, Franja? Dá uma olhada no seu notebook. Os vampiros estão cercando os caminhões, abrevie a conversa.

— O projeto TUPÃ, gente. TUPÃ basicamente é um gigantesco refletor solar, capaz de condensar e direcionar luz do sol para a Terra durante as horas da noite!

— O quê?! — espantou-se Lucas.

— Trabalha como se fosse um espelho gigante que, além de refletir, intensifica a luz solar. Sabendo onde esses putos estão, basta apontar e,pau! Fogo nos filhos da mãe!

— Demorou! — exclamou bento Ulisses.

Lucas olhou para a tela do computador e viu que os vampiros estavam cercando os caminhões.

— Rápido, Franja, faz o que tiver que fazer. Em quanto tempo consegue bombardear os malditos com luz do sol?

O engenheiro ergueu os ombros.

— O foguete expeliu o robô agora na órbita de TUPÃ. Vai rastrear automaticamente o receptáculo da matriz e conectar-se ao grande TUPÃ, mas não sei quanto tempo leva.

* * *

Nivaldo abriu a janela de comunicação com o compartimento de carga.

— Vampiros! — berrou enérgico.

Os soldados que iam atrás, agarrados às estruturas que empilhavam a carga por causa dos trancos, subiram sobre elas, ganhando as escotilhas superiores do compartimento. Sérgio foi o primeiro a livrar-se da tampa e, quando colocou a

cabeça para fora, ficou paralisado por alguns segundos. Santo-Deus-Padre-Todo-
-Poderoso! O que era aquilo?

No instante seguinte, mais duas escotilhas saíram e seus colegas assomaram
pela abertura, colocando os fuzis para fora. Sérgio acionou sua arma e os disparos
foram certeiros. Os vampiros, surpreendidos pela resistência, afastaram-se do caminhão, no entanto o número de noturnos era imenso, e bastou a surpresa inicial
dissipar-se para que iniciassem o ataque. Uma quantidade assombrosa de criaturas, também dotadas de armas de fogo, saltou dos galhos das árvores altas, descendo até o asfalto e cercando o primeiro caminhão. O vampiro sorriu, fazendo mira
nos soldados que surgiram no topo do veículo, e puxou o gatilho, acionando sua
metralhadora. Nivaldo, desarmado na boleia, sentou no assoalho na parte frontal
da cabina, abraçando os joelhos. Malditos vampiros!

* * *

Os três homens assistiam, agoniados em virtude do tempo escasso, a aproximação do robô espacial do complexo TUPÃ. Nesse instante, cinco bentos, algumas
mulheres e soldados remanescentes entraram na sala de controle. Não entendiam
o que se passava no grande painel, mas pela seriedade e mutismo dos três observadores, não ousaram importunar, e assistiram calados, aproximando-se pé ante
pé. TUPÃ parecia-se com um grande satélite, sendo a maior parte do corpo um
cilindro. Como Lucas não conhecia a escala do projeto, não tinha ideia do tamanho do equipamento, mas, a julgar pelas imagens vindas da câmera do robô,
TUPÃ era algo grande, muito grande. Mais um minuto se passou até que viram o
robô tocar o metal do equipamento. Estampada no casco do grande TUPÃ havia
a bandeira do Brasil. O robô percorreu a superfície do objeto e fixou-se onde deveria inserir a célula de energia matriz. Do robô, uma haste articulada projetou-se
até tocar uma espécie de parafuso sextavado e girou rapidamente, até que o parafuso subisse cerca de quinze centímetros, repetindo a operação em um segundo
parafuso. Pareciam peças grandes, talvez com o raio de três polegadas ou mais. A
própria haste do robô, ao desconectar-se do segundo parafuso, retirou-os do lugar,
trazendo-os para junto da câmera até sumirem do campo de visão, provavelmente
recolhendo-os a um compartimento em sua unidade.

O robô rotacionou o centro de seu corpo em 180 graus, permanecendo com
as garras fixas ao TUPÃ, e a câmera da unidade passou a exibir, em boa resolução,
o nosso planeta azul. A luz do sol aparecia em uma das bordas da esfera ovalada,
deixando os oceanos sucumbirem gradativamente à escuridão. Repentinamente,

Bento

a tela escureceu e o robô ativou a segunda câmera, na extremidade oposta de seu corpo, que agora exibia mais uma vez o casco de TUPÃ. A tampa desparafusada correu automaticamente para a direita, e do artefato espacial subiu um receptáculo mecânico, uma haste robusta que terminava em uma garra cilíndrica. O robô também abriu automaticamente um compartimento em sua extremidade e uma haste com garra semelhante conectou-se à haste do TUPÃ.

Em uma fração de segundo, os observadores assistiram a um cilindro percorrer as garras, deixando o robô e instalando-se no receptáculo. A garra vinda de TUPÃ pressionou a célula de energia e a recolheu para seu interior, e a porta deslizou mais uma vez, encerrando a carga em seu interior. Ao redor da porta deslizante, um círculo de pequenas luzes verdes acendeu-se, e tão inesperadamente quanto apareceram, apagaram-se. Em seguida, apenas um ponto de luz verde brilhou e pareceu caminhar, ao passo que o dispositivo acendia e apagava uma lâmpada de cada vez, alternadamente, completando três voltas ao redor da porta. Assim que a luzes se apagaram, depois de dois segundos, um alarme soou no centro de comando. Franja correu até seu notebook e a tela exibia uma mensagem de alerta: *Testes 1, 2 e 3 completos com sucesso. Deseja ativar a célula matriz?*

Abaixo da mensagem existiam dois botões, um SIM e um NÃO. Franjinha moveu o mouse até o SIM e clicou, e a mensagem apagou-se. A tensão era tamanha que ninguém emitia nem um pio sequer. Respiravam pesadamente, tomados pela ansiedade, e os olhares convergiram para o grande TUPÃ. O robô havia se afastado vários metros, permitindo que os espectadores observassem o grande instrumento espacial em sua plenitude. O alarme soou novamente, e o engenheiro voltou os olhos para a tela do notebook. Outra mensagem surgiu, desta vez piscando e se revezando com a anterior: *Falha na comunicação* — então piscou e alternou: *Testes 1, 2 e 3 completos com sucesso. Deseja ativar a célula matriz?*

Antes que a mensagem desaparecesse, o rapaz clicou em SIM mais uma vez, e desta os olhos não despregaram do monitor. Bastaram alguns segundos para o alarme de aviso voltar: *Falha na comunicação.* O aviso alertou para: *Testes 1, 2 e 3 completos com sucesso. Deseja ativar a célula matriz?*

* * *

Dois tiros entraram pela porta do caminhão, fazendo a espuma do estofamento subir e depois descer lentamente, feito neve caindo. Nivaldo encolheu-se mais e aguardou a espuma assentar, então arriscou olhar pelo vidro dianteiro. Eles estavam lá e em número jamais visto. Todos os caminhões estavam cercados e, assim que os tiros dos soldados acabassem, seriam aniquilados. Nivaldo respirou fundo, e ligou novamente a música. Já que ia morrer, que morresse ouvindo seu som preferido. Levou o dedo ao seletor e quando as primeiras batidas de I Believe In Miracles escaparam, Nivaldo girou o botão de volume até o limite, fazendo a letra de Dee Dee Ramone e Daniel Rey soar em alto e bom som nos seus ouvidos.

* * *

— O que está acontecendo agora? — quis saber Ulisses.

— Não estou conseguindo enviar o comando para TUPÃ iniciar. Eu clico e a célula matriz não é ativada.

— Porra! Ela quebrou?

— Não, não é isso. Aqui diz que os testes-padrão e de segurança estão ok, mas o problema é aqui. Eu não consigo enviar a confirmação para iniciar o processo, não sai daqui.

— Porra, Franjinha! Pensa rápido! Os vampiros já cercaram os caminhões!

— Não vou assistir a isso daqui! — explodiu Lucas. — Enquanto vocês arrumam essa encrenca, eu vou até lá.

Lucas deixou a sala correndo.

— Ele nunca desiste? — perguntou Teodoro, erguendo os ombros e olhando para os demais.

Franjinha voltou ao monitor, pensando onde estaria o defeito. Se o robô estava enviando as mensagens, a recepção estava boa, mas, por outro lado, tinha conseguido enviar comandos para os satélites e todos tinham sido executados perfeitamente. Levou o lápis novamente à boca e mordeu a ponta, e de repente bateu na mesa!

— Já sei!

* * *

Lucas chegou ao caminhão quando viu todos os que estavam no controle saírem correndo pela porta frontal do prédio. Teodoro, diferente do grupo, veio em sua direção.

— Lucas! Espere! Não há tempo de chegar lá para salvá-los — disse, começando a arfar e revelar o cansaço físico. — O garoto... acho que ele descobriu o defeito. Espera, *brotherzinho*, pelo amor de Deus!

Bento

O engenheiro atravessou quase metade do Centro de Lançamento até chegar onde queria, mas a antena de transmissão do projeto TUPÃ era diferente da de transmissão dos satélites de observação. Quando chegou ao local, onde deveria haver a torre, o sangue gelou nas veias. O comboio estava condenado, pois a torre havia sido tombada pelos malditos vampiros. Com ela no chão, não conseguiria transmitir nada! A multidão de perseguidores percebeu o desânimo do engenheiro, e Ulisses perguntou:

— Qual é o problema?

— A antena — disse apontando para os escombros da torre. — Com ela no chão, não conseguiremos transmitir.

— Calma, cara. É só a torre que está no chão. Verifique as conexões e o funcionamento, tem que ter um jeito.

Franjinha olhou para onde ficava a base da torre. Havia um cômodo construído, que abrigava as conexões da antena e seu equipamento de funcionamento e conexões com a sala de controle. Correu até lá, abrindo a porta e entrando no cômodo. Em menos de um minuto, o engenheiro deixou o cômodo sob o olhar de Ulisses e dos demais, que aguardavam na porta. Ele nada disse, continuando o exame do lado de fora, e foi até o amontoado de metal que havia sobrado da torre para conferir a integridade do cabo de transmissão. Chegou até a ponta da torre para checar os componentes transmissores que, por pura sorte, haviam caído sobre as ramas de arbustos e, com isso, não tinham sofrido danos sérios.

— Vai dar! Vai funcionar! Só precisamos colocar essa joça em pé! — voltou confiante. Ulisses olhou para a torre vendo um monte de ferro retorcido. Virou-se para as pessoas atrás e olhou para Bento Ramiro, que estava com uma expressão de nada entender.

— Vamos, pessoal! Vamos ter trabalho! Precisamos colocar essa torre em pé! Ideias, por favor! — pediu. Virou-se para o engenheiro e falou baixo com ele: — Vá para o comando e transmita, pelo amor de Deus! Temos que deter aquele exército. Se eles se alimentarem do comboio, estaremos perdidos. Vão avançar, acumulando uma vitória atrás da outra, e não duvido nada que o alvo de amanhã seja Nova Natal ou até mesmo que voltem para cá para acabar o que começaram.

Franjinha meneou a cabeça positivamente, pois nunca duvidou da seriedade da situação. Mais uma vez, pôs-se a correr, voltando para o controle. Lucas, Teodoro e Augusto removiam os tambores de água debaixo do caminhão, atropelados na chegada à Barreira do Inferno. O veículo parecia não ter sofrido dano sério, com exceção das flechas incrustadas no capô, mas os faróis quebrados na colisão pareciam em ordem. Augusto, com seus cabelos negros e esvoaçantes, foi para a cabine, deu a partida e o motor roncou em perfeito compasso. Os bentos, cada um de um lado, apoiaram-se nas portas da cabina e foram de carona no suporte externo nas laterais do caminhão. Em um instante alcançaram o prédio da torre e juntaram-se ao alvoroço. Minutos mais tarde, ajudados pelo caminhão, usando os próprios cabos de aço presos à torre e o cômodo de concreto como base de apoio, começaram a tracionar o emaranhado de ferro, fazendo a antena subir pouco a pouco.

Franjinha clicava no SIM de tempos em tempos, fazendo caretas de aflição toda vez que o alarme de erro disparava. A agonia aumentava quanto mais olhava para a janela de imagens transmitidas pelo satélite, pois tinha aproximado ainda mais a imagem e podia ver claramente que os vampiros já tinham cercado e imobilizado o comboio. Um ou outro ponto vermelho indicava que pequenos incêndios tinham começado ao redor dos caminhões, mas os vampiros eram tantos que os espectros azuis tomavam completamente a janela de exibição. Com uma aproximação maior, conseguia até separar os espectros em indivíduos, braços de vampiros, saltos e armas empunhadas. Depois de muitos cliques e sonoros alarmes de erro, o desespero aumentou, e agora assistia a alguns pontos róseo-amarelados serem retirados dos caminhões. Os vampiros estavam tomando os adormecidos e apossando-se de um Rio de Sangue! O rapaz baixou a cabeça, sentindo-se derrotado. Os soldados deveriam ter sido exterminados, e agora nada deteria o avanço daquele monstruoso exército das trevas. Automaticamente, clicou mais uma vez o mouse, fechou os olhos e pensou que parecia uma grande ironia ter à disposição um colosso feito TUPÃ e não poder fazer uso daquela máquina, daquela tecnologia que havia sido desenhada para fins de pesquisa e benefício agrícola e que agora havia se tornado a grande esperança da humanidade, trazendo a supremacia sobre os vampiros. Manteve os olhos fechados até que, subconscientemente, notou que não escutava alarme de erro dessa vez. Ao olhar para a tela do monitor, deparou-se com uma nova mensagem: *Carregando sistema. Aguarde.* Abaixo da frase havia uma contagem regressiva em 28 segundos, indicando que logo TUPÃ estaria ativo. Apanhou o walkie-talkie ao lado do computador e pressionou o botão para falar.

* * *

Ulisses indicou para o caminhão parar, pois a torre estava quase a noventa graus do chão. Teriam que, cuidadosamente, estaquear os cabos de aço ao chão. Surpreendeu-se quando a voz de Franjinha surgiu em sua cintura, saindo do walkie-talkie. Teria de se reacostumar com aquela possibilidade. Ulisses atendeu.

Bento

— Conseguimos! Conseguimos ativar TUPÃ! — berrava Marco Franjinha.

Ulisses correu para informar os demais e instruiu bento Ramiro para que os cabos de aço fossem afixados bem esticados. O caminhão deveria permanecer no mesmo lugar. Chamou Lucas, e correram de volta à sala de controle, pois queriam assistir àquilo. Franjinha teclava o notebook, seguindo as instruções na tela. Solicitou ao sistema TUPÃ que abrisse o prato de reflexão solar. O pedido foi processado, e TUPÃ iniciou a preparação. A objetiva do robô que flutuava junto ao colosso espacial mostrou TUPÃ abrindo oito compartimentos ao seu redor. Na tela do computador, imitando a tela principal da sala de controle, também exibia um gráfico digital com traços verdes do artefato espacial em movimento. Grandes hastes metálicas foram desdobrando-se miraculosamente, uma conectando-se à outra, formando uma espécie de grade gigantesca, e, nos vãos espaçosos entre as hastes, algo parecido com um tecido prateado corria de uma ponta a outra, unindo o esqueleto. Saindo do estágio em que toda a estrutura estava descoberta, segundos depois, a máquina agora parecia um grande tabuleiro de xadrez e, no instante seguinte, o prato gigantesco encontrava-se completamente forrado por aquele material prateado.

Foi nesse momento que Ulisses e Lucas chegaram à sala de controle, assistindo ao final da interessante metamorfose da máquina espacial. Ulisses olhou para a tela que exibia o cerco ao comboio. Os corpos estavam sendo retirados dos caminhões e já podia ver alguns pontos róseo-amarelados entrando na floresta, carregados pelos vampiros, formando uma fileira, feito formigas carregando alimento para o formigueiro. Em outras áreas do campo visual, podia ver os pontos róseo-amarelados esmaecerem-se, perdendo sua cor até chegarem ao tom azul--acinzentado, igual aos vampiros, e, nesses momentos, o tom róseo que indicava sangue, calor e vida se transferia em partes para alguns dos acinzentados. Os malditos estavam tomando o sangue dos corpos ali mesmo!

— Vai logo com isso, Franjinha! — gritou Lucas.

— Não dá para ir mais rápido, chefe. Agora é com o TUPÃ!

* * *

Nivaldo estremeceu quando tiros estilhaçaram os vidros da cabine, mais de susto que de preocupação. A música dos Ramones, com a tecla do *repeat* acionada, começou mais uma vez. O banco de couro preto estava infestado de cacos de vidro, e ele passou a mão no cabelo, livrando-se de alguns cacos. Depois de um instante, girou o volume do som para o mínimo, fechou os olhos e vieram os tiros dos vampiros, gritos, tiros dos soldados. Aumentou o volume para o máximo, e os Ramones continuaram apavorando. Do alto dos caminhões do comboio, os soldados permaneceram atirando, na tentativa vã de deter a massa de vampiros que rodeava os adormecidos. Eram muitos, e mesmo que estivessem preparados para um ataque, jamais teriam imaginado tantos. Os fuzis explodiam repetidas vezes, reduzindo as cabeças dos vampiros a pó, e balas revestidas de prata abriam feridas fatais às criaturas das trevas.

* * *

Dispositivo pronto. Entre coordenadas, exibia a tela principal simultânea ao monitor do notebook. O engenheiro consultou as coordenadas exibidas pelo satélite de observação que mostrava o ataque dos vampiros ao comboio. Copiou-as para o campo de instrução ao refletor solar e pressionou *Enter*.

Processando. Um segundo depois, nova mensagem: *buscando órbita segura. Aguarde.*

— Isso pode levar um bom tempo — disse Franjinha.

— Um bom tempo? Quanto tempo? — urgiu Ulisses.

— Não sei. O equipamento vai buscar uma posição segura para o painel de reflexão. Eles não estão sozinhos lá em cima, tem uma porção de lixo espacial e de outros satélites orbitando o nosso planeta. Se um meteorito, uma peça perdida de algum outro projeto acertar o refletor, bau-bau. Dependendo de onde acertar, pode acabar com o nosso brinquedão. Ele também precisa se colocar em uma posição em que possa colher os raios solares e rebatê-los para a coordenada específicada e, acredite, isso não é fácil.

— E se ele não encontrar raios solares?

— Vai encontrar. Teria dado uma mensagem se estivesse fora do alcance. Basta um pouco de sol para o sistema carregar o intensificador de raios solares. Alta tecnologia, totalmente desenvolvida aqui no Brasil. Da Europa usamos só o veículo ARIANE.

— E quando ele encontrar o sol e o ângulo, o que vai acontecer? — perguntou Lucas. Franjinha olhou para Lucas, depois desviou o olhar para a tela principal, observando os caminhões cercados pelos vampiros.

— Quando o sol chegar em TUPÃ, vai arder.

* * *

Bento

Em coro, com o vocalista do Ramones, Nivaldo cantava a plenos pulmões, acompanhando o refrão de sua faixa predileta: *I believe in miracles, I believe in a better world for me and you.*

No topo do caminhão líder, Sérgio estava sozinho. Seus cinco companheiros já tinham dançado, sangrando no piso do compartimento de carga, caminhando para a morte. O fim chegava e ele sabia disso, mas por alguma razão, a maioria dos humanos agia daquela forma, lutava até o último segundo, deixando o instinto de sobrevivência gritar, falar mais alto. Sérgio não aceitava a ideia de morrer na noite, no meio de vampiros, de sentir os dentes das criaturas cortando sua pele e levando seu sangue embora. Preferia quando vampiros eram só invenção do cinema e de escritores fascinados pelo lado escuro da literatura, quando o medo era só na hora de dormir e seus pais o deixavam, de vez em quando, adormecer no meio dos dois, protegido de qualquer tipo de assombração. Ali, sentia-se protegido por dois super-heróis, e não existiam vampiros, múmias ambulantes, sacis ou mula-sem-
-cabeça. No meio de seus pais, dormiria em paz.

A corrente de pensamentos do soldado foi cortada quando ouviu novamente o tlac-tlac do fuzil descarregado. Abaixou-se, sentando na armação de transporte de adormecidos. Os malditos ainda não tinham invadido seu caminhão, mas provavelmente brincavam com ele, esperando que o último soldado fosse morto para entrar e tomar todo aquele sangue aprisionado nos corpos inanimados porém vivos. Sérgio apertou o dispositivo que liberava o municiador vazio e puxou o próximo do colete. Era o último pente, e ele ajustou a arma, puxou a mola e preparou para recomeçar. Voltou a passar a cabeça pela escotilha, tinha bastado os segundos para a troca do cartucho para que os malditos tomassem conta do teto do compartimento de carga. Começou a disparar, e projéteis de fuzil arrebentaram joelhos e cabeças de vampiros. Estava cercado e estaria fodido em questão de segundos, mas lutaria até o fim.

* * *

Anaquias, montado em seu cavalo, permanecia no topo do morro, afastado da estrada, assistindo à primeira vitória de seu exército da noite. Mantinha no rosto um sorriso sinistro, pois sabia que, após alimentar seus vampiros, teriam energia para prosseguir, atacar com poder total Nova Natal, e que lá encontrariam um novo Rio de Sangue. Teria criaturas suficientes para destruir os muros do maior depósito de humanos adormecidos do Nordeste, e, em seguida, desceriam mais uma vez à Barreira do Inferno. Se os bentos fossem estúpidos o suficiente para continuar naquela tumba aberta, teriam o sangue arrancado dos corpos mortais e o líquido da vida seria ofertado ao novo deus dos vampiros.

Evocando a figura do vampiro-rei, Anaquias sentiu um desconforto mental, conectado mais uma vez ao espectro, que estava gritando em seu ouvido, pedindo que saísse dali. Anaquias olhou para seu exército de quase vinte mil vampiros. Não! Não poderia abandoná-los! O espectro gritava em seu ouvido, pedia que se escondesse, que buscasse abrigo, e Anaquias fez o cavalo girar no lugar para olhar os milhares de soldados. Não! Assistiria à grande vitória até o final. Não sairia dali! O que o espectro gritava era absurdo! Ouvia o vampiro-rei pedindo que se retirassem, mas a madrugada ia ainda em sua metade, não existia sol. Tinha assistido àquele fenômeno na Barreira do Inferno, mas fora um artefato inventado pelos humanos, não era o sol... O sol no meio da noite... Isso era impossível! Sentiu os ouvidos tremerem com o vampiro-rei gritando. Sua voz enlouquecida soava diferente, tinha um tom conhecido. Lembrava um nome, um caçador de motoqueiros. Cantarzo!

Anaquias girou o cavalo mais uma vez e o animal empinou no topo do morro, fazendo pedriscos deslizarem para baixo. O vampiro comandante olhou para o horizonte e seus olhos se arregalaram. Alguma coisa... uma luz... vinha do céu. Um facho de luz gigantesco devorava a floresta e aproximava-se perigosamente.

— Não! — gritou Anaquias.

* * *

Sérgio deu o último disparo, e o maldito caiu na sua frente. O soldado baixou o corpo quando entrava pela escotilha, mas a mão de outro vampiro agarrou o colarinho de sua camisa de tecido grosso, não dando espaço para que fechasse a portinhola. O soldado ergueu os braços, soltando o fuzil, escorrendo por dentro da vestimenta, livrando-se da garra da fera. Bateu com os coturnos no chão da carroceria e viu surgir a cabeça pálida do agressor. Um som ensurdecedor encheu o compartimento quando os vampiros começaram a socar agressivamente a carroceria pelo lado de fora, e dois deles saltaram pela escotilha. O soldado rolou no chão, alcançando o fuzil, que mesmo descarregado serviria de arma. Conectou a baioneta à ponta da arma e preparou-se para a luta. Ouviu um baque nas suas costas, percebendo que mais um vampiro havia entrado no compartimento por outra escotilha. Estava cercado.

As duas criaturas da frente emitiram um rosnar selvagem, como gatos do mato, e caminharam para a frente. O que vinha atrás passou a garra em um dos adormecidos, sorrindo ao ver um fio de sangue brotar. Lambeu o braço da mulher adormecida, sorvendo uma quantidade de seu sangue. Sérgio girou o fuzil e empurrou a criatura, espetando-lhe a baioneta de prata. O vampiro urrou e estremeceu na ponta da arma, começando a sair fumaça pela ferida. Sérgio arrancou a faca e chutou-a, jogando-a para um canto, junto às portas traseiras.

Os dois vampiros que tinham entrado pela escotilha da frente atacaram, e um deles cravou suas garras no braço do soldado. Sérgio girou, chutando o segundo e empurrando-o contra a estante central, carregada de corpos, fazendo o primeiro soltar seu braço. Caminhou para trás, tomando cuidado com o vampiro ferido pela faca ainda no chão, gemendo de dor, e recostou-se na porta traseira. Pelas escotilhas escorriam vampiros, logo cerca de vinte deles estavam na sua frente. Sérgio destravou a porta traseira e, mesmo sabendo que sair não era uma boa ideia, não tinha mais ideias para comparar. A multidão de vampiros atirou-se sobre o soldado, percebendo a manobra. O bolo de agressores voou para fora do caminhão, e Sérgio tinha um deles espetado em sua arma. Bateu com força no asfalto e gritou de dor, pois tinha arrebentado o ombro. Colocou-se em pé e girou o fuzil. Sangrava, e os vampiros abriram um circulo, afastando-se dois passos, mas o cheiro do sangue do soldado que lutava entrava em suas narinas, e um deles rebateu a arma do guerreiro, fazendo-a voar para fora da rodovia. Sérgio estendeu os braços para a frente e ergueu os punhos, pronto para a luta.

Os vampiros ao redor olharam para o valente soldado, que estava sozinho contra milhares deles e ainda tinha a ousadia de colocar-se em posição de luta. Começaram a rir, o que chamou a atenção de outros, e o coro foi engrossando até que milhares deles estavam assistindo, de cima das árvores e de cima dos caminhões, o soldado solitário e hemorrágico em guarda contra os tantos vampiros.

Em cima do caminhão principal, um dos vampiros olhou para trás no meio a uma gargalhada, mas o riso foi interrompido e o sorriso desapareceu gradativamente. O que era aquilo? Um grito de desespero veio de cima do caminhão, fazendo os vampiros gargalhantes pararem e olharem na direção do veículo. Sérgio também desviou o olhar e caiu de joelhos, cansado demais para sustentar os braços erguidos. Se fosse acabar, que acabasse logo. Apertou os olhos, com a testa colada ao asfalto, rezando e pedindo uma boa acolhida do outro lado, mas alguma coisa ofuscou seus olhos. Um clarão cegante o fez erguer a cabeça, e de repente a floresta... a estrada... tudo... milagrosamente... Era dia!

O soldado olhou para o vampiro à sua frente, cujo rosto pálido foi escurecendo, até que secou e rachou, deixando escapar fogo da boca e dos olhos, virando um amontoado de cinzas. O mesmo começou a acontecer com todos ao redor. O fogo tomou seus olhos, obrigando Sérgio a cair mais uma vez sobre o asfalto e encaracolar-se, procurando proteção contra as labaredas que escapavam das entranhas das criaturas.

* * *

Da sala de controle, agora tomada pela maioria dos sobreviventes ao ataque dos vampiros, todos assistiam boquiabertos à sequência exibida na tela principal. Viam os pontos azuis converterem-se em pontos vermelhos, a floresta em volta tornar-se completamente vermelha, formando um bolsão de várias tonalidades de vermelho em um raio de um quilômetro. Os vampiros moviam-se freneticamente, tornando-se brasas vivas quando atingidos pela luz do sol.

Os guerreiros bentos explodiram em alegria ao ver a retumbante vitória sobre o exército vampiro. TUPÃ funcionava e seria ele, o deus indígena que representava a figura do trovão, que traria a libertação para o povo da Terra. A noite não seria mais um manto de terror e maldição, mas uma armadilha para os malditos vampiros, que seriam torrados um a um. A libertação da raça humana viria a galope.

— Vamos vencê-los, Lucas! Vamos vencê-los! — berrou Francis.

— Já é! — explodiu Teodoro.

— Quero um rádio transmissor em cada fortificação. Assim, ao menor sinal de ataque, vamos destruí-los.

Todos concordaram com Lucas, e, diante da empolgação após a vitória, as ideias começavam a brotar. Lucas dirigiu-se para o contente engenheiro Franjinha.

— Parabéns, cara! Sem você, não teríamos conseguido!

— É um milagre! TUPÃ e o rádio funcionando são milagres! Estamos salvos.

— Você pode direcionar isso para outro ponto? — perguntou o trigésimo.

— Agora?

— É, agora.

— Que lugar?

— Conhece um povoado chamado Nova Luz?

Franjinha meneou a cabeça negativamente.

— Preciso de uma indicação melhor. Nova Luz ficava próxima a que cidade antes da Noite Maldita? O sistema ainda está carregado com as informações pré--Noite Maldita.

Bento

— Chega! — gritou Teodoro. — Temos que parar com isso! Chega de marcar nosso tempo com essa Noite Maldita. De agora em diante, vamos nos referir aos eventos como antes de Lucas e depois de Lucas!

Os bentos riram.

— Não exagerem — disse o trigésimo. — Sou só uma peça neste jogo, uma peça importante, mas só mais um.

— Modesto — rebateu Franjinha.

— Francis, dê as orientações para que Franjinha encontre Nova Luz. Passe com esse facho de luz por cima do maior número de fortificações que for possível. Os demais venham comigo, temos que trazer aquele comboio para cá.

— Milhares de vampiros, de uma só vez! Nem posso acreditar! — exclamou Vicente, com a voz debilitada e um extenso curativo arranjado por Francis.

* * *

Nivaldo abriu os olhos naquela claridade. Será que já tinha sido morto por aqueles monstros e nem tinha percebido? Será que aquela era a luz que todo mundo via quando atravessava o caminho? Sentou-se sobre os cacos de vidro do banco e olhou para fora. Baixou o volume de *I Believe in Miracles* enquanto examinava a paisagem dantesca. Carvões em brasa estavam deitados na estrada, formando uma massa de centenas de metros à frente, e as mesmas brasas entravam floresta adentro, onde se via inúmeros focos de incêndio. A noite havia virado dia antes da hora, e um calor intenso começava a subir. Voltou o dedo no volume e colocou a música no máximo novamente. Abriu a porta e desceu. Encontrou Sérgio parado no centro de um amontoado de brasas, provavelmente não conseguiria sair dali sozinho. Olhou para a estrada e viu que o comboio de quase quarenta caminhões serpenteava pelo asfalto, um atrás do outro. De alguns deles desciam soldados, mostrando que haviam, dadas as proporções do ataque, muitos sobreviventes.

Nivaldo aproximou-se o máximo que conseguiu de Sérgio, trocando um olhar demorado junto a um sorriso. A luz do sol foi diminuindo de intensidade e os homens assistiram a um portentoso e magnífico facho de luz andar pela floresta, descendo a sudeste, afastando-se do comboio. Uma luminosidade vermelha vinda das brasas ao chão e do fogo da floresta refulgia nas laterais dos caminhões, iluminando o rosto e a expressão surpresa dos sobreviventes.

Estavam, inexplicavelmente, salvos.

CAPÍTULO 54

Adriano e Sinatra estavam no muro de Nova Luz. Bendito Lucas! Graças ao aviso do bento, tinham chegado a tempo para salvar a vila da destruição pelos vampiros. Adriano, com a habilidade de seu grupo de soldados, havia feito as feras recuarem sem que a vida de um só cidadão fosse perdida, mas a briga tinha sido feroz. Sinatra perdeu os dedos mínimo e anular da mão esquerda. Ao lado de Adriano, vigiando o muro, encontrava-se com a mão ferida enfaixada até o punho.

O rojão de três tiros tinha sido disparado, e os soldados da fortificação estavam de prontidão, sem saber até quando aquele inferno iria durar. Desde a noite do ataque fracassado, fazia oito noites que os vampiros voltavam à beira do areião, margeando a floresta. Nas últimas noites, a feras apenas vigiavam Nova Luz, como se estivessem aguardando por um instante de fraqueza. Os soldados viam os demônios saltando para os galhos mais altos, com as brasas vermelhas flutuando fantasmagoricamente, parecendo provocar ao surgirem nas árvores, querendo que os soldados deixassem os muros e corressem na mata em seu encalço. Queriam que os humanos passassem ao seu hábitat, onde seriam dilacerados facilmente. Adriano sabia disso, estavam pressionando, plantando terror, mas o experiente soldado jamais deixaria que seus homens saíssem dos muros. Jogariam o jogo e não arredariam pé.

Dentro da vila, nas casas, as pessoas estavam apegadas a imagens e velas, fazendo orações e rezas, desejando que aqueles demônios da noite se afastassem e os deixassem em paz, mas esse desejo parecia impossível de ser alcançado, uma vez que os noturnos voltavam crepúsculo após crepúsculo nos últimos dias, esperando uma oportunidade para vazar os muros e atacar os habitantes da pequena Nova Luz.

* * *

Bem longe de Nova Luz, dentro dos muros de São Vítor, o alarme de segurança soava no Hospital Geral. Soldados corriam pelos corredores do imenso lugar, trazendo doutora Ana, que entrou na pequena cela de triagem forrada de azulejos brancos até o teto e levou a mão ao peito, assustada com a cena. O grande espelho junto à parede dos fundos havia sido feito em pedaços. O médico que ficava atrás, na sala de observação dos novos pacientes, estava caído em um canto, protegendo um corte na cabeça com um pano, e um preocupante fio de sangue seco descia até o queixo do lado esquerdo.

Os soldados estavam duplamente agitados e, além do alarme dentro do hospital, instantes atrás, quase simultaneamente um rojão de três tiros havia sido disparado, colocando São Vítor em alerta. Vampiros dançavam nas árvores além do areião, preparando um novo ataque ao HGSV. Ana pediu ajuda a um dos soldados e saltou através do vidro quebrado da cela para a sala de observação, aproximando-se do colega para acudi-lo. Ana acocorou-se junto ao amigo e levou a mão ao lenço que ele mantinha na testa.

— Não é nada, ai! — gemeu o homem, afastando-se da mão da médica.

— Deixe-me ver se precisa de sutura...

— Só está dolorido, mas já parou de sangrar. Não precisa costurar nada.

Ana tirou o lenço e viu que tinha sido um corte comprido. Um caco de vidro teria passado por ali.

— Os três enlouqueceram. Ainda estavam sonolentos, por isso tinham três em uma sala só.

— Eles que fizeram isso com você?

— É, eles piraram. Foi logo depois do rojão, mas eles nem sabem o que isso significa. Foi um negócio que eu nunca vi. Os olhos dos três ficaram amarelos, pareciam tomados por alguma coisa do mal.

— Amarelos... — balbuciou a médica.

— É, amarelos, parecendo um fogo. Deu medo, mais estranho que daqueles capetas da escuridão.

— Eles vieram para cima de você? Foram eles que o cortaram?

— Não, esse corte foi mais um acidente do que qualquer coisa. A culpa é deles, mas não foi de propósito. Ai... Está ardendo.

Ana deu a mão para que o homem se levantasse.

— Vamos lavar isso aí e colocar um curativo.

— Eles piraram, Ana. Começaram a bater contra a porta, depois vieram contra o vidro. Essa merda é blindada, porra! Como é que conseguiram?

— Não sei. O Chen vai investigar. Vou falar com Amaro também.

— Eles devem estar dentro do hospital. Peça para o Chen verificar as câmeras do subsolo.

André Vianco

* * *

Amaro, postado no muro sul, pediu que os atiradores ficassem preparados. Caso aquele grupo de noturnos fosse para cima das torres de vigia, queria os coitados salvos. Hoje não contariam com a valiosa ajuda de Lucas para que os escalados nas torres saíssem com vida daquele enrosco.

Társio postou-se na .50, a cinta de munição pendia na lateral da metralhadora, e via centenas de malditos infestando a beira da mata com seus olhos espectrais. Boa parte deles cairia quando começasse a disparar a deita-corno.

Flávio permaneceu dentro do quartel de São Vítor, pois era sua função cuidar das armas e munição dentro do regimento. Sempre que o rojão de três tiros era disparado, começava o corre-corre, e soldados chegavam ao seu balcão e apanhavam fuzis, escopetas, carabinas e pistolas. Tinha também que providenciar munição, percorrendo os muros com uma picape, levando balas e municiadores onde o bicho estivesse pegando com mais força. Mesmo acostumado à correria dessas horas, assustou-se quando aqueles três entraram, nus. Só isso já seria motivo para espanto, mas o mais bizarro eram aqueles olhos soltando um brilho amarelo. Levou a mão à coronha da pistola, porém, antes que tirasse a arma do coldre, um deles saltou com velocidade incrível, passando por cima do balcão. O segundo agarrou seu punho quando erguia a arma, e sua pegada era firme, e não teve como apontar a pistola na direção do agressor.

— Acalme-se, soldado, disseram que aqui encontraremos nossas armas.

— Larga meu braço.

O terceiro homem de olhos espectrais também saltou o balcão. Flávio encarou os olhos dele e uma onda invadiu sua cabeça, uma sensação de que não corria perigo. Coisa estranha. Talvez porque tivesse ouvido que os olhos do trigésimo bento tinham ficado daquela cor na noite em que matou 360 vampiros em um combate só. O invasor de olhos amarelos tirou a pistola do soldado e um canivete de sua cintura, jogando-os no chão. O primeiro daqueles estranhos passou os olhos na parede atrás do balcão, vendo metralhadoras, revólveres, rifles e mais uma vasta variedade de armas penduradas na parede.

— Não é isso que eu quero.

Flávio levantou-se da banqueta. O homem que agarrava seu punho deixou-o e passou por cima do balcão, juntando-se aos outros do lado de dentro. Flávio andou devagar, de costas, aproximando-se de um armário estreito e alto de madeira preso à parede bem ao lado das armas de togo, a meio metro do chão. O homem, tremendo, levou a mão ao bolso vagarosamente, evitando qualquer movimento brusco. Tirou um molho de chaves e abriu o cadeado que fechava a corrente. A corrente caiu no chão, fazendo um ruído cadenciado, e Flávio abriu as duas folhas de madeira, revelando o interior. Os três homens de olhos amarelos abriram um sorriso, ficando de frente para o armário para olhar as quatro espadas longas e prateadas.

* * *

Sinatra ouviu um barulho, um som estranho, percebendo que tinha algo diferente na mata, muito sutil, mas os vampiros continuavam empoleirados nas árvores, aproximando-se cada vez mais dos muros. O soldado olhou para a direita, mirando o horizonte, e deu dois passos para a frente, como que hipnotizado por um facho de luz. Ficou por dez segundos bestificado, pois aquilo, fosse o que fosse, estava se movendo em direção a Nova Luz.

Sinatra voltou para o lado de Adriano, bateu levemente no ombro do amigo, que demorou para tirar os olhos dos vampiros, e apontou. Quando se virou para Sinatra, assustou-se. Era por volta da uma hora da manhã, portanto demoraria até o amanhecer, mas o facho de luz deveria ter quilômetros de extensão e movia-se suavemente, descendo do céu negro feito um véu de luz. Lembrava aquelas belíssimas faixas de raios de sol que escapavam das nuvens pesadas quando os dias nublados começavam a mudar de aspecto.

O raio de luz continuou vindo certeiro, e a mata começou a ganhar cor, fazendo os malditos agitaram-se, pegos de surpresa. Não houve tempo de fuga, e a luz passou pela floresta, chegando aos muros, transformando a noite de Nova Luz em dia. As criaturas começaram a saltar das árvores, pulando para os galhos mais baixos, buscando desesperadamente por abrigos contra a luz repentina. Seus corpos começaram a fumegar e a pele a escurecer de forma assombrosa. Logo, a grande maioria tinha sido reduzida a estátuas esturricadas de onde escapavam labaredas vermelhas. Um incêndio instantâneo principiou-se, tomando arbustos e copas de árvores, o que fez Adriano e Sinatra levarem as mãos aos olhos, protegendo-os da claridade excessiva. A noite, de fria, passou a um dia de calor escaldante.

As pessoas assustaram-se quando perceberam tanta luz invadindo as frestas, portas e janelas em seus esconderijos escuros. A luminosidade foi ganhando intensidade em uma velocidade impressionante, sem entender o que estava acontecendo. As mais corajosas abriram as portas e olharam para fora, e o céu estava azul-celeste, com o sol brilhando no meio da madrugada. Muitos que estavam dentro de casa começaram a sentir um mal-estar repentino, talvez causado pela mudança abrupta de temperatura e luminosidade.

Tão rápido quanto veio, o facho de luz passou por cima de Nova Luz e seguiu caminho, voltando para a floresta, rumando e desaparecendo no horizonte. Em segundos, a escuridão da noite voltou e a temperatura caiu, devolvendo o frescor que seria natural àquela hora da madrugada. Paraná, que tinha cruzado o pequeno povoado correndo, chegou arfante ao muro de Adriano.

— O que foi isso?

Os soldados reuniram-se ao lado do líder, e Adriano demorou-se olhando nos olhos de cada um. Sinatra, com a mão ferida, mantinha-a erguida, apoiada na testa, como se sentisse algum tipo de tontura. Joel e Marcel olhavam estáticos e estupefatos para a floresta à frente. Raul e Zacarias também admiravam o terreno na frente de Nova Luz. Agora, as brasas vermelhas vinham do fogo real, não de olhos endemoniados. Eram os restos fumegantes e incinerados dos vampiros que havia tantas noites assombravam Nova Luz e tinham sido pegos pelo sol.

— Isso foi um milagre... — balbuciou Adriano.

— Ele conseguiu! — berrou Paraná. — Ele juntou os trinta bentos!

— É... — balbuciou novamente Adriano, mirando longamente o horizonte.

* * *

Amaro engatilhou o fuzil quando o rojão de seis tiros estourou. Társio empunhou a .50, apontando para a coluna de olhos vermelhos. Mais dois segundos e os primeiros malditos estariam na sua mira. Os atiradores foram os primeiros a disparar, e todo vampiro que se aproximava da torre 1 era abatido pelos atiradores de precisão. Amaro assustou-se quando o primeiro vulto saltou à sua direita, mas não era um vampiro, e sim um maluco que pulava de dentro para fora da fortificação. Antes que pudesse entender o que estava acontecendo, mais dois passaram, um de cada lado. Amaro achou que teria de acudir aqueles malucos, pois quebrariam as pernas após voar doze metros até o areião, mas ao contrário do que esperava, assistiu àqueles três homens nus, carregando espadas, correrem feito loucos ao encontro da onda de vampiros que se aproximava.

* * *

Chen encontrou-se com a doutora Ana, mas o líder dos soldados estava apressado. Não gostava de se afastar dos muros, ainda mais em um momento de ataque igual ao que viviam. Antes de entrar na sala da enfermaria, onde a médica cuidava do corte do colega, chamou dois soldados e ordenou que fossem para o topo do hospital e que um deles tomasse o posto da deita-corno. Os vampiros não deveriam aproximar-se do HGSV. Assim que entrou, a doutora perguntou:

— Onde estão?

— Eles não estão no prédio, escaparam do hospital.

— Como assim? Vocês têm soldados em todas as portas do HGSV! — exclamou a mulher.

— Primeiro, eu queria saber como é que eles deixaram a cela — disse o líder de traços orientais.

— Eles acordaram à meia-noite, mais ou menos — começou a explicar o médico ferido. — Não fazia nem cinco minutos que estavam na cela. É difícil acordarem três pessoas de uma só vez, portanto pedi que os colocassem naquela cela e que ficassem nas macas. Não foi nem cinco minutos. Tudo muito rápido, impossível de acontecer. Assim que estourou o rojão de três tiros, eles abriram os olhos, com aquela luz amarela de dar medo.

— Luz amarela? — interrompeu Chen.

— É, já falei para Ana, era estranho. Mais esquisito foi que começaram a bater contra a porta e depois usaram uma maca como aríete contra o vidro, daí deu no que deu — disse, apontando para o curativo na testa.

— Luz amarela? — repetiu a pergunta o soldado.

— É — disse Ana, olhando para Chen.

— Você está pensando o mesmo que eu estou pensando?

Ana continuou olhando para Chen.

— Eu sei o que você está pensando — disse a mulher. — Está se lembrando da história de Lucas em seu primeiro ataque, dos olhos amarelos que todo mundo falou.

— É.

— Mas se recuperarem do sono e se revelarem tão rápido... — murmurou o médico machucado.

— Só se...

— Só se for um milagre — completou Chen.

* * *

São Vítor estava ruindo. Soldados e habitantes corriam por suas vidas, em direção aos muros, para lutar, e Ana tinha agora ficado estática. Um milagre. É certo que

seria um milagre. Nunca antes tinha visto aquilo acontecendo no silo de aco-
lhimento a adormecidos em São Vítor. Três saltaram do subsolo, venceram as
barreiras e tomaram as ruas da fortaleza, com os olhos amarelos, como os olhos
de Lucas. Ana tremia e lágrimas desciam em seus olhos. Não porque profecia
poderia ter sido cumprida de fato, mas porque aquilo tinha um significado imenso
para ela, dentro dela. Desde a Noite Maldita diziam que tinham todos perdido
a conexão. Que os satélites não falavam mais com a Terra, que as ondas de rádio
não carregavam nossas vozes, que os celulares não ligavam as pessoas, mas ela,
naquele instante, experimentava uma conexão única e desconcertante. Estava co-
nectada a Lucas de alguma forma. Se o surgimento daqueles três despertos com
os olhos amarelos comprovava um milagre, isso significava que Lucas estava lá
fora, debaixo daquele mesmo céu escuro, lutando por eles, lutando por ela. Estavam unidos. Lágrimas vertiam dos olhos de Ana e seu coração estava disparado
de tanta emoção. Lucas estava vivo e tinha libertado os milagres. Lucas estava vivo
e aquela noite seria vencida. O sol voltaria ao céu e, cedo ou tarde, Lucas voltaria
para ela e seria dela. O seu companheiro de jornada, o seu companheiro de sono,
que também tinha acordado naquele hospital, naquela fortaleza. Ana sabia que
estava arrebatada e que seu coração pertencia ao trigésimo guerreiro.

* * *

Os três bentos recém-despertos trombaram com a onda de vampiros, possuídos
e enlouquecidos por aquele cheiro que invadia suas narinas desde que acordaram.
Não sabiam quem eram, onde estavam, nem como tinham ido parar ali. Só sabiam
de uma coisa: que tinham que ter uma espada na mão para acabar com aquelas
criaturas. Era para isso que estavam ali, para matar vampiros.

O bento mais alto, extremamente magro por causa da prolongada inanição
e inatividade, foi o primeiro a afundar a espada no peito de uma das feras. Os
vampiros movimentavam-se com velocidade sobrenatural, mas os olhos amarelos
do guerreiro conseguiam adivinhar seus movimentos, fazendo as espadas descre-
verem caminhos certeiros, ora bloqueando os ataques das feras, ora amputando
pedaços dos demônios. O segundo guerreiro era o mais baixo dos três e o mais
rápido, de velocidade quase igual à dos malditos. O terceiro tinha uma extensa cicatriz bem no meio do peito, provavelmente porque sofreu de problemas
cardíacos antes da Noite Maldita e precisou de interferência cirúrgica. Estava
espantado com o céu amarelo, mas sua irritação com a presença das feras não dava
tempo para a contemplação. Queria que o fio da espada despedaçasse os malditos

fedorentos à sua frente, para reduzi-los à carne moída. Os vampiros, percebendo os três guerreiros com espada, desviaram o caminho, esquecendo-se temporariamente dos muros de São Vítor para se amontoar ao redor dos humanos. Iriam pagar por entrar em seu caminho.

O bento mais alto mutilou cinco vampiros em cinco segundos. Não havia tempo para pensamento, só vontade e ação. A espada entrava em uma criatura e a lâmina afiada logo procurava outra. Os inimigos estavam em gigantesca vantagem, não existindo descanso de um golpe para o seguinte.

O mais baixo continuava o mais veloz, e os vampiros embolavam-se ao redor de seu corpo, chegando a subir um em cima do outro na tentativa vã de deitar as garras no guerreiro. No entanto, o bento parecia uma máquina elétrica, ativada em sua potência máxima, um liquidificador de vampiros, girando a lâmina sem descanso, esgueirando-se, pulando sobre a carne pálida e fazendo pedaços de vampiro voarem para cima, em um balé acelerado e incessante.

O bento de cicatriz no peito não economizava movimentos, e enquanto a espada descia, dividindo ao meio um dos malditos, sua mão limpa agarrava outro pela garganta para que não escapasse e fosse o próximo a ser fatiado. Atravessava mais um com a espada quando sentiu os dentes pontiagudos de uma das feras cravando nas suas costas, em uma tentativa desesperada de cessar o ataque do humano.

O bento baixinho viu o parceiro em apuros e passou a espada à frente três vezes seguidas, dando as costas para trucidar outro vampiro sem ter tempo de ver o resultado de seu socorro. O bento de cicatriz girou o corpo e viu o vampiro cair de suas costas dividido em três pedaços fumegantes, acusando o ferimento da prata.

Do muro, Amaro assistia boquiaberto à massa de vampiros aproximando-se dos três malucos. Os vampiros tentavam detê-los, mas eram incrivelmente feitos em pedaços. O bolo andava acompanhando os guerreiros, sem que conseguisse fazê-los parar. O som de Társio, ativando mais uma vez a .50, trouxe-o de volta à realidade. Tinha que ajudar o trio de bentos. Era isso, eram guerreiros bentos recém-acordados. Normalmente, logo após a triagem, aqueles guerreiros seriam visitados pelo alfaiate Paulo e só então apresentados à soldadesca, mas não era hora para apresentações, nem formalidades. Manteve o seletor em tiro único e puxou o gatilho derrubando outro vampiro. Com aqueles três rodopiando com as espadas no meio do areião, os noturnos jamais alcançariam os muros de São Vítor.

CAPÍTULO 55

Lucas, com um sorriso radiante e em "roupas civis", deixou seu alojamento em São Vítor. A cidade e o céu, que via pelas vidraças do corredor, estavam vivos e pareciam diferentes. Amaro chegou ao corredor antes que Lucas alcançasse a escada para descer ao pátio. Ele assoprava a poeira de um walkie-talkie e levantou o aparelho, animado, quando viu o guerreiro desprovido de todo seu aparato.

— Lucas! Estão chamando você para a praça! Mandaram um recado!

— Nada de bilhetes agora, Amaro?

— Não, agora estamos muito chiques, chefe!

— E esse recado?

— É da doutora Ana, que está perguntando onde está o trigésimo. Ela está doida pra ver você.

Lucas parou. O sol recortava seus cabelos e projetava sua sombra na parede. Lá fora, com a euforia das pessoas, podia ouvir risadas e ver o movimento dos habitantes indo para a praça central. Ele olhou para o homem com o walkie-talkie na mão.

— Você tem certeza? Ela está procurando por mim, mesmo?

Amaro ampliou o sorriso e ergueu os braços.

— Você mata mais de trezentos noturnos, faz um raio de sol descer da escuridão, faz *os milagre tudo* acontecerem, e agora vai ficar tremendo que nem vara verde quando uma mulher chama?

— Não estou tremendo, não, Amaro. Só não estou acreditando.

— Não tem outro trigésimo, nem nunca terá. Então se avia!

Lucas abraçou o soldado e amigo e desceu as escadas rumo ao pátio térreo, de chão de concreto queimado, tomando a rua em direção a praça central. Seus passos seguiam leves, sem capa, nem botas, nem tilintar de cota de malha. Era só ele, Lucas, com o coração disparado, sentindo-se um adolescente de novo e apertando o passo com medo de o destino bagunçar tudo o que já estava arranjado. Aquela mulher de olhos cinzas e um sorriso magnético, a mulher mais linda de toda aquela fortaleza, estava chamando por ele!

Bento

Quando chegou à quadra onde os habitantes de São Vítor organizavam o festejo, viu as mesas e as cadeiras dispostas próximas a um palco. Seus pés pararam quando seus olhos trombaram com os de Ana. Ela acenou para ele, que ficou congelado naquele instante. Lembrou-se da estrada, no meio da madrugada, enquanto Vicente segurava uma tocha e ele estava abaixado no meio do matagal, à margem da rodovia, pensando em Ana e em como queria que tudo desse certo só para vê-la mais uma vez. E agora ela acenava para ele, convidando-o para se aproximar enquanto a fortaleza parecia renovada, viva mais uma vez. Crianças corriam em pequenos grupos, seguidas por cachorros que ladravam em pura brincadeira, e o velho e enclausurado "Doutor" andava no meio da praça, entusiasmado com o que via. Os guerreiros sabiam que a guerra não tinha acabado, mas todos tinham recebido e percebido aquela dose revigorante de esperança. E a esperança de Lucas tinha nome, um sorriso convidativo e apontava uma cadeira ao seu lado para ele.

Lucas aproximou-se e se sentou ao lado de Ana, com o coração ainda disparado. Por alguma razão, sentia falta da capa e da armadura. Eram só ele, aquela mulher e mais um desconcertante frio na barriga. Ana o encarou demoradamente e soltou palavras meios desconcertadas.

— Adorei ver você... É, assim... sem armadura...

— É... Sem espadas, sem vampiros... também estou curtindo. É mais fresco... — Lucas corou, sentindo-se um tonto. Tanta coisa melhor para dizer, e ele lançando logo um "é mais fresco"?

Conversaram sobre o tempo em que estiveram separados, Lucas contando sobre o que aconteceu no campo de batalha com os vampiros e Ana dizendo sobre como todos ansiavam pela união das trinta espadas. Cada palavra trocada entre os dois e cada olhar sustentado parecia aumentar a ansiedade para estarem cada vez mais juntos e conectados.

— É engraçado como eu achei que já nos conhecíamos, Ana. E continuo com a mesma sensação agora! Parece que sempre estivemos juntos...

— Na verdade, a gente tem sim uma espécie de ligação anterior...

— Anterior como? A gente já se conhecia antes de...

— Na verdade, não. Mas quando você despertou, e já sabia que a gente tinha uma coisa, Lucas... uma ligação forte...

— Sabia? E que ligação é essa?

Lucas olhou para os olhos de Ana, como que pedindo para que ela continuasse a falar, pois na verdade não queria interrompê-la. Estava maravilhado com aquele momento e com aquelas palavras, sentindo-se completamente conectado àquela mulher naquele instante. Ana prosseguiu:

— Quando eu abri os olhos aqui, em São Vítor, há sete anos, aconteceu a mesma coisa que se passou com você: eu não me lembrava de nada, fiquei no quartinho branco...

— Poxa, o pessoal capricha na maldade com aquele quartinho.

— Não concordo com tudo, mas é um mal necessário, Lucas. A gente precisa saber quem é quem. Vampiros, bentos, adormecidos... E quando você acordou, eu queria muito saber quem era você.... porque eu conhecia você!

Lucas abriu um sorriso, com seus cabelos cacheados emoldurando seu rosto agora bronzeado.

— Conhecia? Como assim?

Lucas não conseguia desviar o olhar de Ana. Sentia-se enfeitiçado por aquela mulher. Queria estar longe dali, longe de todos, só com ela.

— Quando eu acordei, sete anos atrás, como te disse, comecei a me lembrar de algumas coisas, como acontece com a maioria de nós depois do sono — começou Ana. — Eu lembrei que era médica e que minha melhor amiga no trabalho era uma enfermeira, o nome dela era Mallory.

— Mallory?

— É, a Mall. Lembro direitinho do rosto dela. Depois achei o lugar onde acordei, a minha maca, e também meu prontuário. E tinha um bilhete da Mall pra mim.

— Bilhetes ficaram importantes nesse mundo novo.

— Sim. Era uma transmissão do passado, de um dia em que ela parou para conversar comigo. Ela me contou o que aconteceu no HC, me contou que me colocaram em um carro e que ela arranjou um parceiro de viagem bem corajoso e responsável para me trazer até minha nova casa.

— Uau! Que sorte a sua ter uma amiga assim, que não deixou sua identidade se perder e que cuidou de você até o fim.

— É. Ela escreveu que vinha me visitar muitas vezes, no subsolo, que meu companheiro de viagem, o corajoso, fazia o meu tipo, era, como a gente diz, o meu "kit", tinha tudo o que eu gostava...

Lucas se acercou mais de Ana, e seus rostos ficaram próximos.

— E que a Mall tinha colocado no peito dele uma pasta, com os dados dele também, para a gente "não se perder". E colocou você do meu lado para cuidar de mim.

— Você... quer dizer *EU*?

— Exatamente. Então, enquanto você dormia, fui até o subsolo algumas vezes. Poucas, admito, mas fiquei curiosa e fui ver você. Sentei em minha maca, comendo uma maçã, pensando em quem diabos seria meu acompanhante de viagem. Você estava com uma aparência péssima, óbvio, mas tinha viajado comigo de São Paulo até aqui, e dormimos juntos muitas e muitas noites enquanto essa gente toda aqui defendia os muros de São Vítor para que não fossemos levados pelos vampiros.

Ana parou de falar e soltou um suspiro longo.

— Muita coisa podia ter acontecido, Lucas. Muita. Mas ficamos juntos...

Lucas abriu ainda mais seu sorriso e Ana, de contemplativa, também passou a sorridente. Seus rostos estavam quase colados, e seus olhos se olhavam profundamente.

— Muita coisa podia ter acontecido — repetiu Lucas, em um sussurro, juntando ainda mais o rosto ao de Ana, e ambos se perderam no olhar um do outro por um momento mágico.

Sem desgrudar o olhar, Lucas delicadamente tomou as mãos de Ana entre as suas, e viu o rosto dela ganhar um fulgor e suas bochechas se enrubesceram. Ela baixou os olhos desconcertada por um instante.

— Ai, Lucas...

— O que foi, Ana?

— Como dizer? Eu estou com o coração quase saindo pela boca! — revelou Ana. Lucas abriu mais uma vez seu sorriso cativante a apertou as mãos dela. Ana sorriu de volta.

— Ufa! Pensei que era só eu que estava me sentindo assim!

— Assim... como eu... apaixonada?

O rapaz sentiu seu coração se enregelar, e sua força de guerreiro esvaiu-se. A força agora tinha tomado outros caminhos em sua mente e enternecia seu coração que, até aquela pergunta, estava no pântano onde qualquer certeza escorregadia e toda confiança dava voltas e bailava, alternando-se com o mais puro medo de perder aquela criatura iluminada que estava diante de seus olhos. Mas ela estava lhe dando uma confirmação clara, transformando a areia movediça em um chão duro no qual ele podia pisar com segurança e ter a confiança de entregar tudo de si.

— É... Sim, também estou me sentindo apaixonado. Eu nunca fui de ler muito, mas assisti a muitos filmes. Não vou escrever um poema, mas eu...

Ana pôs um dedo no lábio de Lucas.

— Não precisa falar nada agora, nem explicar! Shhh...

Lucas ergueu sua mão, colocou entre os cabelos de Ana e puxou sua nuca. Primeiro ficaram nariz com nariz, ouvindo e sentindo a respiração um do outro. Ele sentia a pulsação acelerada dela na palma de sua mão. Como ela era linda!

Como ela o fazia se sentir bem, acolhido, aninhado e conectado com algum lugar que ele ainda não entendia e não queria mesmo entender agora. Só queria estar ali, com seu coração batendo forte e com a vida correndo entre suas veias, enquanto seus lábios se colavam devagar, suas línguas se conheciam, e seus corpos se enchiam um do outro. A pele de Ana era macia, e seus dentes ávidos mordiscavam os lábios de Lucas e ele gostava disso. Seu beijo era doce e suave, e ele colou o rosto dela contra o seu mais ainda, até que seus lábios se despregaram só para ela sussurrar seu nome no meio de um suspiro:

— Lucas...

O homem retomou o lábio da mulher, continuando o contato ardente e cheio de paixão. Lucas envolveu Ana com os braços e a apertou, e ela sentiu seus músculos, sua pele e seu cheiro delicioso, que entrava por suas narinas e a fazia se sentir em um lugar estranhamente familiar, onde já tinha estado e se sentia protegida, como se já tivesse passado noites e noites em comunhão com ele, um parceiro que ainda iria descobrir. Lucas pisava o chão em que todos os amantes já estiveram um dia e que dava todo sentido a essa vida. Se sentia unido a Ana por uma força maior que qualquer milagre e que qualquer profecia. Ele a desejava e ela o cobria de sorrisos de ternura, o que o fazia se sentir o homem mais feliz da face da Terra, criando um reino onde vampiros e feras, espadas e armaduras jamais entrariam, no qual apenas corações habitariam para deixar aquela paixão fluir. Finalmente sentia-se completo e sabia exatamente quem era e onde queria estar. Queria estar ao lado dela e ser o melhor homem do mundo para aquela mulher.

$$* * *$$

A chegada dos guerreiros foi uma festa como nunca vista em São Vítor. Adriano, sua esposa e seus soldados de Nova Luz tinham vindo uma noite antes, e desde a Noite dos Milagres, mensageiros haviam sido enviados a todas as fortificações possíveis, espalhando a boa-nova. Os enviados levavam mensagens que explicavam a nova situação e todas as fortificações, que deveriam contar com, ao menos, um rádio receptor-transmissor para permanecerem ligados ao novo Conselho de Segurança, e que turnos deveriam ser estabelecidos e códigos seriam criados.

A principal função do rádio de cada vila seria ouvir sobre os perigos e as ações do Conselho para agir em conjunto na luta contra os vampiros e promover sua total aniquilação. Deveriam também clamar por socorro imediato quando grandes hordas de noturnos se apresentassem a seus muros, para que fossem logo liquidados com o auxílio da arma mais poderosa na mão dos guerreiros humanos, o projeto TUPÃ. Graças ao rádio e à atividade do satélite, muitos covis estavam sendo invadidos em plena madrugada, e a volta da operação do rádio trouxe maravilhas para a organização e para a luta contra os noturnos.

Tinham agora de volta a utilidade de armas teleguiadas, bombas ativadas à distância via radiofrequência, e podiam, em grandiosas ações coordenadas pelos soldados, invadir covis e plantar toda sorte de explosivos radioativados para detoná-los só depois de terem deixado o terreno inimigo. Conseguiam transmitir som e imagem e manter as vilas em conexão. As ideias não paravam de surgir e vencer os noturnos seria questão de pouco tempo. Além do milagre de TUPÃ e do rádio ressurgir, outro milagre ajudava de forma inacreditável. A partir da Noite dos Milagres, todo ser humano adormecido que despertava vinha como um bento. Mais que isso, despertava da mesma maneira que o trigésimo bento, com direito a olhos amarelos brilhantes e majestosa habilidade no campo de batalhas. Depois daquela noite, toda e qualquer fortificação poderia contar com um guerreiro bento dentro de seus muros, e o número de recém-despertos não parava de aumentar.

Para festejar tantas coisas boas, após tantos anos de sofrimento, os protagonistas da grande aventura pré-Noite dos Milagres combinaram de se juntar em São Vítor. A cidade foi alegremente decorada, e a população esforçou-se com grande entusiasmo para suprir todas as necessidades de uma celebração de tamanha importância. Caça, frutas e doces foram preparados, e a capacidade de fornecimento de energia foi redobrada de forma emergencial, liberada para que refrigeradores fossem abastecidos e conservassem todo aquele alimento.

As alegrias não paravam de chegar. Bento Ulisses havia comentado com Lucas que Franjinha, do Centro de Lançamento da Barreira do Inferno, tinha conseguido fazer contato via rádio com cidades da Argentina, Itália, Rússia, Ucrânia, Egito, Índia, Estados Unidos e Japão. Que receberam notícias de guerreiros bentos despertando nos quatro cantos do mundo, trazendo mais esperança para todos os povos da Terra. Franjinha espalhou para todas as nações a incrível história que se desenrolou em terras brasileiras e que as velhas tecnologias, dependentes da radiofrequência nos mais diversos campos de utilidade, iriam aos poucos se restabelecer.

Zacarias surgiu no meio do palco de arena montado especialmente para o espetáculo e pediu silêncio a todos, avisando que em menos de cinco minutos o grande show de celebração iria começar. Todos ficaram em silêncio, olhando ansiosos para as gigantescas caixas acústicas instaladas no centro do palco, que faziam o já baixinho Zacarias parecer menor ainda.

Lucas trocou um olhar mais demorado com Ana, que se prolongou e emendou em mais um delicioso e apaixonado beijo. Permaneceram beijando-se, sem se preocupar em sintonizar seus radinhos de pilha na estação combinada.

A chiadeira da frequência desapareceu. Todos estavam na estação certa, e depois de trinta anos, aquele momento entraria para a história como a primeira transmissão de radio pós-Noite Maldita, pós-Noire dos Milagres, d.L. (como alguns insistiam em brincar com bento Lucas).

Franjinha tinha colocado seus neurônios para funcionar e ajustou o equipamento da Barreira do Inferno para que tudo fosse retransmitido via satélite para todo o globo terrestre. Tinha usado seus contatos via rádio para estabelecer um horário e frequência para a transmissão.

Sinatra estava nervoso, ansiando tanto por aquilo em sua vida que parecia inacreditável que finalmente estivesse acontecendo. Apesar de estar conseguindo manter a garganta azeitada, não podia evitar o suadouro nas mãos, que chegava a gotejar. Puxou a gola da camiseta e ficou de olho na luz do estúdio, espiando Amaro através do vidro, que operava o equipamento da sala ao lado, uma das antigas celas do HGSV. Uma luz verde acendeu destacando o letreiro: *NO AR*. Sinatra ouviu o *playback* que faria o fundo musical entoar os primeiros acordes da música escolhida.

Maria Alice, sentada de mãos dadas ao lado da jovem Eloísa, de quem cuidava como uma filha desde aquela terrível noite em Santa Rita, sentiu os pelos do corpo se eriçarem quando a música começou a tocar. Franjinha, sozinho na imensa sala de controle da Barreira do Inferno, reclinou a cadeira confortável e fechou os olhos para ouvir a canção em sua plenitude.

Lúcio, que esteve dois dias antes em uma fortificação em busca de comida e descanso para prosseguir sua jornada, arrastando aquele caixão vedado à luz, rumo ao norte, tinha escutado sobre a histórica transmissão que seria feita naquela tarde. Tinha conseguido um pequeno rádio de pilha com baterias recarregáveis e reservara sua preciosa carga para ouvir clandestinamente. Quando os chiados pararam e o silêncio absoluto tomou a transmissão, Lúcio dirigiu-se para baixo de uma frondosa árvore e parou de puxar o caixão de madeira. Sentou-se na tampa do compartimento, abaixando o volume e levando o alto-falante ao seu ouvido. Uma melodia gostosa começou, fazendo os pelos de seu braço arrepiarem-se. Era sua música favorita.

Sinatra levou as mãos aos ouvidos e pigarreou suavemente, só então aproximando-se do microfone. Inspirou fundo, tomando fôlego.

— Esta aqui vai especialmente para os caras com quem eu cavalguei esse chão todo, para os soldados e para os de armadura no peito. É minha favorita, do Roberto e Erasmo.

O cantor pigarreou novamente. A introdução começou, e a voz aveludada de Sinatra entrou pelo microfone e subiu ao espaço, voltando ao planeta, escapando pelos alto-falantes de todo rádio conectado à estação via satélite providenciada por Marco Franjinha.

— *Você, meu amigo de fé, meu irmão camarada. Amigo de tantos caminhos e tantas jornadas. Cabeça de homem, mas o coração de um menino. Aquele que está do meu lado em qualquer caminhada...*

A plateia instalada na praça e nas arquibancadas montadas ao redor das caixas acústicas de São Vítor explodiram de felicidade. A voz de Sinatra chegava linda e gostosa. Bento Duque apertou os olhos emocionado, enquanto Sinatra entrava na segunda estrofe.

— *Me lembro de todas as lutas, meu bom companheiro. Você tantas vezes provou que é um grande guerreiro...*

Lucas ainda estava no meio do beijo com Ana, quando a melodia chegou aos seus ouvidos. Sentiu a mulher apertando-o mais forte. A plateia transformou-se em um numeroso coral, acompanhando Sinatra. Nada mais justo que depois de tantos anos o cantor escolhesse uma das composições mais famosas de Roberto Carlos. Ao final da interpretação, a plateia-coro explodiu em vivas. Sinatra emendou outra melodia, agora atacando com *Grand Hotel*, do Kid Abelha.

* * *

Adriano desceu da arquibancada, abraçado com a esposa Carina. Começaram a caminhar por uma das vielas de São Vítor. Joel e sua jovem namorada acompanharam o líder de Nova Luz. Solange, a esposa do líder Chen, também pediu para descer, pois não se sentia bem, talvez pelo calor, e o marido a acompanhou. Joel puxou conversa com Adriano.

— Olha, Adriano, eu achei essa história toda muito louca.

— Quem não ia achar?

— Só tem uma coisa martelando na minha cabeça.

— O quê? — perguntou Adriano.

— Desde sempre a gente escuta essa profecia. Sempre disseram que quando os bentos se juntassem, seríamos presenteados com quatro milagres. Se a gente for contar, teve o milagre do TUPÃ, o segundo podemos considerar esse lance das ondas de rádio voltarem a funcionar e o terceiro é essa parada de todo mundo que acorda já é bento e pronto. Quer dizer, eu contei três milagres até aqui. O que você acha? E o bendito quarto milagre? Quando vai acontecer?

Adriano meneou a cabeça negativamente.

— Sei lá, Joel. Todos os milagres aconteceram ao mesmo tempo. Só demoramos um pouco para perceber cada um.

— E o que isso quer dizer?

— Quer dizer que o quarto milagre já está aí, pelo menos é o que eu acho. Uma hora cai a ficha, e a gente se liga.

— Tipo, você quer dizer que o quarto milagre já rolou e a gente é que não se ligou?

— Isso mesmo.

Joel ficou olhando para Adriano sem dizer nada.

— Que história louca do cacete! — exclamou o rapaz, indignado.

A poucos metros dos homens, Carina dobrou o abdômen em uma contração involuntária. Foi tão repentino e forte que acabou caindo de joelhos no chão de terra atrás da casa. Abriu a boca e pôs todo o almoço para fora. Dani, a namorada de Joel, tentou acudi-la, espantada. Desde que havia despertado, nunca tinha visto alguém passando mal, o que dizer de alguém vomitando! Ficou apavorada. Quando a mulher se abaixou e soltou o segundo jato, correu para a viela e chamou os rapazes.

Carina disse um palavrão e limpou a boca com as costas da mão. Que merda era aquela? Por que estava se sentindo daquele jeito? Não existiam doenças e, no entanto, seu estômago estava péssimo havia dias, revirando com qualquer coisa, até um cheiro forte. Seus seios estavam doloridos, parecendo desenvolver algum problema interno. Estava apavorada. Não podia estar doente! O que seria? Para aumentar sua preocupação, quando ergueu os olhos, notou que não era a única vítima do estranho fenômeno. A três quadras dali, via Solange, apoiada em Chen, também vomitando tudo o que tinha comido. Algo estranho acontecia com as mulheres dentro dos muros de Nova Luz. Adriano alcançou a mulher e arregalou os olhos.

— Vamos ao Hospital Geral!

Ampararam Carina e caminharam os poucos quarteirões que separavam a viela onde estavam do HGSV. Assim que entraram no saguão da recepção, notaram algo diferente acontecendo. Há trinta anos, não existiam filas naquele pronto-socorro, mas ao menos cinquenta mulheres, acompanhadas de seus companheiros, eram acomodadas e atendidas rapidamente por uma turma de médicos e enfermeiros despreparados. Os sintomas eram os mesmos: fraqueza, dores nos seios, ânsias e crises de vômito. Claro, estavam todas grávidas.

Livros para mudar o mundo. O seu mundo.

Para conhecer os nossos próximos lançamentos
e títulos disponíveis, acesse:

🌐 www.**citadel**.com.br

f /**citadeleditora**

📷 @**citadeleditora**

🐦 @**citadeleditora**

▶ Citadel – Grupo Editorial

Para mais informações ou dúvidas sobre a obra,
entre em contato conosco por e-mail:

✉ contato@**citadel**.com.br